国家重点基础研究发展规划项目(编号 G1999043605 及 2003CB716807)
国家自然科学基金重点项目(编号 50239020)

黄河流域水资源可再生性基本理论与评价

杨志峰　　沈珍瑶　　李春晖
夏星辉　　刘绿柳　　杨晓华　著

黄河水利出版社

内 容 提 要

　　本书是有关黄河流域水资源可再生性理论与评价的专著,主要内容包括六个部分:(1)流域水资源可再生性基本理论及研究方法;(2)黄河流域水资源量可再生性变化特征及其影响因素;(3)黄河流域水质特征分析及水资源的水质水量综合评价;(4)黄河流域及其主要城市水资源可再生性综合评价;(5)黄河流域水体交换规律及水文模拟;(6)黄河流域水资源可再生性维持阈值。本书以全新的视角探讨黄河流域水资源的可持续利用问题,在系统探讨黄河流域水资源的水量再生、水质恢复、自然再生、社会再生的基础上,建立了流域水资源可再生性的基本理论体系,开展了黄河流域水资源可再生性评价,探讨了流域水资源的可再生能力,确定了水资源可再生性维持的阈值。本书研究成果对于实现黄河流域水资源的可持续利用具有重要的指导意义,也可为其他流域水资源管理提供借鉴。

　　本书可供流域管理部门、科研技术人员参考使用,也可供有关大专院校师生阅读。

图书在版编目(CIP)数据

黄河流域水资源可再生性基本理论与评价/杨志峰
等著.—郑州:黄河水利出版社,2005.11
ISBN 7 - 80621 - 980 - 3

Ⅰ.黄…　Ⅱ.杨…　Ⅲ.黄河流域－水资源:再生
资源－研究　Ⅳ.TV213

中国版本图书馆 CIP 数据核字(2005)第 140422 号

策划组稿编辑:岳德军　　0371 - 66022217　　dejunyue@163.com

出　版　社:黄河水利出版社
　　　　　　地址:河南省郑州市金水路 11 号　　邮政编码:450003
发行单位:黄河水利出版社
　　　　　　发行部电话:0371 - 66026940　　传真:0371 - 66022620
　　　　　　E-mail:yrcp@public.zz.ha.cn
承印单位:河南省瑞光印务股份有限公司
开本:787 mm×1 092 mm　1/16
印张:21.25
字数:490 千字　　　　　　　　　　　印数:1—3 000
版次:2005 年 11 月第 1 版　　　　　　印次:2005 年 11 月第 1 次印刷
书号:ISBN 7 - 80621 - 980 - 3 / TV·429　　　　定价:68.00 元

前　言

　　水是生命之源,是人类生存与发展的命脉。水多为患,水少成灾,水脏贻害。解决好水的问题,是实现社会经济可持续发展的关键之一。因此,流域水资源评价、管理工作历来是研究关注的重点。

　　其研究工作最早可追溯到1840年美国开展的密西西比河河川径流量统计,此后,前苏联开展的《国家水资源编目》和《苏联水册》也对河川径流量进行了统计分析。20世纪60~70年代,美国、西欧、日本、印度等国在重点分析可供水量和供水需求的基础上,相继开展了水资源评价、管理研究。我国于1979年开始第一次水资源评价工作,较为全面地评价了全国地表水及地下水资源数量、质量、分布规律和水资源总量以及开发利用现状及供需情况。20世纪80年代,随着可持续发展思想的提出,水资源评价不仅是水量评价,还包括对水质、水资源保护、供需状况、水资源管理等进行综合评价。尽管水资源评价技术相对成熟,但随着研究的深入,水资源评价中的一些重要问题也凸显出来,如水质水量割裂评价、未考虑生态需水和流域的整体特性等。20世纪90年代以来,基于水资源的自然流域特性实施水资源统一管理已为世界所公认,其核心是以健康河流为目标,维持流域水资源的可再生性。因此,从水资源可再生性进行水资源评价成为水资源评价的必然。但迄今为止,有关水资源可再生性的系统研究还未见报道。

　　黄河流域是我国人均占有水资源量很低而水资源开发利用程度极高的地区之一。黄河的水患治理和水资源开发利用虽已经取得了举世瞩目的成就,但许多新的问题又不断产生,主要表现为水资源短缺、水环境污染和生态环境恶化三大问题相交织。寻求维持黄河水资源可再生性的途径,提出缓解黄河水资源短缺的方法,是解决黄河流域所面临的水资源危机的关键,也是维持黄河河流系统健康的关键。

　　本书将流域水资源可再生性的理论研究和实例应用相结合,试图以全新的视角对黄河流域水资源可持续利用进行探讨,在系统研究黄河流域水资源的水量再生、水质恢复、自然再生、社会再生的基础上,建立了流域水资源可再生性的基本理论体系,开展了水资源可再生性评价,探讨了流域水资源的可再生能力,确定了水资源可再生性维持的阈值。本书具有以下特点:概念上,系统地提出了水资源可再生性、水资源可再生性维持阈值等概念,同时亦提出水资源功能容量、水资源功能亏缺、水环境功能容量、水环境功能亏缺等新概念;理论上,建立了水资源可再生性基本理论、水资源可再生性维持阈值理论、水资源可再生性综合评价理论等;方法上,提出了水质水量联合评价水资源的方法、自然水体水质恢复能力的评价方法、水资源可再生性评价综合方法等,形成了完整的水资源可再生性评价方法;应用上,获得的水资源开发利用阈值计算成果等。上述成果将为黄河流域水资源持续利用和综合管理提供支撑,有助于黄河流域社会、经济、生态与环境的可持续发展。

　　本书是在北京师范大学环境学院所承担的国家重点基础研究发展规划项目"黄河流域水资源可再生性理论与评价"(G1999043605)、国家自然科学基金重点项目"流域生态需水规律及时空配置研究"(50239020)及国际合作项目"基于多种模拟、优化模型与高新信息技术的一体化流域管理系统"(2003CB716807)的研究成果基础上完成的,是集体智慧的结晶。以上三个项目(课题)的负责人杨志峰教授指导、策划并最终审定了本书。全书各章撰写的分工如下:第一章:杨志峰、李春晖;第二章:杨志峰、沈珍瑶;第三章:李春晖、杨志峰;第四章:李春晖、杨志峰;第五章:夏星辉、杨志峰;第六章:夏星辉、杨晓华;第七章:沈珍瑶、李春晖;第八章:杨晓华、沈珍瑶;第九章:杨志峰、刘绿柳;第十章:刘绿柳、杨志峰;第十一章:沈珍瑶、夏星辉。

在此书稿完成之际,向在课题研究中给予我们大力支持的刘昌明先生、李国英主任、陈效国总工以及参与课题研究工作的郝芳华教授、崔保山教授、曾维华教授、刘静玲教授、王烜副教授、程红光副教授、张科利教授、孙涛副教授、陈国谦教授、李东高级工程师、崔树彬高级工程师等表示由衷的感谢。北京师范大学环境学院的博士及硕士研究生张远、尹民、郭乔羽、隋欣、赵欣胜、张学青、周劲松、祝捷、余晖、张曦、张雪松、任希岩、孙强、李英华、王然等也参与了课题的研究,贡献了他们的聪明才智,在此一并表示感谢。

由于作者水平所限,以及黄河问题研究的复杂性,难免出现疏漏和错误,不当之处谨请批评指正。

作　者

2005 年 8 月于北京师范大学

目　录

第一章 绪 论

第一节 研究背景和意义

水是生命之源,是人类赖以生存和发展的物质基础,也是生态环境的控制因素之一。没有水资源,人类的生存与发展将无从谈起。因此,水资源是区域、国家甚至是全球环境与发展的关键。由于水文循环的无限性,人们以为水资源是"取之不尽,用之不竭"的,因而不注意节约使用和保护,以致出现水资源短缺局面。特别是近年来随着人口的增加、经济的发展,人类对水资源的开采程度和破坏程度不断增强,水文循环受到严重扰动,水资源自然循环的途径和通量发生改变,其可再生能力也遭到不同程度的改变,出现了一系列水资源、水环境问题,如水资源短缺、河道断流、水质污染等现象,不但严重影响流域内人们正常的生产和生活需水,还影响区域长期可持续发展。因此,水资源问题成为世界关注的焦点之一。

Falkernmark(1989)[1]对水压力度进行分级,认为每人每年再生水资源拥有量少于$1700m^3$,就有"水资源压力",少于$1000m^3$则"水资源稀缺",少于$500m^3$则该地区注定生活在"水贫困线以下",甚至有"巨大水资源压力"。黄河作为我国西北、华北地区的主要水源,其地表水资源量少,人均$593m^3$/年,属于水资源稀缺地区。黄河流域水资源开发程度一般在20%~40%之间,下游甚至达到70%,大多数河段远远超过国际公认的地表水合理开发标准(30%)和极限标准(40%),再加上近年黄河流域天然降水量减少,导致黄河下游频繁断流,水质逐渐恶化,严重影响沿黄地区工农业用水需求、加剧黄河流域原本脆弱的生态环境。特别是20世纪70年代以来,由于水资源不合理的利用,下游断流日趋严重,供需矛盾逐渐尖锐,造成严重的经济损失和生态环境破坏。黄河问题已经引起社会各界的广泛关注。

水资源具有可再生性,它的可再生性是由水文循环决定的。国际上水文水资源基础研究的热点之一是"研究地球水循环的数量、质量、力和能量及化学生物过程影响的作用机理和量化"(IHP)。水资源可再生性研究主要是研究水资源循环过程中水资源再生的数量和质量及其演变规律,它把水资源的自然再生和社会再生、水量再生和水质恢复有机结合起来[2~4]。水资源可再生理论的提出不但丰富和发展了水文学水资源学的基础理论,也使水资源水质水量联合评价成为可能。流域水资源可再生性评价就是对流域水资源可再生性及其影响因素的变化规律进行全面、科学、定量的认识,为水资源可再生性维持提供科学依据。

21世纪,我国实施西部大开发战略,黄河水资源短缺和水体污染将成为流域乃至西部大开发的制约因素。为了对黄河流域水资源有合理的认识,必须从水资源的天然特性和社会特性——可再生性来探讨黄河流域水资源的演变规律及其可再生维持。对黄河流域水资源可再生性进行客观评价,这是可持续发展的根本要求,也是时代的需要,又是合理开发黄河流域水资源的基础,对促进黄河流域和西北、华北地区的社会经济可持续发展和生态环境的改善具有重要的战略意义。

第二节　黄河流域水资源评价研究进展

一、水资源评价研究进展

早期,人们因为工作的需要,常以流域为单位进行水量统计工作,如美国在 1840 年对密西西比河进行河川径流量统计,后来苏联编写的《国家水资源编目》和《苏联水册》也主要是对河川径流量进行统计[5]。这些可以看做是初期的水资源评价活动。

20 世纪 60 年代,由于水资源问题的出现和大量水资源工程的建设,加强对水资源开发利用的管理和保护被提到议事日程。1965 年美国开始全美水资源评价,并于 1968 年完成评价报告,报告对美国水资源现状和展望进行了评价分析。1978 年又进行了第二次水资源评价,重点在分析可供水量和供水需求上[6]。1975 年西欧、日本、印度等国家相继提出水资源评价成果[7]。

联合国教科文组织(UN ESCO)等国际组织积极促进国际间水资源评价工作协调与交流。1977 年联合国在马德普拉塔(MAR DEL PLATA)召开的世界水会议决议中指出,"没有对水资源的综合评价就谈不上对水资源的合理规划与管理",强调水资源评价是保证水资源持续开发和管理的前提,是进行与水有关的活动的基础。会议要求各国积极开展国家级水资源评价。1988 年联合国教科文组织和世界气象组织(WMO)给水资源评价的定义是,"水资源评价是对水资源的源头、数量范围及其可依赖程度、水的质量等方面的确定,并在此基础上评估水资源利用和控制的可能性"。水资源评价活动的内容包括评价区内全部水资源量及其时空分布的变化幅度及特点、可利用水资源量估计、各类用水的现状及前景、水资源供需状况及预测与可能解决途径、工程措施的效益评价以及政策性建议等。1990 年的《新德里宣言》、1992 年的《都柏林宣言》和《里约热内卢宣言》都强调了水资源评价的重要性,联合国环境与发展大会(UN CED)《21 世纪议程》的第 18 章专门讨论了水资源评价问题。自此,水资源评价进入全球性评价阶段[5,8,9]。

我国于 1979 年开始进行第一次水资源评价工作,较为全面地评价了全国地表及地下水资源数量、质量、分布规律和水资源总量以及开发利用现状及供需情况。1985 年原水电部提出全国评价成果,出版了《中国水资源评价》(主要反映天然水资源状况),1985 年以后,全国许多地方又继续进行了一系列不同规模、不同深度的水资源分析评价工作,内容包括地表水资源量、地下水资源量、总水资源量、水质及降水、蒸发、干旱指数等。1989年出版了《中国水资源利用》(主要反映水资源开发利用情况及分析成果)。以后各地区又相继开展了水资源评价的区域性和专题性研究,如 1996 年出版的《中国水资源质量评价》。1999 年颁布水资源评价导则,对全国水资源评价进行技术指导[10,11]。

在水资源评价中,水资源量的评价主要根据水量转化规律(三水或四水转化)和水量平衡进行,如全流域水量平衡、河段水量平衡[12,13]。在流域地表水资源评价中,水文模型发挥着重要作用,如降水—径流模型、分布式水文模型、月水量平衡模型等[14~17]。在评价技术上,有限元模拟、人工神经网络(ANN)、地理信息系统(GIS)、遥感技术(RS)和同位素示踪技术等得到广泛的应用,使水资源评价的精度和可操作性大大提高[18~23]。水资源质量评价也由单一指标评价发展为多指标综合评价,评价方法也不断发展和改进,技术上也相对成熟[24,25]。

随着可持续思想的深入,水资源评价的内涵和内容有了新的扩展,已由20世纪80年代主要对资源量及其时空分布特征进行评价发展到在可持续发展思想的指导下,不仅进行水量评价,还包括水质、水资源保护、供需状况、水资源管理等水资源可持续利用的综合评价。研究的基本方法是建立与水资源相关的多层次指标体系进行综合评价,目的是寻求流域、区域水资源可持续利用途径。综合评价的主要内容有水资源持续利用评价、全球变暖情景下水资源脆弱性评价、水资源生态持续评价、水资源承载力评价、水资源集成评价、水资源丰富度评价和水质恢复能力评价等[26~31]。

王浩等[32]结合可持续发展理念从水资源评价过程的有效性、可控性和再生性准则,把水资源评价统一起来,从而从理论上界定了现代水资源的评价范围。

二、黄河流域水资源评价现状

我国对黄河流域多次进行水资源基础评价,主要成果有《黄河水资源合理利用》、《黄河流域片水资源评价》和《黄河水资源》等[33~35]。其中水资源基础评价主要有以下几个成果:

(1)1919~1975年天然径流量系列。黄河水利委员会(以下简称黄委)1976年对黄河流域天然径流量进行还原计算,得到56年天然径流量系列,其中三门峡站为498.4亿m³,花园口站为559.2亿m³,加上黄河下游支流21亿m³,全河年天然径流量为580亿m³。1986年完成的《黄河流域水资源合理利用》对黄河流域天然径流量进行了补充研究,得到1919~1980年天然径流量系列,其中三门峡站为503.8亿m³,花园口站为563.4亿m³。可见1919~1975年天然径流量系列是比较合理的。1987年的《关于黄河可供水量分配方案的报告》、1997年的《黄河治理开发规划纲要》和2000年的《黄河的重大问题及对策》都采用了该研究成果。

(2)1956~1979年天然径流量系列。1986年黄委编制的《黄河流域片水资源评价》报告[35],按照全国第一次水资源评价统一布置,采取1956~1979年24年径流量系列,得到三门峡站是564.6亿m³,花园口站是629.9亿m³,黄河流域为659亿m³。这是首次采取分区还原累加法(产水量法)计算。这次成果没有考虑沿途蒸发渗漏,成果偏大,但分区天然径流量的计算为了解黄河流域水资源区域差异奠定了基础。

(3)1952~1990年天然径流量系列。黄委1992年开展了《黄河历年水文基础资料审查评价及天然径流量计算》,评价结论是三门峡站为540.6亿m³,花园口站为601.7亿m³,利津站为611.5m³。

(4)1919~1997年天然径流量系列。1999年《黄河的重大问题及对策》中提出了78年径流量系列,结论是三门峡站为507.8亿m³,花园口站为561.9亿m³。

这几次水资源评价成果略有不同,主要原因在于评价系列长短不同,其中分区评价累积得到的天然径流量可能偏大,这是方法和目的不同引起的。

水资源综合评价方面,马滇珍等[36]建立综合评价指标体系对黄河流域水资源进行了综合评价,把黄河河段水资源缺水程度分为一般缺水、严重缺水、基本平衡,把缺水类型分为工程型、资源型和水质型等。近年来,全球气候变暖对水资源的影响成为水资源研究的热点之一,我国也对在全球气候变化情景下黄河流域水资源的变化进行了评价研究[37,38]。

三、水资源可再生性评价研究进展

尽管水资源评价技术相对成熟,研究内容丰富多样,对区域社会经济和生态环境可持续发展具有重要的指导作用。但是,随着研究的深入,水资源评价中的一些重要问题也凸显出来,如水质水量割裂评价、不考虑生态需水等,因此从水资源可再生性进行水资源评价成为水资源评价的必然。

在传统水文学中一般所谓再生水资源是指通过水文自然循环更新的那部分淡水资源。水资源的可再生性是通过水文循环实现的,水文循环的过程及各要素变化决定水资源可再生的大小和速率。水文更新时间或更新速率是水资源可再生的基本衡量指标之一,国内外对此做了大量的基础研究[39]。国外近年来对深海、湖泊和水库的水体更新、交换和滞留时间以及更新过程数值模拟做了很多工作[40,41],目的是通过水体的更新过程了解水体中污染物迁移、扩散、滞留的规律。

水资源利用是对水文自然循环过程加入人为的调控,通过改变水分的流向和通量来满足人类的水资源需求。在水资源利用中,人类可以通过循序利用、循回利用、污水处理等增加水资源的实际使用量,从某种意义上使水资源得到再生。因此,水资源可再生性的内涵进一步扩大,则包括自然再生和社会再生。

水资源可再生思想已经成为水资源利用的理论依据之一,国际上一致认为水资源最大利用量不能超过其再生更新量,对河流的自然水量更新而言,认为河川径流量最大利用率在再生量的40%以下时才不会对生态环境造成影响。在流域管理中,法国把水资源的可再生性作为流域管理的主要原则之一。20世纪90年代末,美国在"淡水资源紧迫性研究议程"中提出三个中心内容,其中之一是水资源的可再生性,指出需要维持水资源数量和质量的可再生性。水资源的社会再生也是水资源有效利用的重要手段,水资源的社会再生性是水资源可再生的重要研究内容,主要研究污水资源化、循环利用等。目前,在发达国家,水资源的社会再生程度较高,如以色列、日本等。

我国学者提出关于单元水体再生指数、再生周期等概念,从微观角度研究水资源的可再生性,并建立包含更新速率、循环系数等指标的评价指标体系,对黄河马莲洼小流域水资源的可再生性进行初步评价[42~44]。杨志峰等[4]初步构架了水资源可再生性的理论体系,包括基本概念、研究内容和概念模型。沈珍瑶等[45~48]在水资源可再生概念、更新速率(周期)、综合评价等方面开展了一系列工作,取得一定进展。水资源可再生理论的提出丰富了水资源学的研究内容,具有重要的理论价值。

第三节 研究目的和本书结构

水资源可再生性是由水量再生、水质恢复、自然再生和社会再生等构成的复杂系统，本书从流域水文循环过程入手，详细介绍了流域水资源可再生性的基本概念和基本理论体系，并对黄河流域水资源可再生性进行了具体研究。

本书主要包括六个部分：

(1)流域水资源可再生性基本理论及研究方法。

(2)黄河流域水资源量可再生性变化特征及其影响因素。

(3)黄河流域水质特征分析及水资源的水质水量综合评价。

(4)黄河流域及其主要城市水资源可再生性综合评价。

(5)黄河流域水体交换规律及水文模拟。

(6)黄河流域水资源可再生性维持阈值。

第一部分(第二章)简要介绍水资源可再生性基本理论，包括水资源可再生性的基本概念、特征和主要理论体系及流域水资源可再生性评价等。

第二部分(第三章和第四章)将黄河流域划分为16个区域，分别对各区域的水资源量的演变规律，如时间变化、不均匀性、趋势性、持续性、突变性、周期性和空间结构等进行了分析。然后对影响水资源量可再生的主要因素进行了评价，如对气候背景、人类活动、植被覆盖、取水用水以及太阳活动等对水资源量变化的影响进行了分析。

第三部分(第五章和第六章)对黄河流域水体污染特征进行分析，从水质水量的角度联合评价黄河水资源；提出水质恢复能力概念并对黄河流域水质恢复能力进行评价。影响黄河流域水质的因素众多，如泥沙对河水耗氧性有机物污染参数的影响、水体颗粒物对石油类污染物生物降解和对硝化的影响等，本书还将对这些影响黄河水质恢复的机理进行分析。

第四部分(第七章和第八章)建立水资源可再生性综合评价指标体系，分别对黄河流域主要城市水资源社会可再生性进行评价，研究主要城市水资源社会可再生性水平、存在问题和建议。然后建立综合评价指标体系，采用多种方法对黄河流域各省区的水资源可再生性进行综合评价。

第五部分(第九章和第十章)在传统研究的基础上，深化了水体更替周期和传输时间的概念和计算方法，并对黄河干流典型河段水体交换周期和传输特征进行了评价。还建立了分布式水文模型，对大通河流域、兰州以上流域水文更新进行模拟。

第六部分(第十一章)阐述了流域水资源可再生性维持阈值的基本理论，并计算了由维持生态系统健康的最小生态环境需水量阈值、人类可以利用的最大水资源开发利用阈值、维持一定水环境功能的污染物排放阈值及控制社会经济一定规模的关键要素的发展阈值等组成的黄河流域水资源可再生性维持阈值。

参考文献

[1] Falkernmark M. The Massive Water Scarcity Now Threatening Africa-Why is not it Being Addresses? Ambio, 1989,18(2):114~115

[2] 曾维华,杨志峰,蒋勇.水资源可再生能力刍议.水科学进展,2001,12(2):276~279

[3] 沈珍瑶,杨志峰,刘昌明.水资源的天然可再生能力及其与更新速率之间的关系.地理科学,2002, 22(2):162~165

[4] 杨志峰,沈珍瑶,夏星辉,等.水资源可再生性基本理论及其在黄河流域的应用.中国基础科学, 2002(5):4~7

[5] 陈家琦,王浩.水资源学概论.北京:中国水利水电出版社,1996.86~132

[6] 赵珂经.美苏水资源评价工作介绍.水资源研究,1991(1):1~8

[7] 焦得生,石玉波.我国水资源评价现状与展望.中国水利,1998(3):10~11

[8] G. Bjorklund. The comprehensive freshwater assessment and how it relates to water policy worldwide water policy.1998(1): 267~282

[9] UN ESCO and WMO. Water Resources Assessment Activities: Handbook. For National Evaluation. Genva WMO Secretariat,1988

[10] 水利水电部水文司.中国水资源评价.北京:水利电力出版社,1987

[11] 水利部水资源水文司.中华人民共和国行业标准——水资源评价导则(SL/T238—1999).1999

[12] 贺伟程.区域水资源评价原理和方法.见:张海仑,金光炎,等.平原地区水资源研究.上海:学林出版社,1985.26~33

[13] 张明泉,曾正中.水资源评价.兰州:兰州大学出版社,1994.10~12

[14] Servat E.,Dezetter A.Rainfall-runoff modelling and water resources assessment in northwestern Ivory Coast. Tentative extension to ungauged catchments.Journal of hydrology, 1993, Vol.148, No.1/4, pp.231

[15] CHONG-YU XU. Application of Water Balance Models to Different Climatic Regions in China for Water Resources Assessment. Water Resources Management,1997(11): 51~67

[16] Jonathan I. Matondo. Water resources assessment for the Zambezi River Basin.Water international, 1998,23(4):256~262

[17] Wessenu A.M..Water resources assessment within the main rift and fluoride concentration mapping in the lake region.Isotopes in water resources management,1996,Vol.2,490~493

[18] 魏文秋,于建营.地理信息系统在水文学水资源管理中的应用.水科学进展,1997,8(3):10~16

[19] 张建云.地理信息系统及其在水文水资源中的应用.水科学进展,1995,6(12):290~296

[20] 刘九夫,张建云.GIS在水资源评价应用中的关键技术研究.水文,2002,22(6):11~15

[21] 刘志伟.有限元在傍河水源地水资源评价中的应用.电力勘测,2000(2):33~35

[22] 胡铁松,袁鹏.人工神经网络在水文水资源中的应用.水科学进展,1995,6(1):76~81

[23] Shin S.C.,Sarasota M, Shim S.B., Choir Y.S. Assessment of water balance distribution based on remote sensing.Proceedings of the seventh international conference on computing in civil and building engineering 1997.Vol.1~4, 1771~1776

[24] 申献辰,邹晓雯,杜霞.中国地表水资源质量评价的方法研究.水利学报,2002,12:63~67

[25] 王本德,于义彬,王旭华,等.考虑权重折衷系数的模糊识别方法及在水资源评价中的应用.水利

学报,2004,1:6～10

[26] 左东启,戴树声.水资源评价指标体系研究.水科学进展,1996,7(4):367～374

[27] 卞建民,杨建强.水资源可持续利用评价的指标体系研究.水土保持通报,2000,20(4):43～45

[28] 黄奕龙,张殿发.区域水资源可持续利用的生态经济评价.水文水资源,2000,21(3):11～13

[29] 马滇珍,张象明.水资源综合评价指标.水利规划设计,2001(1):42～47

[30] 唐国平,李秀彬,刘燕华.全球气候变化下水资源脆弱性及其评价方法.地球科学进展,2000,15(3):313～317

[31] 夏星辉,沈珍瑶,杨志峰.水质恢复能力评价及其在黄河流域中的应用.地理学报,2003,58(3):458～463

[32] 王浩,汪建华,秦大庸,等.现代水资源评价及水资源学学科体系研究.地球科学进展,2002,17(1):12～17

[33] 席家治.黄河水资源.郑州:黄河水利出版社,1996

[34] 孙广生,乔西现,孙寿松.黄河水资源管理.郑州:黄河水利出版社,2001

[35] 水电部黄河水利委员会水文局.黄河流域片水资源评价.1986

[36] 马滇珍,张象明.水资源综合评价指标.水利规划设计,2001,(1):42～47

[37] 刘春蓁.气候变化对水文水资源的影响.见:丁一汇.中国的气候变化与气候影响研究.北京:气象出版社,1997.482～488

[38] 张国胜,李林,时兴合,等.黄河上游地区气候及其对黄河水资源的影响.水科学进展,2000,11(3):277～283

[39] 刘昌明,任鸿遵.水量转换——试验与计算分析.北京:科学出版社,1988.3～21

[40] You Yuzhu. Implications of the deep circulation and ventilation of the Indian Ocean on the renewal mechanism of North Atlantic Deep Water. Journal of geophysical research. Oceans, 2000, 105(10): 23895

[41] Hoppema, M. et al. Prominent renewal of Weddell Sea Deep Water from a remote source. Journal of Marine Research, 2001,59(2): 257～279

[42] 王中根.水资源量可再生性水文学基础与理论研究:[博士论文].武汉大学,2001

[43] 夏军,王中根,刘昌明.黄河水资源量可再生性问题及量化研究.地理学报,2003,58(4):534～541

[44] 王中根,夏军,刘昌明.水资源量可再生性量化方法研究.资源科学,2003,25(4):31～36

[45] 沈珍瑶,杨志峰.水资源的可再生性与持续利用.中国人口.资源与环境,2002,12(5):77～78

[46] 沈珍瑶.水资源可再生性初探.见:中国博士后科学基金会.2000年中国博士后学术大会论文集(土木与建筑分册).北京:科学出版社,2001.60～62

[47] 沈珍瑶.黄河流域水资源可再生性若干问题(报告).北京:北京师范大学,2001.8～10

[48] 沈珍瑶,杨志峰.黄河流域水资源可再生性评价指标体系与评价方法.自然资源学报,2002,17(2):188～197

第二章　流域水资源可再生性基本理论

水资源的形成、演化和再生遵循自然规律,但是强烈的人类社会经济活动已使天然水循环发生了显著变化,引发了尖锐的水资源供需矛盾,导致了一系列环境和生态方面的劣变过程,造成了某些地区,如黄河流域,面临水资源短缺、洪水灾害加剧和生态环境恶化的严峻局面。其中水资源短缺是此三大问题的关键,而水资源再生,目前和将来都是解决水资源短缺这一核心问题的关键。

第一节　水资源可再生性基本特征

一、基本概念与内涵

美国地质调查局1894年最早使用水资源的概念,但是关于水资源的定义尚未形成统一的认识,各种定义的内容和范围都不一致。广义上,水资源是指地球上水的总体,即"全部自然界任何形态的水,包括汽态、液态和固态水"(《中国大百科全书》)[1]。联合国教科文组织(1997)定义水资源为"可资利用或有可能被利用的水源,它应该有足够的数量和质量,并能在某一地点为满足某种用途而可被利用";若考虑时间上的变化,则可定义为"在一定时间段内,存在于河流、湖泊、水库和含水层等内,在现有手段和经济合理的条件下可以被人们开发利用的那部分资源,就是该时间上的水资源量"[2]。狭义上,水资源是指与生态环境保护和人类生存发展相关的可以利用,而且逐年恢复和更新的淡水,其补充来源是大气降水。我国学者认为水资源应该具有以下特性:①可以按照社会需要提供或可能提供的水量;②这个水量有可靠的来源,且可以通过水文循环得到不断的更新补充;③这个水量可以由人工控制;④这个水量及其水质能够满足人类的用水需要[3]。显然,由于认识不同,水资源定义的范围也不尽相同。

(一)再生水资源的概念

Sandra L.等(1996)[4]认为,可再生水资源是指通过水文循环过程得到的淡水资源。不可补充的地下水(地质时期形成)虽然可以开采,但像石油一样不可再生。对陆面而言,再生水资源量是降水量减去蒸散发量和入海量之后的径流量(地表和地下径流)。事实上,由于没有工程控制、地势复杂、远离人口区等多种因素影响,人类可以稳定利用的可再生水资源仅占河川径流量的27%左右,大约11 100km³,主要形式是再生地下水和河川基流。其余的约29 600km³多为洪水,仅有部分(3 500km³)通过水库大坝工程可以被利用。人类直接和间接利用的可再生水资源量为径流量的54%,也就是说人类可得再生水资源量是指河川径流量中可以被利用的部分。图2-1是人类可以利用的再生水资源量示意图。

联合国粮农组织(UN FAO)则认为某区域总的自然再生水资源包括再生的地表水资

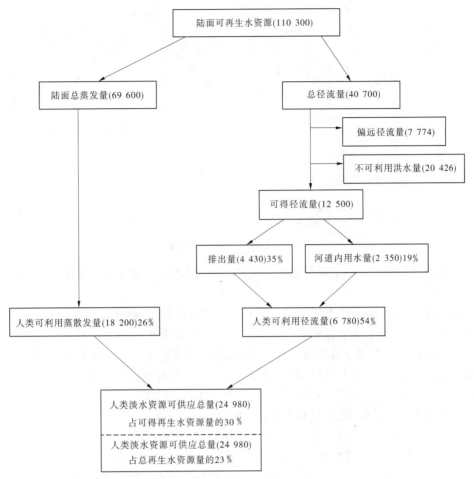

图 2-1　全球人类可利用再生淡水资源水量示意图(单位:km³/年)

源、再生的地下水资源和相邻区域流入的水量。王浩等[5]根据水资源的有效性、可控性和再生性准则对水资源从层次上进行划分,认为再生水资源是指可控径流量中国民经济用水(见图 2-2),即扣除生态用水后的可控径流量。

比较一致的看法是水资源的可再生量即水资源的年可更新量(Renewable),地表径流通过降水得到补充更新,主要是淡水资源的可更新。例如,在统计更新水量时,分为地表水更新水量(地表径流)、地下水更新量(地下径流)和总更新量(地表径流+地下径流-重复计算量),可见可更新(再生)水量与径流量的概念是一致的。这种通过水文自然循环每年得以更新的水资源称为自然再生水资源。

在水资源利用中,通过人工净化处理使水资源得以循环利用或循回利用,这部分水资源也使水资源的量和质的功能得到利用,或者通过节水措施得到更多水资源,这些都扩大了水资源的实际使用量。因此,这部分水也属于再生水资源,即社会再生水资源,是自然再生水资源的延伸。

自然界的水资源在流动过程中,水中污染物不断得到稀释、降解,即水体具有天然自净能力;人类在利用水资源的过程中可以通过化学、生物和工程措施等改善水质。这些水

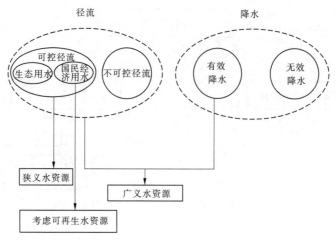

图 2-2　水资源层次划分示意图

质恢复在一定程度上增加了水资源的使用量和使用功能。因此,自然或社会的水质恢复也是水资源再生的一种类型。

综上所述,将传统再生水资源的定义和内涵进行延伸,本研究定义再生水资源为"在一定的时间内,能通过水文自然循环连续不断地补充或净化,或者通过社会循环得以水质恢复和重复利用的那部分水资源",其中,自然循环得到的再生水资源量,即径流量(地表和地下径流),由降水得到;社会循环得到的水资源量,即处理后可以循环利用的那部分水资源量。其中自然再生水资源是再生水资源的主体和基础。

(二)水资源可更新、可再生与可再生性的概念

本书定义水资源可更新、可再生与可再生性三个概念如下:

水资源可更新　指传统意义上水资源量通过自然循环每年得以更新补充。

水资源可再生　指广义上的通过自然循环和社会循环,使水资源的量不断得到更新,水质不断得到改善。显然,水资源可再生包含传统意义上的水资源(量)可更新。因此,水资源可更新是水资源可再生的一部分,在描述自然水量再生时二者是一致的。但是,水资源可再生还包括水量社会可再生以及水质自然恢复或社会恢复。

水资源可再生性　水资源可再生性是水资源通过天然作用或人工经营能为人类所反复利用的特性,即水资源通过自然循环和社会循环使水量不断得到更新补充、水质得到恢复的特性和能力,它是一个综合的概念。由于水资源可再生包含着自然再生和社会再生,因此水资源可再生性也分为自然可再生性和社会可再生性。

根据上述定义,水资源可再生性的概念具有以下两大涵义:第一,水资源是可以为人类所反复利用的资源,是可再生资源,因此水资源可再生性研究的落脚点是水资源的持续利用;第二,水资源的这种可再生性是可以通过天然作用或通过人工经营达到的,因此水资源的可再生性具有天然特性、社会特性及天然—社会复合特性。

二、基本特征

(一)水资源可再生的类型、结构、尺度和层次

类型:从性质上,水资源可再生分为水质恢复和水量再生。水质恢复包括自然净化引

· 10 ·

起的水质恢复和人工处理净化的水质恢复;水量再生包括自然循环的水资源量再生和社会循环的水资源量再生(如采取污水处理回用等措施增加水资源可使用量形式)。自然再生的水量是再生水资源的主体,社会再生的水量是水资源利用的有效补充。从属性上讲,水资源可再生分为自然再生和社会再生,前者通过自然循环得到,后者通过社会循环得到。

结构:水资源可再生的水量再生和水质恢复、自然再生和社会再生相互交叉、相互联系,构成一个耦合系统(见图2-3)。水资源的社会可再生作为水资源可再生系统中的重要环节,它是通过人工措施使水量增加、水质改善,达到水资源有效利用量的增加。显然,水资源的社会可再生是水资源利用中的重要组成部分。

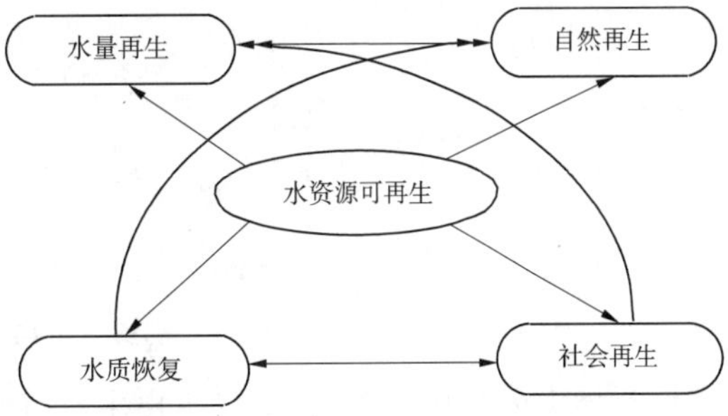

图2-3 水资源可再生类型、结构图

尺度:尺度问题是水文循环研究中重要课题,不同尺度上的水文循环机理各不相同。不同尺度的研究对象,其水资源可再生过程、评价内容和方法也不相同。水资源可再生性研究可以划分为微观尺度(单元水体)、中观尺度(河段、水库或湖泊)和宏观尺度(流域或区域甚至全球水循环系统)三个层次。

层次:水资源可再生在时间维、空间维和形式上各不相同,也就是说存在水资源可再生的时空多维层次性。

因此,水资源可再生是由自然再生、社会再生、水质恢复和水量再生四种类型构成的复杂耦合系统,具有多维层次性。

(二)水资源可再生性的概念模型

图2-4给出了水资源可再生性的概念模型。图2-4表明,对于一个水资源系统,其水资源可再生的途径主要有两条:一是对应于天然情况,水循环是水资源再生的驱动力,系统中Q_{in}与Q_{out}的变化,可反映该系统水资源可再生能力的强弱;二是对应于人为作用情况,除人类活动影响到水资源的形成与存储方式外,人们在利用水资源的过程中采取广义节水措施(节水与回用),也增强了该系统的水资源可再生能力。当然,该系统中水质的改善,无论是天然情况的自净作用还是人为对水质差的水进行处理,均可以使水资源可再生性得到加强。

(三)水资源可再生性变化的一般特征

1. 无限性和有限性

由于水文循环的无限性,所以说水资源的可再生是无限的。但水文循环在一定时间内的循环能力是有限的,所以水资源不是"取之不尽,用之不竭"的,而是具有再生的有限性,即在一定时间内水资源再生的量是有限的,水质恢复的能力也是有限的。水资源可再生是有限的和可变的,其有限性主要表现为时空尺度性和多功能统一性,其可变性受区域变化和人为因素的影响。

2. 时空不均匀性

水资源可再生具有时空不均匀性。由于受各种因素的影响,水资源在时间维上表现出不均匀变化的特征,如年内不均匀性和年际不均匀性变化;在空间维上,水资源可再生

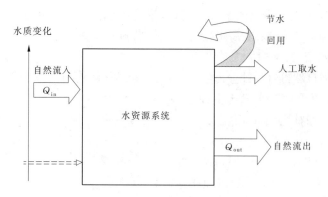

图 2-4　水资源可再生性的概念模型

的区域差异十分明显。总之,水资源再生具有时间性和空间性极强的特征。

3. 持续性

水资源时间序列包含非常丰富的信息,它隐藏着参与动态的全部变量的痕迹,这是因为各变量之间有关联作用。水资源可再生的持续性是反映水资源时间系列前后数据之间的相互关联作用,往往前一阶段的趋势能预示后一阶段的变化。Hurst(赫斯特)指数分析就是分析时间序列的混沌现象的有效工具。

4. 趋势性

趋势性表示时间序列存在一种增长或降低的趋势。由于受内在和外在的因素影响,水资源可再生在时间变化上存在某种趋势,如上升、下降或者波动。

5. 突变性

突变是自然界普遍的现象,即某时间序列从一种稳定态(或稳定持续的变化趋势)跳跃式地转变到另一种稳定态(或稳定持续的变化趋势)的现象。对水资源可再生性研究而言,它表现为反映可再生要素的统计时间序列从一个统计特征到另一个统计特征的急剧变化。导致水资源可再生突变性的原因主要是气候突变。

6. 周期性

水资源可再生时间序列演变过程中往往存在某种周期性的波动,而且不同的时间尺度周期性表现不同,如一般表现的以年为周期的变化、3 年左右和 9～11 年的周期等。影响周期的因子很多,主要有地球公转、海—气相互作用和太阳活动等周期性变化。

7. 时空结构变化性

某流域或区域水资源可再生性不但在时间上变化,而且在空间上也发生变化,这种时空变化导致可再生的时空结构的改变。

8. 多功能性

水资源本身具有质和量的功能,二者是不可分割的。水资源再生体现在水质恢复和水量再生的多功能性。

9. 人为可变性

人类活动的影响往往能改变水文循环的速度和强度,例如,温室效应引起的气候变暖能导致降水和径流的改变;水利工程、水土保持、植树造林能影响水文循环过程。社会可再生能力随着人类的社会经济和科技水平的提高而不断提高。

第二节　水资源可再生性基础理论体系

水资源可再生性基础理论体系由水文循环、水量转换与水量平衡、水质自然恢复、水资源社会可再生性以及水资源可再生性维持阈值等构成。

一、水文循环

水文循环是指地球上各种形式的水在太阳辐射和近地心引力作用下,不断循环往复变化,这种周而复始的循环运动使自然界各种水体不断得到更新,以永续利用,这种过程称为水文循环,其中人类利用过程为社会侧支循环(见图 2-5)[6]。

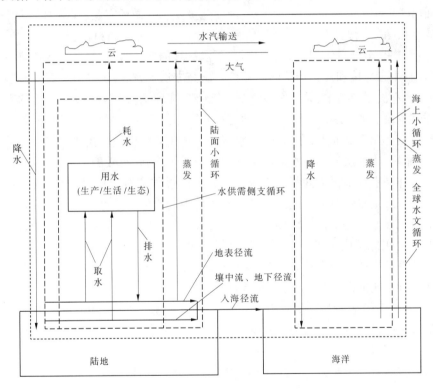

图 2-5　水文循环示意图(引自文献[6])

水文循环是联系地球系统地圈—生物圈—大气圈的纽带,是决定水资源形成演化的规律。空间尺度和时间尺度是水文循环的基本特征,空间尺度上存在全球水文循环、海洋水文循环和陆地水文循环及更小系统的水文循环,而且这些循环在不同的时间尺度上进行,各种水文循环子系统之间和各种尺度水文循环之间存在着紧密的联系,它们是不可分割的。对全球水文循环而言,地球上的水存在运动、损失、积蓄和利用多个环节。一般水文循环从海洋蒸发开始,上升的水汽经大气环流输送到陆地上空,在适宜的条件下,水汽凝结导致降水。降水以不同的方式消散,分别形成蒸发、土壤水、地下水和地表径流,还有部分被人类利用和返回河道。在重力作用下,地表径流和地下水向低处流动,可能汇入大海,构成一个循环。可见,水文循环是一个复杂的过程。

水文循环是地球上最重要的物质循环,不仅实现着全球的水量转移,而且推动着全球能量交换和地球化学物质的迁移,塑造地貌,链接地球生命体,为人类提供淡水资源。

很早以前人类就开始进行水循环研究。现代水循环研究开始于19世纪40年代的苏联。我国也进行了大量的工作[7]。刘国纬等[8]开展的"水文循环的大气过程"研究,首次开拓了联系水圈和大气圈的研究领域,系统全面地揭示了中国大气过程的基本事实、特点和规律,为揭示我国水资源形成条件和可再生机制、旱涝水文背景等提供了概念和分析方法。国际上,目前水循环的研究在向宏观、微观两个方向发展,前者如基于全球气候变化的水循环研究,水汽循环的大气过程,后者如 SPAC(土壤—植物—大气界面水分输移过程)研究。国际上有许多关于水循环的研究计划,如国际地圈生物圈计划/水文循环的生物圈方面(IGBP/BAHC)、世界气候计划/全球能量与水分循环实验(WCRP/GEWEX)、国际水文计划(IHP)。概括而言,水循环研究主要集中在三个方面:首先是水循环的过程和机理研究;其次是全球变化和人类活动影响下水循环的演化过程;第三是水循环变化对水资源的利用、生态环境和社会经济的影响[9]。研究方法上,在传统的野外观测和室内实验的基础上,计算机模拟技术、系统分析方法、灰色系统理论、遥感和 GIS 工具越来越成为主要的研究手段。如1986年美国物理学会召开国际神经网络国际会议以来,神经网络技术理论与应用迅速发展起来,在水文学、水资源学中也广泛应用。由于它能处理非线形问题,预报性能好,为解决复杂的水资源系统问题提供了崭新、有效的工具。

水文循环是水资源再生的基础。从水文循环的过程来看,自然界的水汽循环和侧支循环(社会循环)是水资源可再生的途径和根本动力。水的自然循环是水资源再生的天然动力。水的社会循环基于自然循环,社会循环是指人类从天然水体中取水,用过的水再排入天然水体,其中在利用过程中多次净化反复利用。

水资源循环维持着一个动态平衡,一旦循环中的某个环节平衡被打破,就会出现水危机。打破这种平衡的因素有两种:一种是自然因素,如长期干旱、降水量减少或增加、生态环境恶化等;另一种是人为因素,如过量开发利用水资源、破坏水环境平衡等。当再生水量超过蓄水体的最大可容量时便会发生洪涝,当再生水量小于某一值时便会出现干旱、水供需失衡、生态恶化等现象。

水资源自然可再生能力与水文循环的周期、水体更新速率等有关。评价水文循环周期(Renewal Time)常用 Lvovitch 公式,即 $T = \dfrac{W}{\Delta W}$,其中 T 为更替周期,W 为水体总储水量,ΔW 为水体年平均参与水循环的活动量。依此计算,全球主要水体更新周期见表2-1。

二、水量转换与水量平衡

水资源量的评价是根据水量转化规律和水量平衡进行的。

水文循环的过程中把大气水、地表水、地下水和土壤水等联结在一起,各种形式的水之间相互转化。四水转化(GSPAC)是水循环研究的一个主要方面,也是水资源量评价的基础[10,11]。刘昌明等(1988)[12]提出系统的分解与划分的周期性矩阵,采用简单的组合公式对水量转化作了描述，即 $C_{m(j)}^{n(i)} = \dfrac{m(j)!}{n(i)! \cdot (m(j) - n(i))!}$。在水资源可再生过程中，发生大气水(降水和蒸发)与地表水之间的转化、地表水与地下水之间的转化、地表水和土壤水之间的转化等。

表 2-1　　　　　　　　　　全球主要水体更新周期

水体形态	更新周期	水体形态	更新周期
世界大洋	2 500 年	永久冻土下的冰	10 000 年
地下水	1 400 年	湖泊	17 年
土壤水	1 年	沼泽	5 年
极地冰川和永久积雪	9 700 年	河流	16 天
山地冰川	1 600 年	大气水	8 天

注：来自 UNESCO,1978。

水量转化遵循的规则是水量平衡，其实质是物质平衡。在不同时空尺度，水量平衡的表现形式不同[13]。基本公式如下：

全流域水量平衡方程

$$\Delta S = P - Q - E \tag{2-1}$$

式中：P、Q、E 分别为降水量、径流量(地表径流和地下径流)、蒸发量；ΔS 为流域水资源蓄变量。

河段水量平衡方程

$$W_{下} - (W_{上} + W_{区}) \pm \Delta W = 0 \tag{2-2}$$

$$W_{区} = W_{加} - W_{用} - W_{损} \pm W_{变} \tag{2-3}$$

式中：$W_{上}$、$W_{下}$ 为平衡对照河段上、下游站实测径流量；$W_{区}$ 为平衡对照河段上下游站区间径流加入量、引用量等变量；ΔW 为平衡差值；$W_{加}$ 为区间集水面积径流汇入量；$W_{用}$ 为工农业、城市用水量(引水与退水差值)；$W_{损}$ 为河道蒸发渗漏量；$W_{变}$ 为区间增减量(水库调节、分洪、泥沙冲淤等)。

其他水体水量平衡公式与上类似。

三、水质自然恢复

受污染的地表水在迁移中污染物得到稀释、降解和吸附等，水质得到净化并恢复为较好的水质，这种现象称为水质的自然恢复。水资源具有天然水质自净能力。反映水质自然恢复能力大小的常用指标是自净系数，它与河流的流速、污染状况及河道自然环境等有关，往往难以确定。

本研究将进行影响水质恢复机理研究，并建立水质自然恢复能力评价方法和评价标准，具体内容参见第六章。

四、水资源社会可再生性

(一)水资源社会再生的过程

人类为了用水，从自然水循环中的某一部分介入，通过构筑储蓄设施，或是经过一系列的取水、净水、输送、贮存或调节和分配等,用过后再把废水汇集、输送、贮存、处理、再利用和排放等,这些环节构成了水的社会循环。流域内水的社会循环中采取生物的和工程的多种措施,实现水的再生化和资源化,这样从水质和水量上提高了水资源的使用程度,可以认为水资源得到了再生,这种再生称为水资源社会再生。有时候采用经济合理的管理程序,使同一水资源在消费过程中多次反复使用,也是一种使用过程中的再生形式。对多个非消耗性用水用户,根据不同用水标准,按科学合理的使用顺序安排消费流程,如先发电,后航运,再用于工业或农业。在水资源量一定的条件下,重复利用次数越多,水资源利用程度就越高,再生量就越大。随着水需求的日益增长,尤其是满足超过水资源自然再生所能提供水量的需求时,社会再生的水量地位尤为重要。

水的社会循环实施的主体主要是从事水的可持续开发和利用,并满足社会经济可持续发展所需求的水量、水质为生产目标的特殊产业;其核心部分是给水和排水[14]。城市水资源社会可再生过程示意图见图2-6。保持水资源良性的社会循环是可持续发展的要求。

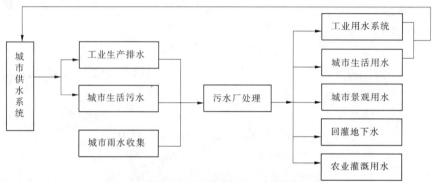

图 2-6　城市水资源社会可再生过程示意图

(二)水资源社会再生性衡量指标

城市和工业水资源利用有四种形式(见表2-2),其中循环利用、循序利用和循回利用都是社会再生的表现,都能在一定程度上增加可以利用的水资源量。

表 2-2　　　　　　　　　　　城市和工业水资源利用形式

类型	亚类型	水资源利用形式
简单利用	一次使用	同一数量和质量的水经过一次使用过程即被排弃,如生活用水、农业灌溉用水、部分食品工业生产用水
	循环利用	同一数量和质量的水被多次利用,如冷却水
重复利用	循序利用	依照对水质要求的不同,对同一原水多次利用
	循回利用	经过处理后的废污水被再利用

水资源社会再生的过程往往也是节水的过程。评价一个城市和工业水资源的社会再生可以用表2-3中的指标来衡量。

实际上,表2-3中的指标只是大体反映社会可再生的水平,过分追求指标未必合理。例如,重复利用率当其达到一定限度,成本上升,就未必经济合理,在这种情况下不应该继续追求提高重复利用率,而是减少用水量,水的重复利用率也失去了评价的敏感性。如对重复利用率很高的城市,提高重复利用率控制取水量的增长已经减弱,如果不采取其他措施,工业取水量就会继续增长。如美国1968年后已经从提高重复利用率即提高用水系统的用水效率为主转向工艺节水为主。另外,万元产值取水量是一种绝对的指标,它可以最终反映上述一些因素对生产用水的影响,因而不可避免地会与前者产生不协调。

表2-3 城市与工业用水社会可再生性衡量指标

一级指标	二级指标	三级指标
城市与工业用水社会可再生能力	用水量指标	万元产值取水量
		万元产值用水量
		万元工业产值取水减少量
		人均生活用水定额
	用水率指标	用水重复利用率
		污水处理率
		污水处理达标率
		城市污水回用率
		供水有效利用率

于是,便出现一种工业用水总指数与分指数之间的数量模型——指数模型[15],它是一种研究复杂总体中各种因素变化影响的宏观分析方法。所谓分指数是指在其他因素不变的条件下某一因素的变化率。总指数反映诸多单一因素影响下复杂总体的变化,包括了总体内单一因素之间的相互关系。工业用水系统的指数模型可以表示为

$$\theta = \alpha \cdot \beta \cdot \gamma \cdot \omega \tag{2-4}$$

其中:θ 为取水量变化指数;α 为重复利用率变化指数;β 为生产工艺水平变化指数;γ 为工业产值变化指数;ω 为工业结构变化指数。

可以看出,工业取水量总体变化指数是重复利用率、生产工艺水平、工业产值和工业结构等四个单一因素变化指数之积。某单一变化指数大于1,说明该因素变化导致取水量趋于增加,反之则趋于减少,等于1,则对取水量无影响。

(三)水资源社会可再生的影响因素

水资源社会可再生性与主要区域(城市)的科技水平、管理水平、经济水平以及公民节水意识等相关,具体表现如下。

经济水平:经济水平的高低决定水资源社会再生的投资能力,一般经济水平越高,污水处理回用、管网建设等投资能力越大,水资源的社会再生能力越强。衡量指标主要为国民生产总值或人均国民生产总值。

科技水平:科技水平的提高不但可以减少生产、生活中的水资源消耗,还可以提高污水处理水平和规模,节约处理成本,提高水资源社会可再生能力。如海水淡化低成本化技术将是解决沿海城市水资源短缺的主要科技手段,农业节水灌溉技术很大程度减少水资源的消耗。一般而言,科技水平越高,水资源的社会可再生能力就越强。主要衡量指标如

万元产值用水量、污水处理达标率、污水处理率和用水重复利用率等。

管理水平:水资源循环各个环节的高效管理水平的提高是增强城市水资源社会再生能力的关键。

公民节水意识:公民的节水意识是资源的社会可再生中最根本的要素。公民的节水意识体现在生产、生活的方方面面,从我做起,珍惜每一滴水是公民节水的准则。

水资源社会再生能力随着社会、经济和科技水平的提高而不断提高,但在有限的社会、经济和技术条件下,再生能力提高总存在一个相对稳定的阈值,使其提高受到内部要素和系统边界的影响和制约,出现S形曲线增长,类似于生态学中的 Logistic 曲线,表示如下

$$C = \frac{K}{1 + b_0 e^{-rt}} \tag{2-5}$$

式中:C 为水资源社会再生能力提高程度;K 为再生能力提高阈值或提高饱和容量;t 为时间;r 为再生能力提高所需要的增长率;b_0 为与再生能力提高基数有关的系数。

(四)水资源社会再生的必要性

水资源社会再生的主要部分是城市污水。城市污水是水量稳定、供给可靠的一种潜在水资源。因此,城市污水的再生利用是开源节流、减轻水体污染程度、改善生态环境、解决城市缺水问题的有效途径之一。

发达国家水资源社会可再生程度很高。例如,以色列是一个水资源极度贫乏的国家,而污水已经成为该国重要的水资源之一。目前,以色列 100% 的生活污水和 72% 的城市污水得到了回用。现有 200 多个污水回用工程,规模最小为 27m³/d,最大为 20 万 m³/d,处理后的污水 42% 用于农业灌溉、30% 用于地下水回灌,其余用于工业及市政建设等,全国的 127 座污水库与其他水源联合调控、统一使用。以色列将污水回用以法律的形式给予保障,如法律规定在紧靠地中海的滨海地区,若污水没有充分利用就不允许使用海水淡化水。污水资源给以色列带来了极大的经济效益,不仅实现了全国粮食自给,而且还将棉花、花生等出口。早在 20 世纪 80 年代中期,日本的城市污水回用量就达到了 0.63 亿 m³/d。污水再生后用于中水道系统、农田或城市灌溉、河道补给等。日本的双管供水系统(其一为饮用水系统,其二为再生水系统,即中水道系统)比较普遍,中水道的再生水一般用于冲洗厕所、浇灌城市绿地及消防。中水道系统除采用传统的处理装置(如生物及物化处理)外,近年来又开发出一种地下毛细管渗滤系统,把污水处理与绿化结合起来。

目前,我国水资源社会循环通量占总通量的 5 600/28 000。而目前我国农业用水占用水量的 70%~80%,但灌溉技术落后,水的利用率仅为 30%,比发达国家几乎低一倍,农业节水潜力巨大;工业用水重复利用率和循环利用率也普遍较低;生活用水存在普遍的浪费现象。因此,我国存在巨大的节水潜力[16]。目前,我国废污水年排放量达 620 亿 m³,使河流水环境遭受严重破坏。全国七大江河流域有 50% 的河段已被污染,水资源丰富的地区,如江苏、广东、上海等一大批省市已经面临日益严重的"水质污染型"缺水,如太湖流域 3 000 多万人守着 2 300km² 的太湖出现了"水多用难"的尴尬局面,广东省的珠江三角洲地区形成了"经济发展—水体污染—水质下降"的恶性循环。随着我国经济的飞速发展,原始资源型缺水问题日益突出。目前我国有 400 多个城市缺水,正常年份缺水达

60 亿 m^3,预计 2030 年缺水量将达到 400 亿～500 亿 m^3。而目前全国城市污水年排放量大约为 414 亿 m^3,城市污水处理率和二级处理率分别仅达 30% 和 15%,污水回用率则更低。根据"十五"计划纲要的要求,到 2005 年我国城市污水集中处理率要达到 45%。如果污水回用率平均达到 20%,那么"十五"末期污水回用量可达到 40 亿 m^3/年,这可解决全国城市缺水量的一半以上[17]。

污水再生利用产生的经济效益、社会效益和生态效益主要体现在以下方面:降低给水处理和供水费用;减少城市污水排放及相应的排水工程投资与运行费用;改善生态与社会经济环境,促进工业、旅游业、水产养殖业及农林牧业的发展;改善生存环境,促进和保障人体健康,减少疾病(特别是致癌、致畸、致基因突变)危害;增加可供水量,促进经济发展并避免因缺水而造成的损失等。

可见,水资源社会可再生利用不但可以从一定程度上缓解水资源危机,还具有一定的经济效益、社会效益和生态效益。因此,水资源社会可再生利用是我国解决城市水资源短缺的重要途径和首要选择。

五、水资源可再生性维持阈值

水资源可再生性评价的目的在于确定水资源可再生性维持阈值,以便指导流域(区域)水资源合理开发。本研究将详细论述流域水资源可再生性维持阈值的基本理论,并建立由维持生态系统健康的最小生态环境需水量阈值、人类可以利用的最大水资源开发利用阈值、维持一定水环境功能的污染物排放阈值及控制社会经济一定规模的关键要素的发展阈值等组成的流域水资源可再生性维持阈值。具体内容参见第十一章。

第三节 水资源可再生性评价的内容

水资源可再生是通过自然循环和社会循环实现的,对水资源可再生性评价应该包括对水资源可再生的来源、过程、结果和利用四个环节(包括自然再生、社会再生、水量再生和水质恢复)分别评价。通常以流域或者区域为主体进行水资源可再生性评价。

水资源可再生性评价的内容主要包括以下方面:

(1)水资源量可再生性的演变特征评价。一般对流域降水、天然径流量、实测径流量和还原径流量等时间系列的有限性、无限性、时空不均匀性、持续性、趋势性、突变性、周期性和时空结构变化等特点进行评价,了解可再生性变化规律。

对水量传输或更新速率、更新周期以及水文模拟的研究也是水量可再生性评价的重要内容。

(2)水资源可再生性影响因素评价。对影响水资源可再生性的主要因素进行分析,如气候背景与气候变化、地理位置、蒸发与渗漏、人为活动(取水用水)、植被和土地利用及太阳黑子等。

(3)流域水质恢复能力和水质恢复机理评价。包括对流域水质污染现状评价、水质水量联合评价、水质恢复能力评价和水质恢复机理评价。

(4)主要城市水资源可再生性评价。选择反映城市水资源社会可再生性的评价指标,建立评价指标体系,利用综合评价方法进行评价。

(5)流域水资源社会可再生性综合评价。建立流域水资源可再生性综合评价指标体系进行评价,包括指标选择、指标体系建立、评价标准确定、权重确定和综合评价方法的选择等。

本研究以黄河流域地表水资源为例,对黄河流域地表水资源可再生性进行详细评价。具体内容参见后面相关章节。

参 考 文 献

[1] 中国大百科全书·环境科学卷 . 北京·上海:中国大百科全书出版社,1983.247
[2] 成立,刘昌明 . 水资源及其内涵研究的现状和时间维的探讨 . 水科学进展,2000,11(2):153~158
[3] 水科学进展编辑部 . 水与可持续发展——定义及内涵 . 水科学进展,1997,8(4):377~384
[4] Sandra L.Postel. Human appropriation of renewable fresh water. Science, 1996, Vol.271. P785
[5] 王浩,汪建华,秦大庸,等 . 现代水资源评价及水资源学学科体系研究 . 地球科学进展,2002,17(1):12~17
[6] 陈家琦,王浩 . 水资源学概论 . 北京:中国水利水电出版社,1996.2~4,86~132
[7] 张家城 . 水分循环与气候背景 . 水科学进展,1999,10(3):265~270
[8] 刘国纬 . 水文循环的大气过程 . 北京:科学出版社,1997
[9] 郑红星 .GIS 支持下黄河流域水文循环时空演化规律研究 . 中国科学院地理科学与资源研究所,2001
[10] 刘昌明,王会肖,等 . 土壤—作物—大气界面水分过程与节水调控 . 北京:科学出版社,1998.43
[11] 刘昌明,孙睿 . 水循环的生态学方面:土壤—植被—大气系统水分能量平衡研究进展 . 水科学进展,1999,10(3):251~258
[12] 刘昌明,任鸿遵 . 水量转换——试验与计算分析 . 北京:科学出版社,1988.3~21
[13] Sokolov A. A., Chapman T. G.. Methods for Water Balance Computations: An International Guide for Research and Practice . Paris: The UNESCO Press, 1974: 74~82
[14] 陈仁仲 . 廿一世纪水资源之永续发展——加强推动水的社会循环 .http://163.13.135.201/chat-room/chat - disscus. htm.2001 - 04 - 20
[15] 董辅祥,董欣东 . 城市与工业节约用水理论 . 北京:中国建筑工业出版社,2000
[16] 李圭白 . 水的社会循环和水资源可持续利用 . 给水排水,1998,24(9):1
[17] 许京祺 . 我国城市污水再生利用的现状与对策 . 中国水利报,2003 - 01 - 22 第 4 版

第三章 黄河流域水资源量自然可再生变化

水资源可再生与其他自然现象一样,其本身的发生、发展和演变的过程中有必然性或确定性,也包含着随机性。促使水资源可再生的根本原因在于它的内在规律,即按照一定的秩序贯穿在其发展的全部过程之中,如水资源可再生的周期性变化和季节性变化。但是,由于水资源可再生还受到许多因素的影响,这些影响的无限复杂性和多样性,促使水资源在再生演变过程中不断地产生各种程度的非根本性的偏差,使得其演变中存在不确定性和随机性。

必然性和随机性在水资源可再生的演变过程中不但始终同时存在着,而且还相互联系着。那些"被断定为必然的东西,是由纯粹的偶然性构成的,而所谓偶然的东西,是一种有必然性隐藏在里面的形式"[1]。水资源可再生的必然性和随机性是相互联系而相互又有区别的,不能把它们看做是绝对对立的。在评价流域地表水资源可再生性的时候,必须对各有关因素进行详细研究,把研究必然性规律的物理成因分析和研究随机性规律的概率统计分析密切结合起来,相辅相成地解决实际问题。

对一个降水或径流系列,考虑其随机性和确定性成分,可以表示为

$$R = S + T + J + P \tag{3-1}$$

式中:R 为降水或径流时间序列;S 为随机性成分;T 为趋势性成分;J 为跳跃(突变)性成分;P 为周期性成分。其中确定性成分包括周期性成分和非周期性成分,非周期性成分包括趋势性成分和跳跃性成分[2]。

由于区域差异,水资源可再生性也存在着区域差异,了解其时空变化也是探讨水资源可再生特点的重要内容。本章将基于水资源可再生性的基本理论,从水文循环出发,详细评价黄河流域各区域降水、实测径流和天然径流量的时空变化,探明水资源可再生的随机性和确定性规律。主要评价内容包括自然可再生量的年际变化、时空不均匀性、持续性、趋势性、突变性、周期性及时空结构变化评价。

本书不对黄河流域地下水可再生性进行评价。

第一节 黄河流域概况

一、自然地理特征

(一)地理与范围

黄河流域位于中国北中部,发源于巴颜喀拉山北麓的约古宗列盆地,自西向东流经青海、四川、甘肃、宁夏、内蒙古、陕西、山西、河南和山东等 9 省区,在山东垦利县注入渤海。流域介于 96°E~119°E、32°N~42°N 之间,东西长 1 900km,南北宽 1 100km,面积 794 712km²,其中包括鄂尔多斯高原的内流区(42 269km²)。

(二)地形

黄河流域地势自西向东大体上可分为三个阶梯:青藏高原为第一阶梯,平均海拔4 000m;青藏高原向东到太行山为第二阶梯,海拔在1 000~2 000m,包括内蒙古高原一部分、黄河河套平原、鄂尔多斯高原、黄土高原和汾渭地堑等;太行山以东为第三阶梯,主要由黄河下游冲积平原和鲁中山地丘陵组成。图3-1是黄河流域数字高程(DEM)图。

图例
黄河
| |
| 1 ~ 200 |
| 200 ~ 400 |
| 400 ~ 800 |
| 800 ~ 1 000 |
| 1 000 ~ 1 200 |
| 1 200 ~ 1 400 |
| 1 400 ~ 1 600 |
| 1 600 ~ 1 800 |
| 1 800 ~ 2 000 |
| 2 000 ~ 2 400 |
| 2 400 ~ 2 800 |
| 2 800 ~ 3 200 |
| 3 200 ~ 3 600 |
| 3 600 ~ 4 000 |
| 4 000 ~ 4 500 |
| 5 000 ~ 8 000 |
| 4 500 ~ 5 000 |

图 3-1　黄河流域 DEM 图(单位:m)

(三)土壤与植被

黄河流域土壤由东南向西北依次分布有棕壤土、褐色土、灰褐土、栗钙土、灰钙土等。植被类型则依次为森林草原、干草原和荒漠草原。

(四)气候与水系

黄河流域属于大陆性季风气候,东南部为湿润气候,中部属于干旱半干旱气候,西北部为干旱气候。黄河流域年降水量相对较少,而蒸发量较大。利用干旱指数表示流域的气候特征,可知黄河流域干旱指数在1.0~11之间,并且出现明显的地带性特征,干旱指数自东南向西北递增,最大值出现在鄂尔多斯高原北部的内蒙河套平原。

黄河属于太平洋水系。黄河干流全长5 463km,源头—龙羊峡为河源区,源头—河口镇为上游,长3 472km,面积38.6km²;河口镇—花园口为中游,长1 206km,面积34.4km²;花园口以下为下游,长786km,面积2.2km²。黄河具有弯道多、峡谷多、集水宽度小和河道落差大的显著特点。

黄河支流众多,其中流域面积大于1 000km²的有152条,大于5 000km²的有36条(见表3-1)。主要支流有湟水、洮河、渭河、泾河、汾河、北洛河、伊洛河和沁河(见图3-2),这些支流及其流域水文特征见表3-2。

表3-1　　　　　　　　黄河支流流域面积大于或等于某级面积的条数

$F(\text{km}^2)$	1 000	2 000	3 000	5 000	10 000	20 000	30 000	130 000
n(条)	152	87	64	36	19	10	7	2

图 3-2　黄河流域水系图

表 3-2　　　　　　　　　　　　　　　黄河流域主要支流水文特征

支流	流域面积(km²)	干流河长(km)	控制站点	河道比降(‰)	备注
湟水	32 863	374	民和/享堂		由湟水及大通河组成
洮河	25 527	673	红旗		
渭河	62 440	818	华县	1.27	
泾河	26 905	455	桃园		渭河支流
北洛河	45 421	680	朝邑	1.52	渭河支流
汾河	39 471	684	河津	1.11	
伊洛河	18 881	447	黑石关	1.75	由伊河和洛河组成
沁河	13 532	485	武陟	2.16	
大汶河	9 098	239	陈山口		

黄河流域多年平均降水量 460mm,年径流量 580 亿 m³,年径流深 77.4mm,径流系数为 0.17(按利津站计算)。对比我国主要河流的主要水文特征(见表 3-3),可见黄河流域年降水量、年径流量、年径流深和径流系数均较低,与海河流域、辽河流域处于同一水平。我国河流年径流深最大的是北江(珠江支流),达到 1 102mm,是黄河的 14.2 倍;径流系数最大的是岷沱江(长江支流),达到 0.65,是黄河的 3.8 倍。可见,黄河流域产水能力相对较低。

(五)土地利用/植被类型

黄河流域土地利用/植被类型复杂多样。此处采用美国地质调查局提供的 1992、1993 年的卫星图片解译整理(分辨率 1km×1km)❶,并根据 USGS Land Use/Land Cover System 进行土地利用/植被类型分类,统计黄河流域以及各分区土地利用/植被类型。黄河流域土地利用/植被类型及其统计见图 10-44 和表 10-11。

---

❶ 资料来源:http://edcwww.cr.usgs.gov/pub/data/glcc/ea/lamberta/usgs.leg

表 3-3　　　　　　　　　　　我国主要河流的主要水文特征统计

流域名称	河名	面积（km²）	年降水量（mm）	年径流深（mm）	径流系数
长江	长江（干流）	1 808 500	1 050	513	0.49
	金沙江	490 546	672	315	0.47
	岷沱江	166 084	949	614	0.65
	嘉陵江	159 638	936	435	0.46
	乌江	88 354	1 146	596	0.52
	湘江	96 440	1 453	732	0.50
	资水	28 143	1 452	793	0.55
	沅江	89 163	1 435	752	0.52
	汉江	168 851	937	340	0.36
	赣江	80 948	1 560	816	0.52
珠江	珠江（干流）	442 585	1 480	783	0.53
	北江	38 363	1 747	1 102	0.63
	东江	25 325	1 696	919	0.54
淮河	淮河（干流）	269 150	894	239	0.27
	洪河	12 380	934	255	0.27
	史河	6 850	1 206	533	0.44
	颍河	39 880	792	144	0.18
	涡河	15 890	734	107	0.15
滦河	滦河（干流）	54 412	556	109	0.20
海河	海河	264 617	556	109	0.20
	蓟运河	4 484	721	265	0.37
	潮白河	16 375	542	99	0.18
	永定河	45 167	433	45	0.10
黑龙江	黑龙江	888 502	486	133	0.27
辽河	辽河	219 014	476	66	0.14
澜沧江	澜沧江	164 766	972	421	0.43
塔里木河	塔里木河	73 352	198	89	0.45
石羊河	石羊河	41 600	211	36	0.17
黄河	黄河（干流）	756 443	460	77	0.17

注：资料来源于水利电力部水文局印《全国主要河流水文特征统计》（第一部），1982 年 9 月。

黄河流域以草地和灌丛为主,耕地(含混合)占有相当大的比重,森林覆盖率低,其他土地利用类型比重也相对较小,可见黄河流域生态系统功能整体不高,生态环境比较脆弱。

二、社会经济特征

黄河流域是中华民族的发祥地,经济开发历史悠久,文化底蕴丰厚,历史上是我国重要的政治、经济和文化中心地区,现在是西部大开发战略的建设区域。

黄河流域(包括内流区)包括青海、四川、甘肃、宁夏、内蒙古、陕西、山西、河南和山东等省(自治区),总人口约 10 642.81 万(1998 年统计资料,下同),工农业总产值 6 736.60亿元,国民生产总值 4 723.67 亿元,人均国民生产总值 4 438 元;耕地 21 565.92 万亩❶,农田实灌面积 6 599.97 万亩,粮食产量 5 012.35 万 t;水资源总量 420 亿 m^3(按利津天然径流量计算),人均水资源 394 m^3。由于自然条件限制和历史原因,黄河流域中上游地区经济和科学文化还不发达,多数属于贫困地区。目前,国家实施的西部大开发战略,给黄河流域社会经济发展带来了契机。

第二节 评价分区与评价数据获取

一、评价分区

历史上,黄河流域水资源评价有多种分区,例如,1956 年孙九韶等根据流域水文气象资料和自然地理分布特征,以水量平衡为原则,考虑降水、蒸发、径流等因素,将黄河流域划分河源湖泊区、甘青高原丰水区、河套灌溉区、鄂尔多斯沙漠区、干旱区、半干旱区、湿润区、大青山南坡水区、晋陕暴雨侵蚀区、渭汾河丰雨少流区和大汶河东平湖区等 11 个水文分区[3]。黄委 1962 年将这 11 个分区合并为 6 个区。1988 年龚庆胜等利用主成分聚类分析,考虑降水量、水面蒸发量、径流深、输沙模数、平均气温等综合因素,将黄河流域划分为 3 个主区和 11 个子区[4]。黄委(1986)在开展流域水资源评价时按上、中、下游及水文特征,将黄河流域分为 3 个一级亚区和 15 个二级区(含内流区)。这是水资源评价公认的比较合理的分区,多被大家采用。黄委 1997 年的水资源利用分区与 1986 年分区相比,尽管子区域有所变化,但分区原则和格局没有大的变化。目前黄河流域正在开展第二次水资源评价,将黄河流域划分了 8 个二级区和 29 个三级区,也是在原来的基础上,更加详细分段分区。

(一)分区原则

本次研究将黄河流域划分为 16 个区域(含内流区),分区的原则如下:

(1)基本上能反映水资源条件的地区差异。

(2)尽可能地保持河流体系的完整性,将自然条件相同的小河合并。

(3)有利于地表水资源的估算与供需平衡分析。

---

❶ 1 亩＝1/15hm²,下同。

(4)继承传统水资源评价分区,以便进行评价结果纵向对比分析。

这种分区基于黄委1986年分区与1997年水资源利用分区结果,并根据资料的可得性作了一定的调整,即把兰州—下河沿、下河沿—石嘴山和石嘴山—河口镇合并为兰州—河口镇区间。

(二)分区结果

黄河流域地表水资源可再生性评价分区结果(见图3-3)和各区基本特征(见表3-4)。由于内流区资料缺乏,在本文研究中不对内流区水资源进行分析。

图3-3 黄河流域地表水资源可再生性评价分区结果

表3-4 黄河流域地表水资源可再生性评价分区面积

区间	分区号	区 域	面积	
			km²	%
上游	1	龙羊峡以上	131 405	17.5
	2	龙兰干流区间	32 756	4.4
	3	湟水流域	32 863	4.4
	4	洮河流域	25 527	3.4
	5	兰河干流区间	163 415	21.7
中游	7	泾河流域	45 421	6.0
	8	北洛河流域	26 905	3.6
	9	渭河流域	62 440	8.3
	10	河龙干流区间	111 595	14.8
	11	汾河流域	39 471	5.2
	12	龙三干流区间	16 623	2.2
	13	伊洛河流域	18 881	2.5
	14	三花干流区间	9 202	1.2
	15	沁河流域	13 532	1.8
下游	16	黄河下游	22 407	3.0
内流区	6	内流区	42 269	
合 计		黄河流域(含内流区)	794 712	
		黄河流域(不含内流区)	752 443	100

可知,黄河流域(不含内流区)面积为752 443km²,其中面积较大的3个区域分别为兰河干流区间、龙羊峡以上和河龙干流区间,分别占黄河流域总面积的21.7%、17.5%和

14.8%,面积最小的区域为三花干流区间,仅占黄河流域总面积的1.2%。

二、黄河流域地表水资源分区基础要素信息提取与计算

水资源可再生性评价的基础要素是降水量、气温、蒸发量和径流量,这里主要介绍它们的信息提取与计算方法。

(一)分区降水量

1. 面平均降水量的计算方法

对区域气象要素如面平均降水量、面平均气温等的计算,传统的方法有算术平均法、泰森多边形法和等雨量线法,在实际工作中,根据研究内容和精度的需要采取不同的方法。随着GIS空间数据处理技术的发展,对大规模空间数据多采用空间插值方法得到。降水空间插值是根据已知站点的数据,利用某种空间插值方法,得到降水分布的栅格Grid图,使空间每一点都有一个对应的降水量值。利用Grid数据,不但可以统计出任何区域的面平均降水量,还可以绘制出降水等值线。

空间插值的方法也有多种,常用的空间插值方法有距离权重(Distances Weighting)法、多项式插值(Interpolating Polynomials)法、克里格(Kriging)法和样条插值(Spline Methods)法等。在这些插值方法中,距离权重法最为简便,多项式插值的物理意义不是很明确;样条插值是对于一些限定的点值,通过控制估计方差,利用一些特征节点,根据多项式拟合的方法来产生平滑的插值曲线,多用于气象要素时间序列的插值;Kriging方法产生于地质采矿的品位估计,以能提供最佳线性无偏差估计而被广泛应用于空间插值的诸多领域[5,64]。

2. Kriging空间插值方法

采用Kriging插值方法得到气象要素的空间分布值。地统计学中的Kriging方法以区域化变量理论为基础,以半变异函数为分析工具,对空间分布具有随机性和结构性的变量的研究具有独特的优点。其插值表达式为

$$Z_x^* = \sum_{i=1}^{n} \lambda_i \cdot Z(X_i) \tag{3-2}$$

式中:λ_i为赋予站点气象要素值$Z(X_i)$的权重,用来表示各站点要素值$Z(X_i)$对估计值Z_x^*的贡献;X_i为站点位置。

为了达到线性无偏估计,使估计方差最小,权重系数由Kriging方程组决定,普通Kriging的点估计Kriging方程组为

$$\left. \begin{array}{l} \sum_{i=1}^{n} \lambda_i C(X_i, X_j) - \mu = C(X_i, X^*) \\ \sum_{i=1}^{n} \lambda_i = 1 \end{array} \right\} \tag{3-3}$$

式中:$C(X_i, X_j)$为样点间的协方差;$C(X_i, X^*)$为样点与插值间的协方差;μ为极小化处理时拉格朗日乘子。

协方差与半变异函数的关系为

$$C(h) = \delta^{*2} - \gamma(h) \tag{3-4}$$

式中：δ^{*2} 为试验方差；$\gamma(h)$ 为半变异函数。

Kriging 插值的权重取决于变量的空间结构性，而变量的空间结构性由半变异函数决定，其表达式为

$$\gamma(h) = \frac{1}{2N(h)} \sum_{i=1}^{N(h)} \left[Z(X_i) - Z(X_i + h) \right]^2 \tag{3-5}$$

式中：$\gamma(h)$ 为变量 Z 以 h 为距离间隔的半方差；$N(h)$ 为被距离区段 h 分隔的试验数据对的数目。

本文的降水量、温度和蒸发量的插值采用的半变异函数为球形函数模型，其表达式为

$$\gamma(h) = \begin{cases} C\left[\dfrac{3}{2} \dfrac{h}{\alpha} - \dfrac{1}{2} \dfrac{h^3}{\alpha^3} \right] & (h \leqslant \alpha) \\ C & (h > \alpha) \end{cases} \tag{3-6}$$

式中：α 为变程；C 为基台值。

目前，GIS 发展为大规模数据空间处理提供了强有力的工具。可以在 ARC/VIEW 空间分析中利用 Kriging 扩展模块实现，并结合 ARC/VIEW 空间统计功能提取气象要素分区统计值。

3．原始降水测站数据

选取黄河流域内 699 个降水站的降水数据，为了提高边界区域降水的精确性，另外选取流域周边的 128 个降水站点（见图 3-4），共 827 个降水测站逐月（1951～1998 年）监测数据。在 ARC/VIEW 空间分析模块支持下，采用 Kriging 球形函数法插值得到黄河流域逐月降水量 Grid 图，并利用空间统计功能提取黄河流域 16 个分区的 1951～1998 年逐月降水系列、逐年降水系列、汛期降水系列和非汛期降水系列。

统计黄河干流主要控制站点以上 1951～1998 年面平均降水量，见表 3-5。

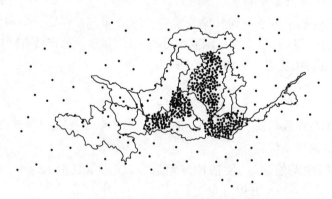

图 3-4　黄河流域及其周边降水站点分布示意图

表 3-5　　黄河干流主要控制站点以上 1951～1998 年面平均降水量(不含内流区)　（单位：mm）

站点	龙羊峡以上	兰州以上	河口镇以上	龙门以上	三门峡以上	花园口以上	全流域
年平均	470.0	446.1	382.2	396.7	441.7	452.7	459.8
汛期	336.6	316.1	273.1	283.7	305.7	311.4	317.0
非汛期	133.5	130.0	109.0	113.0	136.0	141.2	142.7

注：汛期为 6～9 月，其余月为非汛期，下同。

4. 结果可信度分析

为了验证本次降水量结果的可行性,本文与其他研究成果进行比较。

朱晓原等[7]选取黄河流域913个降水站点,采用算术平均法结合面积加权法计算黄河流域1950～1997年黄河流域面平均降水量。郑红星[8]根据全国402个气象站点(其中黄河流域内45个),利用GIS技术生成泰森多边形,利用泰森多边形计算方法得到黄河流域面平均降水量。

朱晓原等计算1950～1997年花园口以上降水量年平均为449.9mm,汛期为314.9mm,非汛期为135mm,本次计算降水量年平均为452.7mm,汛期为311.4mm,非汛期为141.2mm,分别相差+2.8mm、-3.5mm和+6.2mm;与郑红星计算结果对比,郑红星计算兰州以上1951～1997年年平均降水量为440.4mm,本次计算(1951～1998)为446.1mm,相差5.7mm。可见这次计算结果可信度较高,满足分析要求。

图3-5是兰州以上和兰河干流区间郑红星论文(简称郑文)与本文计算的年降水量变化过程,从图中可以看出二者基本吻合,说明本次的计算结果是可行的。

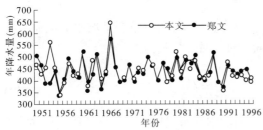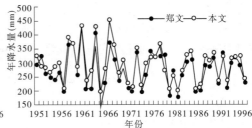

(a)兰州以上两种方法年降水量计算结果比较　　(b)兰河干流区间两种方法年降水量计算结果比较

图 3-5

(二)分区气温

根据全国400个气象站点1951～1998年逐月均温资料(17 806个站年),按照Kriging插值方法得到气温Grid图,并统计出各分区48年逐月均温系列。图3-6是黄河流域年平均气温1998年等值线。

可见黄河流域气温高值区主要在渭河流域、汾河和黄河下游区域以及兰河干流区间部分区域,龙羊峡以上属于低值区。在华山、泰山等山区出现低值区。

表3-6是黄河流域各分区年均温统计结果(为了消除50年代初期站点偏少对插值的影响,这里按1956～1998年统计)。由表可知,黄河流域年均温最高的是伊洛河流域(13.4℃)、最低的是龙羊峡以上(0.07℃),黄河流域为6.9℃。

比较黄河流域主要产水区域的年均温变化过程,见图3-7。计算它们的趋势方程:$y=0.015\ 5x+11.567$(渭河流域);$y=0.000\ 2x+1.443\ 9$(兰州以上);$y=-0.001\ 5x+0.105$(龙羊峡以上);$y=0.015\ 6x+6.554\ 5$(黄河流域)。可见,它们都在一定范围内波动,除了龙羊峡以上区域有下降趋势外,其余主要产水区域为上升趋势,黄河流域也呈上升趋势,但趋势都不明显。

(三)分区蒸发量

1. 水面蒸发

选用国家气象局所提供的全国305个气象测站1951～1998年的逐月蒸发监测系列

资料,采用 Kriging 插值方法得到各区域逐月系列。具体结果见第四章第三节。

表 3-6		黄河流域各分区年均温统计结果(1956~1998 年)		(单位:℃)
区　域	年均温	区　域	年均温	
龙羊峡以上	0.07	河龙干流区间	8.7	
龙兰干流区间	3.2	汾河流域	10.3	
湟水流域	3.7	龙三干流区间	11.9	
洮河流域	3.4	伊洛河流域	13.4	
兰河干流区间	7.0	三花干流区间	13.3	
泾河流域	9.5	沁河流域	11.9	
北洛河流域	9.2	黄河下游	12.3	
渭河流域	10.4	黄河流域	6.9	

2. 实际蒸发

采用 Penman-Monteith 公式计算得到参考作物蒸散量,然后结合土壤水分限制系数和植物系数得到黄河流域实际蒸发量。Penman-Monteith 公式为

$$ET = \frac{0.408\Delta(R_n - G) + \gamma\dfrac{900}{T+273}U_2(e_s - e_d)}{\Delta + \gamma(1 + 0.34U_2)} \tag{3-7}$$

式中:ET 为作物蒸散量,mm;Δ 为当气温为 T 时的饱和水汽压曲线斜率,kPa/℃;R_n 为冠层太阳净辐射,MJ/(m^2·d);G 为土壤通热量,MJ/(m^2·d);γ 为干湿常数,kPa/℃;T 为月平均气温,℃;U_2 为 2m 高处风速,m/s;e_s、e_d 分别为当气温为 T 时的饱和水汽压和实际水汽压,kPa。

由以上方法得到的结果见图 3-8。

(四)分区径流量

黄河流域基础数据和评价方法不统一,给评价结果带来困难。为了统一性和可靠性,本文的各水文站点径流量数据全部采用黄委刊印的径流量统计逐月资料。

1. 实测径流量

控制站点实测径流量来自于黄委的《1952~1990 年黄河流域主要水文站实测水沙特征值统计》和《1919~1951 年和 1991~1998 年黄河流域主要水文站实测水沙特征值统计》,个别站的资料来自三门峡水库管理局。

2. 控制站点天然径流量

控制站点天然径流量来自于黄委的《1952~1990 年黄河流域天然径流量资料(主要水文站)》和《1991~1998 年黄河流域天然径流量资料(主要水文站)》。基本上包括了黄河流域干流主要控制站点和中下游主要支流的天然径流量。这些资料经过严格审查和验证,研究表明这些系列合理性较高❶

---

❶　黄河水利委员会水文局,1950~1990 年黄河水文基本资料审查评价及天然径流量计算,1997 年,第 157~235 页。

图 3-6　黄河流域年平均气温 1998 年等值线(单位:℃)

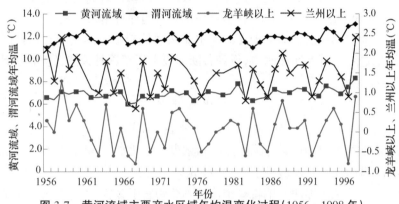

图 3-7　黄河流域主要产水区域年均温变化过程(1956~1998 年)

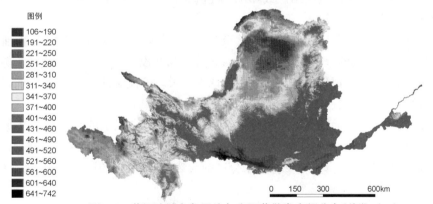

图 3-8　黄河流域多年平均年实际蒸散发空间分布(单位:mm)

3.黄河流域分区天然径流量计算

1)主要支流流域天然径流量

　　湟水流域和洮河流域天然径流量是根据实测径流量系列加上还原系列得到的。渭河流域、泾河流域、汾河流域、北洛河流域、伊洛河流域和沁河流域天然径流量采用各流域控制站点的天然径流量计算,考虑到控制站点距离河口较近,控制站点天然径流量基本上能反映整个流域的产水量,不再进行扩大计算。

2)干流区间天然径流量

　　黄河干流河道两侧有众多支流,其天然径流量计算需要详细的实测径流量和还原径流量。由于工作量巨大,黄委在进行水资源评价的时候,仅对干流主要控制站点天然径流量进行还原计算。黄委在《黄河流域片水资源评价》(1986)中仅提供了干流分区天然径流量评价1956～1978年系列。目前尚未见到系统的干流区间天然径流量更长系列资料。

从目前的文献看,在评价干流区间天然径流量时多采用区间下、上控制站点天然径流量的差值作为区间天然径流量。事实上,由于干流河道水量输移损补,这种控法天然径流量不能反映区域(河道两侧流域)真正的产水能力。

(1)干流区间天然径流量两种计算方法比较。

天然径流量是在没有人类影响的情况下,河流出口断面的径流量。河流监测站点监测的径流量是实测径流量,需要还原计算。对天然径流量的评价方法主要有断面控制站法和分区还原累加法。在干流区间,这两种评价方法的评价结果差别较大。

方法Ⅰ:断面控制站法。即以干支流各主要断面控制站点的实测年、月径流量,加上断面以上流域逐年、逐月的还原水量,得到各断面以上历年逐月天然径流量。计算公式如下

$$W_{天然} = W_{实测} + W_{还原} \tag{3-8}$$

$$W_{还原} = W_{农} + W_{工生} + W_{库} \tag{3-9}$$

式中:$W_{农}$ 为农业耗水量;$W_{工生}$ 为工业生产和城市生活耗水量;$W_{库}$ 为水库蓄变量及其蒸发渗漏损失量,有时还扣除流域外引水、分水量。

方法Ⅱ:分区还原累加法。即将整个流域划分为若干分区,首先对各分区的实测径流量进行还原,方法上采用控制站法或降水—径流关系法等,再逐区由上而下对应年累加,得到流域的天然径流总量。

从评价方法上看,断面控制站法天然径流量已经扣除干流河道水净损失量,而各分区仅评价未进入干流前的分区天然径流量,因此其总和并没有扣除干流河道径流输移中净损失水量。显然,分区评价之和大于控制站评价结果。若仅对某一子流域评价而言,二者的方法与结果是一致的。

从评价目的看,断面控制站法从整体宏观角度对控制站以上的天然水资源进行评估,为控制站及其下游水资源利用规划提供依据,是流域规划和水利水电工程规划设计的基础。分区还原累加法能真实地反映每个分区的天然径流情况。但是分区天然径流量之和不能作为全流域的天然径流量。

由于干流河道径流水量损失或补充,利用两控制站点天然径流量之差不能反映干流区间区域的产水能力。以黄河下游龙门—三门峡干流区间为例,采用断面控制站法计算龙三干流区间平均年天然径流量为3.08亿 m^3(1951～1998年),且部分年份的天然径流量为负值,这与实际产水能力不相符合,显然,干流河道水量自然补损影响较大。

以某干流河道区间为例,根据水量平衡原理,探讨天然径流量这两种评价结果之间的关系。设干流河道区间 B 的天然径流量为 $B_区$(河道之外的区域)。对区间干流河道水体而言,存在以下水量平衡关系

$$B_控 = T_2 - T_1 \tag{3-10}$$

$$T_1 + B_区 + W_地 - W_蒸 - W_渗 = T_2 \tag{3-11}$$

$$B_区 = T_2 - T_1 + (W_蒸 + W_渗 - W_地) = B_控 + \Delta W_补损 \qquad (3\text{-}12)$$

式中：T_1、T_2 分别为区间干流上、下游控制站的天然径流量；$B_控$ 为下、上游控制站天然径流量的差值；$W_地$ 为地下水补给河道量；$W_蒸$ 为河道蒸发量；$W_渗$ 为河道渗漏补给地下水量；$\Delta W_补损$ 为补损平衡差值，正值说明损失量大于补给量，负值则说明损失量小于补给量。

河道降水量比重较小，可以忽略不计。因此，从式(3-12)可以得到区间天然径流量 $B_区$ 与下、上游控制站天然径流量差值 $B_控$ 之间的关系。

(2)黄河流域干流区间天然径流量计算。

由于资料所限，本文不进行常规的实测和还原计算，而是采取间接的方法求得，即采用各干流区间 1956~1979 年的自产天然径流量($Q_{区天}$)、干流控制站 1951~1998 年天然径流量和各区间 1951~1998 年降水量推算黄河流域各干流区间 1951~1998 年的 $Q_{区天}$。

设 $Q_控$ 为区间下、上游控制站天然径流量之差，即

$$Q_控 = Q_下 - Q_上 \qquad (3\text{-}13)$$

结合式(3-12)干流区间两种天然径流量之间的关系，则可得到

$$Q_{区天} = Q_损 + Q_控 \qquad (3\text{-}14)$$

考虑到降水与径流量的关系，进一步得到

$$Q_{区天} = Q_损 + Q_控 = Pr \qquad (3\text{-}15)$$

式中：P 为区间降水量；r 为径流系数。

由水量转化可知，在以径流损失为主的河道，汇入径流量越大，损失就越大；在以地下水补给为主的河道，区间 P 越大，则 $Q_{区天}$ 越大，地下水补给能力越强，即 $Q_{区天}$、$Q_控$ 和 P 之间存在一定的正相关，因此可以由已知的 P、$Q_{区天}$、$Q_控$ 短系列之间内在的相关性把 $Q_{区天}$ 延长得到长系列数据。

具体计算方法：令 x 为区间下、上游控法天然径流量差值系列($Q_控$)或区间平均降水量系列(P)，令 y 为区间自产天然径流量系列($Q_{区天}$)，系列长度为 n，系列平均值分别为 $\overline{x}$、$\overline{y}$。x 与 y 系列之间线性相关方程为

$$\overline{y} = B\overline{x} + A \qquad (3\text{-}16)$$

其中

$$B = \frac{\sum (x - \overline{x})(y - \overline{y})}{\sum (x - \overline{x})^2} \qquad (3\text{-}17)$$

$$A = \overline{y} - B\overline{x} \qquad (3\text{-}18)$$

相关系数为 r，A、B 为系数，其计算式为

$$r = \frac{\sum xy - n\overline{x}\,\overline{y}}{\sqrt{\sum x^2 - n\overline{x}^2}\sqrt{\sum y^2 - n\overline{y}^2}} \qquad (3\text{-}19)$$

以黄河下游为例，比较该区间 1956~1979 年 $Q_{区天}$ 与 $Q_控$ 的 24 年变化趋势(见图 3-9(a))，并计算它们的线性相关(见图 3-9(b))，可见它们的变化趋势基本一致，相关性($r = 0.959\ 5$)较好。

根据上述方法，分析黄河流域各干流区间 1956~1979 年的 $Q_控$(A)与 $Q_{区天}$(B)、

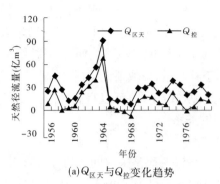 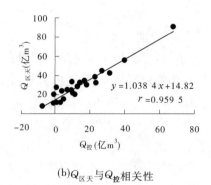

(a) $Q_{区天}$ 与 $Q_{控}$ 变化趋势   (b) $Q_{区天}$ 与 $Q_{控}$ 相关性

图 3-9　黄河下游 $Q_{区天}$ 与 $Q_{控}$ 变化趋势及相关性(1956～1979 年)

$Q_{区天}$(B)与 P 系列(C)之间的相关性,选取相关性较高的两个系列,根据其线性相关方程由干流控制站 1951～1998 年天然径流量或 1951～1998 年区间降水量的逐月系列对区间 $Q_{区天}$ 进行延长,得到 1951～1998 年各干流区间 $Q_{区天}$ 逐月系列。

本文把这种计算干流区间天然径流量的方法称为相关延长法。

黄河流域各干流区间 $Q_{区天}$ 相关延长方程见表 3-7。可见,相关系数都较高,延长得到的 1951～1998 年各干流区间 $Q_{区天}$ 逐月系列具有较高的合理性。

表 3-7　　　　　　　　　　　黄河流域干流区间天然径流量计算

区　　域	选用系列	线性相关方程	相关系数	说　　明
黄河下游	A 和 B	$y = 1.038\,4x + 14.82$	0.959 5	x 为 A 系列,y 为 B 系列
三花干流区间	A 和 B	$y = 0.693\,8x + 1.970\,8$	0.936 0	x 为 A 系列,y 为 B 系列
龙三干流区间	C 和 B	$y = 0.043\,2x - 14.58$	0.835 1	x 为 C 系列,y 为 B 系列
河龙干流区间	A 和 B	$y = 0.839\,1x + 5.416\,9$	0.974 9	x 为 A 系列,y 为 B 系列
兰河干流区间	A 和 B	$y = 1.596\,6x + 10.132$	0.804 5	x 为 A 系列,y 为 B 系列
龙兰干流区间	A 和 B	$y = 0.786\,1x + 10.057$	0.751 2	x 为 A 系列,y 为 B 系列

下文中关于黄河流域分区天然径流量的分析,如果不作说明,都是指计算后的天然径流量系列。另外,由于部分站点资料缺乏,计算个别区域的天然径流量系列少于 48 年,如龙羊峡以上、龙兰干流区间为 1954～1998 年,洮河流域为 1954～1997 年,兰河干流区间、沁河流域和黄河下游为 1952～1998 年,如不作特殊说明,均按照这些系列进行计算分析。

第三节　黄河流域水资源量自然可再生变化与预测

一、多年变化

(一)年际变化

1. 降水量

黄河流域各区域降水量多年距平变化呈随机波动状态。图 3-10 表明黄河流域及其主要区域年降水量波动状况,可见各区域的变化趋势大体相似。

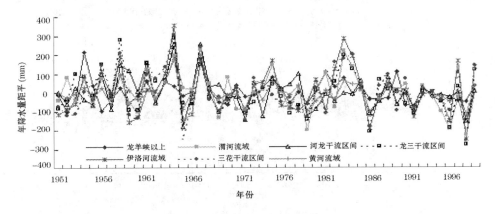

图 3-10 黄河流域及其主要区域年降水量距平变化(1951~1998 年)

计算黄河流域各区域年降水量变化的线性趋势(见表 3-8),可见 1951~1998 年各区域年降水量都呈减少趋势,其中减少幅度最大的是黄河下游(-2.3mm/年)、龙三干流区间(-2.2mm/年)和渭河流域(-1.87mm/年),黄河流域年平均减少 0.95mm。

表 3-8 　　　　　　　　　黄河流域各区域年降水量变化线性趋势方程　　　　　　　(单位:mm)

区 域	线性趋势方程	区 域	线性趋势方程
龙羊峡以上	$y = -0.437\,5x + 10.74$	河龙干流区间	$y = -1.529\,3x + 37.468$
龙兰干流区间	$y = -0.729\,8x + 18.316$	汾河流域	$y = -0.704\,4x + 17.716$
湟水流域	$y = -0.693\,3x + 16.695$	龙三干流区间	$y = -2.200\,1x + 54.277$
洮河流域	$y = -0.642\,2x + 15.901$	伊洛河流域	$y = -0.095\,7x + 2.595\,7$
兰河干流区间	$y = -0.509\,4x + 12.606$	三花干流区间	$y = -0.293\,6x + 7.297$
泾河流域	$y = -1.354\,9x + 32.861$	沁河流域	$y = -0.683\,1x + 17.07$
北洛河流域	$y = -1.328x + 32.973$	黄河下游	$y = -2.300\,7x + 56.409$
渭河流域	$y = -1.874\,8x + 45.828$	黄河流域	$y = -0.954\,2x + 23.136$

2. 天然径流量

比较黄河流域主要产水区域年天然径流量距平变化(见图 3-11),可以看出黄河流域主要产水区的年天然径流量呈现不同幅度的减少趋势,其中黄河上游年天然径流量减少幅度较大。

计算黄河流域各区域年天然径流量变化的线性趋势(见表 3-9),可见 1951~1998 年各区域年天然径流量都呈减少趋势,其中减少幅度较大的是河龙干流区间(-0.518 4 亿 m³/年)、渭河流域(-0.561 9 亿 m³/年)和龙兰干流区间(-0.483 5 亿 m³/年),黄河流域平均减少 3.963 6 亿 m³/年。

计算黄河干流主要站点年天然径流量衰减情况(见图 3-12),可见黄河干流年天然径

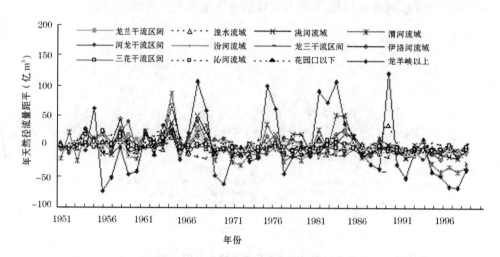

图 3-11 黄河流域主要产水区年天然径流量距平变化

流量衰减幅度从上游向下游逐渐增大(河口镇例外)。其中龙门—花园口区间是黄河流域年天然径流量主要衰减区间。

表 3-9 黄河流域各区域年天然径流量变化线性趋势方程 (单位:亿 m³/年)

区 域	线性趋势方程	区 域	线性趋势方程
龙羊峡以上	$y=-0.292\,4x+222$	河龙干流区间	$y=-0.518\,4x+65.398$
龙兰干流区间	$y=-0.483\,5x+39.578$	汾河流域	$y=-0.328\,4x+29.08$
湟水流域	$y=0.040\,3x+50.624$	龙三干流区间	$y=-0.099\,5x+14.11$
洮河流域	$y=-0.319x+57.555$	伊洛河流域	$y=-0.475\,4x+43.173$
兰河干流区间	$y=0.070\,9x+13.501$	三花干流区间	$y=-0.167\,3x+15.337$
泾河流域	$y=-0.061\,3x+21.028$	沁河流域	$y=-0.334\,8x+20.061$
北洛河流域	$y=0.056\,1x+7.527\,7$	黄河下游	$y=-0.261\,7x+32.896$
渭河流域	$y=-0.561\,9x+83.522$	黄河流域(利津)	$y=-3.963\,6x+679.96$

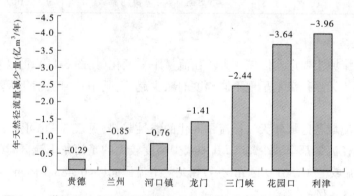

图 3-12 黄河干流年天然径流量年均衰减率沿程变化(1951~1998 年)

3. 降水量与天然径流量综合分析

对比黄河流域降水量和天然径流量变化,从图3-13可以看出,多年来黄河流域年降水量略有下降,但黄河流域年天然径流量(利津站)呈现大幅度下降趋势,特别是1990年之后下降幅度更大,可见由于人类活动的影响,黄河流域产汇流能力下降。

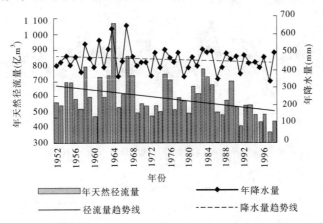

图3-13 黄河流域年天然径流量(利津)与年降水量变化及其趋势

4. 实测径流量

这里主要研究黄河流域主要站点的实测径流量的变化,不再进行分区计算。

显然,随着工农业发展,黄河流域需水量增加,而同时天然径流量又呈下降趋势,因此实测径流量也逐渐减少,甚至出现下游断流情况。图3-14(a)和3-14(b)是黄河流域主要干流及其部分支流站点的实测径流量距平变化。可见,实测径流量呈明显的下降趋势。

从表3-10可知,各站平均年衰减量,干流站点从上游到下游衰减幅度逐渐增大,利津站达到8.8亿 m^3/年。支流衰减较大的为华县、黑石关和河津等站。

表3-10 　　　　　黄河流域实测径流量衰减线性趋势(1951～1998年) 　　(单位:亿 m^3/年)

站点	线性趋势方程	站点	线性趋势方程
贵德	$y = 0.261\,3x + 194.88$	红旗	$y = -0.287\,4x + 55.085$
兰州	$y = 0.060\,3x + 311.88$	张家山*	$y = -0.058\,6x + 15.707$
河口镇	$y = -0.663x + 265.86$	华县	$y = -1.065\,5x + 99.368$
龙门	$y = -1.187\,1x + 349.42$	洑头	$y = -0.000\,5x + 6.993\,5$
三门峡	$y = -1.378\,4x + 450.14$	河津	$y = -0.371\,6x + 20.442$
花园口	$y = -1.998\,3x + 519.35$	黑石关	$y = -0.568\,6x + 42.229$
利津	$y = -8.813\,8x + 561.99$	武陟	$y = -0.329\,2x + 17.033$
民和+享堂	$y = -0.115\,9x + 48.252$		

注:* 张家山站缺1991～1998年资料,仅对其计算1951～1990年系列,下同。

(二)代际变化

1. 降水量

计算黄河流域各区域年降水量、汛期降水量和非汛期降水量的代际变化见表3-11a～c。

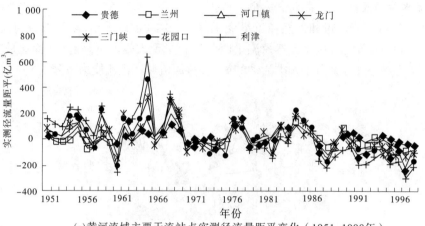

(a)黄河流域主要干流站点实测径流量距平变化（1951~1998年）

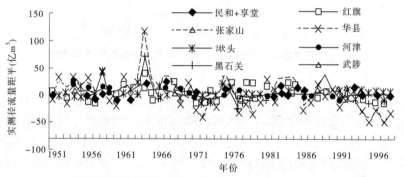

(b)黄河流域主要支流站点实测径流量距平变化（1951~1998年）

图 3-14

表 3-11a   **黄河流域年降水量代际变化**   （单位:mm /年）

区域	1951~ 1960	1961~ 1970	1971~ 1980	1981~ 1990	1991~ 1998	1951~ 1998	1951~ 1979 (1)	1980~ 1998 (2)	(2)-(1) 变化量	(2)-(1) 变化率（%）
龙羊峡以上	461	485	475	485	443	470	472	467	-5	-1.1
龙兰干流区间	407	418	400	394	388	400	410	386	-23	-5.7
湟水流域	344	333	311	317	324	324	329	316	-13	-3.9
洮河流域	509	589	563	553	494	539	549	524	-25	-4.6
兰河干流区间	300	324	295	280	291	295	305	281	-24	-7.9
泾河流域	510	602	544	542	468	527	539	508	-30	-5.6
北洛河流域	546	624	556	583	505	554	560	546	-15	-2.6
渭河流域	602	663	614	636	521	603	614	586	-28	-4.6
河龙干流区间	459	501	455	433	412	447	465	420	-45	-9.6
汾河流域	495	554	525	515	476	509	519	495	-23	-4.5
龙三干流区间	634	651	600	628	546	607	617	593	-24	4.0

区域	1951~1960	1961~1970	1971~1980	1981~1990	1991~1998	1951~1998	1951~1979 (1)	1980~1998 (2)	(2)-(1) 变化量	(2)-(1) 变化率 (%)
伊洛河流域	658	708	692	721	646	683	678	691	12	1.8
三花干流区间	584	653	611	644	575	608	604	614	10	1.7
沁河流域	549	655	609	586	558	584	592	573	-19	-3.2
黄河下游	698	759	721	629	666	690	718	648	-70	-9.7
黄河流域*	458	499	466	462	429	460	469	445	-24	-5.0

注:* 黄河流域不含内流区,下同。

表 3-11b **黄河流域汛期降水量代际变化(6~9月)** (单位:mm/年)

区域	1951~1960	1961~1970	1971~1980	1981~1990	1991~1998	1951~1998	1951~1979 (1)	1980~1998 (2)	(2)-(1) 变化量	(2)-(1) 变化率 (%)
龙羊峡以上	318	352	345	356	313	337	335	338	3	0.9
龙兰干流区间	287	285	279	275	278	281	286	274	-12	-4.0
湟水流域	248	231	227	228	244	236	238	234	-5	-1.9
洮河流域	336	385	374	373	326	358	363	351	-12	-3.3
兰河干流区间	219	225	211	202	219	215	220	207	-13	-5.9
泾河流域	335	381	351	366	308	345	348	341	-6	-1.8
北洛河流域	359	397	366	397	328	366	367	365	-3	-0.7
渭河流域	387	394	369	410	322	375	376	372	-4	-1.0
河龙干流区间	324	345	324	319	418	341	331	356	26	7.7
汾河流域	345	376	374	363	328	358	366	345	-21	-5.7
龙三干流区间	407	385	366	400	332	377	381	370	-12	-3.1
伊洛河流域	420	422	417	456	395	421	416	430	14	3.3
三花干流区间	377	418	395	429	361	393	390	398	8	2.0
沁河流域	368	440	416	404	363	395	401	385	-16	-4.1
黄河下游	509	550	577	455	468	520	558	462	-97	-17.3
黄河流域	315	335	320	324	296	317	321	310	-11	-3.5

表 3-11c **黄河流域非汛期降水量代际变化(1~5月、10~12月)** (单位:mm/年)

区域	1951~1960	1961~1970	1971~1980	1981~1990	1991~1998	1951~1998	1951~1979 (1)	1980~1998 (2)	(2)-(1) 变化量	(2)-(1) 变化率 (%)
龙羊峡以上	144	133	130	130	130	134	137	129	-8	-5.9
龙兰干流区间	120	133	122	119	110	119	124	112	-12	-9.4
湟水流域	96	102	84	89	80	87	91	82	-8	-9.2
洮河流域	173	203	189	180	168	181	186	173	-13	-7.2

区域	1951~1960	1961~1970	1971~1980	1981~1990	1991~1998	1951~1998	1951~1979 (1)	1980~1998 (2)	(2)-(1)	
									变化量	变化率（%）
兰河干流区间	81	99	84	78	71	80	85	74	-11	-12.9
泾河流域	174	221	193	176	159	182	191	167	-24	-12.5
北洛河流域	188	227	190	186	177	188	193	181	-12	-6.3
渭河流域	215	269	245	226	199	228	238	214	-24	-10.1
河龙干流区间	136	156	130	114	117	127	134	115	-19	-13.8
汾河流域	150	178	152	152	148	152	153	150	-3	-1.8
龙三干流区间	227	266	234	228	214	231	236	223	-13	-5.4
伊洛河流域	239	286	274	265	251	262	263	261	-2	-0.6
三花干流区间	207	235	216	215	214	215	214	216	2	1.0
沁河流域	181	215	193	183	196	190	191	188	-2	-1.2
黄河下游	189	208	198	174	198	191	194	186	-8	-4.0
黄河流域	147	159	145	145	129	142	147	136	-11	-7.4

由表 3-11 可得出以下结论。

1）年降水量

黄河流域 20 世纪 60 年代平均降水量最高，其次是 70 年代和 80 年代，90 年代最低，但是有些区域如渭河流域、龙羊峡以上等 80 年代比 70 年代降水量高，湟水流域 50 年代降水量最高。1951~1998 年平均降水量较大的是黄河下游（690mm）、伊洛河流域（683mm）和三花干流区间（608mm），最小的是兰河干流区间（295mm），黄河流域平均为 460mm。

比较 1951~1979 年和 1980~1998 年两个时段的降水量变化，可以看出，黄河流域平均减少 24mm，减少量较大的是黄河下游（-70mm）、河龙干流区间（-45mm）和泾河流域（-30mm）；减少幅度较大的是黄河下游（-9.7%）、河龙干流区间（-9.6%）和兰河干流区间（-7.9%）。黄河流域平均减少 5.0%。

2）汛期降水量

黄河流域平均汛期降水量较大的是 20 世纪 60 年代和 80 年代，90 年代最低。1951~1998 年平均汛期降水量最大的区域是黄河下游（520mm）、伊洛河流域（421mm）和沁河流域（395mm），最小的是兰河干流区间（220mm），黄河流域平均为 317mm。

比较 1951~1979 年和 1980~1998 年两个时段的汛期降水量变化，可以看出黄河流域平均减少 11mm，减少量较大的是黄河下游（-97mm）、汾河流域（-21mm）和沁河流域（-12mm）；减少幅度较大的是黄河下游（-17.3%）、兰河干流区间（-5.9%）和汾河流域（-5.7%）。黄河流域平均减少 3.5%。部分区域汛期降水量有增加，如河龙干流区间增加 26mm，增幅为 7.7%；伊洛河流域增加 14mm，增幅为 3.3%；龙羊峡以上区域也增加 0.9%。

3)非汛期降水量

黄河流域平均非汛期降水量 20 世纪 60 年代和 50 年代较高,90 年代最低。1951～1998 年平均为 142mm,其中较大的是伊洛河流域(262mm)、龙三干流区间(231mm)和渭河流域(228mm),最小的是兰河干流区间(80mm)。

比较 1951～1979 年和 1980～1998 年两个时段的非汛期降水量变化,可以看出,黄河流域平均减少 11mm,减少量较大的是渭河流域(-24mm)、泾河流域(-24mm)和河龙干流区间(-19mm);减少幅度较大的是河龙干流区间(-13.8%)、兰河干流区间(-12.9%)和泾河流域(-12.5%)。黄河流域平均减少 7.4%。部分区域汛期降水量有增加,如三花干流区间增加 2mm,增幅为 1%。

可见,1980 之后黄河流域年降水量、汛期降水量和非汛期降水量都呈减少趋势,其中非汛期的减少幅度大于汛期,而且对部分区域汛期降水量还有增加趋势。因此,非汛期降水量的大幅度减少是黄河流域年降水量减少的主要原因。

2. 天然径流量

统计黄河流域各区域年天然径流量代际变化(见表 3-12),可见 20 世纪 50 年代以来各区域和全流域年天然径流量变化总体趋势基本上是 50 年代水量较少,60 年代受丰水期影响,水量达到最高,70 年代又下降,80 年代略有升高,90 年代下降到最低。

表 3-12　　　　　　　黄河流域各分区年天然径流量代际变化　　　　(单位:亿 m³/年)

区　域	1951～1960	1961～1970	1971～1980	1981～1990	1991～1998	1951～1998	1951～1979 (1)	1980～1998 (2)	(2)-(1) 变化量	(2)-(1) 变化率 (%)
龙羊峡以上	191.71	225.59	216.27	247.29	176.78	214.40	231.94	215.02	-16.92	-7.3
龙兰干流区间	34.34	37.51	23.87	20.04	20.09	27.01	32.38	19.66	-12.72	-39.3
湟水流域	52.54	51.25	45.18	58.56	50.26	51.61	49.90	54.22	4.32	8.7
洮河流域	46.55	59.91	48.81	51.05	35.87	49.42	52.81	44.53	-8.28	-15.7
兰河干流区间	15.46	14.58	13.87	15.06	17.95	15.27	14.63	16.22	1.59	10.9
河龙干流区间	59.55	64.85	51.08	43.29	42.72	52.70	59.14	42.85	-16.29	-27.5
泾河流域	18.09	24.13	18.24	20.38	16.12	19.53	20.22	18.47	-1.75	-8.7
渭河流域	71.24	86.45	59.25	82.05	44.80	69.76	72.74	65.20	-7.54	-10.4
北洛河流域	7.01	10.07	7.93	9.58	10.18	8.90	8.42	9.64	1.22	14.5
汾河流域	23.93	28.81	21.59	16.16	13.11	21.03	25.17	14.73	-10.44	-41.5
龙三干流区间	13.84	12.99	9.35	12.54	9.12	11.67	12.06	11.08	-0.98	-8.1
三花干流区间	13.89	13.93	8.47	11.44	7.61	11.15	12.19	9.62	-2.57	-21.1
伊洛河流域	41.00	37.72	23.43	33.23	19.94	31.53	34.46	27.04	-7.42	-21.5
沁河流域	17.44	17.36	8.98	7.97	6.47	11.86	14.90	7.22	-7.68	-51.5
黄河下游	27.28	32.53	28.27	20.58	22.72	26.49	29.33	22.06	-7.27	-24.8
黄河流域*	652.76	717.69	584.57	649.21	490.31	622.37	656.47	580.45	-76.02	-11.6

注:* 黄河流域指各分区天然径流量总和(不含内流区)。

比较 1951～1979 年与 1980～1998 年两个时段的多年平均年天然径流量变化,发现除上游湟水流域、兰河干流区间和中游北洛河流域年天然径流量 1980～1998 年比1956～1979 年略有增加外,其余区域年天然径流量都有不同程度减少,特别是沁河流域和汾河流域,减少幅度分别达 51.5% 和 41.5%,全流域年天然径流量减少 76.02 亿 m³/年,减少幅度为 11.6%。

3. 年实测径流量

从表 3-13 黄河流域主要站点年实测径流量的代际变化可知,上游如唐乃亥、贵德、民和＋享堂等 80 年代水量较大,其次是 60 年代和 50 年代,90 年代最小。中下游站点 60 年代和 50 年代水量较为丰富,70 年代后则较小,说明除了天然径流量变化因素外,工农业取水对实测径流量也有重大影响。

表 3-13　　　　　　　　黄河流域主要站点年实测径流量代际变化　　　　　　(单位:亿 m³/年)

水文站	1951～1960	1961～1970	1971～1980	1981～1990	1991～1998	1951～1998	1951～1979 (1)	1980～1998 (2)	(2)－(1) 变化量	(2)－(1) 变化率 (%)
唐乃亥	182.88	214.49	208.54	238.60	168.68	204.05	202.40	206.57	4.17	2.1
贵德	195.08	223.76	214.33	233.23	175.28	209.71	211.57	206.88	-4.69	-2.2
民和＋享堂	48.24	46.95	40.51	50.56	39.65	45.41	45.60	45.12	-0.49	-1.1
红旗	46.49	59.09	47.57	49.50	34.03	48.19	51.48	42.88	-8.59	-16.7
兰州	311.29	355.78	318.55	338.71	250.77	317.70	330.80	297.70	-33.10	-10.0
河口镇	240.2	270.2	232.6	241.9	150.8	230.3	250.20	200.04	-50.16	-20.0
华县	83.06	100.14	55.60	81.56	39.14	73.26	80.47	62.27	-18.20	-22.6
河津	16.65	18.54	9.44	6.81	3.74	11.34	15.24	5.39	-9.85	-64.7
龙门	311.66	337.07	280.44	279.90	194.08	284.24	313.32	239.85	-73.46	-23.4
三门峡	414.68	464.53	350.65	376.91	246.99	375.91	414.73	316.65	-98.08	-23.6
黑石关	39.71	35.51	18.89	30.30	14.29	28.30	31.77	23.00	-8.77	-27.6
武陟	15.00	14.01	5.24	5.58	4.02	8.97	11.72	4.76	-6.96	-59.4
花园口	458.94	522.84	373.76	419.00	249.49	411.28	457.36	340.95	-116.41	-25.5
利津	438.20	527.36	294.52	293.42	134.43	346.05	428.02	220.95	-207.07	-48.4

比较 1951～1979 年和 1980～1998 年两个时段的年实测径流量变化,可见年实测径流量除了唐乃亥站外,基本上都呈现减少趋势,特别是河津和武陟,减少幅度较大。利津站(黄河流域)减少近 50%。对干流站点而言,从上游到下游减少幅度逐渐增大。

二、时空不均匀性

(一)空间不均匀性

绘制 1951～1998 年黄河流域平均降水量等值线图见图 3-15。

统计黄河流域基本水文特征见表 3-14。其中黄河流域是指各分区天然径流量总和(不含内流区)。

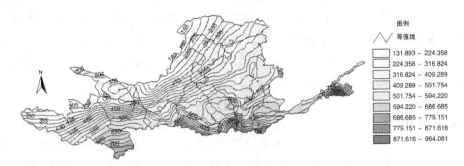

图 3-15　1951～1998 年黄河流域平均降水量等值线（单位：mm）

表 3-14　　　　　　　　　　黄河流域基本水文特征（1951～1998 年）

区间	区域	年降水量（mm）	年天然径流量		年径流系数	年径流深（mm）
			亿 m³	%		
上游	龙羊峡以上	470	214.4	34.45	0.35	163
	龙兰干流区间	400	27.0	4.34	0.21	82
	湟水流域	324	51.6	8.29	0.48	157
	洮河流域	539	49.4	7.94	0.36	194
	兰河干流区间	295	15.3	2.46	0.03	9
中游	河龙干流区间	447	52.7	8.47	0.11	47
	泾河流域	527	19.5	3.13	0.08	43
	渭河流域	603	69.8	11.21	0.19	112
	北洛河流域	554	8.9	1.43	0.06	33
	汾河流域	510	21.0	3.37	0.10	53
	龙三干流区间	607	11.7	1.88	0.12	70
	三花干流区间	608	11.2	1.80	0.20	121
	伊洛河流域	683	31.5	5.06	0.24	167
	沁河流域	584	11.9	1.91	0.15	88
下游	黄河下游	690	26.5	4.26	0.17	118
黄河流域		460	622.4	100	0.18	83

由图 3-5 可以看出，黄河流域面积广袤，处于干旱、半干旱、半湿润和湿润四种地带区域。黄河流域年降水量受纬度的差异、距离海洋远近以及地形等多种因素的影响，表现出明显的空间不均匀性。总体趋势是由东南向西北递减，平原地区高于高原，山区高于平原。流域降水量多在 150～700mm 之间，部分高值区达到 900 多 mm，如秦岭北麓和泰山地区。在六盘山、子午岭、中条山、吕梁山等山区形成明显的高值区。在区域上降水量北少南多，西少东多。降水量主要集中在黄河中下游区域和黄河上游兰州以上流域，最大的为黄河下游（690mm），最小的为兰河干流区间（293mm）。黄河流域多年平均降水量为 460mm。

由于降水的不均匀性和流域地表特征的差异性,各区域的年天然径流量和产汇流能力存在很大的空间差异。从表 3-14 可知,龙羊峡以上流域和渭河流域是黄河主要产水区,分别占黄河流域各分区年天然径流量总和的 34.45% 和 11.21%,其次是河龙干流区间,占 8.47%。黄河上游兰州以上四个区域年天然径流量占黄河流域年天然径流量总和的 55%。黄河流域最大区域兰河干流区间年天然径流量仅占黄河流域年天然径流量总和的 2.46%。

从径流深和径流系数看,径流深较大的依次是洮河流域(194mm)、伊洛河流域(167mm)、龙羊峡以上(163mm)和湟水流域(157mm)。但是,径流系数较大的则分别是湟水流域(0.48)、洮河流域(0.36)和龙羊峡以上(0.35),最小的是兰河干流区间(0.03),这是因为兰河干流区间是黄河流域蒸发能力最强的区域。

(二)时间不均匀性

1. 年际变化不均匀性

利用时间系列的变差系数(C_v)和偏差系数(C_s)评价各区域降水量、径流量的时间分布不均匀性。C_v 值越小分配越均匀,反之亦然;C_s 表示特征分布不对称情况,$C_s = 0$ 为密度曲线对称,$C_s > 0$ 为正偏,$C_s < 0$ 为负偏。

$$C_v = \sqrt{\frac{\sum_{i=1}^{n}(x_i / \overline{x} - 1)^2}{n - 1}} \tag{3-20}$$

$$C_s = \frac{\sum_{i=1}^{n}(x_i / \overline{x} - 1)^3}{(n - 1)C_v^3} \tag{3-21}$$

计算黄河流域各区域 1951～1998 年逐月降水量的 C_v、C_s 值。这里仅分析年降水量的 C_v、C_s 值,见表 3-15。

表 3-15　　　　　　　黄河流域各区域年降水量 C_v、C_s 值(1951～1998 年)

区域	龙羊峡以上	龙兰干流区间	湟水流域	洮河流域	兰河干流区间	河龙干流区间	泾河流域	渭河流域
C_v	0.14	0.17	0.17	0.16	0.21	0.21	0.19	0.17
C_s	1.20	0.53	-0.05	1.31	0.47	0.63	0.04	0.06

区域	北洛河流域	汾河流域	龙三干流区间	三花干流区间	伊洛河流域	沁河流域	黄河下游	黄河流域
C_v	0.19	0.20	0.19	0.20	0.18	0.22	0.22	0.14
C_s	0.13	0.06	0.27	0.25	0.59	0.42	0.76	0.78

可见,黄河流域变差系数较大的是黄河下游(0.22)、沁河流域(0.22)及兰河干流区间(0.21)和河龙干流区间(0.21),最小的是龙羊峡以上(0.14)。各区间偏差系数都较小,反映降水系列离散程度较低,时间上分布较为均匀。而且除了湟水流域为负偏外,其他为正偏。

计算黄河流域各区域 1951～1998 年年天然径流量的 C_v、C_s 值见表 3-16。

表 3-16　　　　黄河流域各区域年天然径流量 C_v、C_s 值(1951～1998 年)

区域	龙羊峡以上	龙兰干流区间	湟水流域	洮河流域	兰河干流区间	河龙干流区间	泾河流域	渭河流域
C_v	0.24	0.43	0.19	0.31	0.34	0.29	0.33	0.37
C_s	0.75	1.17	1.16	0.86	0.75	1.00	1.06	0.84

区域	北洛河流域	汾河流域	龙三干流区间	三花干流区间	伊洛河流域	沁河流域	黄河下游	黄河流域
C_v	0.33	0.39	0.46	0.54	0.52	0.70	0.54	0.23
C_s	1.31	0.61	1.47	1.76	1.81	1.32	2.06	1.04

注:黄河流域按黄河入海口控制站——利津站的天然径流量计算。

表 3-16 表明,黄河流域年天然径流量(利津站)为 0.23,较小的是湟水流域(0.19)与龙羊峡以上(0.24),较大的是沁河流域(0.70)、三花干流区间(0.54)和伊洛河流域(0.52)。对比黄河流域年天然径流量 C_v 值的空间变化,可知黄河流域上游年天然径流量年际变化比较均匀稳定,而黄河中、下游则年际间变化较大。而且黄河流域年天然径流量系列全部为正偏。

2. 年内变化不均匀性

计算各区域降水量和天然径流量年内变化的多年平均 C_v 和 C_s 值见表 3-17、表 3-18,可见黄河流域降水量和径流量年内分布很不均匀,但径流量分布均匀性好于降水量。

表 3-17　　　　黄河流域各区域降水量年内 C_v 和 C_s 值平均(1951～1998 年)

区域	龙羊峡以上	龙兰干流区间	湟水流域	洮河流域	兰河干流区间	泾河流域	北洛河流域	渭河流域
C_v	0.99	1.02	1.07	0.94	1.11	1.00	0.99	0.89
C_s	0.56	0.63	0.70	0.53	1.05	0.99	0.94	0.73

区域	河龙干流区间	汾河流域	龙三干流区间	伊洛河流域	三花干流区间	沁河流域	黄河下游	黄河流域
C_v	1.10	1.07	0.95	0.95	1.02	1.06	1.17	0.96
C_s	1.08	1.00	0.95	0.97	1.02	1.01	1.28	0.76

表 3-18　　黄河流域主要区域天然径流量年内 C_v 和 C_s 值平均(1951～1998 年)

区域	龙羊峡以上	兰州以上	河口镇以上	龙门以上	三门峡以上	花园口以上	全流域
C_v	0.72	0.68	0.70	0.66	0.63	0.64	0.65
C_s	0.65	0.62	0.47	0.46	0.53	0.63	0.62

三、持续性

水资源可再生的持续性反映水资源时间系列前后数据之间的相互关联作用。对于复杂的气候和水文系统的研究,往往是通过某个时间变量的观测得到。实际上,时间序列包含非常丰富的信息,它隐藏着参与动态的全部变量的痕迹,这是因为各变量之间有关联作用。Hurst 指数(赫斯特指数)分析就是分析时间序列的混沌现象的一个有力工具。

(一)Hurst 指数评价方法

Hurst 指数又称为重新标度值域分析,即 R/S 分析,是最早由 Hurst 在 1965 年提出的一种处理时间序列的分析方法,他曾利用此法分析河流流量、树木年轮、降水量等许多自然现象,之后由 Mandelbort 在理论上进行补充完善。目前该方法被广泛应用于自然科学中的时间序列分析[9,10]。具体描述如下:

$x(t)(t\geqslant 1)$ 是时间序列 $X(i)$ 中的任一点,取时间间隔 k,时间段 $(t+1, t+k)$ 内所有数据的平均值为 $\overline{x}(t,k)$,点 $x(t+u)$ 的离差累积为 $A(t,k,u)$,极差为 $R(t,k)$,标准偏差为 $S(t,k)$,$1\leqslant u\leqslant k$。各变量的具体算法为

$$\overline{x} = \frac{1}{k}\sum_{u=1}^{k} x(t+u) \tag{3-22}$$

$$A(t,k,u) = \sum_{i=1}^{u}\left[x(t+i) - \overline{x}(t,k)\right] \tag{3-23}$$

$$R(t,k) = \max_{1\leqslant u\leqslant k}\left[A(t,k,u)\right] - \min_{1\leqslant u\leqslant k}\left[A(t,k,u)\right] \tag{3-24}$$

$$S^2(t,k) = \frac{1}{k}\sum_{u=1}^{k}\left[x(t+u) - \overline{x}(t,k)\right]^2 \tag{3-25}$$

比值 $\dfrac{R(t,k)}{S(t,k)}$ 反映了时间序列 $X(i)$ 在起点 t 和时间间隔为 k 时的相对离均累积变幅。实际计算中选取所有时间起点 t 的 R/S 平均值,或者取部分 t 的 R/S 代替 R/S。经分析发现,存在一个常数 H,对于不同的时间间隔满足以下关系式

$$\frac{R(k)}{S(k)} \propto \left|\frac{k}{2}\right|^H \tag{3-26}$$

表明时间序列 $X(i)$ 存在 Hurst 现象,H 为 Hurst 指数,其值介于 $0\sim 1$ 之间。

根据概率统计理论,如果某时间序列是一个随机序列,H 应等于 0.5,即累积离差的极差应随观测次数的平方根增加。当 H 不等于 0.5 的时候,时间序列观测值就不是独立的,每一次观测结果都带有它之前发生的所有事件的"记忆痕迹",也就是说,观测量并不是独立的随机事件。近期的影响比远期的大,但残留影响总是存在的。

因此,当 $H=0.5$ 时,$C(t)=0$,表明时间序列 $X(i)$ 完全是随机序列,否则时间序列 $X(i)$ 中存在趋势性成分,并且:

(1)当 $0<H<0.5$ 时,$C(t)<0$,时间序列 $X(i)$ 的趋势性表现为将来的总体趋势与过去相反,即过去整体增加的趋势预示将来总体上减少,反之亦然。这种趋势性称为反持续性(Anti-Persistence)。反持续性的强度依赖于 H 距离 0 的程度,H 越接近于 0,反持续性越强,而随机性成分越少。对观测的水文系统而言,观测到的水文系统是反持续性的或者是遍历性的时间序列,它经常被称为"均值回复"。如果该系统在前一个时期是向上走的,那么它在下一个时期多半是向下走的;反之,如果该系统在前一个时期是向下走的,那么它在下一个时期多半是向上走的。这种序列比随机系列有更强的突变性。

(2)当 $0.5<H<1.0$ 时,$C(t)>0$,时间序列趋势表现为持续性(Persistence),即过去

整体增加的趋势预示将来趋势的还是增加,反之亦然。H 越接近于 1,持续性越强,H 越接近于 0.5,随机性成分越强。对许多自然现象,$H>0.5$,即如果序列在前一个期间是向上(下)走的,那么在下一个期间将继续是向上(下)走的,趋势明显。

这种现象对未来的影响表现为一种相关性,即 Hurst 指数与时间序列的关联函数 $C(t)$ 之间存在如下关系

$$C(t) = 2^{2H-1} - 1 \tag{3-27}$$

式中:C 为相关性度量;H 为 Hurst 指数。

因此,H 对指示时间序列的发展趋势具有明确的意义,在科学预报中得到广泛应用。实际工作中,往往对时间序列总体直接进行 Hurst 分析,即 $k=m$,$H=\dfrac{\ln(R/S)}{\ln(m/2)}$,$m$ 为时间序列长度。

(二)评价结果

对某时间序列,不同评价时间长度,Hurst 指数不同。Hurst 指数在时间序列的早期,变化波动较大,然后逐渐趋于稳定,最后达到稳定水平。为了研究 1951 年以来近 50 年系列的持续性情况,本文仅对降水量、天然径流量和实测径流量 1951~1998 年时间序列作 Hurst 分析,并且比较它们的时空变化。

1. 降水量持续性分析

计算黄河流域各区域逐月降水量 Hurst 指数,见表 3-19。可以看出,黄河流域各区域逐月降水量 Hurst 指数基本都介于 0.5~1 之间,表明它们都具有一定的持续性,平均为 0.65 左右,说明黄河流域降水量的持续性水平程度较低。从各月看,9 月份和 12 月份的持续性较高,说明丰水月和枯水月的持续性较高,其他月份则稍低。年降水量持续性最高的区域是洮河流域和黄河下游(0.7),最低的是三花干流区间(0.55)。除伊洛河流域、汾河流域和湟水流域外,基余各区域汛期和非汛期降水的 Hurst 指数都有较大差异。

表 3-19　　　　黄河流域各区域逐月降水量 Hurst 指数(1951~1998 年)

区域	1月	2月	3月	4月	5月	6月	7月	8月	9月	10月	11月	12月	全年	汛期	非汛期
龙羊峡以上	0.68	0.72	0.75	0.60	0.60	0.75	0.56	0.68	0.80	0.63	0.54	0.69	0.61	0.73	0.59
龙兰干流区间	0.73	0.69	0.76	0.59	0.61	0.72	0.69	0.60	0.68	0.70	0.56	0.74	0.57	0.53	0.60
湟水流域	0.78	0.59	0.78	0.66	0.60	0.65	0.72	0.67	0.57	0.73	0.49	0.69	0.63	0.69	0.70
洮河流域	0.63	0.73	0.70	0.64	0.57	0.76	0.66	0.68	0.79	0.68	0.58	0.67	0.70	0.74	0.59
兰河干流区间	0.67	0.60	0.63	0.73	0.59	0.63	0.73	0.54	0.70	0.72	0.71	0.63	0.63	0.55	0.69
内流区	0.72	0.60	0.66	0.71	0.61	0.63	0.69	0.52	0.72	0.72	0.75	0.64	0.65	0.57	0.69
泾河流域	0.62	0.59	0.61	0.71	0.56	0.66	0.69	0.53	0.81	0.70	0.74	0.68	0.65	0.58	0.69
北洛河流域	0.68	0.51	0.66	0.66	0.58	0.66	0.65	0.51	0.83	0.65	0.71	0.66	0.65	0.63	0.68
渭河流域	0.70	0.55	0.64	0.76	0.57	0.61	0.68	0.45	0.79	0.70	0.72	0.62	0.64	0.63	0.71
河龙干流区间	0.71	0.56	0.58	0.73	0.60	0.62	0.60	0.55	0.77	0.65	0.75	0.76	0.69	0.64	0.74
汾河流域	0.62	0.59	0.65	0.65	0.69	0.55	0.64	0.45	0.75	0.62	0.70	0.64	0.60	0.61	0.64
龙三干流区间	0.63	0.54	0.64	0.74	0.61	0.61	0.64	0.59	0.77	0.57	0.76	0.66	0.68	0.68	0.59
伊洛河流域	0.57	0.60	0.66	0.77	0.54	0.54	0.60	0.60	0.75	0.66	0.70	0.63	0.56	0.59	0.57

区域	1月	2月	3月	4月	5月	6月	7月	8月	9月	10月	11月	12月	全年	汛期	非汛期
三花干流区间	0.64	0.59	0.66	0.74	0.64	0.63	0.57	0.62	0.78	0.60	0.70	0.57	0.55	0.67	0.56
沁河流域	0.60	0.58	0.67	0.72	0.69	0.63	0.60	0.58	0.80	0.63	0.71	0.56	0.64	0.69	0.56
黄河下游	0.59	0.59	0.64	0.70	0.67	0.62	0.75	0.65	0.71	0.55	0.71	0.54	0.70	0.73	0.58
黄河流域	0.67	0.57	0.63	0.7	0.59	0.63	0.66	0.51	0.82	0.67	0.68	0.70	0.65	0.65	0.67

对整个黄河流域而言,年降水量 Hurst 指数为 0.65,最大月为 9 月(0.82),最小月为 8 月,仅为 0.51,几乎不具有持续性。

2. 天然径流量持续性分析

计算黄河流域各区域逐月天然径流量 Hurst 指数,见表 3-20。可以看出,黄河流域各区域逐月天然径流量的 Hurst 指数都介于 0.5~1 之间,表明它们都具有一定的持续性,平均为 0.70 左右。年天然径流量中,较高的是汾河流域(0.88)和龙兰干流区间(0.87),最低的是兰河干流区间(0.60)。除北洛河流域、湟水流域、三花干流区间和河龙干流区间外,各区域的汛期与非汛期天然径流量的 Hurst 指数差别不大。

表 3-20　　　黄河流域各区域逐月天然径流量 Hurst 指数(1951~1998 年)

区域	1月	2月	3月	4月	5月	6月	7月	8月	9月	10月	11月	12月	全年	汛期	非汛期
龙羊峡以上	0.66	0.73	0.74	0.70	0.65	0.69	0.67	0.58	0.76	0.74	0.67	0.70	0.73	0.74	0.70
龙兰干流区间	0.62	0.88	0.88	0.82	0.87	0.65	0.68	0.73	0.76	0.77	0.73	0.82	0.87	0.79	0.87
湟水流域	0.71	0.71	0.65	0.70	0.68	0.79	0.74	0.60	0.47	0.54	0.65	0.62	0.69	0.62	0.78
洮河流域	0.73	0.73	0.66	0.58	0.69	0.75	0.65	0.70	0.75	0.80	0.77	0.74	0.74	0.69	0.78
兰河干流区间	0.73	0.75	0.84	0.78	0.67	0.68	0.72	0.60	0.71	0.63	0.78	0.69	0.60	0.67	0.67
泾河流域	0.62	0.59	0.66	0.71	0.56	0.66	0.69	0.53	0.81	0.70	0.74	0.68	0.65	0.67	0.58
北洛河流域	0.72	0.70	0.76	0.69	0.66	0.78	0.50	0.59	0.72	0.73	0.68	0.74	0.61	0.57	0.77
渭河流域	0.69	0.59	0.69	0.76	0.75	0.64	0.68	0.70	0.72	0.75	0.78	0.73	0.70	0.70	0.76
汾河流域	0.89	0.77	0.90	0.75	0.78	0.76	0.82	0.73	0.78	0.80	0.87	0.90	0.88	0.83	0.90
河龙干流区间	0.82	0.84	0.80	0.66	0.82	0.58	0.64	0.72	0.65	0.73	0.88	0.71	0.83	0.75	0.86
龙三干流区间	0.63	0.54	0.64	0.74	0.61	0.61	0.64	0.59	0.77	0.57	0.76	0.66	0.69	0.69	0.67
三花干流区间	0.58	0.64	0.56	0.81	0.60	0.58	0.65	0.54	0.52	0.70	0.73	0.69	0.72	0.61	0.72
伊洛河流域	0.59	0.62	0.71	0.73	0.67	0.69	0.73	0.73	0.65	0.70	0.70	0.72	0.76	0.72	0.73
沁河流域	0.91	0.89	0.90	0.81	0.73	0.74	0.81	0.72	0.72	0.79	0.82	0.89	0.85	0.80	0.88
黄河下游	0.61	0.61	0.88	0.65	0.71	0.64	0.64	0.73	0.73	0.70	0.76	0.74	0.73	0.73	0.57
黄河流域	0.76	0.65	0.79	0.73	0.78	0.69	0.66	0.80	0.71	0.79	0.81	0.80	0.75	0.76	0.75

整个黄河流域从各月看,3 月、8 月、10~12 月稍高,2 月、7 月稍低。

为了研究上、下游站点之间天然径流量 Hurst 指数的变化,计算黄河流域干流主要控制站点天然径流量多年 Hurst 指数,见表 3-21。可见各站 Hurst 指数相对较大,平均为

0.71,表现出很好的持续性。从上下游站看它们之间的差别不大,年天然径流量的 Hurst 指数在 0.71～0.76 之间,说明上游天然径流量对下游有一定的影响。

表 3-21　　　黄河流域干流主要控制站点天然径流量 Hurst 指数(1951～1998 年)

时间	唐乃亥	贵德	兰州	河口镇	龙门	三门峡	花园口	利津
1 月	0.69	0.66	0.60	0.70	0.78	0.76	0.76	0.76
2 月	0.70	0.73	0.69	0.77	0.68	0.62	0.58	0.65
3 月	0.74	0.74	0.73	0.80	0.66	0.72	0.69	0.79
4 月	0.64	0.70	0.66	0.77	0.68	0.69	0.75	0.73
5 月	0.62	0.65	0.60	0.67	0.75	0.79	0.77	0.78
6 月	0.72	0.69	0.74	0.75	0.76	0.74	0.71	0.69
7 月	0.69	0.67	0.64	0.71	0.69	0.66	0.66	0.66
8 月	0.61	0.58	0.62	0.65	0.69	0.71	0.74	0.80
9 月	0.76	0.76	0.71	0.64	0.64	0.70	0.73	0.71
10 月	0.77	0.74	0.75	0.75	0.73	0.78	0.78	0.79
11 月	0.71	0.67	0.72	0.76	0.80	0.81	0.81	0.81
12 月	0.71	0.70	0.70	0.73	0.73	0.78	0.80	0.80
全年	0.76	0.73	0.72	0.72	0.71	0.73	0.74	0.75
汛期	0.76	0.74	0.70	0.69	0.70	0.73	0.74	0.76
非汛期	0.73	0.70	0.71	0.74	0.74	0.77	0.75	0.75

四、趋势性

趋势性表示时间序列存在一种增长或降低的趋势。对降水量采用累积距平分析并进行趋势检验,对径流量采取 Kendall 秩次相关法检验与累积距平相结合分析它们的趋势性。

(一)降水量的趋势性评价

1. 累积距平分析趋势性方法

累积距平是一种常用的、由曲线直观判断变化趋势的方法,对于序列 x,$\overline{x}$ 为其平均值,某一时刻 t 的累积距平表示为

$$\hat{x}_t = \sum_{i=1}^{t}(x_i - \overline{x}) \quad (t = 1,2,\cdots,n) \tag{3-28}$$

绘制累积距平曲线,可以判断趋势性。曲线呈上升趋势,表示距平增加;反之,则距平值减小。从曲线明显的上下起伏,可以判断其长期显著的演变趋势及其持续性变化,也可以诊断出发生突变的大致时间。

判断累积距平曲线的变化趋势是否显著可以通过非参数统计检验方法进行检验[11]。方法如下:

对待检验序列 x_i，在 i 时刻有

$$r_i = \begin{cases} +1 & (x_j > x_i) \\ 0 & (x_j \leqslant x_i) \end{cases} \quad (j = i+1, \cdots, n) \tag{3-29}$$

计算统计量

$$z = \frac{4\sum\limits_{r=1}^{n-1} r_i}{n(n-1)} - 1 \tag{3-30}$$

显然，对于递增直线，$z = 1$；对于递减直线，$z = -1$。

给定显著性水平 α，假定 $\alpha = 0.05$，则

$$z_{0.05} = 1.96 \left[\frac{4n+10}{9n(n-1)} \right]^{1/2} \tag{3-31}$$

若 $|z| > z_{0.05}$，则认为变化趋势在 $\alpha = 0.05$ 显著性水平下是显著的。

2. 结果分析

绘制黄河流域各区域年降水量累积距平变化图(见图 3-16)，并检验累积距平曲线的趋势性(见表 3-22)。

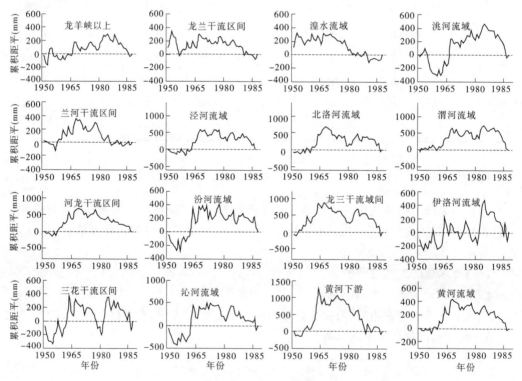

图 3-16 黄河流域各区域年降水量累积距平变化曲线

可见，兰州以上四个区域、泾河、渭河、汾河、伊洛河流域和三花干流区间的年降水量累积距平变化趋势通过了 5% 的显著性检验，它们的变化趋势是显著的，而且龙兰干流区间、湟水流域是显著下降趋势，其余则是显著上升趋势。对 5% 检验不显著的区间，它们的降水量变化过程相对复杂。

表 3-22   黄河流域各区域年降水量累积距平曲线的趋势性检验

区域	z 统计量	5%检验	区域	z 统计量	5%检验
龙羊峡以上	0.40	0.20	河龙干流区间	−0.01	0.20
龙兰干流区间	−0.30	0.20	汾河流域	0.22	0.20
湟水流域	−0.60	0.20	龙三干流区间	−0.03	0.20
洮河流域	0.43	0.20	伊洛河流域	0.41	0.20
兰河干流区间	−0.15	0.20	三花干流区间	0.25	0.20
泾河流域	0.21	0.20	沁河流域	0.12	0.20
北洛河流域	0.11	0.20	黄河下游	−0.06	0.20
渭河流域	0.38	0.20	黄河流域	0.08	0.20

(二)径流量的趋势性评价

先采用累积距平曲线判断径流量的大体变化趋势,然后利用 Kendall 秩次相关分析方法判断具体的趋势性。

1.Kendall 秩次相关分析方法

Kendall 秩次相关分析是判断时间序列趋势性的常用方法[12~14],对该方法描述如下:

对时间序列 $x_1, x_2, \cdots, x_n$(n 为样本数),所有对偶观测值$(x_i, x_j, j>i)$中 $x_i < x_j$ 出现的个数为 P_i,顺序(i, j)的子集是$(i=1, j=2, 3, \cdots, n)$、$(i=2, j=3, 4, \cdots, n)$、$\cdots$、$(i=n-1, j=n)$,则统计量

$$U = \frac{\tau}{[\mathrm{Var}(\tau)]^{1/2}}, \tau = \frac{4\sum P_i}{n(n-1)} - 1, \mathrm{Var}(\tau) = \frac{2(2n+5)}{9n(n-1)} \tag{3-32}$$

统计量 U 称为 Kendall 秩次相关系数,当 n 增加的时候,U 很快收敛于标准化正态分布,给定显著性水平 α,其双尾检验临界值为 $U_{\alpha/2}$。当$|U| < U_{\alpha/2}$时,序列趋势不显著,当$|U| > U_{\alpha/2}$时,序列趋势显著,而且 $U>0$ 时,序列呈上升趋势,$U<0$ 时,序列呈下降趋势。查表得 $U_{0.05/2} = 1.96$。

2.结果分析

绘制各区域年天然径流量累积距平变化曲线(见图 3-17),并计算逐月 Kendall 秩次相关系数(见表 3-23)。

可见,黄河流域各区域年天然径流量的逐月变化趋势各不相同,除了汾河和沁河流域各月都表现出显著趋势外,其余区域仅在个别月份表现出趋势性。对年天然径流量,大多数区域都通过了 5%的显著性检验,而且除了北洛河流域为上升趋势外,其余都是呈下降趋势。非汛期则除了北洛河流域与黄河下游为上升趋势外,其余都是呈下降趋势。汛期通过 5%显著性检验的区域都呈下降趋势。而龙羊峡以上区间年天然径流量则没有出现显著的趋势性。黄河流域年径流量与汛期径流量都通过了显著性检验,而且都呈现下降趋势。

从 1951~1998 年逐月 Kendall 秩次相关系数变化看,整个黄河流域年天然径流量

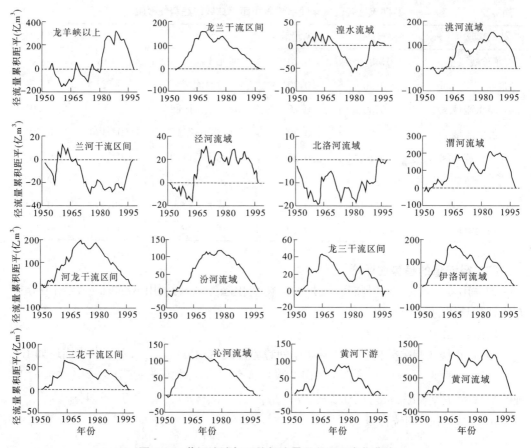

图 3-17 黄河流域年天然径流量累积距平变化曲线

(利津站)3～6 月份的 Kendall 秩次相关系数为正值,呈上升趋势,但只有 3 月份趋势显著;其他月份的 Kendall 秩次相关系数为负值,呈下降趋势,且趋势都较显著。年径流量、汛期径流量和非汛期径流量都呈下降趋势,除了非汛期外,都通过了显著性检验。

从空间上看,除了湟水流域、兰河干流区间和北洛河流域年径流量有上升趋势外,其余都为下降趋势。

五、突变性

突变(Abrupt Change)是自然界正常的现象。最早始于对气候突变的研究。John(1997)根据气候的成因及时间尺度,把气候突变归纳为两类:一是简单的状态突变,气候系统结构未发生根本变化,例如以年为周期的初霜冻、季风暴发等;第二类是气候系统边界长期变化中的突变,这些事件不是有规律地发生,如地理变迁引起的大气和海洋环流的变化、几千年尺度上冰期的突然结束等[15]。符淙斌等(1992)[16]归纳了四类常见的突变:均值突变、变率(方差)突变、翘翘板突变、转折突变,并对气候突变下了普适定义,即气候从一种稳定态(或稳定持续的变化趋势)跳跃式地转变到另一种稳定态(或稳定持续的变化趋势)的现象,它表现为气候在时空上从一个统计特征到另一个统计特征的急剧变化。

常见的气候突变检测方法有低通滤波法、滑动的 t-检验法(Mtt 法)、Cramer 法、

表 3-23

黄河流域各区域年天然径流量 Kendall 秩次相关系数

区域	1月	2月	3月	4月	5月	6月	7月	8月	9月	10月	11月	12月	全年	汛期	非汛期
龙羊峡以上	-0.18	0.92	1.02	1.88	2.07	0.39	-1.04	-1.27	-0.82	-1.53	-1.74	-0.55	-0.80	-1.47	0.70
龙兰干流区间	-0.90	-1.04	-2.80	-2.39	-3.23	0.92	-1.10	-1.88	-2.15	-3.01	-4.19	-3.25	-3.44	-2.41	-3.58
湟水流域	-0.07	-0.89	1.21	3.08	1.46	1.44	-0.73	0.00	-1.17	-0.02	1.49	-0.34	0.39	-0.23	1.69
洮河流域	-1.90	-2.49	1.19	0.75	-1.05	1.15	-0.67	-1.52	-1.98	-2.89	-2.59	-1.86	-1.76	-1.36	-2.43
兰河干流	-1.71	1.16	4.78	2.05	-0.17	1.57	1.99	-1.11	0.17	-0.82	-4.30	-1.93	1.71	0.54	0.52
泾河流域	0.02	-0.16	1.01	-1.30	-0.75	1.00	-0.75	0.23	-1.33	-0.59	-1.97	-0.82	-0.96	-0.76	-0.73
北洛河流域	2.28	1.58	3.16	2.76	1.55	3.15	0.69	0.75	0.55	-0.11	1.03	3.48	2.01	1.05	3.45
渭河流域	1.16	-0.44	-1.35	0.16	-0.87	0.50	-1.81	-0.84	-1.44	-1.87	-0.68	-0.62	-2.15	-2.31	-0.92
河龙干流区间	-2.83	-2.99	-2.51	-1.35	2.29	0.57	-0.48	-2.60	-1.07	-1.37	-5.24	-0.89	-3.25	-2.28	-4.16
汾河流域	-2.95	-3.75	-2.67	0.07	-2.74	-2.56	-3057	-3.04	-3.15	-3.00	-4.07	-4.64	-4.21	-3.72	-4.46
龙三干流区间	-1.26	0.00	0.23	0.05	-0.48	-0.43	-0.59	-0.87	-0.64	-0.64	-2.19	-0.98	-1.33	-1.14	-0.92
伊洛河流域	-1.46	-2.42	-1.10	-1.65	-1.44	-0.20	-2.33	-2.31	-1.92	-1.87	-3.54	-2.06	-3.13	-3.13	-2.22
三花干流区间	-0.65	-1.35	0.21	-1.79	0.60	-0.23	-1.29	-1.29	1.15	-1.00	-2.76	-0.69	-2.85	-1.40	-2.45
沁河流域	-3.68	-3.15	-3.36	-3.15	-3.20	-2.79	-3.38	-2.81	-2.42	-2.47	-4.05	-4.59	-4.14	-3.31	-5.19
黄河下游	0.80	0.79	3.82	1.92	1.96	-1.16	-1.01	-2.93	-0.60	-0.39	-3.21	-0.58	-1.37	-2.49	1.98
黄河流域(利津)	-2.54	-0.61	2.71	0.27	0.36	0.71	-1.92	-3.15	-2.05	-2.01	-3.86	-2.61	-3.05	-2.87	-1.90

Yamamot 法、Mann-Kendall 法。其中，Cramer 法、Yamamot 法的原理都与 Mtt 法相同。不同的方法检验的灵敏度不同，结果略有差异[11]。Yamamot 方法给出的突变宽度太大。Mann-Kendall 法也有一定的不足，主要是丢失了一些信息。本文采用比较成熟的突变分析方法——Mann-Kendall 法检验黄河流域降水量和天然径流量时间系列的突变性。

（一）Mann-Kendall 评价方法

此法最初由 Mann 于 1945 年提出，用于检测时间序列的变化趋势[10]。Kendall 与 Sneyers 等(1990)进一步完善了这种方法[13,17]，它能大体测定各种变化趋势的起始位置。Goossens 等(1986)[18]把这一方法应用到反序列中，从而发展了能检测时间序列突变的新方法。由于它检测能力强，因而在各种研究领域被广泛应用，如检验气温、降水和径流量突变等。

对 Mann-Kendall 方法描述如下：在原假设 H_0（时间序列）没有变化的情况下，设时间序列为 $x_1, x_2, \cdots, x_N$，m_i 表示第 i 个样本 x_i 大于 $x_j(1 \leqslant j \leqslant i)$ 的累计数，定义统一量

$$d_k = \sum_{i=1}^{k} m_i \quad (2 \leqslant k \leqslant N) \tag{3-33}$$

在原序列的随机独立等假定下，d_k 的均值和方差分别为

$$\left. \begin{array}{l} E(d_k) = k(k-1)/4 \\ \mathrm{Var}[d_k] = k(k-1)(2k+5)/72 \end{array} \right\} \quad (2 \leqslant k \leqslant N) \tag{3-34}$$

将 d_k 标准化

$$UF(d_k) = \frac{(d_k - E[d_k])}{\sqrt{\mathrm{Var}[d_k]}} \tag{3-35}$$

这里 $UF(d_k)$ 为标准分布，概率为 $\alpha_1 = prob(|u| > |UF(d_k)|)$ 可以通过计算或者查表得到，给定一定显著性水平 α_0，在 $\alpha_0 = 0.05$ 显著水平下 $U_{0.05/2} = 1.96$。当 $\alpha_1 > \alpha_0$ 时，接受原假设 H_0；当 $\alpha_1 < \alpha_0$ 时，则拒绝假设。它表示此序列将存在一个强的增长或减少趋势，所有的 $UF(d_k)(1 \leqslant k \leqslant N)$ 将组成一个曲线 $C1$，通过信度检验可以知道其是否有变化趋势。

将此方法引用到反序列中，$\overline{m_i}$ 表示第 i 个样本 x_i 大于 $x_j(i \leqslant j \leqslant N)$ 的累计数，当 $i' = N+1-i$ 时，如果 $\overline{m_i} = m_i'$，则反序列的 $UB(d_i)$ 由下式给出

$$\left. \begin{array}{l} UB(d_i) = -UF(d_i') \\ i' = N+1-i \end{array} \right\} \quad (i, i' = 1, 2, \cdots, N) \tag{3-36}$$

所有的 $UB(d_i)$ 构成曲线 $C2$。当曲线 $C1$ 超过信度线时，即表示存在明显的变化趋势；如果 $C1$ 与 $C2$ 的交叉点在信度之间，这个点便是突变点。

（二）评价结果

1. 黄河流域降水量突变性评价

计算绘制黄河流域各区域年降水量的突变曲线，根据两条曲线交叉点判断突变年份，结果见表 3-24。

可见，黄河流域各区域降水突变年份主要发生在 70 年代末 80 年代初和 80 年代末 90 年代初。整个黄河流域降水量突变发生在 1979 年和 1988 年左右。

表 3-24 　　　　　　　　　　黄河流域各区域年降水量突变年份

区　域	年　份	区　域	年　份
龙羊峡以上	(1953),(1991~1993)	河龙干流区间	1979,1988
龙兰干流区间	(1953),(1978)	汾河流域	1997
湟水流域	1953	龙三干流区间	1982,1986
洮河流域	1956,1995	伊洛河流域	1952,1997
兰河干流区间	1968	三花干流区间	1954,1979,1993
泾河流域	1953,1993	沁河流域	1954,1991
北洛河流域	1979, 1990	黄河下游	1975
渭河流域	1993	黄河流域	1979,1988

注:( )内年份为曲线 $C1$ 和 $C2$ 的交叉点,但是没有通过显著性检验,这里可以反映其变化趋势。

2．黄河流域天然径流量突变性评价

1)分区年天然径流量

利用 Mann-Kendall 法检测黄河流域各区域年天然径流量系列的突变年份(见表 3-25)。

表 3-25　　　　　　　　　　黄河流域各区域年天然径流量突变年份

区　域	突变年份	区　域	突变年份
龙羊峡以上	1995	北洛河流域	1960,1970, 1979
龙兰干流区间	1979	汾河流域	1984
湟水流域	1955,1984,1991,1996	龙三干流区间	1968,1981,1987
洮河流域	1996	三花干流区间	1982
兰河干流区间	1992	伊洛河流域	1969
河龙干流区间	1974,1978	沁河流域	1972
泾河流域	1991~1993	黄河下游	1958,1966,1996
渭河流域	1994	黄河流域	1991~1993

可见,受降水、地理环境等各种因素影响,近 50 年来,黄河流域各区域年天然径流量突变年份并不完全一致,湟水流域、北洛河流域和黄河下游突变较复杂。总体上,黄河流域年天然径流量突变年主要是 1979~1983、1991~1993 年。整个黄河流域利津站年天然径流量突变发生在 90 年代初期。

2)主要站点年天然径流量突变

同样计算得到黄河流域主要站点年天然径流量突变年份(见表 3-26)。可见,突变年份主要在 1953~1956、1991~1993、1995 年,干流站点突变具有明显的一致性,这与下游站点天然径流量主要来自于上游站点有关,上游站点的突变性影响下游站点的突变性。

(三)影响水资源可再生性突变的因素分析

影响气温、降水和径流量突变的因素主要是气候突变,而气候突变的影响因素是天文因子和地球因子,前者包括太阳辐射强度、地球轨道参数、地球自转速率,后者包括人类活动、火山爆发等。

表 3-26   黄河流域主要站点年天然径流量突变年份

站点	唐乃亥	兰州	河口镇	龙门	三门峡
年份	1995	1953,1995	1953,1995	1995	1995
站点	花园口	利津	华县	民和	享堂
年份	1991~1993	1991~1993	1994	1985,1997	1956, 1961,1983,1991

不少学者研究北半球和我国的气候变化,认为在 20 世纪 20 年代、60 年代中和 80 年代初发生三次突变[19,20]。尤卫红(1998)[21]研究也认为近百年来(1900~1990)全球和北半球的气温在 1919 年之前为偏冷期,1920~1978 年之间为偏暖期,1979 年以后为更暖期,即较明显的突变年份是 1920 年和 1979 年。在较小的时间尺度上,1920~1954 年之间为偏暖期,1955~1978 年之间为相对偏冷期,1979 年以后为偏暖期,即突变年份在 1920、1955、1979 年。中国气候在 1919 年之前为偏冷期,1920~1954 年之间为偏暖期,1955~1986 年之间为偏冷期,1987 年之后为偏暖期,即较明显的突变年份是 1920、1955、1987 年。汤懋苍等(1998)[22]研究表明,青藏高原气候也在 20 世纪 20 年代、50~60 年代和 80 年代初发生三次突变。显然,这些气候突变是导致黄河流域地表水资源可再生性突变的直接原因。

近百年来,太阳黑子周期长度和地球自转速度变化在 20 世纪初、20 年代、60 年代和 80 年代发生了突变,研究发现导致气候突变与太阳黑子的周期长度和地球自转速度变化有非常好的相关[22]。这也与黄河流域降水量突变有一致性,说明太阳黑子和地球自转周期是导致黄河流域水资源可再生性突变的根本原因。

某些区域径流量突变复杂,笔者认为是这些流域径流量小,年径流量变化对暴雨的影响较敏感,径流量年际相对变化大,导致径流量变化规律性较差,突变性复杂。如北洛河流域和黄河下游,其径流量往往受暴雨影响较大,表现出突变无规律性。而对径流量较大的区域,小幅度径流量变化对整个径流量变化来说相对较小,因此大径流量可以弱化这种影响,如黄河流域、兰州以上和渭河流域突变比较显著。

另外,在目前天然径流量还原计算中,仅考虑人类工农业取水耗水和水库蓄变量,而不考虑人类活动(如水土保持工程、植树造林、梯田建设等)导致的流域产流条件变化而引起的径流量改变,显然传统天然径流量统计计算中存在一定的误差。因此,人类活动的影响也是径流量突变复杂性的重要原因。

六、周期性评价

对时间序列的周期性评价方法很多,主要有周期图法、功率谱、方差谱密度法、逐步回归周期分析法、最大熵谱法和小波分析法等。钮本良(2002)[23]采用周期图法得到黄河流域 3 年准周期;王正发(1998)[24]应用极大熵谱法得到陕县多年径流量周期为 3 年、20 年和 60 年的准周期;黄嘉佑等(1996)[25]认为黄河流域降水存在 2.6 年准周期;郑红星得到黄河干流兰州、头道拐、龙门、三门峡、花园口和利津径流量存在 3 年、7 年和 10 年周期。林振山等(1999)[26]利用 Morlet 复数小波技术研究近 40 年来(1950～1988 年)青藏高原降水存在 2.5 年、8 年和 16 年的准周期，黄土高原降水存在 2 年、7 年和 11 年的准周期。

本文采用 Morlet 小波分析黄河流域分区降水量和径流量的周期性特征。

(一)Morlet 小波周期分析方法

自 1922 年 Fourier 提出热传导的分析理论以来，Fourier 变换分析一直被认为是最完美的数学理论而广泛地应用到物理学、光学、大气科学等领域，并发展成为频谱诊断技术，为研究序列周期分布提供了较好的工具。但是，Fourier 变换只能提供尺度范围，无法告诉信号的结构及信号里隐含的大小不同尺度的变化过程，即 Fourier 变换在时空域中没有分辨率。1980 年法国科学家 Morlet 在地震数据分析中首次提出子波变换技术。

小波的概念最早由 Morlet(1981)[27]提出。小波变换基于仿射群的不变性，即平移和伸缩的不变性，从而允许把信号分解为时间和频率(空间和尺度)的贡献。经过多年的发展，小波变换成为比较成熟的数学分析工具，在地震科学、大气、水文和非线性等领域应用，取得丰硕的成果[28,29]。

小波分析方法是一种窗口大小(即窗口面积)固定但其形状可变，时间窗和频率都可改变的时频局部化分析方法。即在低频部分具有较高的频率分辨率和较低的时间分辨率，在高频部分具有较高的时间分辨率和较低的频率分辨率，所以被誉为数学显微镜。

小波变换方法：

若 $\Psi(t)$ 是满足下列条件的任意函数

$$\int_R \Psi(t)\mathrm{d}t = 0 \tag{3-37}$$

$$\int_R \frac{|\widehat{\Psi}(W)|^2}{|W|}\mathrm{d}w < \infty \tag{3-38}$$

其中 $\widehat{\Psi}(W)$ 是 $\Psi(t)$ 的频谱，有

$$\Psi_{a,b}(t) = |a|^{-\frac{1}{2}}\Psi(\frac{t-b}{a}) \qquad (a,b \in R; a \neq 0) \tag{3-39}$$

$\Psi_{a,b}(t)$ 为连续小波，$\Psi(t)$ 为基本小波或母小波(Mother Wavelet)，它是双窗函数，一个是时间窗，另一个是频率谱。$\Psi_{a,b}(t)$ 的振荡随着 $\frac{1}{|a|}$ 的增大而增大。因此，a 为频率参数，即伸缩因子；b 为时间参数，即平移因子，表示波动在时间上的平移；R 为实数。

那么，任意函数 $f(t) \in L^2(R)$($L^2(R)$ 表示平方可积的实数空间)，小波变化的连续形式为

$$W_f(a,b) = |a|^{-\frac{1}{2}}\int_R f(t)\overline{\Psi}(\frac{t-b}{a})\mathrm{d}t \tag{3-40}$$

与标准的 Fourier 变换相比，连续小波变换具有以下重要性质：线性、平移不变性、伸缩供变性、自相似性和冗余性等。小波分析所用到的小波函数具有不惟一性，即小波函数 $\Psi(t)$ 具有多样性，常用的有 Harr 小波、Daubechies(dbN)小波、Coiflet(coifN)小波、Morlet(morl)小波、Mexican Hat(Mexh)小波、Meyer 小波等。目前在气候和水文研究中，常用的

主要有 Mexican Hat(Mexh)小波(因其形状像墨西哥帽的截面,故称为墨西哥帽函数)和 Morlet(morl)小波。

$W_f(a,b)$ 随参数 a 和 b 变化,可以作出以 b 为横坐标,以 a 为纵坐标的二维小波系数 $W_f(a,b)$ 等值线图。通过图中小波系数的变化可以反映系统在不同时段、不同时间尺度下的变化特征。

本研究是基于 Matlab6.1 工具箱 Wavelet 来实现的。Matlab 是于 Mat Works 公司于 1982 年推出的一套高性能的数值计算和可视化软件,它集数值分析、矩阵运算、信号处理和图形显示于一体,其中丰富的工具箱为各个领域的研究和工程应用提供强有力的工具。本研究采用 Morlet 小波函数,Morlet 函数有多种形式。本文采用 Math Works 公司的数学软件 Matlab6.1 提供的 Wavelet 工具箱中的 Morlet 小波函数,其形式为

$$\Psi(t) = Ce^{-\frac{t^2}{2}}\cos(5t) \tag{3-41}$$

利用小波方差确定时间序列的主要周期[8,11,30]。小波方差为

$$\mathrm{Var}(a) = \sum (W_f)^2(a,b) \tag{3-42}$$

它反映了波动的能量随尺度的分布,故可以确定一定时间系列中存在的主要时间尺度,即主周期。

事实上,小波方差得到的是评价总时间段的平均周期,对其中的不同时间段可能存在不同周期。

(二)评价结果与分析

利用上述方法对黄河流域各区域降水量和天然径流量 1951~1998 年系列进行小波分析,其中 $b=1\sim20$ 年,并计算小波方差得到各区域年降水量和年天然径流量的平均周期。

1. 年降水量周期

黄河流域各区域年降水量的小波方差图见图 3-18。由小波方差可得到黄河流域各区域年降水量的主要周期见表 3-27。

表 3-27　　　　　　　　　　黄河流域各区域年降水量周期　　　　　　　　　　(单位:年)

区域	龙羊峡以上	龙兰干流区间	湟水流域	洮河流域	兰河干流区间	泾河流域	北洛河流域	渭河流域
周期	3,6,16	6,10	7,16	3,9,16	7,16	2,6,11	2,9	10
区域	河龙干流区间	汾河流域	龙三干流区间	伊洛河流域	三花干流区间	沁河流域	黄河下游	黄河流域
周期	3,7,11	3,6	4,9	4,9	3,9	3,5,11	3,8,16	3,6

由图 3-18 可知,有些周期在某些区域并不显著,有些周期则相当明显。表 3-27 是黄河流域各区域年降水量的平均周期,可以看出,黄河流域年降水量主要存在 3 年、6~7 年、9~11 年和 16 年的周期。

2. 年天然径流量周期

黄河流域各区域年天然径流量的小波方差图见图 3-19。由小波方差可以得到黄河

58

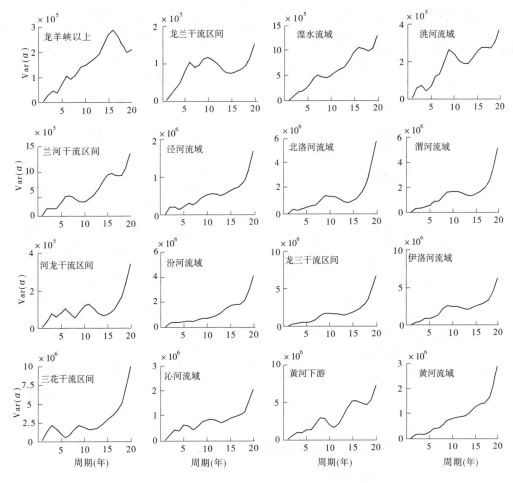

图 3-18　黄河流域各区域年降水量小波方差图

流域各区域年天然径流量的主要周期见表 3-28。

表 3-28　　　　　　黄河流域各区域年天然径流量周期　　　　　　（单位：年）

区域	龙羊峡以上	龙兰干流区间	湟水流域	洮河流域	兰河干流区间	河龙干流区间	泾河流域	渭河流域
周期	6,11	8	3,6,9	3,8	7,15	6	3,7,15	5,9

区域	北洛河流域	汾河流域	龙三干流区间	三花干流区间	伊洛河流域	沁河流域	黄河下游	黄河流域*
周期	5,9	5,11	3,7,14	4,8	8	8	9,15	3,9

注： *黄河流域按黄河入海口控制站——利津站的天然径流量计算。

　　可见，黄河流域年天然径流量分别存在 3～4 年、5～8 年、9～11 年和 14～15 年的周期。与降水量周期有类似，但不完全相同，说明径流量除了受降水因素影响外，还受其他因素影响。

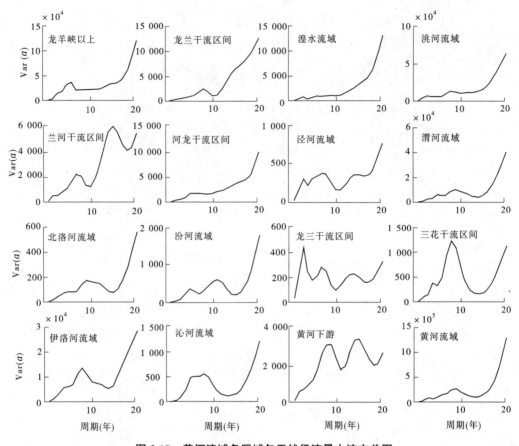

图 3-19 黄河流域各区域年天然径流量小波方差图

3．影响周期变化的主要因素

影响气候系统的主要周期及其影响因子见表 3-29。

表 3-29 影响气候系统的主要周期及其影响因子

周期长度	气候过程	可能物理因子
5～7 天	自然天气周期	长波调整
3～5 周	指数循环,天气阶段	大气中能量转换
5～6 月	韵律	海气相互作用
2～3 年	准两年周期	海气相互作用
3.5 年	南方涛动/瓦克环流	海气相互作用
5～6 年	双振动周期	太阳活动
11 年	太阳黑子周期	太阳活动
22 年	海尔周期	太阳活动
35 年	布吕克纳周期	海气相互作用
80～100 年	世纪周期	太阳活动
180 年	双世纪周期	太阳活动

由表 3-27、表 3-28 和表 3-29 可知，黄河流域各区域年降水量、年天然径流量分别存在 3～4 年、5～8 年、9～11 年和 14～15 年的周期，而这些周期多受海气相互作用和太阳黑子活动的影响，2～3 年为准两年周期，3.5 年的周期为南方涛动/瓦克环流周期，这两种尺度的周期可能物理因子为海气相互作用；5～6 年为太阳双振动周期，9～11 年的周期变化为太阳黑子周期，它们都由太阳活动引起。太阳黑子活动和海气相互作用的过程与气候要素变化有密切关系，黄河流域水文系列的周期变化主要受上述天体运动的影响。另外，3 年及 6～8 年的变化周期与副高脊线位置的准 3 年周期及地极移动振幅变化的 7 年左右的周期也是一致的，它们均是影响中国西部地区降水的重要系统[31～33]，并且其变化将会引起地球离心力系统的变化，从而造成大气环流及空气质量、水分输送的变化，进而影响水文气象要素的变化。

周期变化主要受海气相互作用和太阳黑子活动的影响，趋势变化主要受全球变化的影响，而随机变化则主要受偶然事件的影响。同时这种变化还都受下垫面因素等的影响，也就是说，水文气象序列的变化主要是在一定的下垫面条件下对外界变化的响应。研究要素类别和研究尺度大小的不同，对下垫面的依赖程度也不一样，对于一个地区年平均气温和年降水量的周期变化，下垫面影响作用不是很大，但对于水文序列的周期变化，下垫面影响作用比较大。因为天体运动直接影响降水和气温的周期变化，进而在一定的下垫面条件下影响径流的周期变化，因此黄河流域各区域年径流量的周期变化与其降水量和年平均气温周期变化不很一致，但由于都受天体运动的影响，三者的周期变化都在同一基本周期上下浮动。

七、降水量时空结构变化

本节主要研究三方面的内容：其一是 1979 年前后黄河流域降水量空间变化，其二是典型等值线的时空结构变化；其三是利用 EOF（经验正交函数）分析黄河上游兰州以上区间降水量的时空结构变化。

(一)1979 年前后降水量空间变化特征

研究表明，黄河流域降水量在 1979 年左右发生突变，因此本研究把 1951～1998 年划分为 1951～1979 年和 1980～1998 年两个典型时段，重点研究这两个时段全年、汛期(6～9月)和非汛期(1～5 月、10～12 月)降水量的空间变化。分别计算 1951～1979 年与 1980～1998 年黄河流域年降水量的平均值，用后一时间段的平均值减去前一时间段的平均值，得到黄河流域降水量变化图(见图 3-20)。

从汛期降水量变化看(见图 3-20(a))，1979 年之后，黄河流域主要在渭河源头、河口镇—龙门干流区间、内流区、北洛河下游、龙门—潼关干流区间、汾河流域、黄河下游等区域降水量减少比较多，在 30mm 以上，最多达 80 多 mm，如黄河下游、内流区等。黄河流域仅在黄河源头区的巴颜喀拉山北麓、湟水源头、渭河流域的秦岭北坡、泾河与北洛河中游部分区域、包头东部、汾河源头与下游流域以及伊洛河上游流域等降水量呈现增加趋势，其余区域降水量都有 0～30mm 幅度的减少。

从非汛期降水量变化看(见图 3-20(b))，1979 年之后降水量减少较多的区域主要在黄河上游的白河、黑河流域、渭河流域大部和河龙干流区间北部晋陕蒙接壤区。降水量增

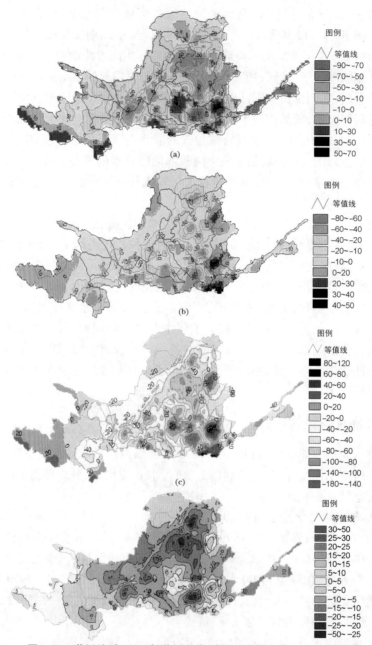

图 3-20 黄河流域 1979 年前后两个时段平均降水量(mm)变化图

加区域主要在黄河源头玛多以上、渭河源头、汾河流域上下游、三花干流区间和伊洛河流域等,增加幅度在 5~50mm 之间。其余区域都有小幅度的减少。

从年降水量变化看(见图 3-20(c)),除了黄河源头阿尼玛卿山以西、白河源头、黑河源头、湟水源头、泾河流域中上游、三花干流区间、伊洛河流域和汾河上下游流域等降水量增加外,其余区域降水量呈现不同趋势的减少,减少较多的区域是泾河与北洛河下游区域、河龙干流区间及黄河下游。

从年降水量变化率看(见图 3-2(d)),黄河源头、渭河源头、泾河中上游降水量增加在10%以下,汾河下游到伊洛河流域之间降水量增加 10%～30%。降水量减少幅度较大的区域在兰州以东的黄土高原大部分区域、渭河流域、泾河下游北洛河下游和黄河下游区域,减少幅度都在 10%以上。

(二)典型降水等值线空间变化

研究表明,全球气温变化导致我国自然区域界线变化,特别是 20 世纪 80 年代以来,我国东部主要自然区(中亚热带、北亚热带、暖温带、中温带和寒温带)界线普遍北移[34]。从降水量变化也能反映我国自然区界线变化。一般根据年降水量划分地理带的标准是:200mm 以下为干旱区、200～400mm 为半干旱区、400～800mm 为半湿润区、800mm 以上为湿润区。也就是说,200mm、400mm 和 800mm 的降水量等值线是它们的分界线。研究20 世纪 50 年代以来这些分界线的代际变化,可以大体反映流域内降水量的空间变化过程。

1.200mm、400mm 和 800mm 降水量等值线的空间变化

图 3-21(a)是黄河流域 1950～1998 年的 5 个年代 200mm、400mm 和 800mm 年降水量等值线变化图。可以看出,黄河流域 200mm 年降水量等值线黄河流域北部边缘地带,兰州以东基本上与黄河干流走向一致,在内蒙古巴彦高勒地区折向东北方向。200mm 年降水量等值线以北地区属于干旱区,也是沙漠入侵的主要通路,即祁连山和贺兰山之间的甘肃、宁夏的景泰、卫宁一带,贺兰山与狼山之间的内蒙古乌海、巴彦高勒一带及内蒙河套平原。从 200mm 年降水量等值线代际变化看,差异最大的区域在宁蒙河套地区,50 年代最偏北;在内流区以北,70 年代最偏南,内流区以西 80 年代最偏南。

从 400mm 年降水量等值线代际变化图可以看出,黄河流域 400mm 年降水量等值线自河口镇附近经榆林、靖边、环县以北、定西、兰州以南绕祁连山,过循化、贵南、沿积石山山麓到多曲一带出黄河流域。从 400mm 年降水量等值线变化图看,在兰州以西各年代400mm 年降水量等值线走向基本一致,兰州向东差异越来越大,在河龙干流区间达到最大,说明黄河上游年降水量变化不大。60 年代和 50 年代最偏北,70、80 年代和 90 年代偏南且走向基本一致。

黄河流域 800mm 年降水量等值线基本上位于秦岭北麓的渭河流域和黄河下游的泰山地区。泰山地区等值线层次差异比较明显,从北向南依次是 60、70、50、90、80 年代。

2.1951～1979 年与 1980～1998 年两个时段的变化

图 3-21(b)是 1979 年前后两个时段的平均降水的 200mm、400mm 和 800mm 降水量等值线的变化。可以看出,200mm 等值线差别在宁夏灌区,1979 年之后降水量偏南,干旱区面积扩大。400mm 降水量等值线差别在兰州以东,后一时段比前一时段明显向南移动,800mm 等值线也有类似的变化,但变化范围较小。

可见,黄河流域上游(兰州以上)降水量等值线变化不大,兰州以下上游区域、中下游区域减少趋势比较显著,干旱化明显。

(三)兰州以上区域年降水量时空结构变化

黄河兰州以上水资源占黄河流域的 57.5%(1951～1998 年平均),其水资源时空变化对黄河流域水资源具有重要影响,郑红星(2001)[8]研究了整个黄河流域年降水量的时空

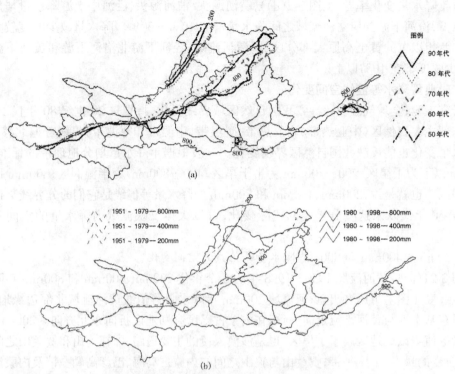

图 3-21　年降水量等值线变化对比图

变化,本文则重点研究黄河流域兰州以上区域年降水量的时空结构变化。

1.经验正交函数(EOF)方法

某一区域的气候变量场由多个观测站点和网格点组成,这给直接研究其时空变化带来困难。如果能用个数较少的几个空间分布模态来描述原来的变量场,且又覆盖原变量场的基本信息,是一项很有价值的工作。经验正交函数 EOF(Empirical Orthogonal Function)分解技术提供了这种分析方法。

EOF 最早由统计学家 Pearson 在 1902 年提出,经过 100 多年的发展已经发展为多种基于 EOF 的气候统计诊断方法,如揭示气象场空间结构与时间特征的扩展经验正交函数(Extended Empirical Orthogonal Function, EEOF)、表现空间的相关性分布结构的旋转经验正交函数(Rotated Empirical Orthogonal Function, REOF)、解释空间行波结构的复经验正交函数(Complex Empirical Orthogonal Function, CEOF)等。它的优点在于典型场由气象要素场序列本身的特征来确定,而不是事先人为规定,因而能较好地反映出场的基本结构。这种方法展开收敛速度快,很容易将大量资料信息浓缩集中。由于它能对有限区域内不规则分布的站点进行分解,且分解的空间结构具有明确的物理意义,因此该方法在气象科学中得到广泛应用和发展[11,35~37]。

EOF 方法描述如下:某一气象要素场可以看做时间和空间的函数,其矩阵形式为

$$X = (x_{ij}) = \begin{bmatrix} x_{11} & x_{12} & \cdots & x_{1n} \\ x_{21} & x_{22} & \cdots & x_{2n} \\ \vdots & \vdots & & \vdots \\ x_{m1} & x_{m2} & \cdots & x_{mn} \end{bmatrix} \quad (i = 1,2,\cdots,m; j = 1,2,\cdots,n) \quad (3\text{-}43)$$

式中：m 为空间点，它可以是网格点、测站等；n 为时间点，即样本数、观测次数；x_{ij} 为第 i 个测站或网格点上的第 j 次观测值。

X 中的第 j 列 $x_j = (x_{1j} \quad x_{2j} \quad \cdots \quad x_{mj})^{\mathrm{T}}$ 为第 j 个空间场。气象场的自然正交展开就是把 X 分解为时间函数 Z 与空间函数 V 两部分，即

$$X = VZ \quad \text{或} \quad x_{ij} = \sum_{k=1}^{m} v_{ki} z_{kj} \quad (3\text{-}44)$$

其中

$$V = (v_1 \quad v_2 \quad \cdots \quad v_m) = \begin{bmatrix} v_{11} & v_{12} & \cdots & v_{m1} \\ v_{21} & v_{22} & \cdots & v_{m2} \\ \vdots & \vdots & & \vdots \\ v_{1m} & v_{2m} & \cdots & v_{mm} \end{bmatrix} \quad (3\text{-}45)$$

$v_j = (v_{j1} \quad v_{j2} \quad \cdots \quad x_{jm})^{\mathrm{T}}$ 为第 j 个典型场，它是空间的函数。

$$Z = \begin{bmatrix} z_{11} & z_{12} & \cdots & z_{1n} \\ z_{21} & z_{22} & \cdots & z_{2n} \\ \vdots & \vdots & & \vdots \\ z_{m1} & z_{m2} & \cdots & z_{mn} \end{bmatrix} \quad (3\text{-}46)$$

因此，第 j 个空间场可表示为

$$\begin{bmatrix} x_{1j} \\ x_{2j} \\ \vdots \\ x_{mj} \end{bmatrix} = \begin{bmatrix} v_{11} \\ v_{12} \\ \vdots \\ v_{1m} \end{bmatrix} z_{1j} + \begin{bmatrix} v_{21} \\ v_{22} \\ \vdots \\ v_{2m} \end{bmatrix} z_{2j} + \cdots + \begin{bmatrix} v_{m1} \\ v_{m2} \\ \vdots \\ v_{mm} \end{bmatrix} z_{mj} \quad (3\text{-}47)$$

或

$$x_j = v_1 z_{1j} + v_2 z_{2j} + \cdots + v_m z_{mj} \quad (j = 1,2,\cdots,n) \quad (3\text{-}48)$$

根据正交性，满足典型场正交，即

$$v_i v_j = \begin{cases} 0 & (i \neq j) \\ 1 & (i = j) \end{cases} \quad (i,j = 1,2,\cdots,m) \quad \text{或} \quad V^{\mathrm{T}} V = \mathrm{I} \quad (3\text{-}49)$$

与时间权重系数正交

$$ZZ^{\mathrm{T}} = \Lambda = \begin{bmatrix} \lambda_1 & & & 0 \\ & \lambda_2 & & \\ & & \ddots & \\ 0 & & & \lambda_m \end{bmatrix} \quad \text{或} \quad \sum_{j=1}^{n} z_{kj}^2 = \lambda_k \quad (3\text{-}50)$$

分解方法：由式(3-44)得

$$XX^{\mathrm{T}} = VZZ^{\mathrm{T}} V^{\mathrm{T}} \quad (3\text{-}51)$$

令

$$A = XX^{\mathrm{T}} \quad (3\text{-}52)$$

则 A 为实对称矩阵,根据实对称矩阵分解原理,有

$$V^T A V = \Lambda \quad \text{或} \quad A = V \Lambda V^T \tag{3-53}$$

其中 V 的列是 A 的特征向量,Λ 为 A 的特征值组成的对角矩阵,实际计算时常用 Jacobi (雅可比)公式。由式(3-52)和式(3-53),V 用 XX^T 的特征向量作为列构成,当 V 求出后,利用 $Z = V^T X$ 求出 Z。

根据自然正交函数收敛快的特点,如果把 A 的特征值从大到小排列,即 $\lambda_1 \geqslant \lambda_2 \geqslant \lambda_3 \geqslant \cdots \geqslant \lambda_m$,对应的特征向量 $v_1, v_2, \cdots, v_m$ 组成 $V = (v_1, v_2, \cdots, v_m)$,再根据 $Z = V^T X$ 求出 Z。因此,只要取前 $p(0 < p < m)$ 个特征向量场,就能近似地反映 X 场。

设第 i 个特征向量场对 X 场的贡献率(方差贡献)为 $\lambda_i / \sum\limits_{i=1}^{m} \lambda_i$,前 p 个特征向量的累积贡献率为 $\sum\limits_{i=1}^{p} \lambda_i / \sum\limits_{i=1}^{m} \lambda_i (0 < p < m)$,相对误差为 $(\sum\limits_{i=1}^{m} \lambda_i - \sum\limits_{i=1}^{p} \lambda_i) / \sum\limits_{i=1}^{m} \lambda_i$。

一般在进行 EOF 分析前需要进行资料处理。X 场可以是原始变量场、距平场和标准化场。当用原始场计算时,XX' 是原始数据交叉乘积,得到的第一特征向量反映平均状况,其权重很大,对于不存在季节变化的变量场来说,分解的物理意义直观。当用距平场计算时,XX' 是协方差矩阵,分离的特征向量气象学意义直观,EOF 在一定时效内具有稳定性。当用标准化场计算时,XX' 是相关系数矩阵,分离出的特征向量为变量场的相关分布情况,适合作分类类型分析。

本文对原始资料进行距平处理,利用 EOF 方法对兰州以上黄河流域 40 年的年降水场时空结构进行分析,找出它们统一的时空演变规律。

2. 降水站点选取

兰州以上降水站点有 40 多个,但部分站的资料系列很不完整。本文选取兰州以上(包括兰州)资料系列较长,分布较为均匀,能大体反映区域降水特征的 19 个降水站 1959~1998 年(40 年)的降水序列。站点分布见图 3-22,站点基本特征见表 3-30。

图 3-22　黄河流域兰州以上降水站点分布

3. 结果与分析

1) 兰州以上降水量多年变化

兰州以上面积222 551km²,多年平均降水量446mm,汛期降水量319mm,非汛期降水量127mm,汛期降水量占全年降水量的72%。兰州以上1959～1998年年降水量变化见图3-23,呈微弱下降趋势。

表 3-30　　　　　　　　黄河流域兰州以上降水站点基本特征

站号	站名	经度(°)	纬度(°)	位置	站号	站名	经度(°)	纬度(°)	位置
1	阿坝	101.70	32.90	四川阿坝	11	贵德	101.40	36.03	青海贵德
2	吉迈	99.65	33.77	青海达日	12	上诠	103.30	36.07	甘肃永靖
3	玛曲	102.08	33.97	甘肃玛曲	13	小川	103.33	35.93	甘肃永靖
4	河南蒙古族	101.60	34.73	青海河南	14	循化	102.50	35.83	青海循化
5	唐乃亥	100.15	35.50	青海兴海	15	西宁市	101.77	36.62	青海西宁
6	夏河县合作	102.90	35.00	甘肃夏河	16	同德	100.65	35.27	青海同德
7	若尔盖	102.97	33.58	四川阿坝	17	玛多	98.22	34.92	青海玛多
8	黄河沿	98.17	34.88	青海玛多	18	兰州	103.70	35.90	甘肃兰州
9	民和	102.07	36.33	青海民和	19	岷县	104.02	34.43	甘肃岷县
10	达日县吉迈	99.65	33.75	青海达日					

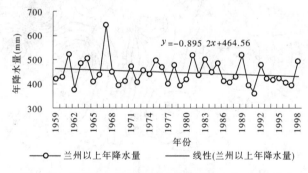

图 3-23　兰州以上区域年降水量变化(1959～1998 年)

2) 时空结构分析

把兰州以上19个降水站点1959～1998年降水资料按照一定的顺序排列构成二维矩阵,其中$m=19, n=40$。先进行距平处理,然后根据EOF分析方法,计算各特征向量累积贡献率(见表3-31)。

由表3-31可知,前5个特征向量累积贡献率达到83.9%,基本反映了降水变化的空间分布。其中第5个特征向量比重相对较小,为简单起见,本文仅分析前4个特征向量的空间分布(78.92%)。

从贡献率看,随着时空尺度扩大,降水量的收敛速度降低,说明兰州以上区域降水时空差异明显。

表 3-31　　　　　　　　　　　兰州以上降水的贡献率与累积贡献率

序号	1	2	6	8	7	9	3	16	10	19
累积贡献率	42.10	61.85	72.93	78.92	83.95	87.54	89.97	92.06	94.08	95.41
贡献率	42.10	19.75	11.08	5.99	5.03	3.59	2.44	2.09	2.02	1.33
序号	4	18	17	14	15	11	13	12	5	
累积贡献率	96.68	97.78	98.59	99.25	99.60	99.81	99.95	99.99	100	
贡献率	1.27	1.09	0.81	0.66	0.35	0.21	0.14	0.04	0.01	

第一特征向量:

第一特征向量贡献率为 42.10%,特征向量区域变化见图 3-24。可见第一特征向量分布位相一致,全部为正值。这种全部一致性总体方差贡献率较高,说明整个区域受大尺度天气系统影响的缘故。兰州以上区域全部属于青藏高原气候,大尺度气候影响类型一致。

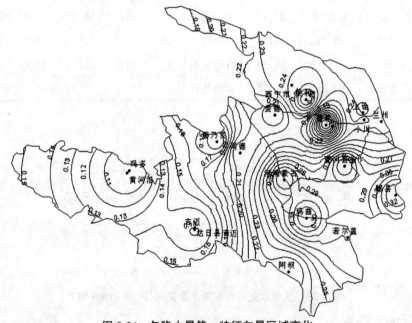

图 3-24　年降水量第一特征向量区域变化

特征向量的数值大小反映降水量变化的程度。可见变化最明显的是位于洮河流域的中上游一带(中心为 0.33),其次为湟水流域下游地区。

特征向量所对应的时间系数代表了这一区域由特征向量所表征的分布形式的时间变化特征,系数的绝对值越大,表明这一时刻这类分布形式越典型。系数为正,代表降水偏多,反之则代表降水偏少。

图 3-25 是第一特征向量对应的时间系数变化图。可见时间系数均为正值,且绝对值较大,说明第一特征向量反映的"全部一致"型的分布型最典型。从时间系数变化看,其变化与年降水量变化基本一致(见图 3-26),说明第一特征向量基本反映了区域降水的时空

分布类型。

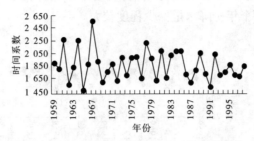

图 3-25　年降水量第一特征向量时间系数变化

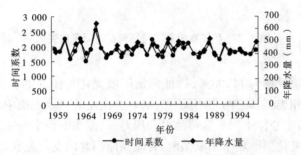

图 3-26　第一特征向量时间系数与年降水量变化对比

第二特征向量：

第二特征向量贡献率为 19.75%，特征向量区域变化见图 3-27。第二特征向量反映东西部反位相的分布类型，即"东西相反"的降水分布类型，表现为东正西负。正值中心位于上诠—兰州之间，负值中心位于阿坝和吉迈两个区域。第二特征向量对应的时间系数

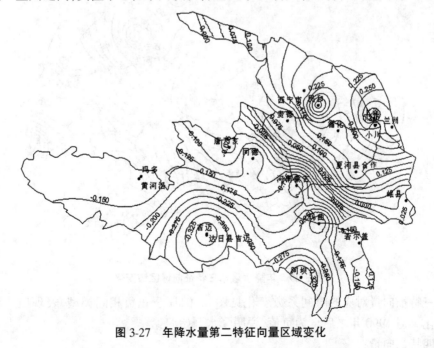

图 3-27　年降水量第二特征向量区域变化

· 69 ·

变化见图 3-28。可见时间系数全部为负值,说明降水全部偏少。1981 年达到最小值,1989 年次之,说明这两个年份降水量偏少程度较大。

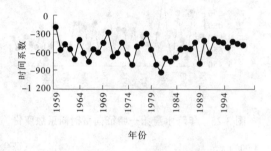

图 3-28　年降水量第二特征向量时间系数变化

第三特征向量:

第三特征向量贡献率为 11.08%,特征向量区域变化见图 3-29。可见第三特征向量基本属于南北反位相类型,即"南北相反"型,表现为南正北负。正值中心位于洮河中游岷县和阿坝一带,负值中心位于源头区黄河沿和唐乃亥、湟水的西宁一带。第三载荷量场所揭示的是南北相反变化型。夏季季风偏南,青藏高原南北两支气流在高原东部汇合,形成高空切变线,兰州小高压与西南涡形成对峙,降水容易出现南多北少的情况,降水中心偏南到高原东南部—秦岭以南。北部在甘肃中部地区形成少雨中心。这一降水类型的出现很可能与初夏青藏高原热力作用有关。

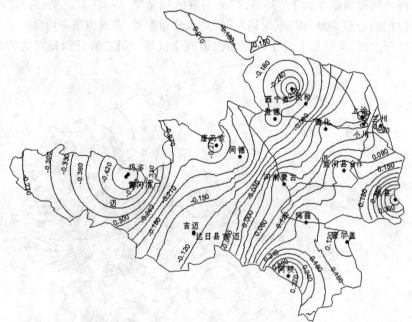

图 3-29　年降水量第三特征向量区域变化

第三特征向量对应的时间系数变化见图 3-30,属于正负相间类型,表现出一定的周期性变化。但 1990 年之后全为负值,说明降水开始偏少。

第四特征向量:

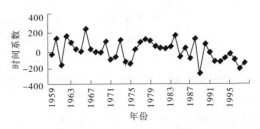

图 3-30　年降水量第三特征向量时间系数变化

第四特征向量贡献率为 5.99%,贡献率相对较小,特征向量区域变化见图 3-31。可以看出第四特征向量正负相间分布,空间分布类型属于"相间复杂"型。负值中心出现在吉迈、若尔盖等,正值中心出现在阿坝、同德和源头玛多等,表现出复杂的空间变化特征。

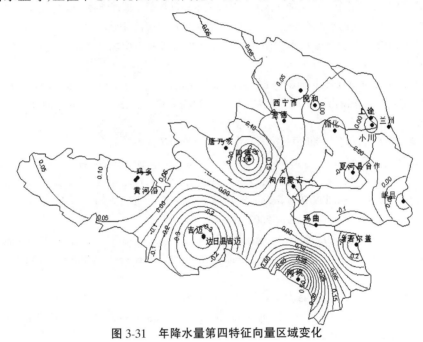

图 3-31　年降水量第四特征向量区域变化

第四特征向量对应的时间系数变化见图 3-32,属于正负相间类型,且以负值为主,说明总体上降水量属于偏少类型。

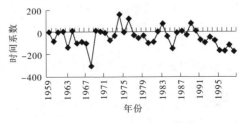

图 3-32　年降水量第四特征向量时间系数变化

总的来说,黄河流域兰州以上降水量时空结构变化表现为"全部一致"型、"南北相反"型、"东西相反"型和"相间复杂"型。但第一特征向量为主导,其时间变化系数变化与年降水量变化基本一致,说明黄河流域兰州以上降水量具有偏多(少)一致性特征。

参 考 文 献

[1] 恩格斯.路德维希·费尔巴哈和德国古典哲学的终结.中共中央马克思、恩格斯、列宁、斯大林著作编译局译.北京:人民出版社,1997

[2] 丁晶,邓育仁.随机水文学.成都:成都科技大学出版社,1988

[3] 黄河水利委员会水文局.黄河水文志.郑州:河南人民出版社,1996

[4] 龚庆胜,马秀峰.应用主成分聚类进行黄河流域水文分区.见:干旱地区水文站网规划论文选集.郑州:河南科学技术出版社,1988

[5] 李新,程国栋,卢玲.空间内插方法比较.地理科学进展,2000,15(3):260~265

[6] 林忠辉,莫兴国,李宏轩.中国陆地区域气象要素的空间插值.地理学报,2002,57(1):47~56

[7] 朱晓原,张学成.黄河水资源变化研究.郑州:黄河水利出版社,1999

[8] 郑红星.GIS支持下黄河流域水文循环时空演化规律研究.中国科学院地理科学与资源研究所.2001

[9] H. Hurst. Long term storage capacity of reservoirs. Trans. Amer. Soc. Civil Eng., 1950, pp.770~808

[10] 周厚云,郭国章.华南沿海明代自然灾害的时间序列分析 I:R/S 分析.热带海洋,2000,19(3):78~83

[11] 魏凤英.现代气候统计诊断预测技术.北京:气象出版社,1999

[12] Mann, H. B.. Non-parametric Test of Randomness against Trend. Econometrica, 1945, 13: 245~259

[13] Kendall, M. G.. Rank Correlation Methods, London: Charles Griffin, 1975, 202

[14] Libiseller C. and Grimvall A. Performance of Partial Mann-Kendall Test for Trend Detection in the Presence of Covariates, Environmetrics, 2002, 13:71~84

[15] John Imbrie. Abrupt termination of late Pleistocene ice ages, a simple milankovich explanation. In: Berger W H and Labeyrie L D. Abrupt Climatic Change-Evidence and Implication, NATO ASI Series, 1987

[16] 符淙斌,王强.气候突变的定义和检验方法.大气科学,1992,16(4):483~493

[17] Sneyers, R.. On the Statistical Analysis of Series of Observations, 1990, Tech. Note 143, WMO No.415, and Geneva:192

[18] Goossens, C.H. and Berger, A. Annual and Seasonal Climatic Variations over the Northern Hemisphere and Europe During the Last Century. Ann. Geophys, 1986, (4):385~400

[19] 符淙斌.气候突变现象研究.大气科学,1994,18(3):273~284

[20] 魏凤英,曹鸿兴.中国、北半球和全球的气温突变分析及其趋势预测研究.大气科学,1995,19(2):140~148

[21] 尤卫红.气候变化的多尺度诊断分析和预测的多种技术方法研究.北京:气象出版社,1998,1~17

[22] 汤懋苍,白重瑗,冯松,等.本世纪青藏高原气候的三次突变与天文因素的相关.高原气象,1998,17(3):250~257

[23] 钮本良.黄河流域1919~1997年天然径流量系列特性分析.黄河水利职业技术学院学报,2002,14(1):22~24

[24] 王正发.黄河中上游水文周期分析.西北水电,1998,(2):1~5

[25] 黄嘉佑.黄河流域旱涝与水资源分析.大气科学,1996,20(11):673~678

[26] 林振山,邓自旺.子波气候诊断技术的研究.北京:气象出版社,1999.98~116

[27] Morlet, J..Sampling Theory and Wave Propagation. Proc. 51st Ann. Meeting of the Soc. of Explor. Geophys, Los Angeles, USA.1981

[28] Smith, L.C., Turcotte, D.L. and Isacks, B.C..Stream flow Characterization and Feature Detection Using a Discrete Wavelet Transform. Hydrological Processes, 1998,(12): 233~249

[29] Kulkarni, J.R..Wavelet Analysis of the Association between the Southern Oscillation and the Indian Summer Monsoon. International Journal of Climatology.2000,(20):89~104

[30] 衡彤,王文圣,丁晶.降水量时间序列变化的小波特征.长江流域资源与环境,2002,11(5):466~470

[31] 周永宏,郑大伟,虞南华,等.地球自转移动与大气、海洋活动.科学通报,2000,45(24):2588~2597

[32] 陈兴芳.西太平洋副高异常变化及成因分析.气象,1994,21(2):3~7

[33] 霍世青,温丽叶.黄河径流量变化与太阳活动关系初探.见:黄河水文科技成果与论文选集.郑州:黄河水利出版社,1996.184~188

[34] 沙万英,邵雪梅,黄玫.20世纪80年代以来中国的气候变暖及其对自然区域界线的影响.中国科学,2002,32(4):317~326

[35] 谢炳光.扩展经验正交函数(EOF)及其在月、季降水预测中的应用.大气科学,1995,19(4):481~486

[36] 李瑞民,潘小凡.EOF方法分析浙江降水量的分布特征.科技通报,1998,14(6):419~422

[37] 施能.气象科研与预报中的多元分析方法.北京:气象出版社,2002

第四章 黄河流域水资源量可再生的
影响因素分析

影响黄河流域水资源可再生的因素众多,影响机制复杂,本章从影响水文自然循环和侧支(社会)循环的各个环节的影响因素作详细分析,主要包括气候背景、蒸发下渗、地下水补给、气温、植被覆盖、人类取用水、太阳活动以及水体污染等。这些因素的综合作用决定了黄河流域水资源可再生的水平和时空演变特征。

第一节 黄河流域水资源可再生的气候背景

黄河流域属于大陆性气候。东南部属于湿润气候,中部属于半干旱气候,西北部为干旱气候。冬季全在蒙古高压控制下,盛行偏北风,从10月份以后,高压逐渐增强,至1月份最强,其后逐渐减弱。每当极地大陆气团向东南伸展之时,即出现强度不同的寒潮冷锋,气温猛降。春季蒙古高压逐渐减退,太平洋副高逐渐扩张,流域内频繁出现低压槽,冷锋经过的频率很大。夏季主要在大陆热低压的范围内,盛行偏南风,水汽含量丰富,降水量较多。秋季,太平洋副高衰减,蒙古高压扩张,降水量开始减少。

黄河流域的水文循环是在全球水文循环的背景下进行的。黄河流域汛期降水主要来自于三个水汽源地:①印度洋孟加拉湾 当印缅低压强盛时,南支槽加深,青藏高原热低压强烈发展,以高原为尺度的低空急流围绕高原气旋性旋转,西南气流把印度洋、孟加拉湾的水汽输送到黄河流域;②南海北部湾 当西太平洋副高势力加强,其中心稳定在我国华中华南一带,脊线呈南北向时,或者配合有台风自南海北上时,西缘的低空南风急流将南海北部湾海面的水汽向北输送到黄河流域;③东海 当西太平洋副高5 880位势米线深入我国大陆的时候,副高脊线稳定在北纬30°附近,特别是当台风在我国东南沿海登陆,黄河下游处于台风影响范围内的时候,西太平洋副高南缘或者西南缘与深入内陆的台风低压的东北部之间形成强东南气流,把北太平洋西部、东海洋面的水汽输送到黄河流域。

输入黄河流域的水汽主要有三个输送带:①由四川盆地经由嘉陵江河谷北上进入流域内部,印度洋水汽和北部湾水汽都由此进入黄河流域;②由青藏高原中部拉萨一带东北上,与高原上空热低压前部的西南风最大风速轴对应的还有一条水汽输送带,把其高原上空的暖湿空气输送到西北区的东部,这条输送带由拉萨—昌都—红原—武都一带;③受偏东气流影响,沿武汉—西安方向还有一条自东南向西北的输送带,把华北华中一带的低层水汽输送到黄河流域,输入层厚度随环流形势变化较大。前两个输送带主要影响黄河中上游,当西南和东南气流在四川盆地汇合成一强风带,来自孟加拉湾和北部湾的水汽叠加,使汇合气流挟带大量水汽进入黄河上中游时将产生大暴雨。第三条输送带主要影响黄河中下游,往往形成大暴雨。

水汽输送示意图见图4-1。

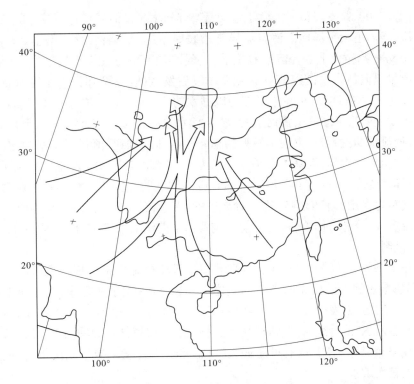

图 4-1　黄河水汽输送示意图(引自:黄河水利委员会,黄河流域水资源评价,1986)

黄河流域属于季风气候区,6 月初西风带北缩,青藏高压建立,而后加强北抬;地面蒙古高压减弱、消失,印度低压生成,逐步向北推进,西太平洋副热带高压也开始北抬、西伸。夏季 6~8 月,西太平洋副热带高压北抬、西伸,使得西太平洋副热带高压后部的偏南暖湿气流北上与西风带冷槽带来的冷空气在西太平洋副热带高压边缘青藏高原东部地区相遇,造成青藏高原东部降水。秋季 9~10 月,青藏高压开始东退,中高纬度西风加强,地面蒙古高压开始建立、加强,印度低压逐步减弱、南撤,西太平洋副热带高压也开始南撤、东退。在这一过程中,西太平洋副热带高压后部的偏南暖湿气流与西风带的汇合区出现在陕南—甘南—青海东南部一带,即"华西秋雨"。黄河上游的 9 月份降水多与此有关。另外,高原的热力影响使黄河上游地区降水更加复杂,孙国武等(1993)[1] 和李栋梁等(1990)[2] 数值试验研究指出,夏季青藏高原热源变化是导致高原乃至黄河上游流量变化的主要原因之一,即当年夏季径流与前期冬季(特别是后冬)高原地面感热通量有很好的对应关系,当冬季(2 月)高原地面感热通量增大时,7 月黄河上游的径流量偏丰。因此,可以把冬季高原热力异常看做黄河上游夏季径流量异常的前期指标。

影响黄河流域水资源可再生的气候因素很多,大气环流、北极海冰、太平洋海温场、厄尔尼诺(El Nino)和拉尼娜(La Nina)的变化可能影响黄河流域水资源变化。

王云璋等(1997)[3] 对黄河中上游汛期旱涝的大气和环流特征进行分析,发现旱涝年的大气环流特征存在明显差异,尤其是副高脊线平均位置与兰州—三门峡区间天然径流量的变化存在显著的正相关关系,特别是 1951 年之后,副高脊线位置偏北,区间水量偏丰,反之偏枯。而且,当欧亚区盛行径向环流时,黄河水量偏丰、洪水偏大,反之亦然。

彭梅香等(2000)[4]发现黄河上游年径流量与赤道太平洋海温场存在较好的负相关关系,也就是说,当赤道太平洋地区海温场异常增暖时,径流量偏枯,反之偏丰。研究 1959年以来的 El Nino 与黄河上游径流量的关系,发现,当 El Nino 在夏季以前发生(早发型)时,当年径流量以偏枯为主;当 El Nion 在夏季以后发生(晚发型)时,当年径流量以偏丰为主,而且发生 El Nino 的次年径流量都是以枯水为主。20 世纪 90 年代 El Nino 发生周期缩短,连续发生 4 次 El Nino,黄河上游 90 年代水量减少可能与此有关。研究 La Nina与黄河上游径流量的关系时,发现早发型的当年与次年,上游径流量以丰水为主(75%概率),晚发型的当年和次年,则基本上是以枯水为主。因此,热带太平洋地区海水温度出现异常增暖或异常变冷时,黄河上游径流量都有可能发生明显变化。北极海冰作为地球大气的冷源,其热力作用必将影响到整个对流层的大气环流。研究表明,其对西太平洋副高、欧亚环流、环流等都有影响,进而可能影响黄河上游汛期水量,李和平等(2000)[5]探讨了可能影响机制。

另外,马全杰等(2000)[6]分析了黄河兰州以上天然径流特征和 El Nino 事件,认为 El Nino 事件是影响黄河上游径流的主要因素之一。El Nino 发生在冬季,当年汛期径流量偏少的概率大;El Nino 发生在夏季,当年汛期径流量将偏多;El Nino 发生次年,径流量偏少的概率较大;El Nino 持续时间愈长,径流愈枯;El Nino 事件在春季结束,径流量偏少的概率较大,在夏季结束,径流量有可能偏大。La Nina 事件发生当年或次年,径流量将偏多,甚至发生较大洪水。

另外,局地小气候也是影响水资源可再生的重要因素,如秦岭北麓和泰山山区地形雨。

第二节　地理位置对水资源可再生性的影响

地理位置对地表水资源的影响主要表现在经纬度与海拔高程对地表水资源分布的差异,前者是水平方向的差异,后者是垂直方向的差异。

一、年降水量与经纬度的相关性

受季风气候的影响,黄河流域降水大体趋势是东多西少、南多北少。也就是说,黄河流域降水量与经纬度存在一定的相关性。为了定量研究这种相关性,本文选取黄河流域内部15 837个降水站监测值进行年降水量与经纬度的相关分析,具体结果见图 4-2。

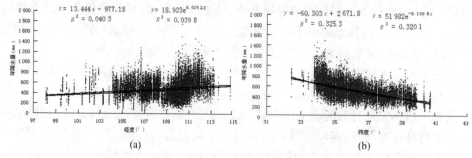

图 4-2　黄河流域年降水量与经度、纬度的相关性

从图 4-2 可以看出,黄河流域年降水量与经纬度有一定的相关性,表现在散点分布趋势比较明显,基本上在一定范围内变化。经度与年降水量的线性相关与指数相关系数都是 0.20,纬度与年降水量的相关系数都是 -0.57(负相关),与纬度的相关性稍高。可见,影响降水量分布的因素比较复杂,经纬度只是其中的一个方面。

二、地形对水资源可再生性的影响

地形对水资源可再生性的影响包括对径流的影响和对降水的影响。

对径流的影响:一般而言,当降水量与植被土壤条件特征类似时,流域地面坡度越大,地形越陡峭,则水系的密度越大,地表产流能力越强,汇流时间越短,洪峰流量越大,同时下渗能力减弱,地下径流量减少。

对降水的影响是通过水汽输送的影响实现的。对不同的空间尺度而言,地形影响降水的方式有所不同,有时候甚至相反。在大尺度范围内,降水量随着高程的变化趋势是随高程的增加而逐渐减少,这是由于气团所包含的水汽量在远距离输送的过程中总是越来越少,我国降水量的东西部差异大体可以反映这一点。对中小尺度而言,一般趋势是迎风坡的降水量大于背风坡。在迎风坡,降水量随着高程的增加而增加,在一定高程下出现峰值,其原因是湿润气流被山坡抬升凝结,随着高程增加,凝结水量越大,故降水量越大。在一定高程,水汽逐渐耗尽,降水量又随高程的增加而减少。

1986 年黄河流域水资源评价指出,黄河流域大部分降水高值区均是由地形雨造成的,原因是:降水量在一定范围内随高程的增加而增加,一般降水量越大且山体越陡峭,单位高度降水量差异越大;在某些山区,由于山体阻挡水汽,坡向不同降水不同,如太行山东西、祁连山南北、太子山南北等。

林之光(1995)[7]详细论述了秦岭北坡降水与海拔的关系。研究表明,降水量随着海拔增加而增加,变化幅度较大,且到一定高度(1 400m)后反而逐渐减少,汛期(7~10 月)特别明显;非汛期(1~4 月)降水量也随海拔增加而增加,变化幅度较小,几乎不出现到一定高度后下降的趋势。

本研究从全国 680 个降水站点中提取黄河流域 80 个站点的 1960~1990 年降水量平均值(来自中国国家气象局),研究降水量与海拔的线性相关(图略),发现相关性系数很小,显然对黄河整个流域来说,海拔与降水量的相关性较差,相关性程度都较低。对局部区域,本文研究 1964 年泰山从山底到山顶的 4 个降水站点的降水量与海拔的关系,得到相关系数为 0.95,说明对山区来说,海拔与降水量之间相关性则比较显著。

第三节　蒸发与河道水量补损对地表水资源的影响

从流域水文循环的过程看,蒸发和渗漏对水资源可再生性的影响是负面的。从水资源利用的角度,应该尽量减少无效蒸发,即充分利用“蓝水”,提高水资源的利用效率。

河道水量输移渗漏损失只是水资源类型的改变,即从地表水转化为地下水,流域水资源的总量没有改变,但对地表水资源再生系统来说,渗漏损失是不利的,因为减少了河川径流量,也就是减少了下游区域水资源的可利用量。相反,径流输移过程中的地下水补给对地表水资源可再生来说是有利的。

本节主要研究流域面水面蒸发、实际蒸发与干流河道水量输移补损的时空变化。

一、流域蒸发能力时空变化

(一)水面蒸发

选用国家气象局提供的全国305个气象测站1951~2000年的逐月蒸发监测系列资料,采用Kriging插值方法得到各区域逐月系列。

1.黄河流域多年平均水面蒸发能力

图4-3是1951~1998年黄河流域平均水面蒸发量等值线。表4-1所示是黄河流域各区域多年(1951~1998年)平均逐月水面蒸发量。

表4-1　　　　　　黄河流域各区域多年平均逐月水面蒸发量(1951~1998年)　　　　　　(单位:mm)

区域	1月	2月	3月	4月	5月	6月	7月	8月	9月	10月	11月	12月	全年	汛期	非汛期
龙羊峡以上	51	70	119	156	175	163	169	162	122	95	67	50	1 398	616	782
龙兰干流区间	43	62	116	168	186	176	176	168	117	91	62	43	1 408	638	770
湟水流域	44	62	125	188	222	215	211	196	140	105	66	44	1 618	762	856
洮河流域	44	62	108	149	162	151	157	154	106	84	60	42	1 280	568	712
兰河干流区间	39	58	126	225	308	312	282	230	172	121	68	39	1 979	996	983
内流区	41	60	132	238	338	348	313	250	189	131	72	41	2 154	1 100	1 054
泾河流域	44	59	107	169	210	229	205	176	119	90	62	42	1 512	729	783
北洛河流域	45	63	115	178	233	252	222	192	135	101	66	42	1 642	800	842
渭河流域	43	60	102	146	184	205	192	179	115	84	59	41	1 411	692	720
河龙干流区间	43	61	121	209	285	284	245	203	156	114	69	41	1 830	887	943
汾河流域	49	69	128	207	263	274	224	185	143	112	71	48	1 772	826	946
龙三干流区间	50	71	128	181	230	287	246	219	148	112	70	48	1 790	899	891
伊洛河流域	53	70	118	168	211	260	212	183	135	112	74	55	1 652	790	862
三花干流区间	57	77	135	200	254	303	232	197	152	127	79	59	1 873	884	990
沁河流域	56	76	137	210	262	294	225	187	149	123	77	57	1 852	854	998
花园口以下	52	72	146	230	286	303	219	185	162	134	82	54	1 925	869	1 055
全流域	45	64	120	188	240	246	221	192	142	106	67	44	1 676	801	875

由黄河流域平均水面蒸发量等值线可知,水面蒸发量与位于西北部的沙漠入侵通道关系密切。在鄂拉山与南山之间、祁连山与贺兰山之间、贺兰山与狼山之间的三条通道是西北干燥气流入侵的主要风口,风速大、气温高、湿度小,水面蒸发量等值线与沙漠推进路线一致,由西北向东南递减,最大值出现在毛乌素沙漠西北。流域内的祁连山、太子山、六盘山、秦岭等山区水面蒸发量由于气温、湿度、风速和地形等影响,出现低值区。兰州以上

图 4-3 黄河流域多年平均水面蒸发量等值线(1951~1998 年)

的青海高原和石林山区,气温低,平均水面蒸发量也相对小。

黄河流域全年、汛期和非汛期的水面蒸发能力平均最高的区间是内流区,其次是兰河干流区间,最小的是洮河流域。黄河流域 48 年平均年蒸发量为 1 675mm、汛期为 801mm、非汛期为 875mm。

2.黄河流域水面蒸发变化

这里仅研究整个流域水面蒸发能力的多年(1951~1998 年)变化,发现黄河流域平均水面蒸发能力略有下降,每 10 年下降 18mm。从年内分配看,黄河流域水面蒸发主要集中在 3~7 月份,占 42%。冬春季节相对较小。

(二)实际蒸发

采用 Penman－Monteith 公式及土壤水分限制系数、植物系数计算得到黄河流域多年 (1961~1990 年)平均实际蒸发量等值线图(见图 4-4)。表 4-2 所示是黄河流域各区域 30 年平均年实际蒸发量。

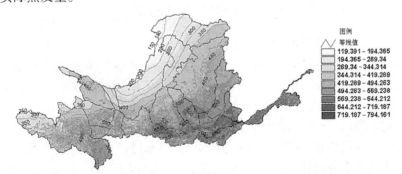

图 4-4 黄河流域多年平均实际蒸发量等值线(1961~1990 年)(单位:mm)

黄河流域内 98% 的面积属于半湿润、半干旱和干旱地区,因此陆面蒸发量地区分布趋势基本上与降水量的分布类似,但山区陆地蒸发量随高程增加而减小。因此,受供水条件(降水)、蒸发能力(水面蒸发)和下垫面土壤植被等各种因素的影响,黄河流域实际蒸发量分布显示出明显的复杂性。

表 4-2　　　　　　黄河流域各区域 30 年平均年实际蒸发量(1961～1990 年)　　　　(单位:mm)

区域	平均实际蒸发量	区域	平均实际蒸发量
龙羊峡以上	406	渭河流域	497
龙兰干流区间	389	河龙干流区间	428
湟水流域	369	汾河流域	493
洮河流域	440	龙三干流区间	578
兰河干流区间	271	伊洛河流域	609
内流区	286	三花干流区间	594
泾河流域	465	沁河流域	563
北洛河流域	513	黄河下游	585
黄河流域	410	分辨率 8km×8km	

黄河流域实际蒸发量从北向南出现递增趋势,而且河龙干流区间由于下垫面的一致性,实际蒸发地带性趋势层次分明,最小蒸发量在 120mm 左右;青藏高原和黄河中下游区域,实际蒸发地带性特征复杂。最小实际蒸发量出现在伊洛河流域(94mm)。秦岭山区虽有较高的降水量,但受下垫面的影响,地面坡度陡、土壤覆盖薄、空气较湿润,蒸发能力相对较弱,属于流域低值区,一般为 300～400mm。青藏高原河源区、黄河中游的黄土高原区情况类似。

从各区域 30 年平均年实际蒸发量看,最小的是兰河干流区间(271mm),最大的是伊洛河(609mm),黄河流域为 410mm。

实际蒸发量越大,往往降水全部被蒸发,不能形成径流,只有在夏季暴雨期间才能形成径流,如 400mm 降水线之内。因此,实际蒸发制约地表水资源的可再生。

二、干流河道水面蒸发与渗漏对天然径流量的影响

近年来黄河流域天然径流量的下降趋势十分显著,目前学者多从降水变化和下垫面条件改变等因素分析控制站天然径流量减少的根源,却忽略了径流传输中自然补损对天然径流量的影响[8]。下面将根据水量平衡原理,得到干流河道水量净自然损失的计算方法,并计算分析黄河流域龙羊峡以下干流河道水量自然补损的多年变化。

(一)河道水量自然补损对流域天然径流量的影响

径流在河道间输移过程中,不断与地下水和大气水进行水量转化,前者是径流渗漏补给地下水或者地下水补给径流,后者是通过蒸发、降水与大气水转化,这些水量转化是"四水"转化的主要形式[9,10]。河道渗漏主要有自由下渗和侧渗两种类型,影响河道渗漏的因素有河道岩性、河流水文参数、水文地质参数等。径流输移自然损失还包括形成或补充河道两侧的浸润带、断流后河床水量蒸发损失和断流后补充浸润带、河床浅滩、坑洼水量等损失[11]。地下水补充径流主要发生在峡谷河道,河道下切低于地下水位引起地下水补给河川径流。在某些河段,水面蒸发损失往往成为河道水量损失的重要途径。

把河道渗漏、蒸发损失与地下水、降水补给的差值称为河道水量净自然损失。净自然

损失为正值,说明损失占优势,反之则补充占优势。

在流域水资源评价中,天然径流量还原计算只还原工农业耗水量、生活耗水量和水库蓄变量,显然,天然径流量计算中已经扣除河道径流的净自然损失量。因此,河道水量自然补损对天然径流量有一定影响,河道水量输移净自然损失少,则天然径流量相对大,反之则天然径流量相对小。

(二)干流河道水量自然补损的计算

河道水量自然补损特别复杂,直接计算比较困难。水量平衡是研究水体、河流、流域等各种尺度水量转化的基本原理,在水文水资源科学研究中被广泛应用。贺伟程曾利用水量平衡估算出兰州以下三个区间的河道自然损失水量,发现20世纪90年代河道损失水量急剧增加[8]。下面以干流河道为例说明其水量净自然损失的计算方法。

在某时间段,某区间干流河道存在以下水量平衡

$$Q_{实上} + Q_{区天} - Q_{外耗} - Q_{干流耗} - Q_{损} = Q_{实下} \tag{4-1}$$

式中:$Q_{实上}$为干流河道区间上游站实测径流量;$Q_{实下}$为干流河道区间下游站实测径流量;$Q_{区天}$为区间自产天然径流量;$Q_{外耗}$为区间各支流利用耗水量,即干流河道外耗水量;$Q_{干流耗}$为干流河道内利用耗水量;$Q_{损}$为干流河道蒸发、渗漏损失与地下水、降水补给的差值,即净自然损失量,这里的地下水补给不包括干流河道两侧支流的基流(地下水)部分。

设上游站还原水量为M,$Q_{上}$、$Q_{下}$分别为上、下游站的天然径流量,根据天然径流量的还原计算方法,则有

$$Q_{实上} = Q_{上} - M \tag{4-2}$$

$$Q_{实下} = Q_{下} - Q_{干流耗} - Q_{外耗} - M \tag{4-3}$$

将式(4-2)、式(4-3)分别代入式(4-1)可以推出

$$Q_{上} - M + Q_{区天} - Q_{外耗} - Q_{干流耗} - Q_{损} = Q_{下} - Q_{干流耗} - Q_{外耗} - M \tag{4-4}$$

即

$$Q_{上} + Q_{区天} - Q_{损} = Q_{下} \tag{4-5}$$

因此,可根据干流区间上、下游站的天然径流量和区间自产天然径流量计算出区间的干流河道净自然损失水量。

(三)黄河干流河道水量自然补损分析

鉴于资料所限,现仅讨论黄河流域龙羊峡以下干流河道水量自然补损情况。河段划分与流域地表水资源可再生性评价分区相同。其中的干流区间天然径流量采用第三章第二节"相关延长"法计算得到。

由式(4-5)计算得到黄河各干流区间的干流河道逐月净自然损失水量(1951~1998年)。下面分析它们的时空变化。

1. 年际变化

黄河龙羊峡以下各干流区间河道水量净自然补损年际变化见图4-5。

由图4-5可知,各干流区间河道水量净自然补损存在很大差异,三花干流区间与河龙干流区间基本上是补充量大于损失量,其余则多是损失量大于补充量。从各区间净自然补损变化趋势看,1970年之前波动较大,之后趋于平稳。

总体上,龙羊峡以下干流河道水量净自然损失变化趋势是:50年代末~60年代初水

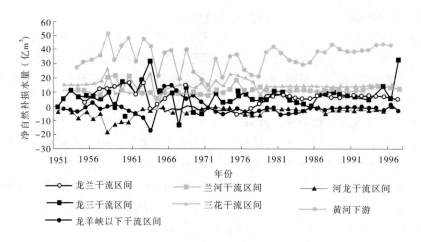

图 4-5　黄河龙羊峡以下各干流区间河道水量净自然补损年际变化

量净自然损失较大,70 年代有所下降,80 年代末又呈增高趋势。

2.代际变化

计算各干流区间河道水量净自然补损代际变化(见表 4-3)。可以看出,龙兰干流区间除了 70 年代地下水补给占优势外,其余年代均是损失占优势;河龙干流区间和三花干流区间都是补给占优势;兰河干流区间、龙三干流区间和黄河下游区间都是干流河道水量损失大于地下水补给;龙羊峡以下干流平均则全部是以损失为主。

表 4-3　　　　　　黄河干流河道水量净自然补损代际变化　　　　（单位:亿 m³/年）

干流区间	1951~1960	1961~1970	1971~1980	1981~1990	1991~1998	1951~1998	1951~1979 (1)	1980~1998 (2)	(2)-(1)
龙兰干流区间	10.58	5.16	-1.27	7.34	7.33	5.44	3.98	7.45	3.47
兰河干流区间	12.68	11.10	11.73	11.97	13.05	12.05	11.81	12.41	0.60
河龙干流区间	-7.83	-3.61	-2.84	-1.84	-1.74	-3.65	-4.89	-1.76	3.13
龙三干流区间	6.58	13.20	5.26	7.17	11.28	8.59	8.45	8.80	0.35
三花干流区间	-0.75	-3.82	-2.67	-2.21	-0.52	-2.08	-2.54	-1.41	1.13
黄河下游	15.49	13.43	16.99	14.68	14.76	15.08	15.31	14.73	-0.58
龙羊峡以下干流区间	36.75	35.46	27.20	37.11	44.16	35.43	32.12	40.22	8.10

从 1951~1998 年多年平均看,河龙干流区间和三花干流区间的干流河道水量以补给为主,原因是这两个区间干流处于峡谷之中,河道下切低于地下水位,地下水补充占优势。其余区间的干流均是以损失为主,黄河下游和兰河干流区间是干流河道水量净损失的主要区间,前者主要是地上河渗漏引起的,后者主要由宁蒙河套平原河道、漫滩、引水渗漏引起,而且该区间水面蒸发损失较大。龙羊峡以下干流多年平均净损失水量为 35.43 亿 m³/年。

另外,龙兰干流区间和龙三干流区间由于水库较多,如龙兰干流区间有李家峡水库、刘家峡水库、盐锅峡水库和八盘峡水库等,龙三干流区间有三门峡水库,水库拦蓄水,抬高河道水位,扩大水面面积,降低流速,增加滞留时间。一方面它们导致水面蒸发量和河道渗漏量增大,另一方面减少了地下水对河道的补给。因此,这两个区间的水量净损失都较大。

从代际变化看,60年代以来水量净补给区间的净补给量减小,净损失区间的净损失量增加。总体上,黄河龙羊峡以下干流河道净自然损失水量70年代最小,为27.20亿 m^3/年,之后逐渐增加,90年代净自然损失水量为44.16亿 m^3/年,呈增加趋势。

比较1951~1979年与1980~1998年两个时段的各区间干流河道水量平均补损量,除了黄河下游略减少外,其余区间则净自然损失水量都有不同程度的增加,龙羊峡以下干流河道水量净自然损失增加8.10亿 m^3/年。

朱晓原等(1999)[12]研究表明,黄河干流河道水面净蒸发量(蒸发量与降水量差值)多年变化不大,平均为8.52亿 m^3(1950~1990年)。由此可见,黄河干流河道水量净自然损失增加主要是河道水量净渗漏量增大引起的,究其原因是干流区间超采地下水,导致地下水位下降,地下水袭夺干流径流程度加剧,且地下水补给干流径流减少。

3.季节变化

计算1952~1998年各干流区间河道水量平均季节自然补损情况见表4-4。可见,多年平均各干流区间河道水量自然补损存在季节差异,如龙三干流区间的干流水量全年以损失为主,但非汛期、春季和冬季以补给为主;三花干流区间全年以补给为主,但春夏则以损失为主,秋冬以补给为主。总体上,龙羊峡以下干流区间平均都是以损失为主,且秋季和夏季净自然损失量最大。

表4-4　　　　黄河干流河道水量平均季节净自然补损变化(1952~1998年)　　(单位:亿 m^3)

干流区间	春季	夏季	秋季	冬季	全年	汛期 (7~10月)	非汛期 (1~6月,11~12月)
龙兰干流区间	1.89	1.68	0.48	1.39	5.44	0.81	4.64
兰河干流区间	4.64	0.95	3.23	3.24	12.05	7.00	5.05
河龙干流区间	−0.05	−0.54	−2.41	−0.63	−3.63	−2.86	−0.77
龙三干流区间	−3.38	3.47	12.44	−3.74	8.78	12.11	−3.33
三花干流区间	0.39	0.12	−1.45	−1.13	−2.08	−2.11	0.03
黄河下游	3.70	3.72	3.92	3.90	15.24	5.24	10.00
龙羊峡以下干流区间	7.19	9.40	16.21	3.03	35.8	20.19	15.62

黄河下游与龙兰干流区间的河道平均净自然损失水量是非汛期大于汛期,兰河干流区间、龙三干流区间以及龙羊峡以下干流区间河道平均净自然损失水量都是汛期大于非汛期;河龙干流区间是汛期净补给量大于非汛期;三花干流区间是汛期以补给为主,非汛期则以损失为主(见图4-6)。

(四)黄河干流河道水量补损各因子变化分析

在以上研究中,干流河道水量补损包括干流河道水面净蒸发、干流河道水面降水、干流河道渗漏补给地下水、地下水补给河道四个部分,下面分别分析。

1.河道水面净蒸发

河道水面蒸发是河川径流损失的主要方面,一般用单位水体上的蒸发深度表示蒸发

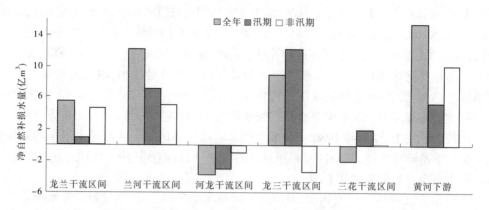

图 4-6　黄河干流河道水量净自然补损汛期与非汛期对比(1951～1998 年)

能力。蒸发量是某时段某水面水面蒸发量总和,计算公式为

$$E = E_m A = E_m BL \tag{4-6}$$

其中:E 为水面平均蒸发量,mm;E_m 为 20m^2 蒸发器的蒸发能力,mm/m^2;A 为水面面积,m^2;B 为平均水面宽度,m;L 为河长,m。

式(4-6)基于河道是规则矩形计算的,对于不规则河道,应修正为

$$E = E_m(H_上 + H_下)\alpha L \tag{4-7}$$

式中:$H_上$、$H_下$ 分别为上、下断面水面宽;α 为水面宽折算系数,对于峡谷型河道取小于0.5,对于平原型河道取大于0.5,对于矩形河道取0.5。

河道水面净蒸发量应当是河道水面蒸发量与河道平均降水量 P 的差值,即

$$E = (E_m - P)(H_上 + H_下)\alpha L \tag{4-8}$$

鉴于资料限制,这里不进行详细的干流河道水面净蒸发量计算,而是直接采用朱晓原等(1999)[12]计算的1950～1990 年黄河干流河道水面净蒸发量成果(见表4-5)。显然兰河干流区间水面净蒸发量最大,兰州以上区间最小;利津以上河段多年平均水面净蒸发量为85 242万 m^3,最大值出现在 60 年代。另外,各河段水面净蒸发量年内分配比例各不相同,除了兰州以上在 4 月最高外,其余河段比例最高都在 3～6 月份。部分河段在 7～9 月份出现降水量大于水面蒸发量的情况。

表 4-5　　　　　　　　各年代黄河干流河道水面净蒸发量　　　　　　　　(万 m^3/年)

河段	1950～1959 年	1960～1969 年	1970～1979 年	1980～1990 年	1950～1990 年
兰州以上	8 879	8 262	8 590	5 016	7 486
兰河干流区间	33 651	32 672	35 999	36 693	34 912
河龙干流区间	10 181	7 737	9 955	9 877	9 448
龙门—花园口区间	20 431	26 956	20 103	14 303	20 491
花园口—利津区间	16 226	19 842	8 879	7 286	12 905
利津以上	89 369	95 405	83 525	73 175	85 242

2. 河道水量净渗漏

河道水量渗漏包括自由渗漏和外侧渗两种。这里地下水补给河道不包括支流入黄的河川基流量。

1) 自由渗漏型河道渗漏损失关系

沈振荣等(1992)[11]研究表明,在某一特定河段的河床岩性下,进入河道的水量越大,地下水水位埋深越大,单位河长输水损失量越大。对于自由渗漏型河道渗漏计算公式为

$$\frac{\Delta w}{L} = -0.006\,4K^{0.57}(W_{上(日)}\Delta)^{0.80} \tag{4-9}$$

式中:$\frac{\Delta w}{L}$ 为单位河床损失量;$W_{上(日)}\Delta$ 称为供渗能力。

对于平原型河道多采用水文分析法,即首先确定河段和时间,再逐段进行计算。计算公式为

$$Q_{河补} = (Q_上 - Q_下)(1-\lambda)\frac{L}{L'} \tag{4-10}$$

式中:$Q_上$、$Q_下$ 分别为上、下游水文站点实测水量(扣除区间加入水量);L' 为两测站间河道长度;L 为计算河道或河段长度;λ 为修正系数,根据两测站间水面蒸发量及两岸浸润带蒸发量之和占($Q_上 - Q_下$)的比率确定。

山区河道渗漏计算比较复杂,详细方法参阅地下水资源评价。

2) 侧渗型河道渗漏损失

沿河道岸边切剖面,通过该剖面的水量即为损失补给量,采用达西公式计算。

地下水补给河道计算方法与渗漏损失计算类似。

河道输水损失量中,扣除河道输水期的水面蒸发量及形成和补充两岸浸润带的水量,才是河道渗漏补给地下水的水量。如果忽略河道水面蒸发,则损失量与补给量之间的差异主要是形成和扩大浸润带所消耗的水量。对于自由渗漏河段,如季节性过水,消耗于浸润带的水量占相当大的比例(50%)。当非汛期水位变化不大时,可以把渗漏损失量近似地当做对地下水的补给量。由河道补给地下水时(外侧渗),首先要满足形成浸润带的水分消耗,即浸润带达到田间持水量之后,才开始向地下水补给。

在实际计算中,需要试验确定模型参数,鉴于资料所限,这里仅计算净渗漏量,即河道渗漏量与地下水补给量的差值。

根据以上计算的河道水量净损失和水面净蒸发量,可以计算河道净渗漏量。为了与净蒸发量计算年代时段一致,现重新计算各河段河道水量净损失量,而且对兰州以上净蒸发量分段估算,即龙羊峡—兰州区间水面蒸发量按河长比例计算得到;龙门—花园口区间水量损失按龙三干流区间与三花干流区间合并得到。资料年限是 1951~1990 年(缺少1990 年之后蒸发量资料)。计算结果见表 4-6。

由表 4-6 可知,干流河道多年平均净渗漏量,龙兰干流区间为 4.90 亿 m³,兰河干流区间为 8.36 亿 m³,河龙干流区间地下水净补给量 4.98 亿 m³,龙花干流区间净渗漏 3.60 亿 m³,黄河下游净渗漏 13.85 亿 m³,黄河龙羊峡以下干流河段多年净渗漏 25.73 亿 m³。

从年代看,龙羊峡以下干流 20 世纪 80 年代净渗漏量最大(30.45 亿 m³),70 年代净

渗漏量最小(18.04亿m³)。河龙水量补给区间50年代净补给最大(8.50亿m³),80年代最小(2.77亿m³)。龙兰干流区间在70年代以水量净补给为主,其余年代以水量净渗漏为主。

表4-6　　　　　　　　黄河各干流区间不同时段水量损失统计　　　　　　　(亿m³/年)

项目	时段(年)	龙兰干流区间	兰河干流区间	河龙干流区间	龙花干流区间	黄河下游	龙羊峡以下
净损失	1950～1959	9.75	12.89	−7.48	4.59	16.10	35.85
	1960～1969	7.09	11.18	−4.50	10.24	13.27	37.29
	1970～1979	−2.59	11.58	−2.94	2.93	16.70	25.69
	1980～1990	7.53	11.94	−1.78	4.95	14.72	37.36
	1950～1990	5.04	11.85	−4.03	5.65	15.14	33.64
净蒸发	1950～1959	0.16	3.37	1.02	2.04	1.62	8.21
	1960～1969	0.15	3.27	0.77	2.70	1.98	8.86
	1970～1979	0.15	3.60	1.00	2.01	0.89	7.65
	1980～1990	0.09	3.67	0.99	1.43	0.73	6.91
	1950～1990	0.13	3.49	0.94	2.05	1.29	7.91
净渗漏	1950～1959	9.59	9.52	−8.50	2.55	14.48	27.64
	1960～1969	6.95	7.91	−5.27	7.54	11.29	28.42
	1970～1979	−2.75	7.98	−3.93	0.92	15.81	18.04
	1980～1990	7.44	8.27	−2.77	3.52	13.99	30.45
	1950～1990	4.90	8.36	−4.98	3.60	13.85	25.73

三、黄河流域各分区天然径流总量与干流河道水量损补总量变化

为了说明黄河流域分区天然径流总量和干流河道水量自然补损对控制站天然径流量的综合影响,比较黄河流域分区天然径流总量与干流河道水量自然补损总量变化趋势(见图4-7),可以看出,黄河流域分区天然径流总量呈减少趋势,而干流河道水量净自然损失却呈增加趋势,二者综合影响导致黄河流域天然径流量减少。

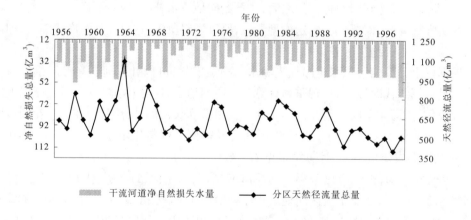

图4-7　黄河流域分区天然径流总量与干流河道净自然损失总量变化

第四节　降水与非降水因素对天然径流量衰减的作用

　　径流变化的原因有自然因素,也有人为因素。自然因素的影响主要是降水变化和其他自然因子导致的下垫面改变,从而导致径流量变化。降水变化包括降水量、降水的时空分布、降水强度等的改变;自然因子导致的下垫面条件改变,如荒漠化、水土流失、森林退化等。人类活动影响主要有耕作、水土保持和水利工程等对下垫面的影响。由于水土保持工程、水库蓄水拦沙和集雨灌溉工程等,一方面增加了流域的实际蒸散发,另一方面导致河流径流量相应减少。农田基本建设、种草、栽树以及小流域综合治理等很大程度上改善了流域的生态环境,有效地控制了水土流失,但同时导致径流量减少。反之,森林破坏、城市化等则导致径流量增加。

　　事实上人类活动的影响时刻存在,而且与自然因素交叉在一起,影响错综复杂,很难完全确定人类活动对径流量影响的大小。郑红星(2001)[13]根据 Turc 公式研究气候因子对水循环的影响程度。这里则通过降水—径流公式和 BP 人工神经网络模拟两种算法估算降水与非降水因素(主要为人类活动)对径流量衰减的影响。

一、降水与非降水因素对径流衰减的影响

　　这里只能说明两个相邻时段径流减少中降水和非降水因素影响的程度,如果不考虑气候变化的因素,可以认为非降水因素全部是人类活动的影响。

(一)计算方法

　　设降水量为 P,天然径流量为 R,径流系数为 D,则

$$R = PD \tag{4-11}$$

　　令相邻两个时段的平均值分别为 R_1、R_2,P_1、P_2,有

$$R_1 = P_1 D_1 \qquad R_2 = P_2 D_2 \tag{4-12}$$

　　令 $\Delta R = R_1 - R_2$,则

$$\Delta R = R_1 - R_2 = \frac{P_1 + P_2}{2}(D_1 - D_2) + \frac{D_1 + D_2}{2}(P_1 - P_2) = \overline{P} \cdot \Delta D + \overline{D} \cdot \Delta P \tag{4-13}$$

　　若 P 不变,则 $\Delta R = \overline{P} \cdot \Delta D$,反映非降水因素的影响;若 D 不变,则 $\Delta R = \overline{D} \cdot \Delta P$,反映降水因素的影响。

　　那么,可以由以下两个式子计算出非降水因素与降水因素影响径流变化的贡献率

$$\rho_{非降水} = \frac{\overline{P} \cdot \Delta D}{\Delta R} \times 100\% \tag{4-14}$$

$$\rho_{降水} = \frac{\overline{D} \cdot \Delta P}{\Delta R} \times 100\% \tag{4-15}$$

　　显然,这种计算只是相邻两个时段相比,是后一时段相对于前一时段的平均状况。这是基于线性方法计算的平均变化情况。

(二)计算结果与分析

　　划分 1956~1960、1961~1970、1971~1980、1981~1990、1991~1998 年五个阶段,分

别计算黄河流域各区域相邻年代两种因素对径流量衰减的影响及其比重。其中干流主要站点以上以及黄河流域(不含内流区)按 1956~1998 年计算。

1.各区域天然径流量减少及其影响分析

1)50~60 年代变化情况

从表 4-7 可知,60 年代与 50 年代相比,除了湟水流域、龙三干流区间、伊洛河流域、兰河干流区间以及沁河流域天然径流量略为减少外,其余区间天然径流量都出现不同程度的增加。其中龙羊峡以上和渭河流域增加幅度较大,分别为 33.88 亿 m³ 和 15.21 亿 m³,黄河流域共增加 91.46 亿 m³。

导致天然径流量增加的影响因素中,降水因素与非降水因素的比重在各区域内不同。在有些区间,二者还表现出相反的影响,如龙兰干流区间降水导致径流量的增加为 5.29 亿 m³,而非降水因素导致径流量减少 2.12 亿 m³,二者综合影响的结果是径流量减少 3.17 亿 m³。对黄河流域(不含内流区)而言,降水影响和非降水影响径流量增加的比例分别为 53.4%、46.6%。

表 4-7　　　　　　50~60 年代两种因素对径流量衰减的影响及其比重

区域	ΔR (亿 m³)	降水影响		非降水影响	
		$\overline{D}\cdot\Delta P$	%	$\overline{P}\cdot\Delta D$	%
龙羊峡以上	−33.88	−2.29	6.8	−31.60	93.3
龙兰干流区间	−3.17	−5.29	166.8	2.12	−66.8
湟水流域	1.29	1.66	129.0	−0.37	−29.0
洮河流域	−13.34	−9.59	71.9	−3.75	28.1
兰河干流区间	0.88	−1.30	−148.6	2.18	248.6
泾河流域	−6.04	−3.49	57.8	−2.55	42.2
北洛河流域	−3.06	−1.12	36.8	−1.93	63.3
渭河流域	−15.21	−7.58	49.9	−7.63	50.1
河龙干流区间	−5.30	−5.34	100.8	0.04	−0.8
汾河流域	−4.88	−2.98	61.2	−1.89	38.8
龙三干流区间	0.85	−0.34	−40.3	1.19	140.3
伊洛河流域	3.28	−2.86	−87.3	6.14	187.3
三花干流区间	−0.04	−1.42	3 458	1.38	−3 358
沁河流域	0.09	−3.08	−3 581	3.17	3 681
黄河下游	−5.26	−2.34	44.5	−2.92	55.5
黄河流域	−91.46	−48.86	53.4	−42.60	46.6
花园口以上	−83.85	−48.05	57.3	−35.80	42.7
三门峡以上	−90.98	−43.75	48.1	−47.23	51.9
龙门以上	−68.07	−29.20	42.9	−38.87	57.1
河口镇以上	−65.66	−34.13	52.0	−31.53	48.0
兰州以上	−68.73	−42.29	61.5	−26.44	38.5

注:负值表示径流量增加,正值表示径流量减少,降水量、径流量的单位分别为 mm、亿 m³;黄河流域不包括内流区,下同。

表 4-7 中还给出了干流主要站点以上区域天然径流量增加的影响情况。总体而言,60 年代相对于 50 年代,径流量都是明显增加,这可能与 60 年代人类大规模垦荒伐林有

关。

2)60～70 年代变化情况

从表 4-8 可知,70 年代与 60 年代相比,各区域天然径流量全部呈现减少的趋势,可见 70 年代属于枯水年份。减少量较大的三个区域依次为渭河流域(27.20 亿 m^3)、伊洛河流域(14.30 亿 m^3)和龙兰干流区间(13.64 亿 m^3)。兰河干流区间减少量最小,仅 0.72 亿 m^3。黄河流域(不含内流区)共减少 133.12 亿 m^3,其中降水因素影响占 56.5%,非降水因素影响占 43.5%。

表 4-8   60～70 年代两种因素对径流量衰减的影响

区域	ΔR (亿 m^3)	降水因素影响		非降水因素影响	
		$\overline{D} \cdot \Delta P$	%	$\overline{P} \cdot \Delta D$	%
龙羊峡以上	9.32	6.23	66.8	3.09	33.2
龙兰干流区间	13.64	1.76	12.9	11.88	87.1
湟水流域	6.07	4.86	88.1	1.21	19.9
洮河流域	5.62	0.53	9.5	5.08	90.5
兰河干流区间	0.72	2.07	289	-1.35	-189
泾河流域	5.89	3.86	65.5	2.03	34.5
北洛河流域	2.15	1.90	88.3	0.25	11.7
渭河流域	27.20	10.09	37.1	17.11	62.9
河龙干流区间	13.77	9.63	69.9	4.14	30.1
汾河流域	7.22	2.56	35.5	4.66	64.5
龙三干流区间	3.65	1.55	42.4	2.10	57.6
伊洛河流域	14.30	1.39	9.7	12.91	90.3
三花干流区间	5.47	1.35	24.7	4.12	75.3
沁河流域	8.38	1.83	21.8	6.55	78.2
黄河下游	4.27	2.70	63.3	1.57	36.7
黄河流域	133.12	75.23	56.5	57.89	43.5
花园口以上	128.85	72.51	56.3	56.34	43.7
三门峡以上	100.71	67.44	67.0	33.28	33.0
龙门以上	54.61	43.26	79.2	11.35	20.8
河口镇以上	40.84	29.17	71.4	11.68	28.6
兰州以上	40.13	16.67	41.6	23.46	58.5

3)70～80 年代变化情况

由表 4-9 可知,80 年代与 70 年代相比,除了中游的河龙干流区间、汾河流域、沁河流域和黄河下游天然径流量减少外,其余区间都呈现增加趋势,在龙羊峡以上和渭河流域最为明显,分别增加 31.02 亿 m³、22.80 亿 m³。黄河流域(不含内流区)共增加 64.65 亿 m³,其中降水因素影响占 36.3%,非降水因素影响占 63.7%。

表 4-9   70~80 年代两种因素对径流量衰减的影响

区域	ΔR (亿 m³)	降水因素影响		非降水因素影响	
		$\overline{D} \cdot \Delta P$	%	$\overline{P} \cdot \Delta D$	%
龙羊峡以上	−31.02	−6.85	22.1	−24.16	77.9
龙兰干流区间	3.83	0.04	1.0	3.79	99.0
湟水流域	−13.38	−2.70	20.2	−10.68	79.8
洮河流域	−2.26	−0.88	39.1	−1.37	60.9
兰河干流区间	−1.19	0.02	−2.1	−1.22	102.1
泾河流域	−2.15	−1.50	70.0	−0.64	30.0
北洛河流域	−1.66	−1.26	75.8	−0.40	24.2
渭河流域	−22.80	−6.86	30.1	−15.94	69.9
河龙干流区间	7.79	−0.97	−12.4	8.76	112.4
汾河流域	5.43	−0.52	−9.6	5.96	109.6
龙三干流区间	−3.20	−1.13	35.3	−2.07	64.7
伊洛河流域	−9.80	−1.79	18.3	−8.01	81.7
三花干流区间	−2.97	−1.07	36.1	−1.90	63.9
沁河流域	1.01	−0.27	−26.3	1.28	126.3
黄河下游	7.69	2.39	31.1	5.29	68.9
黄河流域	−64.65	−23.45	36.3	−41.19	63.7
花园口以上	−72.33	−26.19	36.2	−46.14	63.8
三门峡以上	−60.57	−23.19	38.3	−37.38	61.7
龙门以上	−36.21	−7.58	20.9	−28.63	79.1
河口镇以上	−44.00	−6.44	14.6	−37.56	85.4
兰州以上	−42.81	−9.30	21.7	−33.51	78.3

4)80~90 年代变化情况

由表 4-10 可知,90 年代与 80 年代相比,除了龙兰干流区间、兰河干流区间和黄河下游天然径流量略有增加外,其余区域都呈现减少趋势,其中龙羊峡以上减少 70.51 亿 m³,渭河流域减少 37.25 亿 m³。整个黄河流域减少 156.96 亿 m³,这是黄河在 90 年代缺水的主要原因。

从影响因素看,除了泾河流域外,非降水因素的影响都超过降水因素的影响,特别是人类活动(植树造林、水窖、梯田建设)等在对径流量的衰减的影响中占重要地位。另外,气候变化的影响也起到一定的作用。

表 4-10　　　　　　　　　　　80～90 年代两种因素对径流量衰减的影响

区域	ΔR （亿 m³）	降水因素影响		非降水因素影响	
		$\overline{D}\cdot\Delta P$	%	$\overline{P}\cdot\Delta D$	%
龙羊峡以上	70.51	19.37	27.5	51.14	72.5
龙兰干流区间	−0.05	0.31	−641.8	−0.35	741.8
湟水流域	8.30	−1.06	−12.8	9.36	112.8
洮河流域	15.18	5.80	38.2	9.38	61.8
兰河干流区间	−2.89	−0.63	22.0	−2.25	78.0
泾河流域	4.27	2.67	62.5	1.60	37.5
北洛河流域	−0.59	1.44	−242.3	−2.03	342.3
渭河流域	37.25	12.32	33.1	24.94	66.9
河龙干流区间	0.57	2.09	367.4	−1.52	−267.4
汾河流域	3.05	1.12	36.7	1.93	63.3
龙三干流区间	3.42	1.51	44.0	1.91	56.0
伊洛河流域	13.29	2.86	21.5	10.43	78.5
三花干流区间	3.82	1.07	28.1	2.75	71.9
沁河流域	1.50	0.35	23.4	1.15	76.6
黄河下游	−2.15	−0.70	32.5	−1.45	67.5
黄河流域	156.96	41.84	26.7	115.12	73.3
花园口以上	158.68	43.50	27.4	115.18	72.6
三门峡以上	140.07	39.51	28.2	100.56	71.8
龙门以上	92.67	15.39	16.6	77.28	83.4
河口镇以上	92.10	12.66	13.8	79.43	86.3
兰州以上	94.98	23.81	25.1	71.18	74.7

5）1979 年前后变化情况

由表 4-11 可知,1979 年前后天然径流量,龙羊峡以上区间几乎变化不大,渭河流域仅减少 7.5 亿 m³,这是因为 80 年代属于丰水期,抵消了 90 年代径流量减少的影响。河龙干流区间和龙兰干流区间减少量比较大。整个黄河流域减少 74.7 亿 m³。

2.各区域径流量衰减影响时空变化

这里主要分析龙羊峡以上、渭河流域和黄河流域三个区域径流量衰减影响时空变化,见图 4-8(a)、图 4-8(b)和图 4-8(c)。图 4-8(d)为 1979 年前后流域各区域径流量减少影响情况。

龙羊峡以上,50～60 年代、70～80 年代径流量都是相对增加,60～70 年代、80～90 年代径流量都是相对减少的,而且 80～90 年代减少幅度最大。不论增加或减少,三个时段降水因素影响和非降水因素影响的百分比十分接近。

表 4-11　　　　　　1979 年前后两个时段两种因素对径流量衰减的影响

区域	ΔR （亿 m³）	降水因素影响		非降水因素影响	
		$\overline{D} \cdot \Delta P$	%	$\overline{P} \cdot \Delta D$	%
龙羊峡以上	−1.1	5.1	−471.0	−6.1	571.0
龙兰干流区间	12.7	0.7	5.8	12.0	94.2
湟水流域	−4.3	2.1	−48.0	−6.4	148.0
洮河流域	8.3	2.5	30.5	5.7	69.5
兰河干流区间	−1.6	1.2	−77.4	−2.8	177.4
泾河流域	1.8	1.1	63.9	0.6	36.1
北洛河流域	−1.2	0.2	−19.6	−1.5	119.6
渭河流域	7.5	3.2	42.7	4.3	57.3
河龙干流区间	16.3	5.1	31.6	11.2	68.4
汾河流域	10.4	0.9	8.8	9.5	91.2
龙三干流区间	1.0	0.5	47.2	0.5	52.8
伊洛河流域	7.4	−0.5	−7.4	8.0	107.4
三花干流区间	2.6	−0.1	−5.3	2.7	105.3
沁河流域	7.7	0.4	4.6	7.3	95.4
黄河下游	7.3	3.0	40.9	4.3	59.1
黄河流域	74.7	36.1	48.4	38.6	51.6
花园口以上	67.5	33.0	48.9	34.4	51.1
三门峡以上	51.2	31.9	62.3	19.3	37.7
龙门以上	29.6	24.8	83.8	4.8	16.2
河口镇以上	12.8	14.3	111.7	−1.5	−11.7
兰州以上	14.1	5.0	35.5	9.1	64.5

　　渭河流域径流量变化趋势与龙羊峡以上类似,但是在径流量变化的影响因素中,非降水因素(多为人类活动)影响的比例高于降水因素,而且 70～80 年代、80～90 年代最为明显。

　　整个黄河流域径流量变化趋势同龙羊峡以上,但在径流量变化的影响因素中,50～60 年代、60～70 年代降水因素影响的比例高于非降水因素,但 70～80 年代、80～90 年代非降水因素影响的比例远高于降水因素。

　　1979 年前后相比,各区域径流量多是减少的,而且非降水因素影响的比例略高。

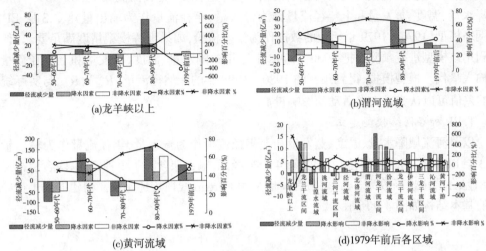

(a)龙羊峡以上 (b)渭河流域

(c)黄河流域 (d)1979年前后各区域

图 4-8　黄河流域径流量衰减影响时空变化

二、人类活动对径流量演变影响的人工神经网络模拟

流域水文系统受多种因素影响,是一个复杂的系统。主要受到气候因素和人类活动等多种因素综合影响,是一个复杂的非线性动态过程,其演变过程具有确定性和随机性特点。罗先香等(2002)[14]采用灰色关联分析法分析气候因子与径流量的关系,从而确定气候因子对径流量的影响。水利工程(水库、堤坝、农灌工程)的修建和下垫面条件的改变影响径流量形成的基础。但是由于各种因子的影响是非线性的、不确定的关系,难以确定每年的影响程度。这里应用 BP 人工神经网络技术分析人类活动对径流量的影响。

(一)BP 人工神经网络

BP 网络(Back - Propagation Network)称为误差反向传播网络,由输入层、输出层和隐含层组成。这个网络的算法由正向传播和反向传播组成。对网络首先要提供一组样本对,其中的每对样本由输入样本和理想输出组成;对于输入信号,要先向前传播到隐含层,经过作用函数后再把隐含层的输出信息传播到输出层,最后给出输出结果。神经元的作用函数通常选取 S 型函数,即 $f(x) = 1/(1 + e^{-x})$。当网络的所有实际输出与其理想输出一致时,表明训练结束。如果输出层不能得到期望的输出,则转入反向传播阶段,将实际输出与理想输出的误差信号沿原来的连接通路返回,通过修改各层神经元之间的连接权值,使得误差信号最小,达到实际输出与理想输出一致,训练过程结束[15,16]。

BP 人工神经网络有以下优点:①不需要过程的前期知识;②在调查研究中可不用识别过程的各部分之间的复杂关系;③不需要任何约束,也不需要假设解的结构。通过学习或训练构成神经间的相互联系,并利用已知的输入和输出完成,用误差收敛技术调节神经间相互联系的极限,以便根据已知的输入形式得到所要求的结果。因此,BP 神经网络技术被广泛地应用到模糊识别、综合评价、预测等研究。

(二)模拟方法与结果分析

这里以整个黄河流域为例进行说明,分析 1980～1998 年相对于 1956～1979 年黄河流域天然径流量变化受人类活动影响情况。基本思路是：把黄河流域1956~1975年的逐年降水量、温度、蒸发量和上年径流量作为输入量，年径流量作为输出量建立3层BP神经网络模型，1976~1979年相应的数据作为误差检验，如果训练模型精度满足要求，便可以利用该模型进行预测。把1980~1998年逐年的降水量、温度、蒸发量和上年径流量作为输入量代入模型模拟，得到预测的1980~1998年的天然径流量（$R_预$），$R_预$与实际统计R的差值可以认为是人类活动的影响量。

1.BP神经网络模型建立

以黄河流域降水量、温度、蒸发量和上年径流量作为输入量，年径流量作为输出量建立3层BP神经网络模型，输入层含有4个神经元，输出层含有1个神经元，隐含层神经元为8，隐含层传递函数为Tansig，最后一层采用Purelin线性传递函数。构建的人工神经网络的基本结构如图4-9所示。

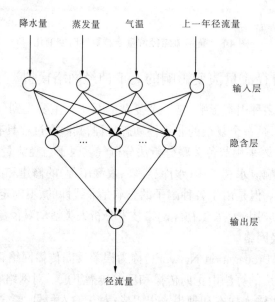

图4-9　人工神经网络模型的基本结构图

2.模型学习训练与检验

首先对数据进行归一化处理，得到[0,1]之间的数据。归一化方法为

$$X_i = \frac{x_i}{x_{i,\max} + x_{i,\min}} \qquad (i = 1,2,\cdots,n) \tag{4-16}$$

其中X_i为归一化之后的数据，x_i为原始数据i系列，$x_{i,\max}$为i系列最大值，$x_{i,\min}$为i系列最小值，i分别为降水量、蒸发量、气温和径流量。

把1956~1975年逐年降水量、温度、蒸发量、上一年径流量和年径流量作为学习样本进行训练。为了增加样本数，把原来20年数据组归一化值分别加上很小的一个随机数，构成240个学习样本。训练函数采用带有动量的traingdm，动量因子为0.9，学习速率为0.08，目标$2e^{-4}$，最大训练步数20 000。

经过17 486次训练，满足目标要求，学习训练结束（见图4-10）。把1976~1979年相

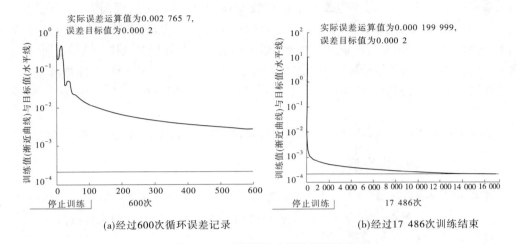

(a)经过600次循环误差记录　　　　　(b)经过17 486次训练结束

图 4-10　不同训练次数的误差记录

应的数据作为误差检验代入,经过检验,误差符合要求,该模型可以进行年径流量预测。

3.模拟结果与分析

把 1980～1998 年 4 个参数代入模型模拟,便可以得到在此气候背景下模拟输出的径流量。比较 1980～1998 年模拟值与实际值(见图 4-11(a)),除 1981 年实测值大于模拟值外(可能受前期径流量的影响),其余年份模拟值都大于实测值,说明人类活动对径流量的影响是存在的,而且不同年份大小不同(见图 4-11(b)),最大为 197.8 亿 m³(1990 年),最小为 -26.6 亿 m³(1981 年),19 年平均为 77 亿 m³。

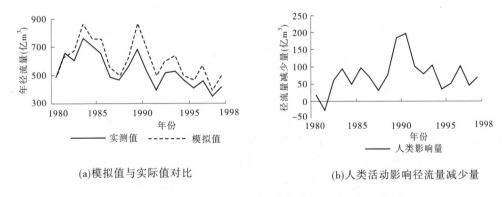

(a)模拟值与实际值对比　　　　　(b)人类活动影响径流量减少量

图 4-11　黄河流域人类活动对天然径流量的影响模拟结果

第五节　气温—降水—径流的相关关系

本节主要探讨黄河流域各区域气温、降水与径流之间的关系,从而揭示气温与降水变化对流域水资源可再生性的影响。

一、降水与径流的关系

降水与径流的关系十分复杂,研究表明,不同尺度下降水与径流关系不同,次降水径流关系主要是非线性关系,如指数关系或对数关系,但是对于年尺度而言,关系相对复杂[13]。本文仅从大尺度探讨降水与径流之间的相关关系。为此,选择了线性相关、指数相关、对数相关和幂相关四种相关类型分别求出相关方程及其相关系数。结果表明,黄河流域各区域年降水量与年径流量之间的相关关系十分复杂,甚至四种相关性都较差。对相关性较好的区域,其最好相关类型也不一致,如泾河流域指数相关最好,而龙三干流区间则线性相关较好。

对整个黄河流域而言,四种相关都比较显著,其中线性相关的相关性最好。

二、气温与径流的关系

计算黄河流域各区域气温与年径流量之间的相关性,发现气温与径流量呈负相关,但是相关性都较差。图 4-12 是龙羊峡以上和黄河流域的气温与径流量相关分析图,可见径流量对气温的响应不是很敏感。

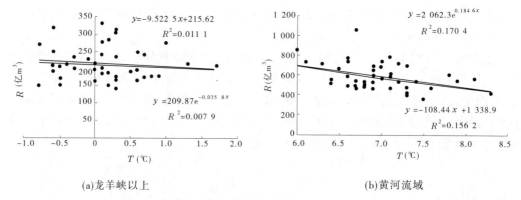

(a)龙羊峡以上　　　　　　　　　　(b)黄河流域

图 4-12　黄河流域气温与径流量相关关系

三、气温—降水—径流的关系

气温、降水是影响天然径流量的两个重要因素。在下垫面条件不变的情况下,可以通过气温、降水量和径流量的线性变化研究它们之间的关系。

以龙羊峡以上和黄河流域作简单数值分析:分别计算 1951～1998 年相邻 1 年、2 年和 3 年的降水变化百分率(%)、气温变化(℃)和径流量变化百分率(%),构成降水变率、气温变化和径流量变化率 3 组数据系列,以降水变率和气温变化作为 x、y 轴,以径流量变化率作为变量绘制等值线图(图略)。分析得到降水和气温与径流量之间的关系大体是:降水量越大,径流量越大,而且在气温降低的情况下,径流量增加幅度更大;一般降水量增加 0～20%,径流量增加 10%～20%;降水量增加 40%～60%,径流量增加 30%～40%;降水量增加 60%～100%,径流量增加 50%～60%。相反,降水减少,径流量减少。降水不变时,气温增加,径流量减少,反之则增加,但是当降水减少相同的情况下,气温增加比气温降低更能引起径流量的减少。总体而言,径流量的变化对气温变化的响应不如对降水明显。郑红星(2001)[13]对黄河流域 1952～1997 年分析也得到类似的结论。

事实上,由于人类活动的影响,下垫面产水条件发生很大的变化,特别是水土保持工程的影响,使天然径流量还原量的"基础"改变,天然径流量还原越来越偏离真实值,特别是80年代以来,径流量还原计算偏离较大。因此,仅仅从它们之间的变化不能完全真实地反映气温和降水对径流量的影响,需要通过水文模型进行分析。

必须指出,只有综合考虑影响径流量的各种因素才能更好地分析降水和气温对径流量的影响。

第六节　土地利用/植被覆盖与水资源可再生的关系

本节首先综述植被覆盖、森林和土地利用变化与降水量、径流量的关系,然后利用NDVI指数研究黄河流域植被覆盖变化趋势及其与降水量、径流量变化的相关性。

一、土地利用对流域径流量的影响

土地利用/植被覆盖(LULC)对水循环水平衡及洪水的影响已经引起人们的关注,其中,森林的水文效应更是研究的热点问题。城市化、修路、采矿、森林植被与耕作地改变等所引起的降水—径流变化可能导致水量、水质、洪水、干旱效应以及水资源空间、时间、频次的改变。研究土地利用的水文效应是水文学研究的发展方向之一。

研究土地利用变化对径流量的影响多采用野外试验观测和统计分析方法,如高俊峰等(2002)[17]研究表明,太湖流域耕地面积减少和建设用地增加,同时产水量也相应增加,导致20世纪90年代以来太湖出现持续高水位。为了评估土地利用变化的水文效应,开发了系列分布式水文模型,如SHE、SWAT、SCS和SLURP等,为分析土地利用变化的水文效应提供了分析手段。袁艺等(2001)[18]应用SCS流域水文模型对深圳市部分流域进行降水—径流过程的模拟,从空间和时间上分析了土地利用变化对降水—径流关系的影响,结果表明,随着人类活动的加剧,深圳土地利用的变化使径流量趋于增大。

毋庸置疑,土地利用会对河流、湖泊和水库等地表水资源的水质带来影响。土地利用影响水质属于非点源污染,目前研究方法主要有:①统计分析法,即选择不同的土地利用类型,统计水质影响参数,确定不同土地利用类型影响的差异;②采用SWAT、WMS等模型模拟土地利用对水质的影响。

表4-12是土地利用/植被覆盖变化的水文效应研究的一般结论。

表4-12　　　　　　　　　　　　**土地利用/植被覆盖变化的水文效应**

土地利用/植被覆盖变化	地表径流	河川径流	径流系数	蒸散发	旱涝	水土流失	水质
大面积森林破坏	湿润地区增加	减少	减少	增加	增加	增加	下降
	干旱地区增加	减少	增加	减少	增加	增加	下降
城市不透水面积增加	增加	减少	增加	减少	增加		下降
围垦水域	增加	减少	增加	减少	增加	增加	下降
旱地改为水浇地(水田)	减少	增加	减少	增加			下降

注:转引自邓慧平(2001)[19]。

目前黄河流域各种类型土地利用的水文效应得到深入研究。郑粉莉等(1994)[20]研究表明,黄土高原大型坡面径流场林地被人为开垦后,径流模数增加几十倍甚至百倍。山西水土保持研究所实地观测研究,发现在31°坡地上,穴植刺槐比耕地年平均减少径流37.9%,混交林比纯林减少49.2%;研究还表明,人工草地对径流的作用是多种因素起作用,而植被郁闭度起主导作用。

黄河中上游近年来广泛实施梯田和坡改梯措施,改变微地形,减缓坡度,减缓坡面径流流速和汇流时间。由于拦蓄水量的增加,增强了区域内土壤—植被—大气的水分循环,造成了大气循环的减弱,减少了河川径流总量。在黄土高原区,梯田改造后,入黄径流量明显减少,特别是汛期洪水流量。傅伯杰等(2002)[21]通过陕北黄土丘陵沟壑区大南沟小流域不同的土地利用方案水土流失效应,发现不同坡度的退耕方案,对降低洪峰流速、径流量程度不同。

二、植被覆盖与降水、径流的影响

植被覆盖变化对降水、径流的影响研究主要包括森林对降水、径流的影响和植被覆盖度变化对降水、径流的影响。

(一)森林对降水、径流的影响

森林是地—气接口上一种高效系统,除了对地表径流、土壤水分的分配、近地面层的水分循环有明显的影响外,其碳汇功能对于全球气候变化具有重要的积极作用。研究森林对水资源可再生性的影响包括森林对降水的影响、森林对水文的调节作用。

1.森林对降水的影响

关于森林对降水的影响,一直存在两种争论,即增雨作用和减雨作用,尚未有统一结论。从普遍意义上讲,森林对降水的影响力很小,受森林的直接影响而使大气降水发生很大改变的想法是不可行的,森林不会影响大尺度气候,虽然森林抬升气流,增加局地湍流,使微气候变化,但最多影响降水1%~2%。黄秉维(1981和1982)[22,23]认为森林的存在是由湿润、半湿润气候、地形等条件决定的,森林的降水机能不能被夸大。20多年来,森林对降水的影响在实验科学和理论研究两方面都取得了新的进展。研究指出,造林与毁林对气候是否具有多年或长久的影响,取决于区域大小与人类干涉的规模(Baumgartner,1984)[24]。在中、大尺度水平上(200~2 000km²和2 000km²以上),森林覆盖的变化是造成大尺度气候和生态系统(如季风系统、流域系统)变化的驱动力之一。在小尺度水平上(20~200km²),根据ICBP/BAHC的最近研究,森林覆盖的变化将直接影响大气边界层的厚度,从而使局地的温度和降雨产生变化(Pitman等,1999)[25]。

葛全胜等(2001)[26]统计中国近50年降水变化和森林覆盖率变化,发现我国森林覆盖率明显增加,年降水量却呈减少趋势,这意味着在宏观上森林面积的扩大并没有起到增加降水的功效。进一步说,过去50年我国森林资源与降水变化的关系不大。

2.森林对水文的调节作用

森林对水文的调节主要通过截流和蒸散发实现。森林截留大量降水并大部分以蒸发的形式返回大气中。通过森林的调节,可以延缓系统的液态水输入,降低洪峰流量。由于森林涵养水源,枯水期水量主要由蓄水补给,增加枯水流量,减免旱涝灾害。国外有关研究表明,森林覆盖率每增加2%,可以削减洪峰1%,当流域森林覆盖率达到最大值100%时,森林削减洪峰的极限值为40%～50%。

森林对流域径流的影响包括对水量和水质的影响,前者包括对径流量的总量、洪水径流量和枯水径流量影响、对径流量时程分配影响以及影响机制(王礼先等,2001)[27]。森林对河川径流量的影响,因流域面积、地理位置、气候和植被类型等因素的不同而异,一直都有增加和减少年径流量的结论。陈军峰等(2001)[28]对森林植被变化对流域水文的影响争论作了分析,认为存在这些争论的原因在于以下方面:

(1)森林本身的复杂性和区域差异性。森林是一个复杂的陆地生态系统,不同的区域,森林的树种、森林类型、郁闭度、生长状况和地理环境不同,其影响状况也不同,不具有可比性。

(2)不同研究方法的局限性。采用的研究方法不同,主要有控制流域法、单独流域法、平行流域法和多数并列流域法等流域试验方法。由于对比研究的周期长,其他条件变化大,可比性差。

(3)研究尺度不同。研究尺度包括空间尺度和时间尺度:空间上,流域面积差异,如大流域和小流域的水文效应不同;时间上,初期影响和长期影响不同。

一般认为大面积的森林破坏,导致森林涵养水源能力下降,使汛期径流量增加,枯水期径流量减少,径流极值发生明显变化,在干旱地区更为明显。原因是森林覆盖度变化改变了水量平衡的各个环节,如林冠截留、森林凋落物层截蓄水和根系蓄水以及森林蒸发变化,它们的综合影响结果十分复杂。研究表明,不同的气候区,径流量对森林覆盖率增加的响应不同。研究还表明,森林对地下水文有负面作用,即降低地下水位。植被(森林)破坏导致水土流失和水质下降。研究表明,森林流域水体中污染物明显低于水库水体和河流水体,可见森林对水质有一定的净化作用。

黄土高原区气候较干旱,林区降水量为400～600mm,土壤蒸发强烈,土层深厚,土质疏松,透水性强,植被主要为栎、桦、杨、榆等组成的次生性落叶阔叶林和由柏树、油松等组成的温带针叶林。研究表明,黄土高原森林覆盖率增加会普遍降低河川径流量,平均每增加10%的森林覆盖率则减少1.67mm径流深、增加流域降水量4.12mm,蒸发量增加4.99mm(刘昌明,1978)[29]。可见,森林覆盖率增加导致的流域蒸发大于降水效应是径流量减少的一个原因。

刘昌明等(1978)[29]在分析黄土高原年径流量(地表径流和地下径流)随森林覆盖率变化关系时发现:径流量随森林覆盖率增加而降低,但地表径流量随森林覆盖率增加呈直线降低,而地下径流量则有微弱上升趋势,地下径流量增加在一定程度上减缓了总径流量降低的趋势。李玉山等(2001)[30]从土壤水文学视角来讨论了黄土高原森林植被对陆地水循环的影响,指出,黄土高原森林因其显著拦蓄径流作用,蓄积水分又难以转化为地下水,因而具有减少林地出境总径流量的作用。黄河流域清水河流域20世纪60～80年代,森林覆盖率从25.31%增加到57.88%,增加30%多,削减最大洪峰流量44%;黄河高原平均森林洪峰径流模数比无林区小10倍以上,洪水历时延长2～6倍(孙立达等,1995)[31]。

黄河流域大面积成片造林后,当树冠郁闭较好且地面有较厚枯枝落叶层时,对减小洪水流量、增加常水流量有显著作用。黄委西峰水土保持科学试验站在子午岭西麓选两条邻近小流域进行对比观测，1962 年汛期 6 次暴雨中，无林的党家川小流域(面积45.7km²)洪水径流深 2.98mm，有林的王家河小流域(面积 47.1km²)洪水径流深1.25mm，洪水流量减少了58.1%。当年各月径流分配百分比，党家川6～8月占18.9%，3～5月占24.9%；王家河6～8月占12.3%，3～5月占31.1%。有林小流域与无林小流域对比，汛期洪水流量减小，而非汛期常水流量增加(刘万铨,1999)[32]。

(二)植被覆盖率变化对降水、径流的影响

森林作为一种特殊的植被，其变化对降水、径流的影响上文已经讨论。这里讨论一般植被变化对降水、径流影响。

1.植被覆盖率变化对降水的影响

下垫面植被状况改变会导致地气系统能量、水分平衡关系的调整，造成大气上升运动及水汽含量的变化，从而可能导致降水的变化。植被变化还通过影响风场、温度场和大气湿度等来影响降水，郑益群等(2002)[33,34]详细讨论了植被变化对区域气候影响的机理。研究表明，植被退化使气候变得更加恶劣，退化区平均降水量减少，大气变得干燥，气温的日较差、年较差均增大，使得冬季变冷而夏季变热，大气低层的风速加大。

2.植被覆盖率变化对径流的影响

植被变化还会引起地表径流的显著改变。Dickinson 等(1988)[35] 和 Sud 等(1988)[36]的研究都认为植被退化会导致径流量增大。植被退化引起径流变化主要是因为退化区的降水虽有所减少，但同时蒸散也会相应减少，且植被退化使植被的叶冠截流减少，更多的降水直接落到了土壤表面，土壤的持水能力则由于土质变粗而减小，这样就有可能导致径流的增加。当然，植被退化后径流量到底是增加还是减少，则取决于降水减少与蒸散及叶冠截流减少的相对量值，其中最主要的是降水减蒸散($P-E$)的变化情况。

一般相同雨强、历时与降水中心情况下，同一地区植被覆盖率变化、汇流时间(滞时)与洪峰流量大小的关系如图4-13所示。

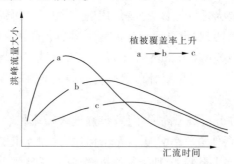

图 4-13　植被覆盖率变化情况下汇流示意图

三、黄河流域植被覆盖(NDVI)变化及其与降水、径流关系

NDVI(Normalized Difference Vegetation Index,归一化植被指数)反映植被所吸收的光合有效辐射比例，通过可见光波段和近红外波段的反射率得到，计算公式为

$$NDVI = \frac{R_{nir} - R_{vis}}{R_{nir} + R_{vis}} \tag{4-17}$$

其中，R_{nir}是近红外波段$(0.723\sim1.1\mu m)$的反射率，处于绿色植物的光谱反射区；R_{vis}是可见光波段$(0.58\sim0.68\mu m)$的反射率，处于叶绿素的吸收带（Tuckeretal，1991；Tucker，1979；Jacksonetal，1983）[37~39]。所以，植物的绿色越浓，植物叶绿素吸收红光的能力越强，叶状海绵体反射近红外线的能力也越强，则R_{vis}的值越小，R_{nir}的值越大，$R_{nir}-R_{vis}$的值也就越大，NDVI的值也相应增大。NDVI对植被的生长势和生长量非常敏感，NDVI可以很好地反映地表植被的繁茂程度，与生物量、叶面积指数等有较好的相关关系，因此常用来描述植被生理状况，估测土地覆盖面积的大小、植被光合能力、叶面积指数(LAI)、现存绿色生物量、植被生产力等。

许多学者利用NDVI研究植被与温度、降水变化的关系，如孙睿等(2001)[40]研究了黄河流域植被覆盖动态变化与降水的关系，表明近20年来黄河流域平均植被覆盖率有增加趋势(青藏高原例外)，汛期降水量的多少对地表植被的年际变化起到主要作用，影响最显著的是草原区，森林和农灌区则相对较小。而且发现黄土高原大部分地区、鄂尔多斯高原、河套平原以北以及青藏高原阿尼玛卿山以北地区年降水量与NDVI正相关系数比较大，因为这些区域天然草地植被对降水依赖程度高。森林区、农田区则相关系数小。汛期降水规律类似。在源头区等则出现负相关，可能与融雪有关。李本纲等(2000)[41]研究中国区域，发现就自然植被而言，其对降水的敏感性趋势为草本植被大于灌木植被，灌木植被大于乔木植被。就农作物而言，降水影响取决于耕作制度、作物种类、降水季节分配、灌溉方式等因素。

目前的研究多偏重于大区域NDVI与气候因素(降水、气温)之间的相关关系。这里通过数理统计研究NDVI变化与黄河流域各分区降水、径流之间的相关关系。

(一)NDVI数据获取

本文资料来自于Pathfinder(探路者)的AVHRR-NDVI资料，分辨率8km×8km，时间长度1982~1999年。获得的NDVI资料是3~253的整数，使用前需要经过转换成为介于-1~+1的数据。转换公式为

$$转换值 = (原始值 - 128) \times 0.008 \tag{4-18}$$

为了获得黄河流域1982~1999年NDVI的逐月变化，对原始逐旬NDVI遥感数据进行以下处理：以月为单位，对每月三旬的NDVI值通过国际通用的MVC(最大值合成)法处理，可以消除云、大气、太阳高度角等部分干扰，保证NDVI反映的是每月的地表植被覆盖状况。方法如下：

$$NDVI_i = \max(NDVI_{ij}) \tag{4-19}$$

式中：$NDVI_i$为第i月的NDVI值；$NDVI_{ij}$为第i月第j旬的NDVI值。

每年只有3~10月NDVI(11~2月为冬季未进行处理)值，其中1994年缺9~10月资料，采用相邻年平均插补得到。

在研究黄河流域NDVI变化时，孙睿(2001)[40]和杨胜天(2003)[42]等都是基于每个像元分析。这里则把黄河流域分为16个区(同水资源可再生性评价分区)，分别计算各区的逐月平均NDVI值，然后以区域为单元进行统计。表4-13是黄河流域各区域植被覆盖遥感影像像元数统计。

表 4-13　　　　　　　　　黄河流域各区域植被覆盖遥感影像像元数

区域	像元数	区域	像元数
龙羊峡以上	2 003	河龙干流区间	1 769
龙兰干流区间	594	汾河流域	585
湟水流域	553	龙三干流区间	268
洮河流域	350	伊洛河流域	274
兰河干流区间	2 544	三花干流区间	162
内流区	666	沁河流域	194
泾河流域	700	黄河下游	345
北洛河流域	473	黄河流域	8 837
渭河流域	954		

(二)黄河流域 NDVI 时空变化分析

朴世龙等(2001)[43]分析中国 1982～1999 年的 NDVI 变化,发现 NDVI 减少地区主要在西北地区和青藏高原,而且 90 年代下降趋势较 80 年代明显,这与西北沙尘暴频发,植被恶化有关,如黄河流域的蒙陕宁长城沿线是沙尘暴的通道;增加地区主要在东部。杨胜天等(2003)[42]以黄河流域为单位发现各季节 NDVI 值总体上呈上升趋势,春季上升速率最大(0.87%),汛期 0.29%,伏旱为 0.38%,说明黄河流域植被覆盖率逐渐增大。据统计,黄河流域 1991～1995 年植树造林面积 38.86 万 hm², 1996～1999 年为 14.13 万 hm²,与研究结论一致。杨胜天等并对年平均距平 NDVI 值的每个像元进行年际间(1982～1999 年)线性拟合,得到植被覆盖平均增长速率分布图,黄河流域平均增长 0.58%。在郑州以下黄河流域、黄土高原北部、毛乌素沙漠东部、兰州—银川之间以及阿尼玛卿山一带增长最快;黄土高原中部、晋陕峡谷中部、龙羊峡水库周围和河源区则下降,可能与干旱或人为破坏有关。

为了与前文降水系列的一致性,下面仅利用 1982～1998 年逐月系列进行分析。

1.年内变化

表 4-14 是黄河流域各区域 NDVI 值 1982～1998 年平均逐月变化情况。图 4-14 是 1982～1998 年黄河流域各区域平均 NDVI 值年内变化曲线。可见,整个黄河流域平均和黄河流域大部分区域多年平均从 3 月份开始逐渐升高,到 8 月份到达顶峰(部分为 7 月份),然后开始下降;其中黄河中下游部分区域如伊洛河流域、三花干流区间、沁河流域、龙三干流区间、北洛河流域、汾河流域在 5 月份之后下降,然后再逐渐增加;黄河下游则在 3 月份下降,到 7 月份之后又开始上升。引起这种现象的原因有待进一步解释。

以 1998 年为例。图 4-15 是 1998 年黄河流域 3～10 月份逐月 NDVI 分布图。从图上各区域的颜色深浅可以看出 NDVI 的逐月变化情况。

表 4-14　　　　　　　　黄河流域各区域 NDVI 值 1982～1998 年平均逐月变化情况

区域	龙羊峡以上	龙兰干流区间	湟水流域	洮河流域	兰河干流区间	内流区	泾河流域	北洛河流域	渭河流域
3 月	0.13	0.16	0.15	0.21	0.09	0.10	0.16	0.20	0.22
4 月	0.15	0.18	0.16	0.23	0.09	0.09	0.23	0.26	0.31
5 月	0.23	0.29	0.27	0.34	0.15	0.11	0.32	0.42	0.45
6 月	0.40	0.48	0.47	0.56	0.21	0.14	0.37	0.44	0.51
7 月	0.56	0.56	0.55	0.65	0.24	0.17	0.36	0.47	0.54
8 月	0.57	0.56	0.53	0.65	0.27	0.21	0.40	0.51	0.54
9 月	0.49	0.50	0.44	0.58	0.23	0.19	0.37	0.47	0.49
10 月	0.30	0.35	0.30	0.43	0.16	0.13	0.31	0.37	0.41

区域	河龙干流区间	汾河流域	龙三干流区间	伊洛河流域	三花干流区间	沁河流域	黄河下游	黄河流域
3 月	0.13	0.19	0.23	0.23	0.24	0.22	0.20	0.21
4 月	0.14	0.25	0.35	0.35	0.37	0.27	0.35	0.26
5 月	0.22	0.39	0.45	0.52	0.51	0.47	0.32	0.38
6 月	0.28	0.40	0.38	0.50	0.44	0.48	0.26	0.49
7 月	0.33	0.45	0.44	0.52	0.52	0.52	0.44	0.58
8 月	0.38	0.50	0.48	0.57	0.56	0.55	0.52	0.63
9 月	0.36	0.46	0.43	0.51	0.49	0.49	0.43	0.55
10 月	0.25	0.34	0.36	0.45	0.34	0.39	0.27	0.39

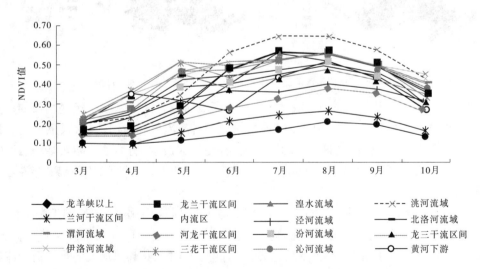

图 4-14　1982～1998 年黄河流域各区域平均 NDVI 值年内变化曲线

2.年际变化

选取黄河流域龙羊峡以上、兰河干流区间、泾河流域、渭河流域和龙三干流区间、伊洛

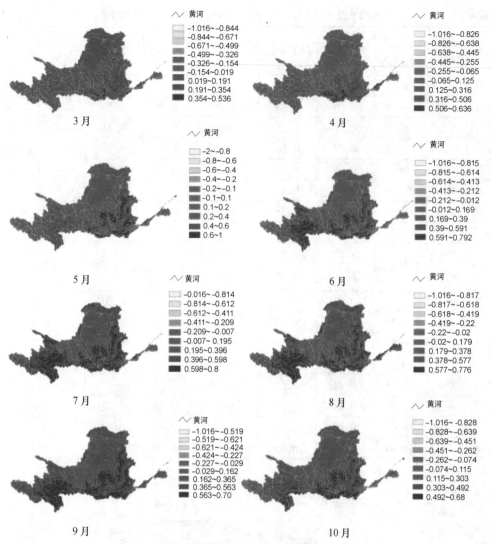

图 4-15　1998 年黄河流域逐月 NDVI 指数分布图(3～10 月份)

河流域、黄河下游以及整个黄河流域等 8 个典型区域研究各区域 NDVI 年平均值的多年变化,见图 4-16。8 个区域中,NDVI 值较高的为伊洛河流域和渭河流域,最低的为兰河干流区间;从多年变化看,各区域 NDVI 表现出类似的波动,分别在 1984、1987、1990、1993 年和 1998 年为峰值,1982、1986、1988、1992 年和 1995 年为谷值,表现出 3 年左右的周期性。

计算各区域 1982～1998 年的 8 月份、年平均 NDVI 指数平均增长量,列于表 4-15。

可见,17 年平均除了龙羊峡以上和三花干流区间 8 月份 NDVI 为下降趋势外,其余区域 8 月份和年平均 NDVI 都为增长趋势。8 月份 NDVI 增长趋势最大的是兰河干流区间(50×10^{-4}/年),最小的是汾河流域(5×10^{-4}/年);年平均 NDVI 增长幅度最大的是黄河下游(56×10^{-4}/年),最小的是龙羊峡以上(12×10^{-4}/年)。说明黄河流域总体上植被覆盖率呈现上升趋势,黄河流域生态环境有改善趋势。

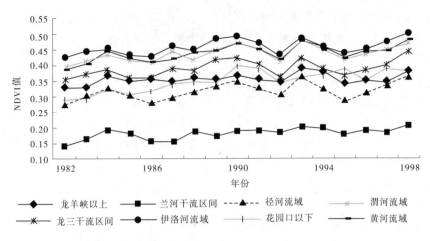

图 4-16　黄河流域主要区域 NDVI 年平均值多年变化

表 4-15　　　黄河流域各区域 1982～1998 年的 8 月份、年平均 NDVI 平均增长量

(单位:NDVI×10^{-4}/年)

区域	龙羊峡以上	龙兰干流区间	湟水流域	洮河流域	兰河干流区间	内流区	泾河流域	北洛河流域	渭河流域
8 月份	−9	18	16	10	50	38	37	25	10
年平均	12	25	27	33	23	17	27	24	26

区域	河龙干流区间	汾河流域	龙三干流区间	伊洛河流域	三花干流区间	沁河流域	黄河下游	黄河流域
8 月份	37	5	17	19	−0.5	10	23	33
年平均	25	20	25	24	21	27	56	32

3.空间变化

以 1998 年为例说明 NDVI 的空间变化。从图 4-15 的 NDVI 最大值 8 月份看,黄河流域上游阿尼玛卿山(白河—黑河流域)、大坂山、乌拉山、吕梁山、秦岭北坡、太行山西坡—太岳山、中条山、熊耳山、崤山、华山、子午岭、黄龙山、六盘山—陇山、泰山等山区 NDVI 值较高,植被类型上属于森林和灌丛;葫芦河上游河谷、宁蒙河套平原、毛乌素沙地、库布齐沙地、鄂尔多斯高原最小,基本上为沙地、戈壁及部分灌丛;河源区、黄土高原大部、汾渭谷地、龙门—花园口之间干流河谷两侧、黄河下游等介于二者之间,属于草地和农田。对比黄河流域降水量等值线图,发现 NDVI 分布与降水量分布在大部分区域是一致的。

(三)黄河流域各区域植被覆盖(NDVI)与降水、径流相关分析

1.NDVI 与降水的相关性

1)年内相关

分析黄河流域各区域逐月 NDVI 与逐月降水变化趋势(图略),发现除个别区域外,一般 8 月份 NDVI 达到最大值,而降水 7 月份达到最大值,总体上 NDVI 峰值要比降水峰值滞后 1 个月。以 1982～1998 年平均值为例,计算黄河流域各区域年内逐月降水与 NDVI 的线性相关和对数(指数)相关系数,相关系数介于 0.55～0.96 之间,显然黄河流

域各区域平均 NDVI 与平均降水之间存在显著的正相关。对整个黄河流域而言,平均线性相关系数为 0.92,对数相关系数为 0.95,表现出很高的相关性。

2)年际相关

绘制黄河流域各区域 NDVI 平均值(3~10 月份)的距平值和降水平均值的距平值变化图(图略)。发现总体上 NDVI 波动趋势与降水具有一致性,而且有一定的滞后,在上游区域表现得更为明显,说明植被对降水的反应比较敏感,而且中上游区域主要以草地植被为主,草地对降水的反应敏感。计算表明它们之间的相关系数相对较低,如兰河干流区间相关系数最大,仅为 0.56。

2. NDVI 与径流的相关性

1)年内相关

计算黄河流域各分区 1982~1998 年逐月天然径流量与 NDVI 平均值变化趋势。可见,各区域 NDVI 逐月变化与径流量的变化趋势相似,说明就年内变化而言,植被覆盖率的增加并没有大幅度减少径流量,因为径流量的增加主要与降水有关,植被覆盖对径流的影响相对于降水的影响微乎其微。计算分析表明,各个区域的年内天然径流量与 NDVI 相关程度各不相同。仅以龙羊峡以上区域和黄河流域为例,它们年内天然径流量与 NDVI 变化关系见图 4-17,可见在黄河流域、龙羊峡以上,二者线性相关性较好,相关系数分别为 0.94、0.92。

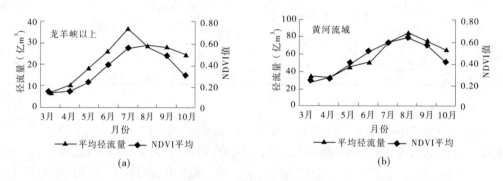

图 4-17 龙羊峡以上和黄河流域天然径流量和 NDVI 值 1982~1998 年平均值逐月变化

2)年际相关

计算黄河流域各分区 1982~1998 年 3~10 月份的月平均径流量与月平均 NDVI 变化及其相关性(图略)。结果表明 NDVI 变化趋势与径流量变化在某些时段变化趋势相同,而且 NDVI 有一定的滞后。认为存在这种现象是因为径流量和 NDVI 都受降水影响,但径流量变化对降水变化反应明显,而对植被覆盖变化的反应敏感程度稍低。对整个黄河流域而言,径流量呈减少趋势,NDVI 却呈增加趋势,但二者负相关性较差。

3. 年平均 NDVI 变化与年径流系数变化的相关性

植被覆盖变化对径流的影响还表现在对径流系数变化的影响。以龙羊峡以上和黄河流域两个区域为例,计算 1982~1998 年它们年径流系数的变化和年平均 NDVI 的变化的相关关系,发现二者不具有明显的相关性(图略),说明植被覆盖变化仅是影响径流量系数的因素之一,NDVI 的小幅度波动对径流系数变化影响不大。

第七节　人类取用水对径流量的影响

由水量平衡计算可知,还原径流量是天然径流量和实测径流量的差值,其中还原径流量包括工矿业耗水、农业耗水、生活耗水、生态耗水等和水库蓄变量(可能还包括流域外引水量)。由于水库蓄变量是水资源在时间维和空间维上调节,本质上没有被水库真正消耗,因此这里重点研究"三生"耗水量,即生产耗水(工农业)、生活耗水和生态耗水,它们与水资源再生的过程是相反的,消耗越大则对再生系统而言破坏越大。

本节主要研究还原径流量时空变化和水利工程——水库对水资源的影响。首先计算分析各区域还原径流量的时空变化,然后分析不同类型的耗水量和水库蓄变量对实测径流量的影响。

一、还原径流量的时空变化

(一)资料来源与计算方法

利用黄委提供的黄河干流站点和中游主要支流的1951~1998年逐月还原径流量通过一定的计算得到。方法如下:

对于支流区域直接利用控制站点还原径流量,如汾河、渭河、泾河、北洛河、伊洛河、沁河等。对干流区间则采用下游站点与上游站点的差值求得,若有支流区间则扣除支流区间还原径流量,如:

兰河干流区间还原径流量 = 河口镇站还原径流量 − 兰州站还原径流量

龙三干流区间还原径流量 = 三门峡站还原径流量 − (泾河 + 渭河 + 北洛河 + 汾河)还原径流量 − 龙门站还原径流量

其他干流区间计算方法类似。

(二)计算结果分析

1. 还原径流量区域差异

计算1951~1998年黄河流域各区域还原径流量的平均值见表4-16。从表中可知黄河流域年平均还原径流量为239.81亿m³,其中较大的区域为兰河干流区间和黄河下游,其次是渭河流域、三花干流区间和汾河流域,最小的区域为洮河流域,仅1.18亿m³。

表4-16　　　　　黄河流域各区域年平均还原径流量(1951~1998年)　　(单位:亿m³/年)

区域	龙羊峡以上	龙兰干流区间	湟水流域	洮河流域	兰河干流区间	泾河流域
还原径流量	4.17	7.03	6.20	1.18	90.29	5.53
区域	北洛河流域	渭河流域	河龙干流区间	汾河流域	龙三干流区间	伊洛河流域
还原径流量	1.90	11.87	2.42	9.34	6.55	2.92
区域	沁河流域	三花干流区间	黄河下游	黄河流域		
还原径流量	2.73	10.77	76.41	239.31		

还原径流量的大小除了受区域可供水量影响外,主要受取水量影响。黄河下游、兰河

干流区间以及渭河流域、汾河流域是黄河流域主要农业灌溉区,灌区农业耗水量巨大,是黄河流域主要耗水区。另外还原径流量还受区域水库蓄变量的影响,如龙羊峡以上、龙兰干流区间、龙三区间分别受龙羊峡水库、李家峡水库以及三门峡水库等水库蓄水的影响。

2.还原径流量的时空变化

1)年际变化

计算各区域还原径流量年际变化见图4-18。

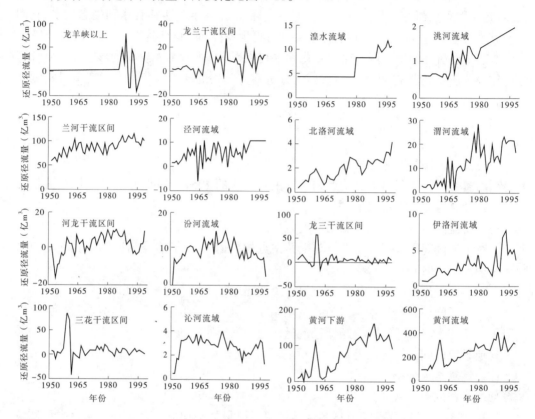

图4-18 黄河流域各区域还原径流量变化(1951~1998年)

由图4-18可以看出,除了干流区间受大型水库蓄变量影响外,其余区间还原径流量都有增加的趋势,说明黄河流域用水量在逐渐增加。

由于干流区间水库蓄变量的影响(兰河干流区间主要是灌区农业耗水),从干流区间可以清楚地看到水库蓄变量对还原径流量的影响情况。如龙羊峡水库1986年开始蓄水,还原径流量从1986年开始出现大幅度的波动变化;龙兰干流区间因刘家峡水库1968年开始蓄水而还原径流量突变;龙三干流区间和三花干流区间因1960年三门峡水库的蓄水而开始出现大幅度变化,其后由于水库蓄水、泄水波动不大,曲线趋势比较平稳。

2)代际变化

由表4-17可以看出,除了龙羊峡以上、中游干流区间以及汾河流域还原径流量减少外,特别是90年代之后,其余区间都逐渐增加。比较1979年前后,除三花干流区间、龙三干流区间和汾河流域、沁河流域还原径流量减少,其余全部增加。黄河流域平均增加

60%。增加量较大的是黄河下游和兰河干流区间,这与农业灌溉面积增加、农业用水量增加的趋势是一致的。

表 4-17   黄河流域各区域还原径流量代际变化

区域	50年代	60年代	70年代	80年代	90年代	1951~1979年	1980~1998年	变化	%
龙羊峡以上(贵德)	1.02	1.83	1.95	14.06	1.45	1.59	8.11	6.53	411
龙兰干流区间	2.62	6.39	9.01	7.29	10.53	5.89	8.76	2.86	49
湟水流域	4.30	4.30	4.67	8.00	10.61	4.30	9.10	4.80	112
洮河流域	0.62	0.80	1.22	1.54	1.85	0.86	1.66	0.80	93
兰河干流区间	72.42	89.03	88.08	99.91	104.93	82.92	101.53	18.61	22
泾河流域	3.22	4.21	6.59	6.18	7.94	4.53	7.06	2.54	56
北洛河流域	1.05	1.12	2.26	2.26	3.02	1.44	2.60	1.16	81
渭河流域	2.81	6.92	16.11	14.45	20.85	8.40	17.16	8.76	104
河龙干流区间	−4.11	1.63	6.09	7.12	1.11	0.90	4.74	3.85	430
汾河流域	7.28	10.27	12.16	9.35	7.21	9.93	8.44	−1.49	−15
龙三干流区间	9.91	9.94	4.59	4.05	3.72	8.33	3.84	−4.49	−54
伊洛河流域	1.28	2.22	3.17	2.93	5.54	2.22	4.00	1.77	80
三花干流区间	24.79	−0.95	14.16	7.43	7.82	12.77	7.71	−5.05	−40
沁河流域	2.44	3.25	3.10	2.38	2.45	2.92	2.45	−0.47	−16
黄河下游	33.60	26.67	87.34	124.41	118.45	46.97	121.35	74.38	158
黄河流域	163.27	167.63	260.48	311.61	310.11	193.97	309.77	115.80	60

注:黄河流域按利津站计算。

二、水库蓄水量的变化及其对实测径流量影响

黄河流域水力资源十分丰富,目前已经建设了一系列工程,还有部分工程正在规划建设,而且大型水库主要建设在干流河道上。表 4-18 是黄河干流主要水库的主要参数。

表 4-18   黄河干流主要水库主要指标

水库名称	控制面积 (万 m²)	总库容 (亿 m³)	有效库容 (亿 m³)	开始蓄水年月
龙羊峡	13.1	247.0	193.5	1986 年 10 月
李家峡	13.7	16.5	0.6	1997 年 1 月
刘家峡	18.2	57.0	41.5	1968 年 10 月
大峡	22.8	0.9	0.6	1997 年 3 月
盐锅峡	18.3	2.2	0.1	1961 年
八盘峡	21.6	0.5	0.1	1967 年
青铜峡	27.5	5.7	3.2	1967 年
万家寨	39.5	9.0	4.5	1998 年 10 月
天桥	40.4	0.7	0.4	1977 年
三盛公	31.4	0.8	0.2	1961 年
三门峡	68.8	96.4	60.4	1960 年 8 月
小浪底	69.4	126.5	50.5	1999 年 10 月

（一）水库蓄水量的变化

黄河干流大型水库对河川径流量的调节十分明显。这里仅研究黄河流域干流龙羊峡水库、刘家峡水库和三门峡水库等3个大型水库的年蓄水量变化和年末累积蓄水量变化（图4-19）。

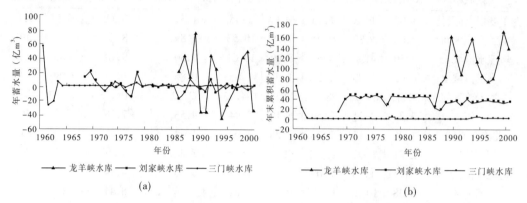

图 4-19　黄河干流主要大型水库年蓄水量和年末累积蓄水量变化

蓄水变量为正值称为蓄水状态，为负值称为泄水状态。从图4-19中可知黄河干流三大水库的水量年际调节过程，三门峡水库除运行初期（1960～1963年期间）有较大规模的蓄水和泄水过程外，此后年蓄水量和年末累积蓄水量一直处于稳定状态。刘家峡水库从1968年10月份开始蓄水后，蓄水和泄水也没有较大的变化，1969、1978、1988、1992年为蓄水峰值，1972、1977、1986、1993年为泄水峰值。龙羊峡水库作为黄河最大的水库，总库容达到247亿m³，是黄河主要的调节水库，从1986年蓄水以来，出现几次较大蓄水峰值（1987、1989、1992、1999年）和泄水峰值（1990～1991、1994、2000年），但是其年末累积蓄水量呈增加趋势。

水库对径流的年内调节体现在每月的蓄水和泄水的变化。图4-20是龙羊峡水库、刘家峡水库和三门峡水库自蓄水以来逐月平均蓄水量变化。可以看出，龙羊峡水库从5月份开始蓄水，11月份之后到次年5月份泄水，即"汛蓄枯泄"的模式。

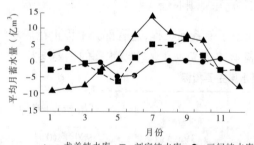

图 4-20　黄河干流主要水库多年平均蓄水量年内变化

刘家峡水库的调蓄方式与龙羊峡水库类似，但蓄水从6月份开始。它们对削弱黄河汛期水量威胁，增加黄河非汛期供水起到十分重要的作用。三门峡水库则在每年的3～7月份下游农作物生长灌溉季节泄水，其余季节处于蓄水状态（12月份例外）。由此可见，各水库由于使用功能不同，对河道径流量的调节过程也不相同。

（二）水库调节对实测径流量的影响

为了评价水库对实测径流量的影响，以龙羊峡水库、刘家峡水库为例研究水库上、下游控制站点的实测径流量的变化情况。龙羊峡水库上游站点选择唐乃亥水文站，下游站点选择贵德水文站；刘家峡水库选择上游循化和下游小川水文站。

图 4-21(a)是唐乃亥和贵德水文站 1956~1998 年实测径流量变化对比,可见它们在 1956~1986 年之间变化趋势基本一致,1986 年之后开始出现分离。图 4-21(b)是循化和小川水文站 1952~1998 年实测径流量变化对比,可见 1968 年之前二者变化趋势大体相同,之后便出现偏离。计算水库蓄水前后水库上、下两站年实测径流量相关系数变化,见表 4-19。

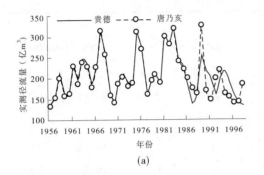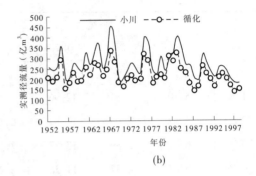

(a)　　　　　　　　　　　　　　　　(b)

图 4-21　唐乃亥和贵德、循化和小川水文站年实测径流量变化对比

表 4-19　　　　　　　　　　　水库上、下水文站年实测径流量相关系数

时间	贵德与唐乃亥			循化与小川		
	1956~1985 年	1986~1998 年	1956~1998 年	1952~1967 年	1968~1998 年	1952~1998 年
1 月	0.966	0.182	0.008	0.756	0.317	0.417
2 月	0.973	0.200	0.049	0.886	0.318	0.475
3 月	0.979	0.093	0.097	0.909	0.288	0.433
4 月	0.991	0.368	0.720	0.940	0.468	0.555
5 月	0.995	0.412	0.858	0.965	0.758	0.785
6 月	0.994	0.125	0.562	0.960	0.889	0.915
7 月	0.996	0.415	0.800	0.976	0.927	0.927
8 月	0.994	0.670	0.850	0.932	0.933	0.925
9 月	0.998	0.777	0.964	0.970	0.517	0.650
10 月	0.997	0.245	0.916	0.974	0.920	0.930
11 月	0.995	0.330	0.817	0.884	0.707	0.731
12 月	0.984	−0.075	0.121	0.946	0.498	0.557
全年	0.998	0.559	0.901	0.975	0.919	0.936

显然,在水库蓄水前水库上、下两站的实测径流量相关系数都很高,年径流量相关系数达到 0.97 以上,但蓄水后相关系数减小,贵德与唐乃亥各月都比较低,循化与小川除汛期较高外,其余月份都较低。

水库对径流量的影响还表现在下游站点实测径流量的年内分配。表 4-20 是龙羊峡水库和刘家峡水库蓄水前后其下游站点两个时段平均径流量年份分配情况。可见,由于水库的蓄水调节,其下游站点汛期径流量百分比下降,非汛期百分比上升,年径流量总量也相对减少。朱晓原等(1999)[12]研究表明,由于水库调节,最大月径流量与最小月径流量的比值进一步缩小。

表 4-20 龙羊峡水库和刘家峡水库蓄水前后其下游站点年平均径流量逐月分配变化

(单位:亿 m³)

时间	贵德				小川			
	1956~1985 年		1986~1998 年		1952~1967 年		1968~1998 年	
	月径流量	%	月径流量	%	月径流量	%	月径流量	%
1 月	5.10	2.31	12.96	7.15	7.08	2.46	13.84	5.27
2 月	4.52	2.05	11.84	6.53	6.47	2.25	11.37	4.33
3 月	6.36	2.89	13.27	7.32	8.61	2.99	12.12	4.61
4 月	9.63	4.37	11.26	6.21	12.27	4.26	16.67	6.35
5 月	15.87	7.20	16.44	9.07	21.02	7.30	26.90	10.24
6 月	22.86	10.37	18.38	10.14	26.07	9.05	25.90	9.86
7 月	37.06	16.81	20.27	11.18	47.74	16.58	31.83	12.12
8 月	31.63	14.35	19.65	10.84	43.88	15.24	31.24	11.89
9 月	36.30	16.46	17.76	9.80	46.50	16.15	29.73	11.32
10 月	29.97	13.59	14.02	7.73	39.16	13.60	28.70	10.93
11 月	14.14	6.41	12.82	7.07	19.05	6.62	19.95	7.60
12 月	7.02	3.18	12.59	6.95	10.10	3.51	14.42	5.49
全年	220.45	100	181.25	100	287.95	100	262.67	100

三、水库蓄水变化对水体交换周期的影响

水资源具有天然可再生性,水体交换周期、滞留时间或传输时间是评价水资源可再生性的基本参数,是描述水体内部物质交换与传输特征和水体与外界交换的时间特征,在湖泊、水库、河流、海湾、潟湖等水体广泛应用。对某一河流而言,交换周期的长短直接影响到水资源的开发利用。水体交换周期越长,单位时间可供水资源量相对较小,反之则较大。但是水体交换周期不是越短越好,单位时间水量太大,利用难度也大,如洪水。对没有人类影响的河流而言,一般用 $d = S / \Delta S$ 计算水体交换周期,其中 S 为某一水体的容量,ΔS 表示水体平均参与水循环的活动量。全球河流平均交换周期约 16d。一般汛期交换周期短,非汛期交换周期长。但是由于人类修建水库、拦水坝等工程,改变了河流的水文过程,也改变了河流的水体交换周期特征。汛期,由于水库蓄水,降低了流量,增加了水在河道内的滞留时间,则河流交换周期增长,在洪水期更为明显;非汛期水库放水,增大了流量,减少了水在河道内的滞留时间,则河流的交换周期缩短。刘昌明等研究了龙羊峡水

库不同蓄水方案下黄河干流的水体交换周期[44]，表明龙羊峡水库初始蓄水量越大，干流水体交换周期越短，初始蓄水量为 93.43 亿 m^3 时，水体的交换周期为 $1.46d_0$，初始蓄水量为 53.43 亿 m^3 时，交换周期为 $1.77d_0$，其中 d_0 为天然状态下黄河干流水体交换周期。

另外，本章第三节研究表明，由于黄河干流水库的修建，干流河道水量净损失增加。

四、黄河流域用(耗)水量的变化

黄河流域工农业耗水包括地下水和地表水。下面先对黄河流域用水情况作总体介绍，然后介绍黄河流域 1998 年各种用水的区域差异。

(一)黄河流域用水变化情况

以 1995～1999 年情况为例。表 4-21 是黄河流域 1995～1999 年水资源及其用水情况。

表 4-21　　　　　　　　黄河流域 1995～1999 年水资源及其用水情况　　　　　　　(单位:亿 m^3)

年份	水资源量			流域内用水			流域外引水
	总量	地表水	地下水	总量	地表水	地下水	
1995	591.70	495.40	350.60	398.50	267.79	130.71	89.50
1996	661.40	549.20	381.80	398.50	271.27	127.23	89.70
1997	481.50	378.17	332.80	402.60	268.37	134.23	92.00
1998	677.20	553.40	396.10	395.30	267.52	127.78	85.90
1999	625.87	523.83	393.83	403.30	269.79	133.51	88.60
五年平均	607.53	500.00	371.03	399.64	268.95	130.71	89.14
年份	水资源利用率(%)	水库蓄水变量	地下水储量变化	生活用水	农业用水	工业用水	入海水量
1995	82	−26.00	−34.41	27	315	56	136.70
1996	74	0	−15.10	29	312	57	169.50
1997	103	−14.59	−30.90	29	314	59	15.40
1998	71	52.55	−3.98	30	308	58	101.52
1999	79	36.79	−31.47	32	317	54	61.69
五年平均	80	9.75	−23.18	29	313	57	96.96

注:资料来源于黄河水资源公报和中国水资源公报等。

可见这五年水资源总量平均为 607.53 亿 m^3，其中地表水为 500 亿 m^3；流域内总用水量 399.64 亿 m^3，其中地表水为 268.95 亿 m^3；流域外引水 89.14 亿 m^3。入海水量平均 96.96 亿 m^3(1997 年黄河断流，达到最小值 15.4 亿 m^3)。在水资源利用中，农业用水一直占很大比重，平均为 313 亿 m^3，生活和工业用水相对较小，分别为 29 亿 m^3 和 57 亿 m^3(包括地下水)。从区域上看(见表 4-22)，上、中、下游用水比例分别为 50%、30% 和 20%；农业用水比例分别为 62%、27% 和 11%；工业用水比例分别为 40%、51% 和 9%；生活用水比例分别为 14%、32% 和 74%。

从水资源利用效率看(见表 4-23)，黄河流域上游的农业灌溉亩均用水量、万元工业产值用水量、万元 GDP 用水量和人均用水量高于中游和下游。但除了人均用水量外,其他指标黄河流域平均低于全国平均水平。黄河中游的各项指标(除城镇人均生活用水量外)都是最低,说明黄河中游水资源最缺乏,但用水效益高,远高于全国平均水平。

表 4-22　　　　　　　黄河流域 1995～1999 年行业用水情况(含地下水)　　　(单位:亿 m³)

年份	上游				中游				下游			
	农业	工业	生活	合计	农业	工业	生活	合计	农业	工业	生活	合计
1995	190.3	21.1	6.8	218.1	88.3	30.6	16.5	135.3	35.7	4.2	43.7	89.5
1996	190.5	22.7	7.8	221.0	85.7	29.8	17.0	132.6	34.9	4.5	43.3	89.7
1997	192.4	23.6	7.9	223.9	88.5	30.3	17.7	136.5	31.6	5.2	40.0	92.0
1998	196.4	23.2	8.1	227.8	81.4	28.7	17.9	127.7	28.6	5.6	37.8	85.9
1999	200.4	22.4	9.0	231.8	82.1	25.6	19.4	127.0	32.8	5.7	42.0	88.6
平均	194.0	22.6	7.9	224.5	85.2	29.0	17.7	131.8	32.7	5.0	41.3	89.1

表 4-23　　　　　　　　黄河流域 1999 年流域内用水指标

区域	人均 GDP (万元/人)	万元 GDP 用水量 (m³/万元)	人均用水量 (m³/人)	农业灌溉平均用水量 (m³/hm²)	人均生活用水量 (L/d)		万元工业产值用水量 (m³/万元)
					城镇	农村	
全国	0.65	440	680	7 260	227	89	91
黄河流域	0.53	380	730	6 540	168	53	78
上游	0.57	970	1 700	11 385	152	70	129
中游	0.53	180	360	3 555	180	46	58
下游	0.47	330	690	4 485	154	63	73

(二)黄河流域地表水利用区域差异

以 1998 年为例(不包括流域外引水),黄河流域各区域地表水利用情况见表 4-24。

表 4-24　　　　　　　1998 年黄河流域各区域地表水利用情况　　　　　(单位:亿 m³)

区域	农业			工业			生活			总用水量 ①+②+③
	农业灌溉	林牧渔	合计①	城镇	农村	合计②	城镇	农村	合计③	
龙羊峡以上	0.856 7	0.120	0.976 7	0.091 2	0.003	0.094 2	0.038	0.342	0.380	1.451
洮河流域	10.360	0.117	10.477	0	0.035	0.035	0.016	0.363	0.379	10.891
湟水流域	3.002	0.628	3.630	1.386	0.215	1.601	0.177	0.327	0.504	5.735
龙兰干流区间	7.298	0.475	7.773	5.277	0.182	5.459	0.583	0.410	0.993	14.225
兰河干流区间	147.142	10.557	157.699	7.869	0.148	8.017	0.985	0.398	1.383	167.099
河龙干流区间	3.427	0.967	4.394	0.335	0.148	0.483	0.101	0.515	0.616	5.493
渭河流域	6.580	4.064	10.644	2.723	0.050	2.773	1.103	0.275	1.378	14.795
泾河流域	2.658	0.467	3.125	0.888	0.010	0.898	0.184	0.170	0.354	4.377

区域	农业			工业			生活			总用水量
	农业灌溉	林牧渔	合计①	城镇	农村	合计②	城镇	农村	合计③	①+②+③
北洛河流域	3.899	1.250	5.149	0.192	0.051	0.243	0.051	0.112	0.163	5.555
汾河流域	6.977	0.107	7.084	0.787	0.214	1.001	0.154	0.154	0.308	8.393
龙三干流区间	2.210	0.297	2.507	0.176	0.166	0.342	0.060	0.021	0.081	2.930
沁河流域	1.761	0.078	1.839	0.109	0.081	0.190	0.031	0.095	0.126	2.155
伊洛河流域	4.452	0.253	4.705	0.574	0.698	1.272	0.105	0.091	0.196	6.173
三花干流区间	2.028	0.160	2.188	0.260	0.210	0.470	0.042	0.058	0.100	2.758
黄河下游	13.491	0.495	13.986	0.520	0.095	0.615	0.315	0.134	0.449	15.050
黄河流域	216.152	19.992	236.144	21.190	2.263	23.453	3.950	3.460	7.410	267.007

注:根据黄河水资源公报－附表(1998)整理。

由表 4-24 可知,农业利用地表水量较大的区域是兰河干流区间、黄河下游、渭河流域和洮河流域,较小的是龙羊峡以上、沁河流域和三花干流区间;工业利用地表水量较大的区域是兰河干流区间、龙兰干流区间和渭河流域,较小的是洮河流域、龙羊峡以上和龙三干流区间;生活用水较大的区域是兰河干流区间和渭河流域,较小的是龙三干流区间和三花干流区间。生活用水中包括一部分城区河湖补水,其中汾河流域 4 万 m³,渭河流域 200 万 m³,黄河流域共 204 万 m³。总利用地表水量较大的区域是兰河干流区间、黄河下游、渭河流域和龙兰干流区间,较小的是龙羊峡以上、沁河流域和三花干流区间。可见,地表水资源利用主要集中在农业灌区,工业用水则集中在干流区间和渭河流域。

传统水资源利用统计中,生态用水一直没有得到重视,应该充分考虑生态用水。如果把林牧渔用水和城区河湖补水作为生态用水,那么黄河流域取水利用中生态用水量为 26.620 4 亿 m³(其中地下水 6.608m³)。

(三)黄河流域引黄耗水量代际变化

从黄河流域引黄耗水量年代变化(见表 4-25)可知,自 20 世纪 50 年代以来,黄河流域引黄耗水量呈大幅度增加趋势,90 年代是 50 年代的 2.4 倍,上游为 1.8 倍,下游为 5.7 倍;中游从 80 年代开始减少,但 90 年代是 50 年代的 2.0 倍。

表 4-25　　　　　　　黄河流域引黄耗水量(地表水)年代变化　　　　　(单位:亿 m³/年)

区域	50 年代	60 年代	70 年代	80 年代	90 年代
上游	73.4	95.2	102.9	121.1	131.7
中游	30.0	49.4	63.4	62.1	60.2
下游	18.9	33.1	83.5	112.9	107.8
全流域	122.3	177.7	249.8	296.1	299.7

注:90 年代指 1990～1995 年。

第八节 太阳活动对黄河流域水资源的影响

一、太阳活动与黄河流域降水关系分析

太阳黑子是反映太阳辐射变化的重要指标,一般用太阳黑子相对数表示。研究表明,太阳活动可能对降水有一定的影响。韩照宇等[45]发现上年 12 月和同年 2 月的太阳黑子数与山西省下半年降水有一定的负相关关系,涝年的同年 2 月的太阳黑子数在相应年份则出现了极小值或小值;旱年对应较涝年差一些,但也能反映出相反趋势,如旱年的同年 2 月的太阳黑子数是极大值或大值。董安祥等[46]研究表明,对于西北四省区(陕、甘、宁、青)而言,在黑子谷年容易出现旱年,大旱年大多出现在黑子谷年,而多雨年在各个位相均可能出现;太阳黑子数与西北区东部春季降水量在长周期(4.2～3.5 年)有较好的同位相正相关,在短周期(3.2～2.0 年)有较好的同位相负相关,二者在 2.6 年周期段凝聚值最高。而徐小红等[47]则认为太阳黑子与陕西夏季降水有一定的相关性,太阳黑子峰值,夏季降水偏多概率偏大,谷值偏少概率偏大。显然,研究方法和研究区域不同,得到的结论也不完全一致。

从目前的研究方法看,主要采用频率统计分析方法,即统计两个系列峰(谷)值出现一致的频率来判断二者的相关关系。这种研究方法的前提是认为降水的峰谷波动全部是由太阳活动引起的。事实上,降水除了受太阳活动影响外,还受到海气相互作用、局地气候等多种因素影响,出现 3 年、6～7 年、9～11 年等多种变化周期,如果仅根据降水与太阳黑子变化的相关分析,则把其他因素影响也归为太阳活动的影响,这种方法是不合理的。还有部分研究采用交叉谱分析和小波分析方法,消除了其他因素的影响,如 Daubechies 正交小波,但是对短时间尺度分析效果不是很好[48]。

太阳活动存在相对固定的主要变化周期,那么其对降水也应该具有相同周期的影响。这里根据 1951～1997 年黄河流域与兰州以上区域面平均年降水量和同期太阳黑子相对数数据,基于 Morlet 小波分析方法,先分析近 50 年来太阳黑子的主要变化周期,然后分析在这一周期下的降水发生的变化,从而可以清楚地认识太阳活动对黄河流域降水的可能影响。

Morlet 小波分析方法见第三章第三节。太阳黑子数据来自于美国地理学会历年公布资料。这里主要研究兰州以上区域、黄河流域的年降水与太阳黑子变化的相关性,时间尺度为 1951～1997 年。

(一)太阳黑子与年降水量的关系

图 4-22 是 1951～1997 年太阳黑子和兰州以上、黄河流域年降水量变化特征。从图中可以看出,兰州以上、黄河流域的年降水量变化趋势基本一致,而且这些降水的峰值(较大值)出现在太阳黑子不同变化阶段:太阳黑子的峰值,如 1957、1989 年等;太阳黑子的下降阶段,如 1961、1973、1983 年等;太阳黑子的上升阶段,如 1967、1979 年等;太阳黑子的谷值,如 1954、1964、1975、1996 年等。显然两者之间的相关性不很明显,这是因为降水受多种因素影响,变化比较复杂,而太阳黑子则呈明显的周期性变化。

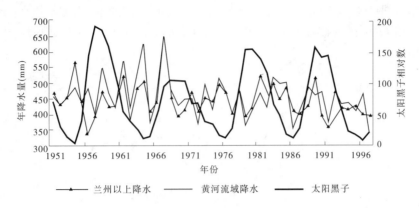

图 4-22　1951～1997 年太阳黑子和兰州以上、黄河流域年降水量变化特征

(二)太阳黑子与年降水量小波系数的关系

图 4-23(a)～(c)是太阳黑子和兰州以上、黄河流域降水量 Morlet 小波系数二维等值线图,横轴对应时间位移,纵轴对应时间尺度(1～20 年),可以看出每一年时间尺度下的变化特征。从图 4-23(a)中可以看出,太阳黑子存在明显的 9 年周期变化特征,而兰州以上、黄河流域降水系列在 3 年、6 年和 11 年等时间尺度下出现周期变化,与太阳黑子变化趋势并不完全相同。

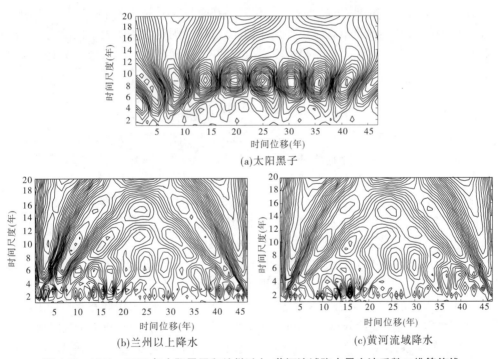

图 4-23　1951～1997 年太阳黑子和兰州以上、黄河流域降水量小波系数二维等值线

为了消除降水短周期变化的影响,更清楚地观测降水量与太阳黑子的相关关系,提取 9 年太阳黑子和兰州以上、黄河流域降水量系列的小波系数进行分析。图 4-24 是 1951～1997 年太阳黑子和兰州以上、黄河流域降水量 9 年尺度 Morlet 小波系数变化图。由图可

知,在 9 年时间尺度上,1951~1997 年太阳黑子与兰州以上、黄河流域降水量表现为明显的负相关,相关系数分别为 -0.48、-0.49,而且大部分降水峰(谷)比太阳黑子谷(峰)滞后 1~2 年。

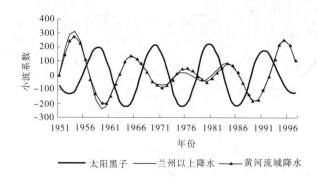

图 4-24　1951~1997 年太阳黑子和兰州以上、黄河流域降水量 9 年尺度小波系数变化

研究表明,太阳黑子对不同区域降水影响不同,在太阳黑子的峰值,低纬度(±20°)降水较多,中纬度(20°~40°)降水较少,高纬度(>40°)降水较多。李可军等以韩国江汉和我国长江流域两个中纬度地区洪水为例进行分析,得出太阳黑子与降水量呈负相关关系。黄河流域处于中纬度地区,降水量与太阳黑子也有一定的负相关关系。研究表明,太阳黑子周期与夏季西太平洋副热带高压的南北位置存在着较好的对应关系。一般在太阳黑子低值期,夏季西大平洋副热带高压位置往往偏北,对应中国夏季主要雨带也偏北;相反,在太阳黑子高值期,夏季西太平洋副热带高压位置偏南,中国夏季主要雨带也偏南。这可能是黄河流域降水量与太阳黑子呈负相关的主要原因。

二、太阳活动与黄河流域径流量关系分析

太阳活动可能对流域径流产生影响。吴贤坂等绘制陕县年最大流量与太阳黑子的累积距平曲线,发现它们的升降趋势基本吻合;王涌泉(1987)[49]得到黄河流域旱涝与太阳黑子强弱的关系是"谷峰大水"、"强湿弱干"。王昌高等[50]研究表明,当太阳活动处于周期变化的单周峰期时黄河干流主要站点的年最大径流量、兰州—三门峡区间的天然径流量均偏大,当处于周期变化的双周峰期时则偏小。王云璋等[51]也绘制了 1974~1990 年太阳黑子与兰州—三门峡区间天然径流量距平累积曲线,研究二者同期和落后的相关关系,表明二者存在较好的正相关,即太阳黑子偏大的时候,兰三区间径流量偏丰,反之亦然。利用交叉谱分析活动周期,发现太阳黑子对径流量变化的影响表现出滞后效应。另外还得到太阳活动的单周峰谷年及附近,陕县站易出现大洪水,双周峰谷及附近则出现小洪水。韩敏等[48]利用统计分析和 Daubechies 正交小波研究 1753~1997 年三门峡径流量与太阳黑子的关系,结果表明,在不同时间尺度下,二者的周期变化有很强的局部化特征:对应较长的时间尺度下的周期分量,二者的变化趋势相似;对应较短的时间尺度下的周期分量,二者变化趋势表现出差异性。

采用同样的方法,根据 1919~1997 年黄河流域兰州、花园口天然径流量和同期太阳黑子相对数数据,利用 Morlet 小波分析方法,分析相同变化周期(9~11 年)下的径流变化

与太阳黑子的关系,从而可以清楚地认识太阳活动对径流的可能影响。

(一)太阳黑子与年径流量的变化特征

图 4-25 是 1919～1997 年太阳黑子和兰州、花园口径流量变化特征。从图中可以看出,兰州和花园口径流变化趋势基本一致,而且这些径流的峰值(较大值)出现在太阳黑子不同变化阶段:太阳黑子的峰值,如 1937、1989 年等;太阳黑子的下降阶段,如 1921、1940、1949、1983 年等;太阳黑子的上升阶段,如 1935、1967 年等;太阳黑子的谷值,如 1943、1964、1975 年等。显然二者之间的相关性不很明显,这是因为径流受多种因素影响,变化比较复杂,而太阳黑子则呈明显的周期性变化。

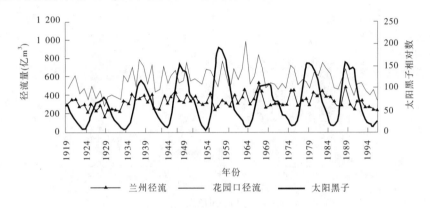

图 4-25　1919～1997 年太阳黑子和兰州、花园口径流量变化特征

(二)太阳黑子与年径流量小波系数的关系

图 4-26(a)～(c)是太阳黑子和兰州、花园口径流量 Morlet 小波系数二维等值线图,横轴对应时间位移,纵轴对应时间尺度(1～20 年),可以看出每一年时间尺度下的变化特征。从图 4-26(a)中可以看出,太阳黑子存在明显的 9～11 年周期变化特征,而兰州和花园口径流系列在 3 年、6 年和 11 年等时间尺度下出现周期变化,与太阳黑子变化趋势并不完全相同。

为了消除径流短周期变化的影响,更清楚地观测径流量与太阳黑子的相关关系,提取 9～11 年太阳黑子和兰州、花园口径流量系列的小波系数进行分析。图 4-27(a)～(c)是 1919～1997 年太阳黑子和兰州、花园口径流量 Morlet 小波系数 9～11 年变化图。由图可知,1919～1997 年太阳黑子在 9～11 年尺度上整体上并不存在明显的正相关或负相关,但是在局部时间段相关性比较明显,而且在不同的时间段相关性表现各不相同。

在图 4-26(a)中太阳黑子在 9 年时间尺度上周期变化最为显著,这里以 9 年时间尺度为例说明。由图 4-27(a)可知,在 9 年时间尺度上,1919～1931 年太阳黑子与兰州、花园口径流表现出明显的负相关,相关系数分别为 -0.76、-0.74;1931～1957 年则表现出一定的正相关,相关系数分别为 0.48、0.45;1957～1997 年太阳黑子峰(谷)与径流的谷(峰)往往相差 2～3 年,二者表现出一定的负相关,相关系数分别为 -0.42、-0.50。

在 10 年、11 年时间尺度上变化类似,但是在局部时段有所不同。可见,太阳黑子对黄河流域径流量影响十分复杂,不是简单的正相关或者负相关关系。韩敏等[48]认为,由于径流受自然因素和人为因素综合作用的影响,变化复杂,特别是人类活动直接或间接影

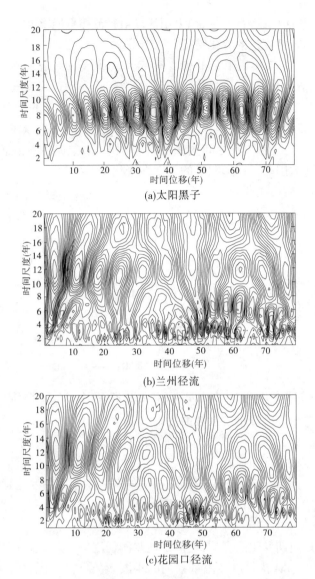

(a)太阳黑子

(b)兰州径流

(c)花园口径流

图 4-26 1919~1997 年太阳黑子和兰州、花园口径流量小波系数二维等值线

响径流的变化趋势,使之偏离太阳黑子的变化趋势。

第九节 气候变化对黄河流域水资源的影响

人类对气候的干扰逐渐加强,如温室气体排放增加,导致气温升高。据 IPCC(政府间气候变化小组)第一次工作组估计,到 2030 年大气中的 CO_2 浓度将相当于 19 世纪末的 2 倍,全球气温上升 1~2℃。气候变化和波动直接作用于水文循环,导致降水的时空分配发生变化,从而使全球和区域的水资源的供需发生变化,给一些国家和地区脆弱的水资源供需平衡造成更大的压力。研究气候变化对水资源的影响成为全球关注的焦点之一。自 20 世纪 80 年代末,国际科学界开始致力于全球气候变化的预测,以及这些变化可能引起

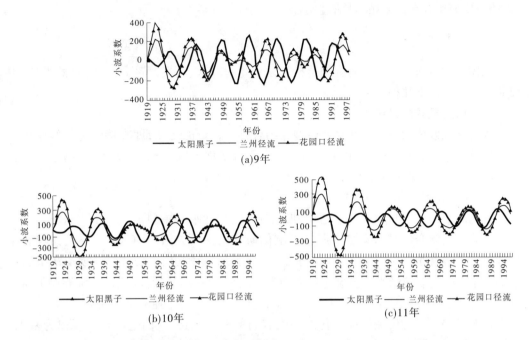

图 4-27　1919~1997 年太阳黑子和兰州、花园口径流量 9~11 年尺度小波系数变化

的水资源变化(丁一汇,1997;沈大军等,1998)[52,53]。1986 年 ICSU(国际科学联合会)提出气候影响评价,推动了气候变化对水文影响的研究,其倡议进行的 IGBP(国际地圈—生物圈计划)中的核心项目 BAHC(水文循环的生物学方面),主要研究气候变化对水资源的影响及人类活动对生物圈的压力。IAHS(国际水文协会)在第十九届大会(1987 年)举办了"气候变化和波动对水文水资源的影响"的专题学术讨论会。1992 年里约热内卢环境与发展大会的《21 世纪议程》中强调:气候变化对水资源的影响,尤其对淡水资源的影响应给予关注。UNESGO(联合国教科文组织)的 IHP(国际水文计划)也开展了这类研究。IPCC 多次组织编写工作报告和特别报告对全球气候变化的影响进行研究和评述。

为了研究气候变化对水资源的影响,WMO(世界气象组织)1985 年出版了《气候变化对水文水资源影响综述》,并推荐了一些检验和评价方法,1987 年出版了《水资源系统对气候变化的敏感性分析》。WMO 在 WCRP(世界气候研究计划)中提出 GEWEX(全球能量与水分循环试验项目),其中的主要目标之一是:研究预测全球和区域水文循环和水资源的变化及其对环境变迁的响应能力等。其中的子项目 GCIP(大陆尺度的国际项目)目标为:研制并确认一些大尺度水文模型和水文—大气耦合模型;提供可把未来气候变迁影响转换为对一个区域或流域水资源的影响的方法。为了配合这一项目,WMO 在 90 年代初期建议 WHYCOS(世界水文循环检测系统)结合 WWW(世界气候检测计划)的 GTS(全球电传通讯系统)一道工作(陈家琦,1996)[54]。

气候变化将会对黄河流域水文水资源系统产生一定影响,20 世纪 80 年代后期以来,国内一些学者开展了一系列关于气候变化对水文水资源系统影响的研究,其中一些把黄河流域作为重点研究区域,并取得许多重要研究成果。

鉴于资料所限,本书仅综述气候变化对未来黄河流域水资源可再生的影响的研究进展,指出研究中存在的问题,以期对今后的工作有所借鉴。

一、基本研究方法

气候变化对水资源系统的影响是指气候变化对降水、蒸发,特别是对径流的影响,主要研究方法有以下几种。

(一)假定气候情景法

假定的气候情景与概念性水文模型相结合推算径流的变化,即直接假定气候变化的某些情景组合(如降水变化±10%、±20%等;气温变化±1℃、±2℃等),在这些情景下展开径流变化分析(郑红星,2001;刘惠民等,1999)[13,55]。

(二)GCMs 法

首先确定用 GCMs 模拟气候情景,根据气候情景和水文模型来确定水文状况。这是国际上关于气候变化对水文水资源的影响的研究的主要方法。GCMs 主要是比较现在 $1×CO_2$ 平均水平和未来 $2×CO_2$ 平均水平的差别,采用平衡模拟法和渐变模拟法来确定影响发生的时间。流域水文模型主要采用月时间尺度的水量平衡模型及水资源评价模型的单向的 what-if-then 方法,对水文循环的影响多限于对年径流量的研究。

目前 GCMs 成为研究气候变化的最强有力的科学工具,它们是以自然规律为基础,以数学方法来描述大气、海洋和地表基本现象和过程,在评估和预测温室气体增加时对全球区域气候变化的影响发挥主要的作用。GCMs 模型有 40 个左右的平衡试验和 15 个以上的渐变试验。通常选择较高的分辨率和模拟结果与要模拟区域的气候状况吻合。在气候变化上通常有三种方案,即集合的平均强迫方案(GX)、温室气体强迫方案(GG)和温室气体加硫化物气溶胶强迫方案(GS)。集合数有 1~4 和 X(平均)等 5 种。温室气体和温室气体加硫化物气溶胶强迫增长趋势有两种,分别是 IS92a(1%)和 IS92d(0.5%)(郑红星,2001)[13]。IPCC1990、1992 年报告先后给出了近 40 个 GCMs 模型,许多国家和地区利用这些模型分析未来气候变化对水资源、农业等的影响。现行的 GCMs 提供的大尺度气候情景远远不能满足中尺度水文模型的要求,用月模型研究降水空间分辨率对流域年径流的影响,误差随着流域面积的增大而增大。因此,必须对 GCMs 输出的降水进行空间解集及对年季输出值进行逐月逐日的时间解集,即需要在宏观尺度的 GCMs 与中尺度的流域水文模型之间加上一个向下标度(Downscaling)的天气发生器(Weather Generator)。GCMs 下尺度化方法有插值法、专家判断法、大尺度气象特征分解法和区域嵌套法等。

由于不同的 GCMs 模型预测结果不同,但又没有合适的程序判断各模式的可信度,因此需要综合各模式的结果,如用加权平均法合成一个气候变化的综合场(中国气候变化国别研究组,2000)。有时需要对 GCMs 的可靠性进行评估(赵宗慈等,1997)[56]。

(三)长系列水文气象资料的统计相关法

利用同期径流、降水与气温资料,分析其长期变化规律,并建立相关统计模型,预测气候变化对流域水资源的影响。

(四)其他方法

对北极海冰变化和太平洋海温场变化与黄河流域水资源的相关性进行分析,探求全球气候变化与黄河流域水资源变化的相关性。

二、国内外气候变化对水资源影响研究主要进展

国外对气候变化对水资源的影响研究起步较早，研究成果丰富、深入。IPCC 每年都出版关于气候变化影响的相关报告，对该领域的研究具有指导意义。沈大军等(1998)[53]分别从降水、蒸发、径流和土壤水分及水资源供需水与管理方面详细介绍了水文水资源对气候变化响应的国际研究进展。

Mimikou 等(1997)[57]建立了一个针对流域尺度的气候变化下的水平衡概念模型。通过 GCMs 模型研究，普遍认为全球变暖将导致世界降水量提高 5%～15%，世界降水的增加意味着径流、入渗和地下水的增加。

Nigel(1999)[58]采用 HadCM2 和 HadCM3 提供气候情景(分辨率 $0.5° \times 0.5°$)，结合大尺度水文模型，评价气候变化对全球水文局势和水资源的潜在影响。结果表明，在高纬度、赤道非洲、亚洲和东南亚年平均径流量上升，在中纬度和亚热带地区则下降。北美大部分在 HadCM2 下径流上升，而在 HadCM3 下则下降。温度普遍升高，潜在蒸发量分别升高 7.5%～10%(到 2020 年)、13%～18%(到 2050 年)和 19%～20%(到 2080 年)。HadCM2 与 HadCM3 情景结果相似，但有重要的区域差异。温度上升导致以雪的形式降水的比例减小，长期结果使积雪覆盖层面积减少，将影响从春季融雪到冬季径流转换时这些区域的河流历时。在北美、中国北部和东欧的大部分到 2050 年冬季末的积雪层将相当大地减少。

我国关于这方面的研究起步较晚。我国气候变化对水资源的影响研究，主要是气候变化对年径流的空间分布、月径流的年内分配及相应的洪涝干旱影响，以及未来水资源供需平衡问题。并研制了 3 种随机天气模型，即基于模式识别和灰色关联聚类的随机模型，随机典型分布模型，正交变换随机模型。研究区域基本上覆盖全国各大流域[59~62]。

张冀(1993)[63]利用 NCARGCM 输出结果，认为在 $2 \times CO_2$ 下中国东部和西部是降水增加区，中部为降水减少区。东北地区年平均降水增加 200～400mm，华北、江淮中下游地区可能增加 200～800mm。黄土高原、四川盆地一带减少 0～600mm，西北减少 100～200mm(陕西和甘肃东部除外)；青藏高原增加 200～400mm。刘春蓁等(1997)[64]对我国各大流域进行 GCMs 模拟，显示黄河流域径流为减少趋势。耿全震等(1997)[65]利用 HADLEY 中心海气耦合模式对中国未来(2050 年)区域气候变化情景预测，模拟显示我国黄河流域(华北、西北)及西藏地区降水减少，长江流域与西南华南地区降水增加。

三、气候变化对黄河流域水资源的影响

国内学者采用各种方法研究气候变化对黄河流域水资源系统的影响，主要研究结论如下：

刘春蓁(1997)[64]采用 4 个 GCMs 模型提供的大气 CO_2 倍增的气候情景、流域水文模型和水资源利用综合评价模型对黄河上中游地区进行研究。结果表明：①气候变化导致黄河上游年径流量增加 15%，对 4 个 GCMs 预测结果平均，黄河年径流量减少 2.31%；②对湿润半湿润地区的黄河上中游，无论降水增加还是减少，气温的升高皆导致陆面蒸发

量加大,对半干旱气候区的黄河河口—龙门区间,陆面蒸发的增减主要由降水的增减决定,在 LINL 情景下,夏季气温增加 1.6℃,降水减少 5%,蒸发减少 2%,在 OSU 情景下,夏季降水增加 2.4%,蒸发也增加;③在 OSU 情景下黄河龙门以上秋季径流增加,龙门—花园口区间春、夏、秋季径流都增加,在 LINL 下,黄河贵德以上秋、冬季节径流增加,其他模型则月径流量减少;④径流减幅较大的月份发生在气温升高、降水减少的情景,这时径流的减幅可达降雨减幅的 4 倍以上,相反,由于径流的增幅发生在气温升高、降水增加的情景下,径流的增幅与降水的增幅基本一致。研究表明,到 2030 年黄河全流域径流量变化为:在 LLNL 情景下减少 7.2%;在 UKMOH3 情景下减少 4.6%;在 OSU - B1 情景下减少 2.6%;在 GISS - G1 情景下增加 4.0%。

王国庆等(2000)[66]研制了适合黄河流域的分布式水文模型,利用地理信息系统和参数等值线插值法,实现模型的网格化(网格化水文模型)。基于具有降水分析物理基础上的空间解集方法,实现了水文模型与 GCMs 输出尺度转化及嵌套运行。根据分布式水文模型,假定未来降水变幅为 0、±25%、±50%、±75% 和 ±100%,未来气温变幅为 0、±1℃、±2℃,两两组合成未来气候变化的 45 种气候情景,研究气候变化对黄河中下游年径流量的影响。结果表明,黄河流域径流对降水的敏感性远大于气温,在降雨固定情景下,气温变化对径流的影响幅度在 60% 之内,并随着气温的增高而加大。气温对径流的影响随降水变化而变化:降水增加,气温对径流的影响更显著;随着降水减少,气温对径流的影响越来越不明显;当降水减少 100% 时,气温变化基本不对径流产生影响。在气温固定情景下,降水变化对径流的影响非常大。变化相同的幅度,降水增加对径流的影响比降水减少对径流的影响大,蒸发的减少与增加对径流的影响差别不大。而且,人类活动在一定程度上可以减弱径流对气候变化的敏感性。在同一流域内部,不同的地区对气候变化的敏感程度不同。

王国庆等(2000)[67]利用黄河月水文模型,采用假定的气候情景,分析主要黄河产流区对气候变化的敏感性,并根据 GCMs 输出降水、气温结果,估算温室效应对黄河流域主要产流区水资源的影响。结果表明,黄河流域径流量随降水的增加而增加,随气温的升高而减少;径流量对降水的响应最显著,当气温保持不变、降水增加 10% 时,径流量将增加 12% ~22%;当降水不变、气温升高 1℃ 时,径流量将减少 3% ~7%;气温对径流的影响随降水的增加而更明显;在中游,径流量对气温的变化最敏感。预测黄河未来几十年径流量呈减少趋势,汛期径流量和年径流量分别减少 25.4 亿 m^3 和 35.7 亿 m^3,其中兰州以上减少得最多,占总减少量的 50% 以上。

包为民等(2000)[68]建立了考虑封冻、融雪、变径流系数的大尺度流域模型,并利用它分析气候变化对黄河上游 2030 年河川径流资源的影响。采用 GCMs 中 7 个子模型(GFDL、GISS、LLNL、MPI、OSU、UKMOL、UKMKH),以 5°×5° 为 1 网格,事件上把 1 年分为 4 个时期。结果表明,吉迈以上 7 个模型结果流量都增加;吉迈—唐乃亥和唐乃亥—小川区间有 5 个模型增加,2 个模型减少;小川—安宁度区间 4 个模型增加,3 个模型减少;各区间 2030 年水量受终年雪线以上的面积比例影响明显。

郑红星(2001)[13]则采用 CGCM1、ECHAM4 和 HadCM2 三个模型对黄河流域进行模拟预测,结果表明:①不同的气候方案,黄河流域兰州以上区域降水都将减少 20% 左右,平均气温、最高气温和最低气温都增加，至 2020、2050、2080 年，平均气温可能上升 2～3℃、3～5℃ 和 5～8℃；②兰州—河口镇区间，气温和降水都上升，但不同的模型增加幅度不同；③河口—龙门区间，至 2020 年，除了 CGCM1－GG 为降水和气温均呈上升趋势外，其余方案则降水增加，气温降低，总体上降水增加 20%～30%，气温变化－1.8～0.6℃，2050 年在 HadCM2－GS 和 HadCM2－GX 方案下，区间降水增加 20%～30%，气温下降0.3～1.4℃，其余方案降水和气温都增加，分别为 20% 和 2℃，2080 年，在 CGCM1－GG 和 HadCM2－GS 方案下，气温上差别较大，前者上升 7℃，后者下降；④龙门—三门峡区间，2020 年除了 CGCM1－GG 方案下各指标都增加外，其余除最低气温下降外都增加，2050～2080 年期间，降水和气温呈上升态势；⑤三门峡—花园口区间，各方案下降水和气温都增加，2020、2050、2080 年气温分别上升 3℃、5℃ 和 7℃，降水增加 10%～20%；⑥黄河下游，在 2010～2040 年期间，除了 CGCM1－GG 方案下表现为降水和气温都增加外，其余为降水增加、气温降低。根据以上预测结果，采用 BP 神经网络模型预测径流对气候变化的响应，表明 2010～2099 年，黄河河川径流量减少，不同方案下减少幅度有所不同。

四、存在的问题与展望

(一)研究中存在的问题

(1)采用不同的气候情景生成技术和水文模型预测的气候变化对黄河流域水资源的影响不同，甚至差别很大，原因既与选用气候情景和水文模型的适用性有关，也可能与黄河流域的资源环境数据还不能满足数据使用的要求相关。

(2)研究内容主要集中在气候变化对流域径流平均变化的影响，而对气候变化对水文极端事件的响应，对水质的影响，对农业灌溉的影响和对供水系统的可靠性、恢复性和脆弱性的影响等研究较为薄弱，从而对流域未来水资源持续利用的指导意义不足。

(3)GCMs 和水文模型耦合的预测方法存在两点不足：首先是精度问题，陆面水文的降水与径流过程都存在很强的次网格不均匀性，而大多数 GCMs 都假定气候模型网格内植被和土壤在水平方面上是均匀的，对水文和陆地表面过程参数定量较简单；其次是不确定性问题，由于缺乏对水文物理过程和大气系统内部变化等的深刻认识，气候情景的生成、水文模型的结构及其与 GCMs 在不同空间尺度转化等不确定性因素导致预测结果的可信度降低。采取假定气候情景法对流域将发生的确切情景和确切时间不能确定，这也给未来黄河流域水资源管理带来不确定性。

(二)展望

在研究方法上，研制有更高空间和时间分辨率的黄河流域气候情景，提高水文模型在非固定气候状况下的精确陆面参数，提高预测的精确性。在研究内容上要加强研究气候变化对黄河流域极端水文事件的影响和气候变化引起的黄河流域水资源变化对不同部门的综合影响及其响应对策。相信，随着理论和手段的深入以及计算机计算能力的提高，气候变化对黄河流域水资源系统影响的预测将更精细、更准确，对黄河流域水资源持续利用将发挥更大的指导作用。

第十节 黄河流域污染物排放分析

这里以 1998 年为例,分析黄河流域污染物排放情况。1998 年废水排放总量 42.04 亿 t,其中工业废水 32.52 亿 t,生活污水 9.52 亿 t。各区域废污水排放量统计见表 4-26。

表 4-26　　　　　　　　　1998 年黄河流域各区域废污水排放量　　　　　　(单位:亿 t /年)

区域	龙羊峡以上	龙兰干流区间	湟水流域	洮河流域	兰河干流区间	泾河流域	北洛河流域	渭河流域	内流区
废污水排放总量	0.111	4.464	2.887	0.106	10.076	1.135	1.473	7.964	0.091
达标排放量		2.009	0.233	0.056	1.564	0.141	0.250	2.156	

区域	河龙干流区间	汾河流域	龙三干流区间	伊洛河流域	三花干流区间	沁河流域	黄河下游	黄河流域	黄河流域(不含内流区)
废污水排放总量	1.530	4.234	1.054	2.424	0.422	0.694	3.379	42.04	41.95
达标排放量	0.070		0.116	0.648	0.181		0.104	7.528	7.528

注:根据黄河水资源公报(1998)整理。

黄河流域废污水总量的地区分布与工业产值和城市人口的分布基本一致。黄河流域废污水产生量主要集中于湟水、汾河、渭河、伊洛河、沁河、大汶河等支流的河谷盆地和干流甘肃沿岸及宁夏、内蒙古的河套地区。同时,流域废污水量又多集中产生于一些大中城市河段。西宁、兰州、银川(含青铜峡、石嘴山、吴忠三市,下同)、包头、呼和浩特、太原、宝鸡、咸阳、西安、洛阳等 10 个大中城市河段。另外,农业化肥、农药施用是面源污染的主要来源。总之,黄河流域废污水排放呈大幅度增加趋势,1998 年几乎是 20 世纪 80 年代初期的 2 倍。黄河流域水体污染趋势仍在加剧,很大程度上影响水资源的自然再生与利用。

参 考 文 献

[1] 孙国武,刘晓东,陈保德 . 夏季青藏高原地面热源对黄河上游流量及其径流的影响 . 应用气象学报,1993,4(1):22~29

[2] 李栋梁,陈萍 . 青藏高原地面加热场强度与东亚环流及西北初夏旱的关系 . 应用气候学报,1990,1(4):383~391

[3] 王云璋,薛玉杰,彭子芳 . 太阳黑子活动与黄河径流、洪水关系初探 . 西北水资源与水工程,1997,8(3):30~38

[4] 彭梅香,葛朝霞,王怀柏 . 黄河上游与太平洋海温场关系及其预测应用 . 水科学进展,2000,11(9):272~276

[5] 李和平,徐友明,饶素秋 . 北极海冰对黄河上游汛期水量丰枯的影响分析 . 水科学进展,2000,11(3):284~290

[6] 马全杰,马建华,朱云通,等 . 黄河兰州以上天然径流对 El Nino 事件的响应 . 人民黄河,2000,22(5):18~20

[7] 林之光.地形降水气候学.北京:科学出版社,1995

[8] 贺伟程.黄河水资源情势分析.水利规划设计,2000,3:16~20

[9] 刘昌明,王会肖,等.土壤—作物—大气界面水分过程与节水调控.北京:科学出版社,1998.43

[10] 刘昌明,任鸿遵.水量转换—试验与计算分析.北京:科学出版社,1988.3~21

[11] 沈振荣.水资源科学试验与研究.北京:中国科学技术出版社,1992.413~416

[12] 朱晓原,张学成.黄河水资源变化研究.郑州:黄河水利出版社,1999

[13] 郑红星.GIS支持下黄河流域水文循环时空演化规律研究.中国科学院地理科学与资源研究所,2001.6

[14] 罗先香,邓伟,何岩,等.三江平原沼泽性河流径流演变的驱动力分析.地理学报,2002,57(5):603~610

[15] 丛爽.面向MATLAB工具箱的神经网络理论与应用.合肥:中国科学技术大学出版社,1998

[16] 施阳,李俊.MATLAB语言工具箱－toolbox实用指南.西安:西北工业大学出版社,1999

[17] 高俊峰,闻余华.太湖流域土地利用变化对流域产水量的影响.地理学报,2002,57(2):194~200

[18] 袁艺,史培军.土地利用对流域降雨径流关系的影响——SCS模型在深圳市的应用.北京师范大学学报(自然科学版),2001,37(1):131~136

[19] 邓慧平.气候变化与土地利用变化对水文水资源的影响研究.地球科学进展,2001,16(3):436~441

[20] 郑粉莉,白红英.子午岭林区不同地形部位开垦裸露地降雨侵蚀力的研究.水土保持学报,1994,8(1):26~32

[21] 傅伯杰,邱扬,王军,等.黄土丘陵小流域土地利用变化对水土流失的影响.地理学报,2002,57(6):717~722

[22] 黄秉维.确切地估计森林的作用.地理知识,1981,(1)1~3

[23] 黄秉维.再谈森林的作用.地理知识,1982,(2-4):1~3

[24] Baumgartner. Effects of deforestation and afforestalion on climate. Geojournal, 1984,8(3):283~288

[25] Pitman a, R Pielke Sr, R Avissar, et al. The role of the land surface in weather and climate: does the land surface matter? IGBP newsletter, 1999,39:4~11

[26] 葛全胜,赵名茶,张雪芹,等.过去50年中国森林资源和降水变化的统计分析.自然资源学报,2001,16(5):413~419

[27] 王礼先,张志强.干旱地区森林对流域径流的影响.自然资源学报,2001,16(3):439~444

[28] 陈军峰,李秀彬.森林植被变化对流域水文影响的争论.自然资源学报,2001,16(5):474~480

[29] 刘昌明,钟骏襄.黄土高原森林对年径流量影响的初步研究.地理学报,1978,33(2):112~126

[30] 李玉山.黄土区土壤水分循环及其对陆地水文循环的影响.生态学报,1983(2):50~56

[31] 孙立达.水土保持林体系综合效益研究与评价.北京:中国科学技术出版社,1995:126~135

[32] 刘万铨.黄土高原水土保持在黄河流域水资源开发利用中的地位和作用.中国水土保持,1999,11:28~31

[33] 郑益群,钱永甫,苗曼倩.植被变化对中国区域气候的影响:初步模拟结果.气象学报,2002,60(1):1~16

[34] 郑益群,钱永甫,苗曼倩.植被变化对中国区域气候的影响:机理分析.气象学报,2002,60(1):17~30

[35] Dickinson R E, Henderson Sellers A. Modelling tropical deforestation : A study of GCM land-surface parameterization. Quare J Roy Meteor Soc, 1988, 114(B): 439~462

[36] Sud Y C, Yang K, Walker G K. Impact in situ deforestation in Amazonia on the regional climate :

General circulation model simulation study. J. Geophy Res, 1996, 101(D3)：7095～7109

[37] Tucker C J, Newcomb W W, Los S O, Prince S D. Mean and inter-year variation of growing-season normalized difference vegetation index for the Sahel 1981～1989. International Journal of Remote Sensing, 1991, 12:1113～1115

[38] Tucker J. Red and photographic infrared linear combinations for monitoring vegetation. Remote Sensing of the Environment, 1979, 8:127～150

[39] Jackson, R D, Slater P N, Pinter P J. Discrimination of growth and water stress in wheat by various vegetation indices through clear and turbid atmospheres. Remote Sensing of the Environment, 1983. 15:187～208

[40] 孙睿,刘昌明,朱启疆.黄河流域植被覆盖率动态变化与降水的关系.地理学报,2001,56(6)：667～672

[41] 李本纲,陶澍.AVHRR-NDVI 与气候因子的相关分析.生态学报,2000,20(5):898～902

[42] 杨胜天,刘昌明,孙睿.近20年来黄河流域植被覆盖变化分析.地理学报,2003,57(1):679～692

[43] 朴世龙,方精云.最近18年来中国植被覆盖的动态变化.第四纪研究,2001,21(4):294～302

[44] 刘昌明,蒋晓辉.基于水库调蓄的黄河干流水体交换周期的量化研究.地理学报,2004,59(1)：111～117

[45] 韩照宇,刘荣,王振华,等.山西省降水与环流特征量及 El Nino 的关系.山西气象,2001,2:22～25

[46] 董安祥,祝小妮,郭慧.太阳活动与西北地区降水.甘肃科学学报,1999,11(4):14～17

[47] 徐小红,张宏平,李兆元.太阳黑子、厄尔尼诺与陕西夏季降水.陕西气象,1998(1):23～25

[48] 韩敏,席剑辉,许士国.太阳黑子对黄河年径流量影响的初步研究.水科学进展,2003,14(增刊)：9～14

[49] 张元东.我国"太阳—气候关系"研究进展.见:耿国庆,张元东,任震球.地震气象学天文学进展.北京:海洋出版社,1987.13～20

[50] 王昌高,王云璋,王国庆.太阳活动峰期黄河径流洪水变化分析.河南气象,1998(1):40～41

[51] 王云璋,薛玉杰,彭子芳.太阳黑子活动与黄河径流、洪水关系初探.西北水资源与水工程,1997,8(3):30～38

[52] 丁一汇.IPCC第二次气候变化科学评估报告的主要科学成果和问题.地球科学进展,1997,12(2):158～162

[53] 沈大军,刘昌明.水文水资源系统对气候变化的响应.地理研究,1998,17(4):436～443

[54] 陈家琦,王浩.水资源学概论.北京:中国水利水电出版社,1996

[55] 刘惠民,邓慧平.全球气候变化影响研究进展.安徽师范大学学报(自然科学版),1999,22(4):378～382

[56] 赵宗慈,李晓东.用全球气候模式(GCM)作东亚与中国区域气候模拟研究中的不确定性.见:丁一汇.中国的气候变化与气候影响研究.北京:气象出版社,1997.375～379

[57] Mimikou M, et al. Regional hydrological effects assessment:model in the sacramenta basin. water resour. .res.1997.23:1049～1061

[58] Nigel W. Arnell. Climate change and global water resources. Global Environmental Change 1999 (9)：31～49

[59] 郭生练.气候变化对东江流域水文的影响.见:中国博士后首届学术大会论文集.北京:国防工业出版社,1992

[60] 施雅风,等.气候变化对西北华北水资源的影响.济南:山东科学技术出版社,1995.10～13

[61] 唐海行,等.应用随机方法研究全球气候变暖对东江流域水资源的影响.水科学进展,2000.11(2):159～164

[62] 田广生.中国气候变化影响研究进展.南京气象学院学报,1999(增刊).472～478

[63] 张冀.气候变化及其影响.北京:气象出版社,1993

[64] 刘春蓁.气候变化对水文水资源的影响.见:丁一汇.中国的气候变化与气候影响研究.北京:气象出版社,1997.482～488

[65] 耿全震,等.HADLEY中心海气耦合模式对中国未来区域气候变化情景的预测.见:丁一汇.中国的气候变化与气候影响研究.北京:气象出版社,1997.440～448

[66] 王国庆,李建,王云璋.气候异常对黄河中游水资源影响评价网格化水文模型及其应用.水科学进展,2000,11(增刊):22～26

[67] 王国庆,王云璋.气候变化对黄河水资源的影响.人民黄河,2000,22(9):40～45

[68] 包为民,胡金虎.黄河上游径流资源及其可能变化趋势分析.水土保持通报,2000,20(2):15～18

第五章　黄河流域水质水量综合评价

第一节　黄河流域水体污染特征

据对1999年水质监测数据的分析,大约7%的河长(包括支流和干流)的水质达到Ⅱ类水的标准;32%的河长的水质达到Ⅲ类水的标准;26%的河长的水质达到Ⅳ类水的标准;11%的河长的水质达到Ⅴ类水的标准;还有24%的河长的水质属于劣Ⅴ类水,不具有任何使用功能。总体来说,上游的水质优于下游的水质,干流的水质优于支流的水质。对干流来说,主要的污染物为氨氮、五日生化需氧量和石油类污染物;对支流来说,主要的污染物为氨氮、亚硝态氮、五日生化需氧量和挥发酚等。

因此,本研究首先主要针对这几种首要污染物进行研究,然后对干流水体主要污染物污染特征进行综合评价。

一、黄河流域河水氮污染分析

(一)资料来源与处理

本研究所依据的资料为:①黄河水资源保护办公室编制的《黄河流域地表水资源水质调查评价》附表中黄河164个水文站点的水质监测统计数据(1980年);②我国水利部黄河水利委员会编制的水文年鉴(1989～1990年)中黄河317个水文站点的逐月水质监测数据以及黄委所提供的黄河干流1997年和1999年的逐月水质监测数据。将所有研究站点(见图5-1)的数据输入工作用数据库后,先按Grubbs检验法剔除异常值,然后按研究需要进行各项统计分析。

(二)黄河水系河水氮污染特征

1. 支流氮污染特征

根据1990年水质监测数据(因为该年的数据较系统全面),对各支流最下游水文站点的水质进行分析,以研究支流河水氮的整体污染情况。

黄河主要支流河水氨氮的年均值在0.06～35.03mg/L之间。污染最轻的为大通河,污染最重的为涑水河。河水亚硝酸盐氮的年均浓度范围为0.004～0.362mg/L。河水硝酸盐氮年均浓度范围为0.47～9.73mg/L。硝酸盐氮含量最高的河流为清水河,含量最低的为大黑河。支流河水总氮(氨氮+亚硝酸盐氮+硝酸盐氮)的年均浓度范围为0.88～10.51mg/L。河水总氮含量大于2.5mg/L的河流是湟水、清水河、窟野河、三川河、延河、汾河、涑水河、北洛河、渭河、伊洛河和大汶河。如图5-2所示,黄河流域从上游至下游各主要支流河水氨氮和总氮浓度有增加的趋势。支流河水含氮化合物的变化趋势与各地区的社会经济、污水排放和农田施肥相关。如图5-3所示,从流域的上游至下游,人口密度、工业产值和氮肥施用量均呈现增加的趋势。

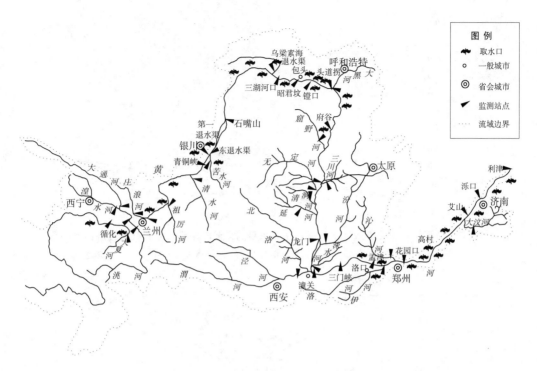

图 5-1　黄河水系主要研究站点分布图

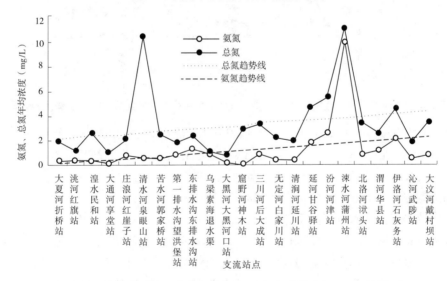

图 5-2　黄河水系主要支流河水氨氮、总氮年均浓度(1990 年数据)

2.干流氮污染特征

据 1990 年的水质监测数据,黄河干流河水氨氮、亚硝酸盐氮、硝酸盐氮、总氮浓度明显低于各支流河水的浓度。据 1990、1997 年和 1999 年的数据,虽然河水氮浓度沿程有所波动,但从上游至下游有增高的趋势。如图 5-4 所示,1999 年黄河干流河水中的氨氮、亚硝酸盐氮、硝酸盐氮和总无机氮从上游至下游呈现增加的趋势。如氨氮在循化、头道拐和花园口站河水中的含量分别为 0.15mg/L、0.54mg/L 和 0.97mg/L;亚硝酸盐氮在三个站

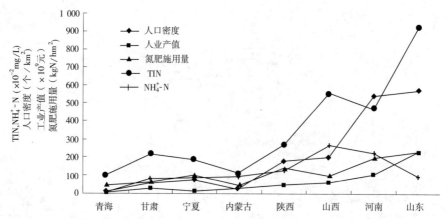

图 5-3 黄河流域主要支流河水氨氮和总无机氮的含量与相应区域的社会经济指数关系

(其中，涑水河蒲州站氨氮、总氮实际年均浓度分别为 35.0mg/L 和 36.4mg/L)

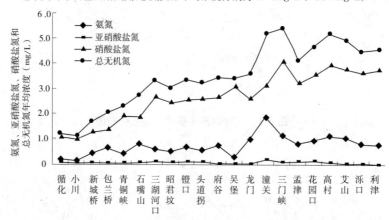

图 5-4 黄河干流河水氨氮、亚硝酸盐氮、硝酸盐氮和总无机氮的沿程变化趋势(1999 年)

点中的含量分别为 0.01mg/L、0.12mg/L 和 0.15 mg/L；硝酸盐氮在三个站点中的含量分别为 1.05mg/L、2.63mg/L 和 3.63 mg/L；总无机氮在三个站点中的含量分别为 1.21mg/L、3.28mg/L 和 4.75 mg/L。黄河干流的这种变化趋势主要是各主要支流河水氨氮和总氮浓度从上游至下游存在增加的趋势所致。

(三)黄河水系河水氮污染源分析

Behrendt 指出，在某一监测站中污染物的浓度或通量与其源排放量之间存在非线性相关[1]，根据这种关系能计算污染物的点源和面源强度。其中"排放或通量"("immission or transport")的计算方法的基本原理为：枯水期(低流量状态下)河水水质主要反映点源的污染情况，而丰水期(高流量状态下)河水水质主要受面源污染的影响，是点源和面源综合作用的结果。从流域尺度来讲，黄河水系河水氮的点源主要包括城市生活污水、工业废水及乡镇企业废水；面源主要包括农田施肥和水土流失等(虽然作为面源的农灌退水有一定的季节性，但由于耕作季节的影响，大部分仍发生在丰水期)。河水氮浓度是点源、面源和天然背景浓度之和。黄河干流枯水期总氮浓度、氨氮浓度、硝酸盐氮浓度均高于丰水期的浓度(图 5-5 所示为总氮的浓度)，由此说明丰水期水量对河水氮浓度存在稀释作用。

由于点源排放速率在年内基本保持不变,因此可进一步用式(5-1)和式(5-2)分别表示点源和面源对河水氮污染的贡献量。

$$P = (C_1 - C_0 - C_g) \times Q_1 \times \frac{12}{M_1} \tag{5-1}$$

$$D = (C_2 - C'_0 - C'_g) \times Q_2 - (C_1 - C_0 - C_g) \times Q_1 \times \frac{M_2}{M_1} \tag{5-2}$$

式中:P 为点源通量;D 为面源通量;C_1 为枯水期氮浓度;C_2 为丰水期氮浓度;C_0 为枯水期氮的背景浓度;C'_0 为丰水期氮的背景浓度;C_g 为枯水期地下水输入引起的氮浓度;C'_g 为丰水期地下水输入引起的氮浓度;Q_1 为枯水期河水水量;Q_2 为丰水期河水水量;M_1 为枯水期月份;M_2 为丰水期月份;12 表示一年包括 12 个月份。

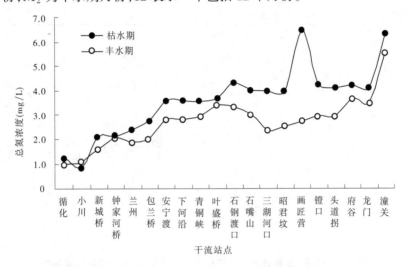

图 5-5　黄河干流枯水期、丰水期河水总氮浓度(1997 年)

将黄河水系各主要支流最下游的水文站点和干流主要站点丰水期(7～10 月)、枯水期(1～6 月、11～12 月)河水氮的平均浓度,干、支流汛期(7～10 月)水量(约占年水量的 60%)代入式(5-1)和式(5-2),另外,由于氮的天然背景浓度相当低,因此计算过程中忽略 C_0 项,得到黄河水系各主要支流点源、面源对河水氮污染的贡献比。虽然河水氨氮、亚硝酸盐氮和硝酸盐氮之间存在形态转化,但三氮的浓度之和不会发生太大的变化,所以在此主要对河水的总氮进行分析。

如表 5-1 所示,据 1990 年的水质数据,除无定河、伊洛河外,其他支流河水总氮主要来源于点源。无定河流经黄土丘陵区,水土流失严重,且流域耕地面积和施肥量相对于流经"砒砂岩"(当地的命名)地区水土流失严重的窟野河流域要大,因此点源对河水氮污染的贡献较大。伊洛河流域陆浑水库和故县水库的修建发展了流域的农业灌溉,与其他支流相比,氮肥施用量的增加造成河水氮污染主要来源于点源。点源和面源对干流河水总氮的贡献沿程发生变化(见图 5-6)。循化站—青铜峡站区间,河水总氮主要来源于点源,且点源与面源的比例沿程呈现上升的趋势,这与沿程西宁、兰州、白银等大城市点源污染的 排放相关。青铜峡—头道拐区间,点源与面源的比例呈现降低的趋势,在三湖河口、昭

表 5-1　　　　点源、面源对黄河水系各主要支流河水氮污染的贡献比较(1990 年)

支流监测站名	点源/面源	支流监测站名	点源/面源
大夏河折桥站	7.21	无定河白家川站	0.57
洮河红旗站	4.00	清涧河延川站	1.21
湟水民和站	2.11	延河甘谷驿站	2.76
大通河享堂站	1.53	汾河河津站	25.83
庄浪河红崖子站	1.62	北洛河洑头站	1.90
清水河泉眼山站	1.81	渭河华县站	20.42
苦水河郭家桥站	1.32	伊洛河石灰务站	0.80
窟野河神木站	1.56	沁河武陟站	3.69
三川河后大成站	2.37		

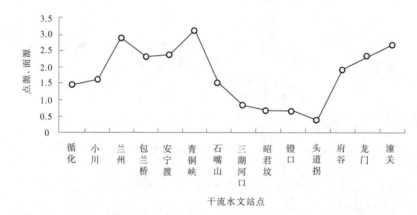

图 5-6　点源、面源对黄河干流各主要水文站点河水总氮污染的贡献比

君坟、镫口和头道拐,点源与面源的比例小于1,河水总氮主要来源于面源,这是由于在此区间宁蒙灌区农田施肥造成的氮非点源排放对河水氮含量起主导作用。头道拐—潼关区间,由于沿途汇入了汾河、渭河等受点源影响较大的河水,河水氮的点源与面源比例逐渐增加,府谷、吴堡、龙门和潼关河水氮的点源与面源之比大于 2。据 1998 年水质监测数据,干流潼关以上所有站点河水氮污染的点源与面源之比均大于 1。潼关以下河段汇入的水量较小,且由于三门峡站河水氮受水库滞留作用的影响,所以未能直接采用前面提出的公式计算点源与面源的比例。因此,从分析潼关水质的角度看,黄河干流氮污染与支流一样,仍主要来源于点源。从《中国农村统计年鉴》查得黄河流域各省 1990 年的氮肥施用量和耕地面积,计算得出流域氮肥施用量(折纯氮)约为 12.6 g/m²,该数不仅远远低于农业发达的省区如江苏的氮肥施用量 33.0 g/m²,亦低于全国氮肥平均施用量 17.1 g/m²。另外,黄河流域的耕地面积为 1.2×10⁷ m²,有效灌溉面积仅为 4.5×10⁶ m²,远远低于长江流域的耕地面积 2.4×10¹¹ m²。因此,较小的耕地面积和较低的氮肥施用量是造成黄河流域氮污染点源与面源之比较高的重要原因。据黄河流域水资源保护局编写的《黄河干流纳污量调查报告 1998》,干流入黄排污口与农灌排水沟对河水总氮的贡献比约为4.3,这进一步说明了点源对黄河干流氮污染的贡献较大。

在 1992～1998 年间,干流潼关站以上河水中总无机氮的点源与面源的多年均值之比为 2.95;1998 年干流潼关站以上河水中总氮的点源与面源之比为 2.67。

(四)黄河水系河水氮污染年际变化

1.黄河主要支流河水氨氮污染的年际变化

在所有 1980、1990、1999 年三年监测数据较齐全的站点中,河水氨氮浓度均呈现上升的趋势。湟水民和站河水氨氮浓度的年均值在 1980 年为 0.40mg/L,至 1999 年后,增至 2.21mg/L。汾河河津站河水氨氮浓度 1980、1990、1999 年年均值分别为 0.13mg/L、2.63mg/L 和 9.80mg/L,其浓度随时间在加速上升。渭河华县站河水氨氮浓度年均值由 1980 年的 0.64mg/L 增至 1990 年的 1.23mg/L,至 1999 年后,又上升为 4.38mg/L。

2.黄河干流河水氨氮污染的年际变化

黄河干流河水氨氮浓度的年均值在 1980、1990、1999 年间也呈现上升的趋势(见图 5-7)。循化站河水氨氮浓度的年均值在 1980 年为 0.08mg/L,至 1999 年后,上升至 0.15mg/L。青铜峡站河水氨氮浓度的年均值在 1980、1990、1999 年分别为 0.02mg/L、0.33mg/L、1.80mg/L,其上升速率平均约为 0.093mg/(L·年)。利津站河水氨氮浓度的年均值在 1980 年为 0.04mg/L,至 1990 年后,增至 0.11mg/L,增加速率平均为 0.007 mg/(L·年),至 1999 年后,浓度上升为 0.36mg/L,上升速率约为 0.028mg/(L·年)。由此可见,干流河水氨氮浓度的年均值在 1980～1999 年间呈加速上升的趋势。干流河水总氮浓度在此期间亦呈上升趋势,如图 5-8 所示,三门峡站河水总氮浓度由 1990 年的 2.00mg/L 增至 1997 年的 5.25mg/L,上升速率约为 0.464mg/(L·年)。

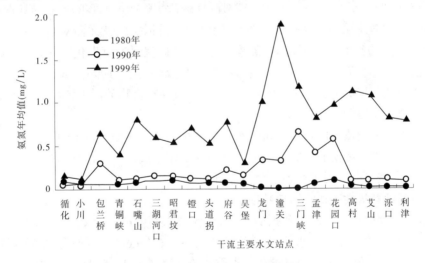

图 5-7　黄河干流主要水文站点河水氨氮污染水平(1980～1999 年)

据统计,黄河流域 80 年代初废污水排放量为 21.7 亿 t,90 年代初已达 32.6 亿 t,90 年代末约为 92.2 亿 t,在此期间,废污水排放量呈加速上升的趋势。将废污水排放量与利津站河水氨氮浓度作相关分析,发现二者的相关系数为 0.998。由此表明,黄河水系干、支流河水氨氮浓度在 1980～1999 年间的上升趋势与流域废污水排放量的增加密切相关。由于点源与面源之比在此期间有降低的趋势,由此表明流域的面源污染亦有增加的趋势,

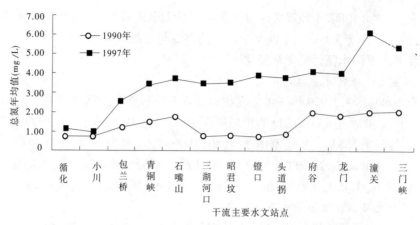

图 5-8　1990～1997 年黄河干流主要水文站点河水总氮污染水平

这是由流域氮肥施用量的逐年增加所致,1994 年的氮肥施用量约为15.6g/m²,比1990 年的氮肥施用量高出 3.0g/m²。因此,黄河水系河水氮污染水平的提高亦与流域氮肥施用量的增加有关。

二、黄河耗氧性有机物污染特征及泥沙对其参数测定的影响

据黄河流域水环境监测中心多年公布的黄河流域地表水环境质量年报,耗氧性有机物是黄河干、支流河水的主要污染物之一,且具体表现为河水高锰酸盐指数(COD_{Mn})和生化需氧量(BOD_5)超标。而且,关于泥沙对高锰酸盐指数测定的影响一直是环保界人士关注的重点。如李清浮、胡国华,张曙光[2,3]等已通过模拟实验就泥沙对高锰酸盐指数和生化需氧量测定的影响进行了研究;陈静生等[4,5]最近就泥沙对生化需氧量的影响进行了一系列的研究。我们将在前人工作的基础上,通过对 1992～1999 年黄河干流主要水文站点的水质监测数据的分析,揭示黄河干流河水耗氧性有机物的污染特征、来源和年际变化以及泥沙对其参数测定的影响。

进行本研究所依据的资料为黄委水质监测中心提供的黄河干流 1992～1999 年的逐月水质监测数据。将所有研究站点的数据输入工作用数据库后,先按 Grubbs 检验法剔除异常值,然后按研究需要进行各项统计分析。

(一)黄河耗氧性有机物污染特征

根据对 1999 年水质监测数据的分析,干流河水高锰酸盐指数在枯水季节的均值在 1.8～5.4mg/L 之间;在丰水季节的均值在 1.8～6.2mg/L 之间;年均值在 1.9～5.7 mg/L 之间。干流河水生化需氧量在枯水季节的均值在 1.4～5.4mg/L 之间;在丰水季节的均值在 1.0～3.3mg/L 之间,年均值在 1.4～4.0mg/L 之间。干流河水溶解氧(DO)浓度在枯水季节的均值在 7.1～11.3mg/L 之间;在丰水季节的均值在 6.0～7.9mg/L 之间;年均值在 6.7～ 9.8mg/L 之间。如图 5-9 所示,干流河水的高锰酸盐指数和生化需氧量从上游至下游有增加的趋势,如高锰酸盐指数和生化需氧量分别从循化站的 3.0 mg/L 和 1.4mg/L 增长至花园口站的 5.5mg/L 和 3.9mg/L,这与黄河流域经济指数从上游至下游存在增长的趋势相关。

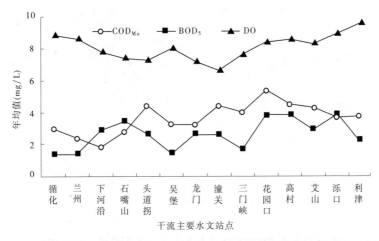

图 5-9　黄河干流河水生化需氧量、高锰酸盐指数和溶解氧的年均值(1999 年)

如图 5-9 所示,在水温和水文等条件一定的条件下,耗氧性有机污染物是影响溶解氧的关键性因素。如在上游的循化—石嘴山区间,沿程河水溶解氧浓度随生化需氧量的增加而降低;在下游花园口—利津区间,沿程河水溶解氧浓度随生化需氧量的降低而增加。但在水温、水文和耗氧有机物的综合作用下,干流河水溶解氧浓度从上游至下游的变化趋势与生化需氧量和高锰酸盐指数的变化趋势不完全一致。而且,枯水季节溶解氧的浓度显著高于丰水季节的浓度;相反,如图 5-10 所示,除龙门、潼关和三门峡段以外,1992~1999 年间干流河水生化需氧量的枯水期多年均值都高于丰水期多年均值。由此表明,温度对河水溶解氧浓度有着重要的影响。

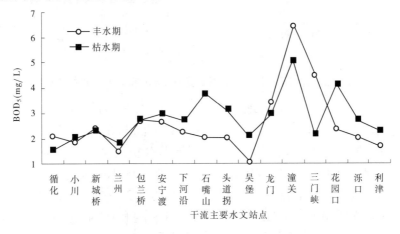

图 5-10　黄河干流河水生化需氧量在丰水期、枯水期的多年均值(1992~1999 年)

除石嘴山和头道拐水文站点外,1992~1999 年间干流河水高锰酸盐指数在丰水期的浓度均值都高于枯水期的浓度均值。例如,潼关—利津区间,河水高锰酸盐指数在丰水期的多年均值大约比枯水期的多年均值高 3mg/L(见图 5-11)。由此看出,河水高锰酸盐指数在丰水季节和枯水季节的差别正好与生化需氧量的相反。

(二)黄河干流耗氧性有机物污染年际变化

如图 5-12 所示,干流头道拐、花园口和利津站河水中的生化需氧量分别由 1980 年的

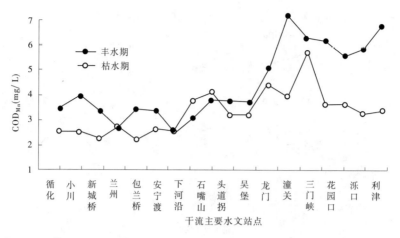

图 5-11　黄河干流河水高锰酸盐指数在丰水期、枯水期的多年均值(1992～1999 年)

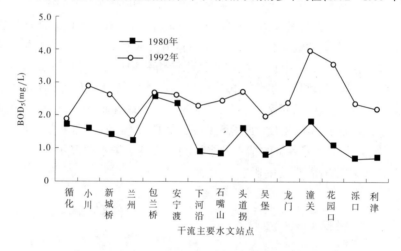

图 5-12　黄河干流河水生化需氧量在 1980 年和 1992 年的年均值

1.6mg/L、1.1mg/L 和 0.7 mg/L 增加至 1992 年的 2.7mg/L、3.6mg/L 和 2.2mg/L,相应的增长速率分别约为 0.1mg/(L·年)、0.2mg/(L·年)和 0.1mg/(L·年)。采用 Seasonal-Kendall 检验方法对河水生化需氧量进行的趋势分析发现,在 1992～1999 年间,大约 75%的水文站点的生化需氧量年均值具有增长趋势。例如,在头道拐、花园口和利津站,河水生化需氧量的年均值在此期间的增长量分别为 0.2mg/L、0.3mg/L 和 0.3mg/L,相应的增长速率分别为 0.02mg/(L·年)、0.04mg/(L·年)和 0.04mg/(L·年)。因此, 河水生化需氧量在 1992～1999 年间的增长速率远远低于 1980～1992 年间的增长速率。另外,对丰、枯季节生化需氧量分别进行的趋势分析发现,在 1992～1999 年间,大约 75%的水文站点在枯水季节具有增长趋势,而在丰水季节只有 33%的水文站点具有增长趋势,所以在此期间,干流河水生化需氧量在丰水季节的增长趋势不如枯水季节的明显。由于枯水季节河水中的耗氧性有机污染物主要来自点源,而丰水季节是点源和面源之和,因此由上述结果可知,黄河流域耗氧性有机污染物的点源排放量在增加,而面源排放量不但不具有增加的趋势,而且还可能存在降低的趋势。据统计,黄河流域的废水排放量由 1980

年的 2.17×10^9 t 增加到 1990 年的 3.26×10^9 t 和 1997 年的 4.00×10^9 t。因此,枯水季节表现出的增长趋势主要是流域废水排放增加所致。

根据前面提出的河流点源与面源之比的计算公式和 1992～1999 年间黄河干流各水文站点的水质、水量数据以及各取水口的取水水量数据,计算表明,黄河干流 BOD_5 的点源与面源负荷的多年均值之比为 2.81。由此说明,黄河干流的耗氧性有机污染物主要来自点源排放。

由于在 1992～1999 年间河水生化需氧量存在增长的趋势,1999 年河水溶解氧的浓度也显著低于 1992 年的浓度(见图 5-13)。例如,在包兰桥、潼关、花园口和利津站,河水溶解氧的年均浓度分别由 1992 年的 8.5mg/L、8.6mg/L、9.0mg/L 和 9.5mg/L 降至 1999 年的 8.2mg/L、6.7mg/L、8.5mg/L 和 9.1mg/L。

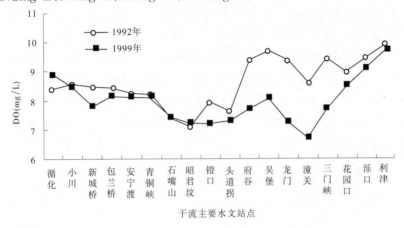

图 5-13　黄河干流沿程河水溶解氧量 1992 年和 1999 年的年均值变化曲线

在 1992～1999 年间,67% 的水文站点河水高锰酸盐指数的年均值具有降低的趋势。例如,在此期间,在石嘴山、花园口和洮口水文站,河水高锰酸盐指数年均值的降低幅度分别为 1.2mg/L、0.7mg/L 和 0.4mg/L。在丰水季节,大约 65% 的水文站点河水高锰酸盐指数的均值具有降低的趋势;在枯水季节,大约 75% 的水文站点河水高锰酸盐指数的均值具有增加的趋势。由此可见,河水高锰酸盐指数的年均值和丰水季节均值的变化趋势与生化需氧量的变化趋势不一致。

(三)泥沙对河水耗氧性有机物污染参数测定的影响

由前面对黄河耗氧性有机污染物分析的结果可知,黄河干流河水高锰酸盐指数与生化需氧量在时空变化特征上存在显著的差别。首先,枯水期河水生化需氧量的均值高于丰水期,而枯水期河水高锰酸盐指数的均值低于丰水期;其次,在 1992～1999 年间,大部分站点河水中生化需氧量的年均值具有增长的趋势,而大部分站点河水中高锰酸盐指数的年均值具有降低的趋势。但是,生化需氧量和高锰酸盐指数都是用来反映水体耗氧性有机物污染的指标,前者是指通过生物作用氧化水体中有机污染物所消耗的溶解氧,而后者是指用化学氧化剂(高锰酸盐钾)氧化水体中有机污染物所消耗的溶解氧。因此,生化需氧量直接地反映了水体耗氧性有机物的污染程度,而高锰酸盐指数间接地反映了水体耗氧性有机物的污染程度,在一般情况下,二者对耗氧性有机物污染程度的反映是一致的。但对于黄河,河水的生化需氧量和高锰酸盐指数之间存在矛盾。

一般来说,枯水季节河水耗氧性有机污染物主要来自点源排放;丰水季节河水耗氧性有机污染物主要来自点源和非点源排放,是二者综合作用的结果。由于河水高锰酸盐指数在丰水季节的浓度高于枯水季节,而生化需氧量正好相反,表明非点源排放中的某些污染物质能产生高锰酸盐指数,但不具有生化需氧量,也就是说,这些物质能被化学氧化剂所氧化,但在自然条件下,不能被生物所氧化,从而也不消耗水体的溶解氧。因此,这部分物质也就不能被称做耗氧性有机污染物。

如图 5-14 所示,在 1992~1999 年间,丰水期河水悬浮颗粒物的含量明显要高于枯水季节,而且二者之间的差别在吴堡—利津区间尤其显著,如利津站丰水期河水悬浮颗粒物含量要比枯水期的约高 20g/L。如图 5-11 所示,在吴堡—利津区间,丰水期高锰酸盐指数亦显著高于枯水期,如利津站丰水期高锰酸盐指数为 6.6mg/L,而枯水期仅为 3.3 mg/L。由此看来,河水高锰酸盐指数的时空变化特征与悬浮颗粒物的时空变化特征具有一致性。因此,推测河水中的悬浮颗粒物是影响 COD_{Mn} 的关键性因素。陈静生等通过对黄河干流某些站点的 COD 和高锰酸盐指数的测定值与泥沙含量的相关研究及模拟实验研究发现,河水 COD 和 COD_{Mn} 值与泥沙含量之间有很好的相关性,并指出,黄河水体泥沙的存在大大提高了 COD 和 COD_{Mn} 的测定值。我们的研究进一步从另一角度证明了泥沙对 COD_{Mn} 测定的影响。

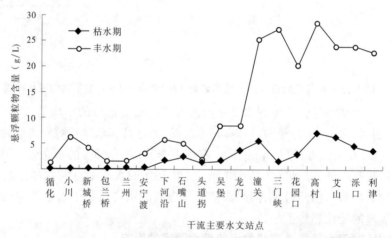

图 5-14　黄河干流河水悬浮颗粒物在枯水期和丰水期的多年均值(1992~1999 年)

黄河泥沙中的有机质是稳定性极好的天然腐殖质类物质,根据腐殖质在酸碱溶液中的溶解性可分为胡敏酸、富里酸和胡敏素三部分,而主要成分是胡敏酸和富里酸,其中富里酸是溶于酸和碱的高分子有机化合物,胡敏酸是溶于碱而不溶于酸和酒精的一类高分子有机化合物[6]。为了进一步研究泥沙中腐殖质对 COD_{Mn} 测定的影响,设计进行了泥沙含量对河水 COD_{Mn} 的影响实验。由于黄河泥沙主要来自中游的黄土高原,从黄土高原(绥德)采集了土壤样品,并从花园口采集了水样进行模拟实验,结果表明:

(1)黄土中含量为 0.76% 的腐殖质对河水 COD_{Mn} 的影响较大,浑水 COD_{Mn} 随着泥沙(黄土)含量的增大呈显著上升趋势,当泥沙(黄土)含量为 7.5g/L 和 15.0g/L 时,腐殖质对浑水 COD$_{Mn}$ 的贡献分别为 15.9% 和 21.7%。

(2)水样在未加酸处理条件下,水相 COD$_{Mn}$ 随着泥沙含量的增大呈微上升趋势;水样在加酸处理条件下,水相 COD$_{Mn}$ 随着泥沙含量的增加呈显著上升趋势。其原因在于:泥沙中腐殖质的主要成分之一富里酸能溶于酸且能被酸性高锰酸钾所氧化,由于在常规监测河水 COD$_{Mn}$ 的过程中,样品采集后立即加酸处理,这样溶于酸的富里酸能从泥沙中进入水相,最终影响 COD$_{Mn}$ 的测定。当泥沙含量为 7.5g/L 和 15.0g/L 时,泥沙中富里酸对加酸处理后水相 COD$_{Mn}$ 的贡献分别为 23.6% 和 50.6%。

(3)随着泥沙含量的增加,浑水 BOD$_5$ 的增长率显著低于浑水 COD$_{Mn}$ 和加酸处理条件下水相 COD$_{Mn}$ 的增长率。

(4)黄土中的腐殖质很难发生生物降解,将泥沙(黄土)含量分别为 5g/L、10g/L 的水样在恒温振荡培养箱中培养 5d($T = 25℃$),如图 5-15 所示,腐殖质的降解率在 1.64% ~ 6.13% 之间,平均为 3.66%,其中降解速度最快的为退耕 2 年的土壤中的腐殖质,这可能与其退耕时间较短、腐殖质相对不稳定有较大的关系,但其降解率也只有 6.13%,这说明腐殖质是一种较难降解的物质,在自然水环境中不会因为其生物降解性而消耗水体中的溶解氧。

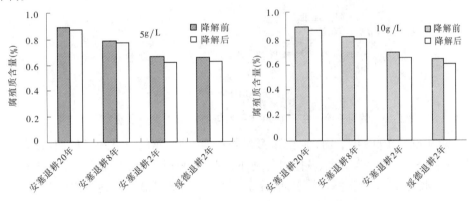

图 5-15　黄土中腐殖质的生物降解效率(20℃ 培养 5d)

总之,由于泥沙中腐殖质的成分之一富里酸能溶解于酸,在水样加酸处理过程中将进入水相,且富里酸能被化学氧化剂所氧化,但在自然条件下很难发生生物氧化和消耗水体的溶解氧。因此说,由于泥沙的影响,高锰酸盐指数夸大了耗氧性有机物的污染。

三、干流水体主要污染物污染状况综合评价

选取溶解氧、氨氮、高锰酸盐指数和生化需氧量等 4 种污染指标进行评价。采用《地表水环境质量标准》(GB3838—1988),对 1992 ~ 1999 年丰水期(7 ~ 10 月)、枯水期(1 ~ 6 月和 11 ~ 12 月)和全年进行综合评价。评价方法选取单因子评价,即将污染因子污染级别最高的级别作为水质级别。若站点断面有左、中、右三监测点,则取其平均值进行评价。

以 1992 ~ 1999 年 8 年平均值为例。计算黄河流域丰水期、枯水期和全年的多年平均值的水质级别,见图 5-16(a)。其中的劣Ⅴ类水用Ⅵ类表示。

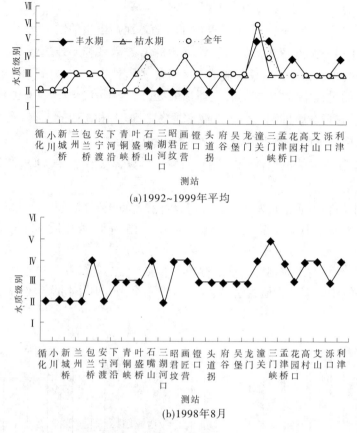

(a)1992~1999年平均

(b)1998年8月

图 5-16　黄河干流 1992～1999 年平均与 1998 年 8 月水质级别沿程变化

可见,1992~1999 年平均,丰水期,新城桥—安宁渡,龙门以下和镫口、府谷为Ⅲ类以上,其中潼关—三门峡为Ⅴ类,花园口与利津为Ⅳ类,小川之上、青铜峡—镫口之间以及头道拐、吴堡水质较好,为Ⅱ类。枯水期,除了兰州以上、下河沿—叶盛桥之间为Ⅱ类外,其余多为Ⅲ类,其中潼关为超Ⅴ类。年平均变化与枯水期变化趋势大体相同,只是在叶盛桥和三门峡略有差异。总体上,青铜峡—龙门区间丰水期好于枯水期和年平均值。可见,黄河流域水体污染主要分布在兰州、银川、包头城市河段和龙门—三门峡、孟津—花园口两个中小城镇集中、乡镇企业发展迅速的区段以及内蒙灌区、潼关—花园口灌区。

任何时刻黄河干流水质沿程变化各不相同,选取典型年月进行分析。以 1998 年 8 月为例,见图 5-16(b)。此时黄河干流为汛期,兰州以上水质较好,为Ⅱ类,包兰桥、石嘴山、昭君坟、画匠营、潼关—孟津桥和黄河下游水质较差,超过Ⅳ类。

第二节　从水质水量相结合的角度评价黄河水资源

1977 年联合国教科文组织(UNESCO)将水资源定义为"可资利用或有可能被利用的水源,这个水源应具有足够的数量和可用的质量,并能在某一地点为满足某种用途而可被利用"。简言之,水资源表现为在一定时间、一定空间具有足够数量的可用水,它是一个

"质"与"量"的函数。据该定义,水资源的功能即在某一地点能满足某种用途,水资源的丰富与否主要取决于水质与水量这两个方面。目前国际上很多国家已开展了水质水量相结合的研究。如 Luiten 和 Groot[7] 在利用模型模拟地表水水质水量的基础上,对荷兰的地表水管理政策进行了分析研究;Vijayan 等[8] 研究了印度的水质水量综合管理;Azevedo 等[9] 将水量水质综合目标纳入水资源管理的决策系统,并将其应用于巴西 Piracicaba 河流域的水资源管理。但这些研究工作多针对一种或两种水质指标,没有考虑多种水质指标可能超标时的水质水量综合评价,没有开展过像黄河流域这样生态环境恶劣和水资源严重短缺地区的水资源评价。

由于各种原因,我国在水资源评价工作中,水资源数量与质量评价基本上是松散的联合,没有紧密地、有机地结合起来,且长期以来分为两大块:一块是水量,监测评价的重点在于水量是否够用;另一块是水质,重点在于评价水体水质状况,较少涉及水质状况是否符合特定时间及地点的水体用途要求这一问题。

一、水质水量综合评价方法的建立

(一)离散评价

任何一条河流的河水主要有以下三个去向:一部分河水会从河道中被取走作为工业、农业和生活用水;一部分河水会流向海洋或其他外流域;一部分河水会贮存于河道,由河道蓄变量可知这部分水量。那么,河流的天然径流量也就是这三部分之和。但这三部分水并不都具有水资源功能,只有当水体的水质达到了水资源功能所要求的水质标准,这部分水才能称得上是水资源,从而具备水资源功能。具体地说,取走的作为工业、农业和生活用水的那部分水量,如果其水质达到水体用途要求的水质标准,那么这部分水就具备水资源功能;流向海洋和贮存于河道的那部分水,如果其水质达到水体功能要求的水质标准(据全国水功能区划确定各河段的水体功能),那么这部分水就具备水资源功能。

因此,一条河流具备水资源功能的水量可以用式(5-3)来计算。

$$Q_T = Q_u + Q_d + Q_s \tag{5-3}$$

式中:Q_T 为河流的水资源总量;Q_u 为人工取走的水质达到水体用途要求的水量;Q_d 为流向海洋的水质达到水体功能要求的水量;Q_s 为贮存于河道的水质达到水体功能要求的水量。

这是一种基于现有的水质、水量和用水状况的评价,且上述所说的三个去向的水都不是洪水,如果洪水能被合理利用,则它亦属于水资源,反之,洪水就不能算做水资源。

由于水体实际的水质往往会优于或劣于水资源功能要求的水质标准,为了综合分析水量、水质和水资源功能,在此提出了水资源功能容量和水资源功能亏缺的概念。如果实际的水质优于水资源功能所要求的水质标准,则认为水体还可满足更高的水资源功能要求,具有水资源功能容量,且容量大小与二者之间的水质级别差异、水量呈正相关,可以用式(5-4)计算;如果实际的水质劣于水资源功能所要求的水质标准,则认为水体存在水资源功能亏缺,亏缺程度大小亦与二者之间的水质级别差异、水量呈正相关,可以用式(5-5)计算。

$$\Delta Q_+ = Q(C_d - C_m) \tag{5-4}$$

$$\Delta Q_- = Q(C_m - C_d) \tag{5-5}$$

式中：ΔQ_+ 为水资源功能容量；ΔQ_- 为水资源功能亏缺；Q 为水体的水量；C_d 为水资源功能要求的水质级别；C_m 为水体实际的水质级别。

(二)连续评价

在前述的离散评价中，水资源的水质水量综合评价是通过比较水体实际的水质级别与要求的水质级别而进行的。但由于水质级别的划分标准为一范围值，因此当污染物浓度在这一范围之内时，评价结果就会完全一致，不能反映同一水质级别之内污染物的浓度变化对评价结果的影响。因此，进一步以水体污染物的实际浓度为评价依据，发展了连续的水质水量综合评价方法。

对于水量短缺的地区，当水体的水质没有达到用水的要求时，也会尽量来利用这部分水质超标的水量。因此，其可利用的水资源量不同于离散评价中提出的水体具有水资源功能的水量，前者往往大于或等于后者。同时，可利用水资源量的多少受水质好坏的影响。例如，当某一水体的首要污染物为耗氧性有机污染物(以指标 COD 表示)，且实际的COD 值为 10mg/L，水量为 1 体积，而水体用途要求的 COD 值为 5mg/L，为了达到用水的要求，就需要对这 1 体积的水进行处理，方法之一就是取走 1/2 体积的水，再加上 1/2 体积的 COD 值为 0 的水，这样处理后水体的 COD 值就降为 5mg/L，达到了用水要求的水质标准，所以原先的 COD 值为 10mg/L 的 1 体积的水，其可利用的水资源量只相当于 1/2体积。另外，当实际的水质优于水体用途所要求的水质时，水体可利用的水资源量即为其水量。基于前述的分析，在此提出了相应的计算可利用水资源量的方法，如式(5-6)所示。

$$W_r = \min(1, \frac{\rho_d}{\rho_m}) \times Q \tag{5-6}$$

式中：W_r 为可利用的水资源量，m^3；ρ_m 为水体首要污染物的实测浓度，mg/L；ρ_d 为水体用途所要求的首要污染物的浓度标准值，mg/L；Q 为水体的水量，m^3。

根据河水的去向，一条河流可利用的水资源量可以用式(5-7)来计算。

$$W_T = W_{ur} + W_{dr} + W_{sr} \tag{5-7}$$

式中：W_T 为河流可利用的水资源总量，m^3；W_{ur} 为人工取走的可利用的水资源量，m^3；W_{dr} 为流向海洋的可利用的水资源量，m^3；W_{sr} 为贮存于河道的可利用的水资源量，m^3。

由于水体实际的水质往往会优于或劣于水资源功能所要求的水质标准，为了综合分析水量、水质和水资源功能，文献[5]中已提出了水资源功能容量和水资源功能亏缺的概念，但由于所提出的计算方法不具有连续性，故在此进一步发展二者的概念和计算方法，使其具有连续性。即，如果实际的水质优于水资源功能所要求的水质标准，则认为水体还可满足更高的水资源功能要求，具有水资源功能容量，且容量大小与水量以及首要污染物的要求和实测浓度之差呈正相关，与实测浓度呈反相关；如果实际的水质劣于水资源功能所要求的水质标准，则认为水体存在水资源功能亏缺，亏缺程度大小亦与水量以及首要污染物的要求和实测浓度之差呈正相关，与实测浓度呈反相关。具体计算方法分别如式(5-8)和式(5-9)所示

$$\Delta W_+ = Q(\frac{\rho_d - \rho_m}{\rho_m}) \tag{5-8}$$

$$\Delta W_- = Q\left(\frac{\rho_m - \rho_d}{\rho_m}\right) \tag{5-9}$$

式中：ΔW_+ 为水资源功能容量，m^3；ΔW_- 为水资源功能亏缺，m^3；Q 为水体的水量，m^3；ρ_m 为水体首要污染物的实测浓度，mg/L；ρ_d 为水体用途所要求的首要污染物的浓度标准值，mg/L。

为了进一步研究主要污染物对可利用水资源量的影响程度，在此提出了水环境功能容量与水环境功能亏缺的概念。对于某一污染物，当水体实测浓度小于水资源功能所要求的浓度时，认为水体存在水环境功能容量，其大小与该污染物的要求和实测浓度的差异、水量呈正相关，可以用式(5-10)计算；当水体实测浓度大于水资源功能所要求的浓度时，存在水环境功能亏缺，其大小亦与污染物的实测和要求浓度的差异、水量呈正相关，可以用式(5-11)计算。

$$WEFC = Q(\rho_d - \rho_m) \tag{5-10}$$

$$WEFD = Q(\rho_m - \rho_d) \tag{5-11}$$

式中：$WEFC$ 为水环境功能容量，kg；$WEFD$ 为水环境功能亏缺，kg；Q 为水体的水量，m^3；ρ_d 为水体用途所要求的某一污染物的浓度标准值，mg/L；ρ_m 为水体某一污染物的实测浓度，mg/L。

二、黄河的水量、水质分析

依据黄委提供的黄河流域 1997、1998、1999 年的逐月水质监测数据及相应月份的水文资料、取水口资料和水库蓄变量数据(黄河的主要取水口、水质监测站点示于图 5-1)，对黄河的水质、水量进行分析。

(一)水量分析

如表 5-2 所示，在 1997、1998、1999 年，黄河的天然径流量分别为 318.23 亿 m^3、439.30 亿 m^3 和 433.64 亿 m^3，其中，从河道取走的用于工业、农业和生活用水的总水量在这三年中分别占总径流量的 94%、65% 和 71%，从干流取走的水量在这三年中分别占总取水量的 72%、74% 和 76%。从三年平均来看，农业、工业和生活用水的耗水量分别为 272.59 亿 m^3、16.49 亿 m^3 和 8.29 亿 m^3。由此表明，大约 70% 的天然径流量被农业用水所消耗。正是由于河流沿途被取走的水量很大，流入渤海的水量(三年平均值)只有 64.37 亿 m^3，占天然径流量的 16%。而且，从上游至下游，干流河道实测径流量显著受沿程取水量的影响。如图 5-17 所示，兰州—下河沿区间，1997、1998、1999 年的实测径流量分别约为 200 亿 m^3、214 亿 m^3 和 270 亿 m^3；由于下河沿—头道拐之间大量的河水被取走用于农田灌溉，头道拐处的实测径流量分别降至 99 亿 m^3、117 亿 m^3 和 157 亿 m^3；然后由于渭河、汾河、伊洛河等支流的汇入，至花园口站实测径流量分别增至 142 亿 m^3、217 亿 m^3 和 208 亿 m^3；花园口站以下由于没有支流的汇入和大量的河水被取走用于农业灌溉，利津站的实测径流量分别只有 18 亿 m^3、106 亿 m^3 和 68 亿 m^3。

(二)水质分析

据对 1999 年水质监测数据的分析，60% 以上河长的水质劣于Ⅲ类水水质标准。按以往传统的水质评价观点，这些水质劣于Ⅲ类水水质标准的水体已受到较严重的污染。但由于不同去向的水体其具备水资源功能所要求的水质标准不一样,具有时空变化特性,因此只有通过对一定时间和空间上的水体的实际水质和水资源功能要求的水质进行比较,才能确定黄河具备水资源功能的水量。

表 5-2 黄河的水量 （单位:亿 m³）

项目	1997 年	1998 年	1999 年
从支流取走的水量	96.35	88.93	87.38
从干流取走的水量	284.09	283.85	299.06
从支流消耗的水量	82.30	75.33	74.72
从干流消耗的水量	217.40	210.90	231.50
流入渤海的水量	18.60	106.16	68.34
河道蓄变量(主要指水库蓄变量)	−0.07	46.91	59.08
总天然径流量	318.23	439.30	433.64

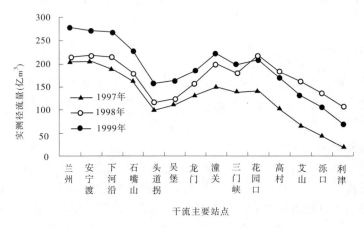

图 5-17 黄河干流实测径流量的沿程变化

三、黄河水质水量综合评价

根据各站点逐月的实测水质,参照国家环保总局河段水质的判定方法,按下列原则确定取水口处的水质级别:①监测断面的水质级别由该断面多项水质指标中污染最严重的水质指标决定;②若夹取某取水口的上下监测断面的水质级别相等,则取水口处水质级别定为此级别;③若上下监测断面水质级别不相等,而取水口与某监测断面距离较近,则取水口处水质级别定为该监测断面的水质级别,若等距,则取上断面的水质级别为该取水口处的水质级别。将取水口处的水质级别与相应的水资源功能要求的水质级别进行比较,确定黄河具备水资源功能的水量。对于农业、工业和生活用水,其水体用途要求的水质必须分别优于或等于Ⅴ类、Ⅳ类和Ⅲ类水水质,对于入海水量和河道蓄变量,其水体功能要求的水质必须优于或等于Ⅲ类水水质。

(一)离散评价

1. 水质水量综合评价

根据前述的定义进行计算,在 1997、1998、1999 年,黄河具备水资源功能的总水量分别为 210.99 亿 m^3、288.04 亿 m^3 和 292.43 亿 m^3,分别占总天然径流量的 66.3%、65.6% 和 67.4%(见表5-3)。由此可见,大约 35% 的天然径流量不具备水资源功能。其中,取走的用于农业灌溉的水量中约有 75% 具备水资源功能,取走的工业用水中只有 62% 具备水资源功能,而取走的生活用水中只有 31% 具备水资源功能。这主要是由于生活用水对水质的要求相对较高,而工业和农业灌溉用水对水质的要求相对较低。大约 50% 的入海水量具备水资源功能。

表 5-3　　　　　　　　　　　　黄河具备水资源功能的水量　　　　　　　　　　（单位:亿 m^3）

项目	1997 年	1998 年	1999 年
从干流取走的水资源量	193.78	198.81	211.72
从支流取走的水资源量	81.29	59.83	63.10
从干流消耗的水资源量	140.99	140.94	156.89
从支流消耗的水资源量	60.46	43.30	45.65
河道蓄变量	-0.07	46.91	59.08
流入渤海的水资源量	9.62	56.88	30.82
总水资源量	210.99	288.04	292.43

在 1997、1998、1999 年,从黄河中上游(即从源头到花园口之间)取走的水量分别为 276.61 亿 m^3、271.71 亿 m^3 和 277.24 亿 m^3,其中,具备水资源功能的水量分别为 203.55 亿 m^3、205.85 亿 m^3 和 214.58 亿 m^3。因此,从这三年平均来看,从中上游取走的水量中大约 75% 符合用水的水质要求,具备水资源功能。从黄河下游(即从花园口到河口之间)取走的水量在 1997、1998、1999 年分别为 100.54 亿 m^3、96.31 亿 m^3 和 102.53 亿 m^3,其中具备水资源功能的水量分别为 75.86 亿 m^3、77.19 亿 m^3 和 77.86 亿 m^3。因此,从三年平均来看,从下游取走的水量中大约 76% 符合用水的水质要求,具备水资源功能。前面有关水质分析的结果表明,下游的水质要劣于上游的水质,但为什么具备水资源功能的水量的比例在这两个区间基本相同呢?这主要是由于从下游取走的水量主要用于农业灌溉,对水质的要求相对较低,而从中上游取走的部分水量作为工业和生活用水,对水质的要求相对较高。

据统计,1997 年黄河沿岸农业、工业和生活用水实际所需水资源量(即具备水资源功能的水量)分别为 363.63 亿 m^3、59.08 亿 m^3 和 31.64 亿 m^3,规定的年最小入海水量为 150.7 亿 m^3,因此黄河实际的水资源需求总量为 605.05 亿 m^3。其中地下水可开采量约为 110 亿 m^3。因此,要求地表水可利用的水资源量为 495.05 亿 m^3。由于在 1997～1999 年间,黄河实际的天然径流量平均仅为 397.06 亿 m^3,因此与实际需要相比,黄河缺少水量 97.99 亿 m^3。另外,从三年平均来看,天然径流量中只有 263.82 亿 m^3 水具备水资源功能,另外的 133.24 亿 m^3 水不具备水资源功能。所以,黄河地表实际提供的水资源量只占水资源需求量的 53%,由于水量短缺导致的水资源亏缺占水资源需求量的 20%,由于水质问题导致的水资源亏缺占水资源需求量的 27%。由此可见,黄河的水资源短缺有

47%是水体污染所致。

2．水资源功能容量与水资源功能亏缺

如表 5-4 所示，在 1997、1998、1999 年，黄河水资源功能容量分别为 161.99 亿 m³、262.62 亿 m³ 和 199.30 亿 m³，水资源功能亏缺分别为 107.64 亿 m³、229.11 亿 m³ 和 167.08 亿 m³。由此可见，黄河水资源功能容量明显大于水资源功能亏缺，说明在大部分情况下，黄河实际的水质要优于具备水资源功能所要求的水质。从空间分布来看，在 1997～1999 年间，黄河中上游的水资源功能容量和水资源功能亏缺分别平均为 108.82 亿 m³ 和 83.39 亿 m³，下游水资源功能容量和水资源功能亏缺分别平均为 102.14 亿 m³ 和 84.54 亿 m³。因此，从三年平均来看，中上游和下游之间的差别不大。但对单一年份进行分析发现，除 1998 年外，中上游的水资源功能容量与水资源功能亏缺之比小于 1 而下游远远大于 1。由此可见，在大部分情况下，中上游实际的水质要劣于具备水资源功能所要求的水质，而下游的水质要优于具备水资源功能所要求的水质。

表 5-4   黄河水资源功能容量与水资源功能亏缺的比较

项　　目	1997 年	1998 年	1999 年
中上游水资源功能容量(亿 m³)	70.97	149.34	97.16
下游水资源功能容量(亿 m³)	91.02	113.28	102.14
总水资源功能容量 (亿 m³)	161.99	262.62	199.30
中上游水资源功能亏缺(亿 m³)	75.22	66.10	108.89
下游水资源功能亏缺(亿 m³)	32.42	163.01	58.19
总水资源功能亏缺 (亿 m³)	107.64	229.11	167.08
中上游水资源功能容量与水资源功能亏缺之比	0.94	2.26	0.89
下游水资源功能容量与水资源功能亏缺之比	2.80	0.69	1.76
总水资源功能容量与总水资源功能亏缺之比	1.50	1.15	1.19

从上面对水资源功能容量与水资源功能亏缺的分析可见，大部分情况下黄河河水实际水质要优于具备水资源功能所要求的水质。因此，如果能对黄河沿岸的排污进行合理的时空优化，如将污染物由具备水资源功能亏缺的情况转向具备水资源功能容量的情况进行排放，则能减少水资源功能亏缺，提高具备水资源功能的水量，从而缓解黄河水资源短缺的局面。

(二)连续评价

1．水质水量综合评价

计算结果表明，在 1997、1998、1999 年，黄河的天然径流量分别为 318.23 亿 m³、439.30 亿 m³ 和 433.64 亿 m³，可利用的水资源量分别为 255.39 亿 m³、343.41 亿 m³ 和 355.44 亿 m³，分别占总天然径流量的 80.2%、78.2% 和 82.0%(见表 5-5)。由此可见，大约 20% 的天然径流量是不可利用的水资源。如图 5-18 所示，从三年平均值来看，从黄河(包括干、支流)中上游、下游消耗的可利用水资源量、河道可利用水资源的蓄变量和入海可利用水资源量分别占黄河总可利用水资源量的 54%、20%、9% 和 17%。其中，从干流消耗的可利用水资源量与从支流消耗的可利用水资源量在这三年的均值之比约为 2.5。由此可见，大部分可利用水资源量是从干流取水所消耗。

表 5-5			黄河可利用的水资源量				（单位:亿 m^3 ）
年份	干流取水	支流取水	干流取水消耗	支流取水消耗	河道蓄变量	入海水量	流域合计
1997	218.99	86.72	167.59	74.07	−0.07	13.8	255.39
1998	220.46	74.70	163.8	63.28	35.65	80.68	343.41
1999	221.55	75.06	171.5	64.18	55.53	64.23	355.44

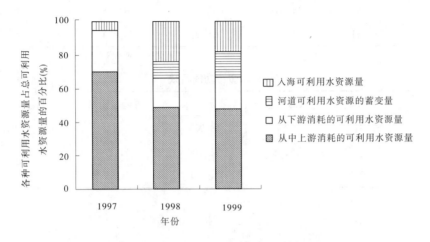

图 5-18 黄河各种可利用水资源量占总可利用水资源量的百分比（1997、1998、1999 年）

在 1997、1998、1999 年,从黄河干流中上游(即从源头到花园口之间)取走的水量分别为 276.61 亿 m^3、271.71 亿 m^3 和 277.24 亿 m^3,其中,可利用的水资源量分别为 226.40 亿 m^3、216.50 亿 m^3 和 212.12 亿 m^3。因此,在这三年间,可利用的水资源量占取走水量的百分比分别为 81.8%、79.7% 和 76.5%。从黄河下游(即从花园口到河口之间)取走的水量在 1997、1998、1999 年分别为 100.54 亿 m^3、96.31 亿 m^3 和 102.53 亿 m^3,其中可利用的水资源量分别为 79.32 亿 m^3、78.66 亿 m^3 和 84.49 亿 m^3。因此,在这三年间,可利用的水资源量占取走水量的百分比分别为 78.9%、81.7% 和 82.4%。比较上下游的情况可发现,可利用的水资源量占取走水量的百分比在这两个区间基本相同。

2. 水资源功能容量与水资源功能亏缺

1997、1998、1999 年的黄河水资源功能容量和水资源功能亏缺情况分别示于表 5-6 和表 5-7,它们在这三年间的平均值分别为 423.50 亿 m^3、78.97 亿 m^3,二者之比约为 5。从空间分布来看,在 1997~1999 年间,干流取水、支流取水、水库蓄变量和入海水量的水资源功能容量分别平均为 264.13 亿 m^3、74.54 亿 m^3、43.23 亿 m^3 和 41.60 亿 m^3,分别约占流域总水资源功能容量的 62%、18%、10% 和 10%;水资源功能亏缺分别为 52.97 亿 m^3、10.27 亿 m^3、4.93 亿 m^3 和 11.46 亿 m^3,分别约占流域总水资源功能亏缺的 67%、13%、6% 和 14%。由此可见,干流取水对水资源功能容量和功能亏缺的贡献最大。进一步分析干流的取水情况可发现(取水口分布见图 5-1),取水口主要分布在循化—石嘴山、石嘴山—头道拐、小浪底—花园口、花园口—利津四个区间。如图 5-19 所示,水资源功能容量在这四区间的三年均值分别为 142.69 亿 m^3、35.03 亿 m^3、9.61 亿 m^3 和 76.79 亿 m^3;水资源功能亏缺分别为 14.15 亿 m^3、37.01 亿 m^3、4.53 亿 m^3 和 12.97 亿 m^3。其中,循化—石嘴山区间的水资源功能容量最大,约占干流取水总水资源功能容量的54%,石嘴山—头道拐区间的水资源功能亏缺最大,约占干流取水总水资源功能亏缺的54%。

表 5-6　　　　　　　　　　　　　黄河水资源功能容量　　　　　　　　　　　　（单位:亿 m³）

年份	干流取水	入海水量	支流取水	河道蓄变量	流域合计
1997	246.94	2.05	74.79	0	323.77
1998	289.94	90.20	82.85	64.48	527.48
1999	255.51	32.56	65.97	65.21	419.25

表 5-7　　　　　　　　　　　　　黄河水资源功能亏缺　　　　　　　　　　　　（单位:亿 m³）

年份	干流取水	入海水量	支流取水	河道蓄变量	流域合计
1997	51.81	4.81	8.23	0	62.82
1998	47.10	25.48	12.05	11.26	95.89
1999	60.00	4.11	10.54	3.55	78.20

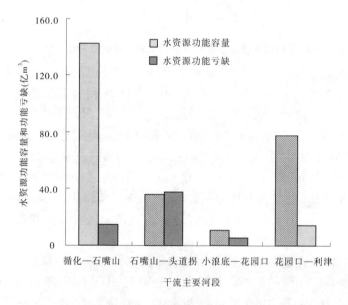

图 5-19　1997～1999 年间黄河水资源功能容量和功能亏缺在干流上的平均分布

3. 水环境功能容量与水环境功能亏缺

根据对黄河流域的水质分析得出,COD_{Mn} 和 NH_4^+-N 为黄河水体的两大主要污染物。因此,这里主要计算了这两种污染物的水环境功能容量和功能亏缺。对主要污染指标 COD_{Mn} 来说,黄河水环境功能容量和功能亏缺情况如表 5-8 所示。其中,水环境功能容量在三年间的平均值为 29 571.54kg;水环境功能亏缺在三年间的平均值为 199.70kg。由此可见,对 COD_{Mn} 来说,黄河水环境功能容量要显著大于水环境功能亏缺,二者之间的三年均值之比约为 148,说明在绝大部分情况下,黄河实际的 COD_{Mn} 值要小于具备水资源功能所要求的值。对主要污染指标 NH_4^+-N 来说,黄河水环境功能容量和功能亏缺情况如表 5-9 所示。其中,水环境功能容量在三年间的平均值为 3 774.26kg;水环境功能亏缺在三年间的平均值为 113.08kg。由此可见,对 NH_4^+-N 来说,黄河水环境功能容量亦显著大于水环境功能亏缺,二者之间的三年均值之比约为 33,说明在绝大部分情况下,黄河实际的 NH_4^+-N 值要小于具备水资源功能所要求的值。进一步比较 COD_{Mn} 和 NH_4^+-N 这两个重要的污染指标,可发现前者的功能容量与功能亏缺之比要显著大于后者。由此说明,与 COD_{Mn} 相比,NH_4^+-N 对黄河水质的影响更大,对可利用水环境总量的影响也相应更大。

表 5-8 　　　　　　　　　黄河水环境功能容量和功能亏缺 (COD_{Mn}) 　　　　　　(单位:kg)

年份	中上游水环境功能容量	下游水环境功能容量	总水环境功能容量	中上游水环境功能亏缺	下游水环境功能亏缺	总水环境功能亏缺
1997	17 899.44	8 515.45	26 414.89	17.92	140.95	158.87
1998	20 001.93	10 573.14	30 575.07	3.51	370.81	374.32
1999	21 572.05	10 152.62	31 724.67	18.51	47.39	65.90

表 5-9 　　　　　　　　　黄河水环境功能容量和功能亏缺 (NH_4^+-N) 　　　　　　(单位:kg)

年份	中上游水环境功能容量	下游水环境功能容量	总水环境功能容量	中上游水环境功能亏缺	下游水环境功能亏缺	总水环境功能亏缺
1997	2 238.81	939.60	3 178.4	26.65	50.03	76.68
1998	2 559.06	1 342.26	3 901.33	12.84	144.34	157.18
1999	3 001.48	1 241.58	4 243.05	10.06	95.32	105.38

从空间分布来看,在 1997～1999 年间,对 COD_{Mn} 来说,黄河中上游、下游的水环境功能容量平均值分别为 19 824.47kg 和 9 747.07kg,中上游、下游的水环境功能亏缺平均值分别为 13.31kg 和 186.38kg;对 NH_4^+-N 来说,黄河中上游、下游的水环境功能容量平均值分别为 2 599.78kg 和 1 174.48kg,中上游、下游的水环境功能亏缺平均值分别为 16.51kg 和 96.56kg。因此,对 COD_{Mn} 和 NH_4^+-N 这两种污染物来说,中上游的水环境功能容量均要显著大于下游,而中上游的水环境功能亏缺均要显著小于下游。

连续评价改进了离散评价提出的水质水量综合评价方法,因此得到的评价结果与离散评价的结果亦存在差别。按连续评价得出的总可利用水资源量比离散评价中计算得出的具备水资源功能的总水量在 1997、1998、1999 年分别多 44.39 亿 m^3、66.63 亿 m^3 和 66.57 亿 m^3,这部分水资源量是水质未达到用水要求,经过水质处理折算后的水量。据离散评价结果,在 1997、1998、1999 年,黄河水资源功能容量分别为 161.99 亿 m^3、262.62 亿 m^3 和 199.30 亿 m^3,水资源功能亏缺分别为 107.64 亿 m^3、229.11 亿 m^3 和 167.08 亿 m^3,二者之间三年平均值之比约为 1.24。据连续评价研究结果,在 1997、1998 年和 1999

年,黄河水资源功能容量分别为 323.77 亿 m^3、527.48 亿 m^3 和 419.25 亿 m^3,水资源功能亏缺分别为 62.82 亿 m^3、95.89 亿 m^3 和 78.20 亿 m^3,从三年平均值来看,黄河水资源功能容量与水资源功能亏缺之比约为 5。因此,连续评价所得出的水资源功能容量显著大于离散评价所得出的水资源功能容量,而连续评价所得出的水资源功能亏缺显著小于离散评价所得出的水资源功能亏缺。这主要是由于连续评价是在改进离散评价方法的基础上进行的。离散评价是运用水体的水质级别来进行评价,而连续评价是以实际的污染物浓度来进行评价,且由于某一水质级别所对应的污染物浓度是一个范围值,而非具体值,因此连续评价的精度更高。

据连续评价和离散评价的结果,黄河水资源功能容量显著大于水资源功能亏缺;而且,据连续评价研究结果,对 COD_{Mn} 和 $NH_4^+ \text{-} N$ 这两种主要污染物来说,水环境功能容量也显著大于水环境功能亏缺。由此说明,在绝大部分情况下,河水实际水质要优于具备水资源功能所要求的水质。污染物的少量超标导致了可利用水资源量的减少。而且,由于枯水期的水质要劣于丰水期的水质,且就 COD_{Mn} 和 $NH_4^+ \text{-} N$ 这两种主要污染物来说,中上游的水环境功能容量均要显著大于下游,而中上游的水环境功能亏缺均要显著小于下游。因此,如果能对黄河沿岸的排污进行合理的时空优化,如将污染物由具备水环境功能亏缺的情况转向具备水环境功能容量的情况进行排放,则能减少水资源功能亏缺,提高具备水资源功能的水量,从而缓解黄河水资源短缺的局面。

参 考 文 献

[1] Vink, R., H. Behrendt, W. Salomons. Development of the heavy metal pollution trends in several European Rivers: an analysis of point and diffuse sources. Water Science and Technology. 1999, 39 (12): 215~223

[2] 李清浮,胡国华. 黄河孟花段水质模型的建立——多泥沙河流 COD_{Mn} 预测模型. 水资源保护, 1997,1:16~19

[3] 张曙光.多泥沙河流水质评价标准和评价方法研究. 见:赵佩伦,申献辰,夏军,等. 泥沙对黄河水质影响及重点河段水污染控制.郑州:黄河水利出版社,1998.169~204

[4] 陈静生,何大伟,张宇.黄河水的 COD 值能够真实反映其污染状况吗?.环境化学,2003,22(6): 611~614

[5] 陈静生,张宇,于涛,等.对黄河泥沙有机质的溶解特性和降解特性的研究——再论黄河水的 COD 值不能真实反映其污染状况.环境科学学报,2004,24(1)

[6] 李天杰,郑应顺,王云. 土壤地理学. 北京:高等教育出版社,1983.27~29

[7] Luiten J P A, Groot S. Modeling quantity and quality of surface waters in the Netherlands: policy analysis of water management for the Netherlands. European Water Pollution Control, 1992, 2:23~33

[8] Vijayan G, Nathan N S, Subramanian R S et al.. Management of water resources for quality and quantity. Journal of Indian Water Works Association, 1999, January-March: 43~46

[9] Azevedo D L, Gabrief T, Gates T K et al.. Integration of water quantity and quality in Strategic River Basin planning. Journal of Water Resources Planning and Management,2000,126(2):85~97

第六章　黄河流域水质恢复能力评价及水质恢复机理研究

第一节　黄河流域水质恢复能力评价

水资源是一种可再生资源,它能通过天然作用或人工经营为人类所反复利用。水资源的可再生性又集中表现为水量的可再生性和污染水体水质的可恢复性。每一个水体的这种可再生能力都是一定的,尤其是通过天然作用为人类所反复利用的那部分。但目前由于人们只看到了水资源的这种可再生能力,却忽视了这种可再生能力的限度,导致过度利用水资源,过度向水体排污的现象,致使许多地区,特别是缺水地区如黄河流域,在水量不足的基础上,水质的恶化更加剧了水资源的短缺,使水资源不能得到可持续的利用。因此,研究污染水体的水质恢复能力,能为水资源的可持续利用提供基础依据。

一、水质恢复能力评价方法的建立

(一)水质恢复的途径

这里所说的水质恢复是指水体水相中污染物浓度的降低过程,不包括悬浮颗粒上污染物浓度的降低。水相水质的恢复包括以下几个重要的途径:①物理稀释作用;②化学吸附作用,即污染物从水相转移到固相的作用;③挥发作用,即污染物从水相转移至气相的作用;④生物降解和化学降解(包括光化学降解)。对于受不同污染物污染的水体,其水质恢复的主要途径也不同。如对于重金属,其水相浓度降低的主要途径为物理稀释作用和化学吸附作用等,而对于易生物降解的有机物,其水相浓度降低的主要途径为物理稀释作用和生物降解作用等。

由于污染物在水相中浓度的降低是多种机制综合作用的结果,其中某些机制如化学降解、生物降解都存在一定的反应动力学过程,能用反应动力学常数等来反映污染物降解的快慢,降解的程度与时间相关,而某些机制如物理稀释作用就不能用反应动力学常数来描述反应的快慢,其最终达到均匀稀释的程度也不与时间相关,而是与稀释的水量直接相关。因此,很难用传统的污染物消失的半衰期来表征水质恢复的快慢和水质恢复的能力,也难以以统一的尺度来衡量各种机制作用的大小和对水质恢复的贡献。但有一点相通的是,所有水质恢复机理的作用结果都是污染物浓度的降低。因此,这里通过研究水质恢复的结果——污染物浓度的变化来反映水体水质的恢复能力,从而将所有的恢复机理统一起来,从定量的角度用一个具体的值来反映水体水质的恢复能力。

(二)水质恢复能力的表征

对于相对运动的水体,如某一污染河段,段首污染物通过各种水质恢复途径,包括稀释作用和化学、生物作用等机制,在段尾达到某一浓度值,那么其水质恢复能力的表现值与段首、段尾污染物的浓度之差呈正相关,且在段首、段尾污染物的浓度之差一定的情况下,水质恢复能力的表现值还与段首的污染物浓度呈反相关,那么,此河段单位河长对该污染物的水质恢复能力的表现值为

$$D = \frac{C_0 - C_1}{C_0} \cdot \frac{1}{L} \tag{6-1}$$

式中:D 为水质恢复能力值,1/km;C_0 为河段段首污染物浓度值,mg/L;C_1 为河段段尾污染物浓度值,mg/L;L 为河段长度,km。

但对于大多数河段,其沿途都会接纳污染物的排放,那么对于这种河段,将接纳的污染物叠加到段首浓度之中,从而在水质恢复能力计算中反映沿途接纳污染物的量,那么,此河段单位河长对该污染物水质恢复能力的表现值为

$$D = \frac{\dfrac{C_0 V + Q}{V} - C_1}{\dfrac{C_0 V + Q}{V}} \cdot \frac{1}{L} \tag{6-2}$$

式中:D 为水质恢复能力值,1/km;C_0 为河段段首污染物浓度值,mg/L;C_1 为河段段尾污染物浓度值,mg/L;V 为河段段首实测径流量,m³/年;Q 为河段沿途接纳的总排污量,g/年;L 为河段长度,km。

同样,对于相对静止的水体,如湖泊、水库等,如果在某一时段内没有污染物排入,则其水质恢复能力的表现值可表示为

$$D = \frac{C_0 - C_1}{C_0} \cdot \frac{1}{t} \tag{6-3}$$

式中:D 为水质恢复能力值,1/d;C_0 为湖泊或水库零时刻污染物浓度值,mg/L;C_1 为湖泊或水库 t 时刻污染物浓度值,mg/L;t 为时段长度,d。

如果在某一时段内有污染物的排入,则其水质恢复能力的表现值可表示为

$$D = \frac{\dfrac{C_0 V + Q}{V} - C_1}{\dfrac{C_0 V + Q}{V}} \cdot \frac{1}{t} \tag{6-4}$$

式中:D 为水质恢复能力值,1/d;C_0 为湖泊或水库零时刻污染物浓度值,mg/L;C_1 为湖泊或水库 t 时刻污染物浓度值,mg/L;Q 为湖泊或水库 t 时段接纳的污染物,量纲 g/d;V 为湖泊或水库零时刻的储水量,m³;t 为时段长度,d。

(三)水质恢复能力的评价标准与方法

1. 离散评价

由于黄河干流水质多为Ⅳ类水质,因此对于黄河干流的某一河段,当河段段首某一污染物浓度为Ⅳ类水质时的浓度时,如果该河段在接受流域平均排污后(如按流域单位河长接受的平均排污来计算该河段的平均排污),段尾污染物浓度小于或等于Ⅲ类水质时的浓度,则该河段的水质恢复能力强,定为Ⅰ级,此时段尾按Ⅲ类水质计算得到的水质恢复能力值为 D_1。如果段尾污染物浓度小于或等于Ⅳ类水质时的浓度,则该河段的水质恢复能

力中等,定为Ⅱ级,此时段尾按Ⅳ类水质计算得到的水质恢复能力值为D_2;如果段尾污染物浓度小于或等于Ⅴ类水质时的浓度,则该河段的水质恢复能力弱,定为Ⅲ级,此时段尾按Ⅴ类水质计算得到的水质恢复能力值为D_3;如果段尾污染物浓度大于Ⅴ类水质时的浓度,则该河段的水质恢复能力差,定为Ⅳ级。

对于实际河段水质恢复能力的评价,先据公式(6-2)计算各污染物的水质恢复能力值D,根据表6-1对该河段各污染物的水质恢复能力进行评价,然后选出所有污染物中水质恢复能力最差的,其水质恢复能力级别即为该河段对各污染物的综合水质恢复能力级别。

表6-1　　　　　　　　　　　黄河河段水质恢复能力分级标准

水质恢复能力级别	水质恢复能力值	水质恢复能力
Ⅰ	$D \geqslant D_1$	强
Ⅱ	$D_1 \geqslant D \geqslant D_2$	中
Ⅲ	$D_2 \geqslant D \geqslant D_3$	弱
Ⅳ	$D < D_3$	差

2. 基于 GPPM 的黄河流域水质恢复能力综合评价方法

目前水质恢复能力综合评价的研究焦点依然是如何科学、客观地将一个多指标问题综合成一个单指标问题,也只有在一维空间中才能使水质恢复能力综合评价成为可能。结合水质恢复能力评价标准,利用投影寻踪(Projection Pursuit,简称 PP)[1]、格雷码加速遗传算法[2]和阶梯形曲线,提出了一种适合于水质恢复能力综合评价的新方法——遗传投影寻踪方法(Genetic Projection Pursuit Method, 简称 GPPM),并对黄河干流的水质恢复能力进行了综合评价。

1)GPPM 的计算技术

投影寻踪是处理高维数据,尤其是非正态数据的一类新兴统计方法[3],它的基本方法是按照实际问题的需要,把高维数据投影到低维子空间上,使用者通过观察投影图像,采用投影目标函数来衡量投影揭示数据某种结构的可能性大小,在计算机上自动找出使该目标函数达到极大(或极小)的投影值,然后根据该投影值来分析高维数据的结构特征,或根据该投影值与研究系统的输入输出值之间的散点图构造数学模型以预测系统的输出。其中投影目标函数的构造、优化方法的选择、数学模型的建立是应用投影寻踪解决实际问题的关键。传统的投影寻踪计算技术的计算量相当大,在一定程度上限制了投影寻踪方法的深入研究和广泛应用。为此,提出了一套基于遗传算法的投影寻踪建模方法用于水质恢复能力的综合评价。GPPM 包括以下五个步骤:

步骤1:建立投影数据。根据水质恢复能力评价标准产生用于水质恢复能力评价的原始数据,它包括水质恢复能力$x^*(i,j)$及对应的评价等级$y(i),i=1,\cdots,n,j=1,\cdots,n_p$,其中$n$、$n_p$分别为样品的个数和评价水质恢复能力的指标数。设水质恢复能力的最强级别为1,最弱级别为4,并对$x^*(i,j)$进行归一化处理为$x(i,j)$,即

$$x(i,j) = (x^*(i,j) - x_{\min}(j))/(x_{\max}(j) - x_{\min}(j)) \quad (i = 1,\cdots,n; j = 1,\cdots,n_p)$$

(6-5)

式中:$x_{\min}(j)$、$x_{\max}(j)$分别为第j个指标的最小值和最大值。

步骤2:计算投影值。设$a=(a(1),a(2),\cdots,a(n_p))$为投影方向,GPPM方法就是把$x(i,j)$投影到$a$上,得到一维投影值$z(i)$

$$z(i)=\sum_{j=1}^{n_p}a(j)x(i,j)\quad(i=1,\cdots,n)\tag{6-6}$$

步骤3:建立投影目标函数。在综合投影值时,要求投影值$z(i)$应尽可能大地提取$x(i,j)$中的变异信息,即$z(i)$的标准差S_z尽可能大,同时要求$z(i)$与$y(i)$的相关系数R_{zy}的绝对值$|R_{zy}|$尽可能大,投影目标函数$f(a)$为[4]

$$f(a)=S_z\mid R_{zy}\mid\tag{6-7}$$

步骤4:用格雷码加速遗传算法来优化投影方向。投影目标函数$f(a)$随着投影方向a变化而变化,可通过求解最大投影目标函数值来估计最佳投影方向a^*,即

$$\max f(a)=S_z\mid R_{zy}\mid\tag{6-8}$$

$$\sum_{j=1}^{n_p}a(j)=1\quad(0\leqslant a(j)\leqslant1.0)\tag{6-9}$$

这是一个以$a=(a(1),a(2),\cdots,a(n_p))$为优化变量的非线性优化问题,用常规的方法处理较困难,为了增强GPPM的实际应用能力和计算效率,这里用目前较好的格雷码加速遗传算法给出最佳投影方向。最大适应度函数值对应的个体与最大投影目标函数对应的最佳投影方向a^*相对应。

步骤5:建立水质恢复能力综合评价数学模型。由步骤4求得的最佳投影方向a^*代入式(6-6)后,得到第i个样品的最佳投影值$z^*(i)$,根据$z^*(i)$与$y(i)$的散点图可建立水质恢复能力综合评价的数学模型。

2)基于GPPM的水质恢复能力综合评价方法

在前述黄河干流各主要污染物的水质恢复能力评价标准区间(见表6-1)中各级别取值范围内均匀随机产生各50、100、500、1 000、1 500、2 000个样本$x^*(i,j)$,与对应的等级一起组成样本系列,并对$x^*(i,j)$进行归一化处理为$x(i,j)$,用GPPM中的式(6-7)~式(6-9)得最佳投影方向和最大投影目标函数值分别为(0.200 5,0.178 0,0.621 5),0.625 0;(0.185 5,0.147 4,0.667 1),0.625 0;(0.140 5,0.205 7,0.653 8),0.625 0;(0.137 5,0.162 3,0.700 2),0.625 0;(0.179 9,0.179 6,0.640 5),0.625 0;(0.130 1,0.196 9,0.672 9),0.625 0。可见,样本的多少对投影目标函数值影响不大。为了使算法具有说服力,在各级别取值范围内均匀随机产生各1 000个样本,得最佳投影方向为

$$a^*=(0.137\ 5,\ 0.162\ 3,\ 0.700\ 2)$$

最大投影目标函数值为

$$f(a^*)=0.625\ 0$$

最佳投影方向$a^*=(0.137\ 5,0.162\ 3,0.700\ 2)$的分量0.137 5、0.162 3、0.700 2可分别作为指标BOD、氨氮、挥发酚的权重。图6-1为最佳投影值$z^*(i)$与经验等级$y(i)$的散点图。

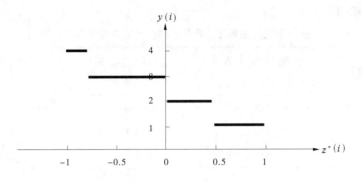

图6-1 最佳投影值 $z^*(i)$ 与经验等级 $y(i)$ 的散点图

从 $z^*(i)$ 与 $y(i)$ 的散点图可以看出：

(1) $z^*(i)$ 与 $y(i)$ 的图形为阶梯形下降曲线,因此通过比较最佳投影值 $z^*(i)$ 的大小,就可以比较各地区水质恢复能力的大小。

(2) $z^*(i)$ 与 $y(i)$ 的图形为阶梯形曲线,因此可以用与该曲线对应的函数即式(6-10)建立水质恢复能力综合评价的数学模型。由于这里取的样本较多,为 1 000,所以最佳投影值 $z^*(i)$ 与经验等级 $y(i)$ 的散点图中区间的端点可以直接定出。用 GPPM 计算的水质恢复能力评价模型为

$$y^*(i) = \begin{cases} 4 & (z^*(i) \leqslant -0.763) \\ 3 & (-0.763 < z^*(i) \leqslant 0.02) \\ 2 & (0.02 < z^*(i) \leqslant 0.457) \\ 1 & (z^*(i) > 0.457) \end{cases} \qquad (6\text{-}10)$$

用 GPPM 计算的各个样本(4 000 个)的最佳投影值 $z^*(i)$、计算经验等级 $y^*(i)$ 的计算误差的绝对值为 0,可见,用 GPPM 对水质恢复能力进行综合评价精度较高。

二、黄河流域水质恢复能力评价

(一)数据来源

从黄委编制的《水文年鉴》中收集黄河干流各主要监测断面 1998 年的水质监测数据,同时从黄河流域水资源保护局编制的《黄河干流纳污量调查报告》中收集 1998 年干流各河段接纳的排污量,包括支流和各入黄排污口。

(二)黄河干流水质恢复能力的评价标准

黄河干流的污染物众多,在此对黄河干流的主要污染物 BOD、氨氮和挥发酚进行研究。有关污染物氨氮需说明的是,虽然存在三氮之间的相互转化,但由于反硝化作用一般需要厌氧环境,故在河水中难以发生,在河水中主要进行的是硝化作用。研究河段为龙羊峡—利津之间的干流河段。由于难以收集到干流非点源的污染排放数据,且考虑到由非点源直接排放到干流的污染物量较小,以及在评价标准计算中和干流河段水质恢复能力的计算中都忽略了非点源的排放将降低其对评价结果的影响,故在黄河干流水质恢复能力的评价中未考虑干流的非点源排放。

根据研究河段的纳污情况以及各研究污染物的水质标准,计算得到各污染物的水质

恢复能力评价标准如表 6-2 所示。

表 6-2　　　　　　　黄河干流各主要污染物的水质恢复能力评价标准

污染物类别	水质恢复能力值 D_1（1/km）	水质恢复能力值 D_2（1/km）	水质恢复能力值 D_3（1/km）
BOD	0.333 7	0.000 6	−0.665 6
氨氮	0.500 5	0.001 1	−0.498 4
挥发酚	0.500 4	0.000 9	−8.991 0

（三）黄河干流水质恢复能力评价

1. 离散评价

根据黄河流域水资源的分区和干流的纳污情况，在此将黄河干流分成 9 个河段分别进行评价，即龙羊峡—兰州、兰州—下河沿、下河沿—石嘴山、石嘴山—头道拐、头道拐—龙门、龙门—潼关、潼关—三门峡、三门峡—花园口、花园口—利津。

由于黄河干流沿途接纳污染物的排放，故可用式(6-2)来计算其水质恢复能力值。根据黄河干流各河段段首、段尾的污染物年均浓度、河段污染物的年均纳污量，以及河段长度，计算得到各污染物的水质恢复能力值、水质恢复能力级别（见表 6-3）。对 BOD 来说，黄河干流水质恢复能力中等的河段为龙羊峡—兰州、石嘴山—头道拐、龙门—三门峡和花园口—利津段，其余河段水质恢复能力均为弱。对氨氮来说，除潼关—花园口河段水质恢复能力中等以外，其余河段水质恢复能力均为弱。对挥发酚来说，水质恢复能力中等的河段为龙羊峡—兰州、头道拐—花园口，其余河段水质恢复能力均为弱。各河段对 BOD、氨氮和挥发酚的综合水质恢复能力级别如图 6-2 所示，除潼关—三门峡河段水质恢复能力级别为 II 级外，其余河段水质恢复能力均为 III 级。由此表明，黄河干流的水质恢复能力较差，由于黄河干流现有的纳污超过了其水质恢复的能力，故导致干流的水质恶化。

表 6-3　　　　黄河干流各河段主要污染物水质恢复能力值及水质恢复能力级别

河段名称	河段长度(km)	BOD			氨氮			挥发酚		
		水质恢复能力级别	水质恢复能力值 D	水质恢复能力	水质恢复能力级别	水质恢复能力值 D	水质恢复能力	水质恢复能力级别	水质恢复能力值 D	水质恢复能力
龙羊峡—兰州	431	II	0.001 2	中	III	−1.0E−05	弱	II	0.001 1	中
兰州—下河沿	362	III	−0.000 4	弱	III	0.000 5	弱	III	0.000 4	弱
下河沿—石嘴山	318	III	−0.000 4	弱	III	0.000 3	弱	III	−0.001 3	弱
石嘴山—头道拐	663	II	0.000 6	中	III	0.000 7	弱	III	0.000 9	弱
头道拐—龙门	733	III	0.000 5	弱	III	−1.0E−05	弱	II	0.001 2	中
龙门—潼关	128	II	0.003 0	中	III	1.3E−05	弱	II	0.005 1	中
潼关—三门峡	116	II	0.005 1	中	II	0.001 2	中	II	0.006 6	中
三门峡—花园口	267	III	0.000 3	弱	II	0.001 9	中	II	0.002 4	中
花园口—利津	664	II	0.000 7	中	III	−5.4E−05	弱	III	0.000 6	弱

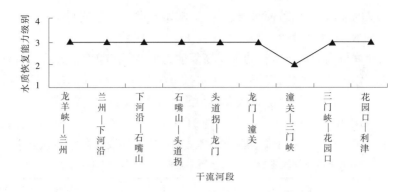

图 6-2 黄河干流各河段对 BOD、氨氮和挥发酚的综合水质恢复能力级别

(1、2、3、4 分别表示 Ⅰ、Ⅱ、Ⅲ、Ⅳ级)

对各河段 BOD、氨氮和挥发酚的水质恢复能力值与相应河段的泥沙含量作相关分析，二者之间的相关方程和相关系数分别为

$$Y = 0.000\ 4X - 0.000\ 89 \qquad (r = 0.858,\ n = 9) \qquad (6\text{-}11)$$

$$Y = 0.000\ 06X + 0.000\ 2 \qquad (r = 0.465,\ n = 9) \qquad (6\text{-}12)$$

$$Y = 0.000\ 3X - 0.000\ 02 \qquad (r = 0.838,\ n = 9) \qquad (6\text{-}13)$$

式中：X 为泥沙含量，g/L；Y 为污染物恢复能力值，1/km。

由此表明，这三种污染物的水质恢复能力值与泥沙含量呈不同程度的正相关。这是由于泥沙对污染物具有吸附作用，以及泥沙中含有的微生物能促进污染物的生物降解或生物转化，使泥沙含量的增高有利于水相污染物的水质恢复。另外，水质恢复能力值还与水温呈一定程度的正相关，这与水温升高能促进污染物的生物降解、转化和挥发相关。对各河段 BOD、氨氮和挥发酚的水质恢复能力值与相应河段的径流量作相关分析表明，二者之间无明显的相关关系。

物理稀释对水质恢复的贡献为

$$P = \frac{C_i - C_d}{C_i - C_m} \times 100\% \qquad (6\text{-}14)$$

式中：P 为物理稀释作用对污染物水质恢复的贡献率；C_i 为未经任何水质恢复作用时段尾污染物的计算浓度，mg/L；C_d 为只经过物理稀释作用时段尾污染物的计算浓度，mg/L；C_m 为段尾污染物的实测浓度，mg/L。

根据式(6-14)计算得到的物理稀释作用对各河段水质恢复的贡献率亦大多小于 50%，由此表明污染物的物理稀释作用对黄河干流水质恢复的作用相对较小。那么，其他的化学和生物机制对干流水质恢复的贡献相对较大，由于这些机制对水相污染物浓度的降低作用与时间相关，故在潼关—三门峡这段水流速度较慢的河段，单位长度河段的水质恢复能力较强。

综上所述，在建立水质恢复能力评价方法的基础上，对黄河干流的水质恢复能力进行了评价，对于单位河长，发现除潼关—三门峡河段水质恢复能力属中等以外，其余河段水质恢复能力均较弱，且稀释自净作用对水相中污染物浓度降低的贡献相对较小。黄河干流这种较差的水质恢复能力表明黄河干流的环境功能较弱，且现有的污染物排放已经超过了其水质恢复的能力,从而致使水质恶化,影响水资源的可持续利用。

2.基于GPPM的综合评价

根据前面计算得到的各污染物的水质恢复能力值,采用GPPM方法对黄河干流各河段水质恢复能力作出综合评价,其评价结果见表6-4。GPPM计算结果表明,根据各河段投影值的大小,各河段水质恢复能力从大到小的排序为:龙门—三门峡、三门峡—花园口、龙羊峡—兰州、石嘴山—头道拐、头道拐—龙门、花园口—利津、兰州—下河沿、下河沿—石嘴山。其中,龙门—三门峡河段水质恢复能力属中等,其余河段水质恢复能力均较弱。

表6-4　　　　黄河干流各河段主要污染物水质恢复能力值和GPPM评价结果

河段	BOD	氨氮	挥发酚	投影值	评价等级
龙羊峡—兰州	0.001 2	−1E−05	0.001 1	0.001	Ⅲ
兰州—下河沿	−0.000 4	0.000 5	0.000 4	0	Ⅲ
下河沿—石嘴山	−0.000 4	0.000 3	−0.001 3	−0.001	Ⅲ
石嘴山—头道拐	0.000 6	0.000 7	0.000 9	0.001	Ⅲ
头道拐—龙门	0.000 5	−1E−05	0.001 2	0.001	Ⅲ
龙门—三门峡	0.003 0	0.001 9	0.003 7	0.003	Ⅲ
三门峡—花园口	0.000 3	0.001 9	0.002 4	0.002	Ⅲ
花园口—利津	0.000 7	−5.4E−05	0.000 6	0.001	Ⅲ

GPPM提高了水质恢复能力综合评价问题各层次的分辨力。GPPM不仅建模思路简单,对数据进行了优化处理,直观、可靠,而且同时给出了两组评价结果,既可以直接给出各地区水质恢复能力值,又可以利用投影值对具有相同水质恢复能力值的各地区水质恢复能力进行细致评价,提高了水质恢复能力综合评价问题各层次的分辨力。例如:龙羊峡—兰州、兰州—下河沿河段水质恢复能力值都为3,而投影值分别为0.001和0,一方面说明了从整体上它们的水质恢复能力均较弱;另一方面由于投影值与分值的图形为下降曲线,说明与龙羊峡—兰州河段相比,兰州—下河沿河段水质恢复能力更弱一些。GPPM可广泛应用于各种水质综合评价问题。

第二节　黄河流域水质恢复机理

从前节对黄河水质恢复能力评价的结果可得出,与氨氮、BOD_5 和挥发酚这三种污染物相对应的水质恢复能力值与泥沙含量呈不同程度的正相关。这一节重点探讨泥沙对石油类污染物生物降解和氨氮硝化过程的影响。

一、水体颗粒物对石油类污染物生物降解的影响

石油类污染物是黄河水体的主要污染物之一,采用模拟实验的方法,研究自然条件下黄河水体石油类污染物的生物降解规律,针对黄河高含沙量的特点,着重研究颗粒物对石

油类污染物生物降解速率的影响,探讨颗粒物对其的影响机制。

(一)研究方法

1. 样品采集

兰州段是黄河石油类污染物的重要排放源之一,因此本研究采集黄河干流兰州段排放的含石油类污染物的废水,提取石油类污染物以进行生物降解实验。同时采集黄河干流包兰桥的水样和沉积物样品,作为介质进行生物降解实验。共采样 3 次,时间分别为 2001 年 4 月 3 日、2001 年 12 月 16 日和 2002 年 4 月 13 日,样品采回后,立即进行模拟实验。

2. 标准油的制备

用二氯甲烷试剂萃取石化废水中的石油类污染物,制备原始标准油溶液;以原始标准油溶液为基础,在 60℃ 下蒸除二氯甲烷溶剂,再在 100℃ 下挥发 48h,除掉石油类污染物中易挥发的物质,制得无挥发性的标准油溶液以进行生物降解实验。

3. 实验设计

将石油类污染物加入到一系列装有 100mL 河水水样的烧杯中,配制成具有一定初始浓度的溶液,并加入一定量的泥沙,烧杯口覆盖 8 层纱布,以防止外界细菌的进入,在恒温(20℃)振荡培养箱中培养,振荡频率为 150 次/min,每间隔一定时间取出烧杯测定石油类污染物的总量、在各相的浓度和石油降解菌的数量。在高温灭菌的培养介质中加入 1mL $HgCl_2$ 溶液,以进行对照实验,确定石油类污染物的生物降解速率。所有样品都设计了平行实验。

4. 分析方法

采用荧光光度法测量水相和固相上的石油类污染物,所用测量仪器为日立 F - 4010 型号的荧光分光光度计。标准回收实验表明,水相石油类污染物的回收率为 98.5%,固相石油类污染物的回收率为 97.8%,符合实验室质量控制标准。

采用高压液相色谱法测定兰州石化废水中石油类污染物的多环芳烃(PAH)组成,所用仪器为惠普 1100 型高压液相色谱仪,色谱柱类型为[18]C 反相高压液相色谱柱,流动相组成为 95% 的甲醇和 5% 的水,柱温为 24℃,采用荧光和紫外检测器进行检测,用外标法对 PAH 进行定量研究。

本研究采用气质联用测定石油类污染物的烃类组成,所用测量仪器:Trace 2000 Series GC,柱型为 CP - sil 5 CB(25m×0.53mm×1.00μm),进样口温度为 250℃;起始柱温为 60℃,升温速率为 5℃/min,最后柱温为 250℃;检测器温度为 250℃。

沉积物粒径组成分析方法为比重计法;土壤有机质分析实验方法为高温外热重铬酸钾法(即电热板 - 重铬酸钾法)

石油降解菌菌落水平采用平板混匀法测定,以石蜡油为碳源。

(二)研究结果与讨论

1. 水体颗粒物对石油类污染物生物降解效率的影响

根据模拟体系中泥沙含量分别为 0g/L、0.5g/L 和 2g/L 时石油类污染物的生物降解实验结果(见图 6-3),可得出:在生物降解的第一阶段,含泥沙体系中石油类污染物的降解速率大于不含泥沙的体系;在生物降解的第二阶段,含泥沙体系中石油类污染物的降解速率小于不含泥沙的体系;在生物降解的第三阶段,含泥沙体系中石油类污染物的降解速率大于不含泥沙的体系。对于多泥沙体系和少泥沙体系间亦有同样的规律。

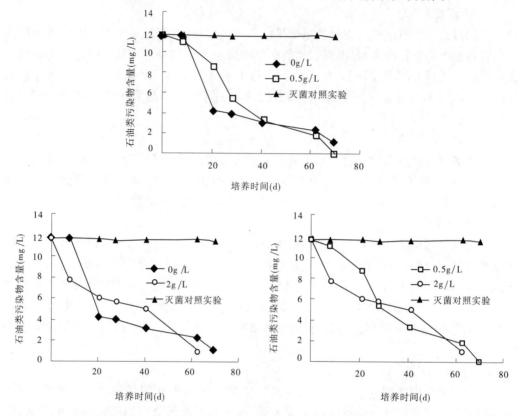

图6-3 水体颗粒物含量对石油类污染物生物降解效率的影响

2．水体颗粒物对石油类污染物生物降解效率的影响机制

1)水体石油降解菌菌落水平与颗粒物含量的关系

如图6-4所示,当石油类污染物初始浓度为10mg/L时,随着模拟体系中颗粒物含量的增高,石油降解菌的总数亦在增加。其中,当体系不存在泥沙时,石油降解菌存在1个星期左右的驯化期,驯化期后石油降解菌呈对数增长;当体系内泥沙含量为0.5g/L时,石油降解菌亦存在1个星期左右的驯化期,驯化期后石油降解菌随时间呈指数增长($y = 413\,980e^{0.069\,1x}$);当体系内泥沙含量为2g/L时,石油降解菌基本上不存在驯化期,石油降解菌随时间呈指数增长($y = 878\,198e^{0.127\,1x}$)。同时,比较颗粒物含量为0.5g/L和2g/L的体系,可知颗粒物含量为2g/L的体系内石油降解菌的增长速度要快于颗粒物含量为0.5g/L的体系内石油降解菌的增长速度。

造成上述石油降解菌随系统颗粒物含量变化的原因如下:①高颗粒物含量的体系对石油类污染物有一个分散作用,且体系本身具有的有机质总量大于低颗粒物含量的体系,从而使石油降解菌不存在驯化期,而低颗粒物含量的体系中石油降解菌存在驯化期;②高颗粒物含量模拟体系的初始总菌落数高于低颗粒物含量的体系,且由于颗粒物含量的增加,加大了颗粒物吸附石油类污染物的面积,从而增大了油与水的接触面积,又由于石油降解菌主要生长与作用位置系油—水界面[5],这样就使高颗粒物含量的模拟系统中石油降解菌的生长速度相对较快。

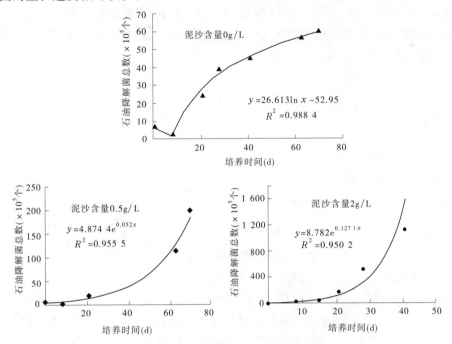

图 6-4　不同颗粒物含量下水体石油降解菌的增长情况

2)石油类污染物在颗粒物上的吸附、解吸特征分析

Ⅰ.石油类污染物在颗粒物上的吸附特征

如图 6-5 所示,当体系颗粒物含量为 0.5g/L 时,石油类污染物在颗粒物上的吸附量符合 Freundlich 吸附等温式(式(6-15)),其中,$k = 17.504, 1/n = 0.605\ 3$;当体系颗粒物含量为 2g/L 时,石油类污染物在颗粒物上的吸附量随水相平衡浓度的增加呈指数上升趋势。

$$Q = kC^{1/n} \tag{6-15}$$

式中:Q 为固相吸附量,mg/g;C 为水相中石油类污染物浓度,mg/L。

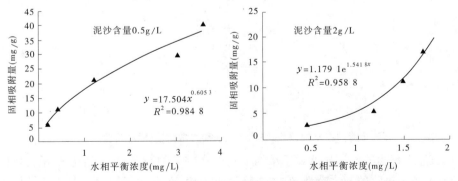

图 6-5　石油类污染物在颗粒物上的吸附等温线

Ⅱ.石油类污染物在颗粒物上的解吸特征

对前述达到吸附平衡的体系弃去水相后,再加100mL河水进行解吸实验研究,发现振荡4h后,水相中石油类污染物的浓度相当低,尤其是在固相油初始浓度较低时(<29mg/g),解吸振荡后水相油浓度几乎为0(见图6-6)。由此可以说明,吸附在固相上的石油类污染物很难发生解吸作用。

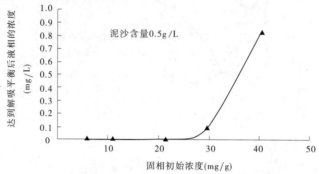

图6-6　颗粒物上所吸附石油类污染物的解吸等温线

3)液相与固相上石油类污染物生物降解过程比较

Ⅰ.液相与固相上石油降解菌生长动力学比较

如图6-7所示,石油降解菌在液相的增长呈S形曲线,在最初的第一周里,石油降解菌菌落水平呈下降趋势,这一方面是由石油类污染物自身的毒理特性所决定的;另一方面也可能有石油降解菌向固相上迁移的原因;在接着的第2、3、4周里,经过驯化后的细菌呈增长趋势,在随后的第5~9周的时间段里石油降解菌菌落水平呈急剧上升趋势,在最后阶段,因液相体系本身石油类污染物质的耗尽而产生了生物种群自身的剧烈调节作用——菌落总数再度呈下降趋势。去掉第1周的驯化期,该生长曲线符合逻辑斯谛型增长曲线[6];液相里石油降解菌菌落水平的最高阶段与液相里石油类污染物的降解速度最快的阶段相比,其时间明显滞后,其原因可用生态学中关于种群"时滞效应"的原理来予以解释。

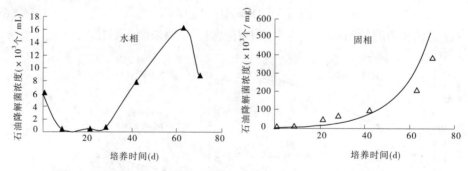

图6-7　石油降解菌在水相、颗粒物相的生长动力学比较(颗粒物含量0.5g/L)

固相石油降解菌的数量显著大于水相中石油降解菌的数量,因为在水—颗粒物体系内,由于石油类污染物的疏水特性,它主要吸附于固相,而石油降解菌主要生长及作用于油—水界面,故石油降解菌也大部分附着于固相表面。从生长动力学曲线来看,固相的石油降解菌数量随时间呈指数增长,在第1周的时间里,固相上石油降解菌总数并未出现下降趋势,而是呈缓慢上升趋势;在第2、3周的时间里石油降解总数呈现出一定的增长水平;在第4~9周的时间内,菌落增长呈现较高的稳步增长水平。

Ⅱ.液相与固相上石油类污染物生物降解效率比较

由前述有关石油类污染物在颗粒物上的吸附、解吸特征分析结果可知,由于模拟体系中固相石油类污染物的浓度小于29mg/g,因此当石油类污染物在水相发生降解后,固相的石油类污染物也不会解吸下来,且由对不同降解时段的监测结果可知,固相上石油类污染物的浓度均大于与相应的水相浓度相平衡的吸附量,因此水相的石油类污染物不会向固相迁移。所以,在振荡培养几个小时后,固液两相基本达到分配平衡,此后石油类污染物在两相中浓度的变化主要是生物降解作用所致,几乎不存在两相之间的迁移。

如表6-5所示,石油类污染物主要存在于固相,水相中石油类污染物只占总量的1%,但63d内水相中石油类污染物的降解效率为98.4%,而固相中的降解效率只有83.5%。

表6-5　　　　水相与固相上石油类污染物生物降解效率对照(泥沙含量0.5g/L)

石油类污染物赋存形态	水相	固相
初始含量(mg)	0.113	1.051
最终含量(mg)	0.002	0.173
相对降解百分率(%)	98.4	83.5

Ⅲ.液相与固相上石油类污染物生物降解动力学比较

当水体颗粒物含量为0.5g/L时,对石油类污染物在各相的浓度变化进行幂指数动力学拟合[7],发现液相中石油类污染物的生物降解遵循1级动力学规律,而固相中石油类污染物的生物降解遵循3/4级动力学规律(见图6-8)。对不含颗粒物的体系中石油类污染物的生物降解过程进行动力学分析,去掉石油类污染物的驯化期,发现其降解亦遵循1级动力学规律。由此表明,在一定的实验浓度范围内,水相中石油类污染物的生物降解遵循1级动力学规律。

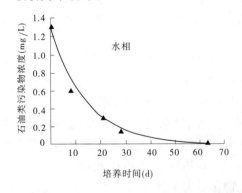
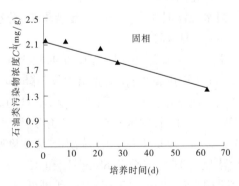

图6-8　石油类污染物在水相、固相的降解动力学曲线

从前面有关水体颗粒物对石油类污染物生物降解效率的影响机制研究发现,颗粒物主要通过影响石油降解菌的生长和石油类污染物在固液两相的分配,以及在两相中石油

类污染物降解动力学的不同而影响石油类污染物的生物降解效率。如图6-3所示,在降解的第一阶段,有颗粒物的体系中石油类污染物的降解速率较快,这主要是由于在此阶段,有颗粒物的体系中石油降解菌的数量大于无颗粒物的体系中石油降解菌的数量。在降解的第二阶段,无颗粒物的体系中石油降解菌呈快速增长趋势,石油类污染物的主要降解过程为液相上的降解过程,且液相降解为1级反应,反应初始浓度较大,所以降解反应速度较快;有颗粒物的体系中石油类污染物的降解过程主要发生在固相,且固相降解为3/4级反应,从而导致其降解速度要低于无颗粒物模拟体系的降解速度。在降解的第三阶段,由于前一阶段无颗粒物的体系内石油类污染物的降解量相对较多,现阶段体系中石油类污染物含量相对较低,根据逻辑斯谛方程可知石油降解菌的增长速度亦低于有颗粒物的模拟体系,导致石油降解菌菌落总数小于有颗粒物的体系,相应的其石油类污染物的降解速度也低于有颗粒物的模拟体系。

由实验结果可以得出以下主要结论:水体颗粒物的存在显著影响石油类污染物的生物降解效率和过程:在降解前期,有颗粒物的体系内石油类污染物的生物降解速率较高;在降解中期,无颗粒物的体系内石油类污染物的生物降解速率较高;在降解后期,有颗粒物的体系内石油类污染物的生物降解速率较高。

水体颗粒物对石油类污染物的生物降解效率的影响机制主要为:颗粒物的存在影响体系中石油降解菌的生长,具体表现为水体中颗粒物含量越高,石油降解菌菌落总数越大;固液两相中石油降解菌的生长规律不同,液相中石油降解菌的生长随时间呈S形曲线,而固相中石油降解菌的生长随时间呈指数增加;颗粒物影响石油类污染物在固液两相的分配,石油类污染物大部分吸附于固相,且吸附于固相的石油类污染物难以发生解吸作用;两相中石油类污染物的降解动力学不同,液相中的降解符合1级动力学规律,而固相中的降解符合3/4级动力学规律。

二、水体颗粒物对氨氮硝化作用的影响

模拟实验选取黄河干流上较具代表性的花园口站为研究对象,所采水样和泥沙样均取自黄河花园口河段中央,其中泥沙样为水样中的悬浮泥沙静置沉淀所得。采样时间选择在河水悬浮泥沙含量较高的夏秋季节,分别为2002年8月13日、2002年9月12日和2003年10月7日。

由三次模拟实验结果(见图6-9、图6-10和图6-11)可以看出,不管氨氮的初始含量是1mg/L还是10mg/L,在培养温度、培养时间等条件一致的情况下,颗粒物含量的高低对水体硝化速率存在着较显著的影响,氨氮的硝化速率均随着泥沙含量的增加而增加。以2002年8月13日的水样作为培养介质进行模拟实验,结果表明,当水体泥沙含量分别为0.35g/L和1.90g/L时,在初始硝酸盐浓度基本相等的情况下,培养9天后两水样中的硝酸盐浓度分别增加至7.88mg/L和12.57mg/L,其相应的平均硝化速率分别为0.52mg/(L·d)和1.04mg/(L·d)。由此可见,颗粒物含量为1.90g/L的水体的硝化过程要快于颗粒物含量为0.35g/L的水体。

以2002年9月12日的水样作为培养介质进行模拟实验,结果表明,对于颗粒物含量为5g/L的水体,其氨氮浓度大约在培养的第2天后开始迅速降低,在第4天氨氮就全部

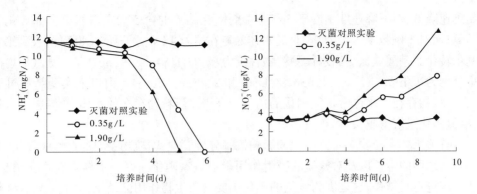

图 6-9 水体颗粒物含量对硝化速率的影响(2002 年 8 月 13 日水样)

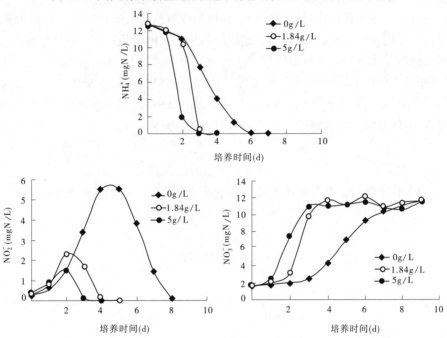

图 6-10 水体颗粒物含量对硝化速率的影响(2002 年 9 月 12 日水样)

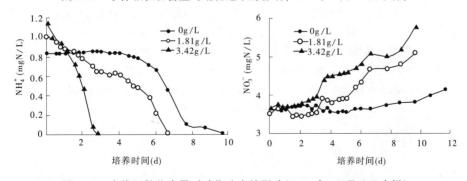

图 6-11 水体颗粒物含量对硝化速率的影响(2003 年 10 月 7 日水样)

转化为硝酸盐氮;对于颗粒物含量为 1.84g/L 的水体也大约在培养的第 2 天后氨氮浓度

开始迅速降低,但下降速度稍慢于5g/L的水体,在培养的第5天左右氨氮全部转化为硝酸盐氮;而对于颗粒物含量为0g/L的水体氨氮在培养4d后才开始迅速降低,直到第8天才基本转化为硝酸盐氮。当水体颗粒物含量为0g/L、1.84g/L和5g/L时,氨氮平均硝化速率分别为1.15mg/(L·d)、1.63mg/(L·d)和2.45mg/(L·d)。由以上实验结果可以得出,有颗粒物存在的水体中氨氮硝化的速率均高于无颗粒物存在的水体,且颗粒物含量越高,氨氮硝化进行得越快。

从有关水体颗粒物对氨氮硝化的影响机制分析发现,颗粒物主要通过影响氨化、亚硝化和硝化细菌的生长以及对氨氮的吸附作用影响氨氮硝化速率。水体颗粒物含量越高,硝化反应进行得越快,这是因为氨氮的硝化主要是微生物作用的结果,而亚硝化和硝化细菌主要存在于水—颗粒物界面,颗粒物含量越高,水体的细菌数量越大,从而促进了硝化过程的进行。且由于颗粒物对氨氮的吸附作用使氨氮易于与生长在水—颗粒物界面的硝化细菌发生作用,因此加快了氨氮向亚硝态氮和硝态氮的转化过程。且由实验结果可知,硝化细菌的增长曲线符合逻辑斯谛规律。用微生物降解的 Logistic 模型[8](式(6-16)和式(6-17))对氨氮的硝化作用进行拟合发现,当体系颗粒物含量为0g/L、1.84g/L和5g/L时,硝化速率常数 K_4 分别为 $0.001\ 6/(d \cdot \mu M)$、$0.002\ 9/(d \cdot \mu M)$ 和 $0.004\ 4/(d \cdot \mu M)$。由此可见,随着体系颗粒物含量的增加,硝化速率常数亦逐渐增加。

$$- dS/dt = K_4 S (S_0 + X_0 - S) \tag{6-16}$$

$$K_4 = \mu_{\max}/K_S \tag{6-17}$$

式中:S 为底物浓度;S_0 为底物在零时刻的浓度;X_0 为微生物在零时刻的浓度;$\mu_{\max}$ 为微生物最大比生长速率;K_S 为微生物生长半饱和常数。

参 考 文 献

[1] Friedman J. H., Turkey J. W. A projection pursuit algorithm for exploratory data analysis. IEEE Trans On Computer, 1974, 23(9): 881~890
[2] 杨晓华,参数优选算法研究及其在水文模型中的应用. 南京:河海大学, 2002
[3] 李祚泳,投影寻踪技术及其应用进展. 自然杂志, 1997, 19(4):224~227
[4] 金菊良,魏一鸣,丁晶,水质综合评价的投影寻踪模型.环境科学学报,2001, 21(4):431~434
[5] 王家玲,臧向莹,王志通.环境微生物学.北京:高等教育出版社,1988
[6] 孙儒泳,李博,诸葛阳,等.普通生态学. 北京:高等教育出版社,1993
[7] 金志刚,张彤,朱怀兰. 污染物生物降解. 上海:华东理工大学出版社,1997
[8] Simkins S., Alexander M. Models for mineralization kinetics with the variables of substrate concentration and population. Appl Environ Microbiol.1984, 47:1299~1306

第七章　黄河流域主要城市水资源
社会可再生性评价

第一节　城市水资源社会可再生性

　　水资源的社会可再生性作为水资源可再生系统中的重要环节之一,它是通过人工措施使水量增加、水质改善,从而达到水资源有效利用量增加的目的。显然,水资源的社会可再生是水资源利用中的重要组成部分。

　　图7-1为城市水资源社会再生系统概化图。在整个城市水循环包括从自然水源取水,经过城市循环使用,最后返回自然水体;再生系统使得水资源使用量大于供应量成为了可能。由此可见,水再生回用已经渗透到城市水循环的每一个角落,它们的存在使得水循环流程更加复杂和多元化,而水的利用效率和产生的实际可使用量却因此变得更高。

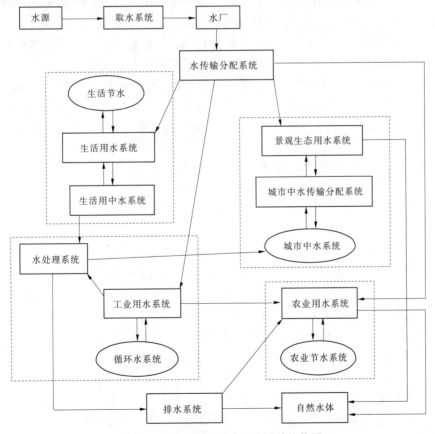

图 7-1　城市水资源社会再生系统概化图

与水资源再生包括水量的增加和水质的恢复改善两方面一样,城市水资源社会再生能力(或者可再生性)也需要从更多的方面理解。在对城市水资源社会再生系统进行了分析之后,认为至少有两方面是必须注意的,即绝对再生能力及相对再生能力。同样地,在本研究评价城市水资源社会再生能力的时候,在不同的城市之间,必须注意以下两方面的内容:

(1)绝对再生能力,即城市水资源社会再生的总水量,或城市水资源社会再生能力的再生量方面。这与城市的规模及自然条件等密切相关,在一定程度上反映了该城市获得的社会再生水资源的绝对数量。

(2)相对再生能力。本研究称其为城市水资源社会再生能力的再生效率方面,即抛开城市规模的影响而将水资源再生能力置于城市综合能力的基础上,使不同的城市之间形成可比性,这与城市的发展程度、环保重视程度、相关项目投资力度等相关,它在一定程度上反映了该城市在水资源社会再生方面的工作状况和潜力。

通过对城市水资源社会再生系统进行系统分析,本研究将城市水资源社会再生能力评价指标体系分为两组,每组4部分,具体说明如下:

进行评价时,将建立两套指标,一套评价绝对再生能力,其指标是具有量纲的,评价结果能在一定程度上说明再生总量的大小;另一套评价相对再生能力,其指标由无量纲的比率型指标和具有量纲的比值型指标组成,评价结果可以说明城市水务管理、再生潜力等方面的水平。两部分有些指标相关,或者具有某种换算关系,但并不是完全对应的。

每组指标都分为以下4部分:城市基础性指标、工业用水指标、生活用水指标和农业及景观生态用水指标。在研究自然界中的水问题的时候,指标的划分往往通过水循环途径来考虑,而本研究所关注的社会再生能力是以城市这个社会环境为基础的,水循环在这里受到了全面的人为控制和调配,因而不能像自然界那样进行循环。所以,这四部分的划分是以人类社会生活中的用水方式为参考进行的。这种划分方式能更好地揭示水资源的再生利用状况。

将农业用水和景观生态用水两类指标放在一起考虑是因为它们的用水方式相似,如非管道控制、小尺度面状用水等,同时它们对水质要求相对较低,因而是回用水的一个重要用途。它们产生回用的过程或者对这个过程的影响也不像工业及生活用水那么复杂,而是相对简单,因此影响因子也较少。

当谈到水资源的社会再生能力时,所指的并不仅仅是简单的循环使用,凡是能够增加城市水资源量、提高水资源使用效率、加快水资源循环回用速度的方法都会对城市水资源社会再生能力产生正面的影响。同时,多种水资源的开发,如雨水资源、海水资源、中水系统等可以开源,而增强节水能力、提高管理水平等可以节流。这些都或多或少地影响着城市水资源的社会再生能力,但是限于条件,本研究中对此涉及并不多,在条件允许的情况下,以后的研究中应当将它们进行综合考虑。

指标体系的构建过程经过了长时间的调整,因为不仅要考虑实际情况,还要考虑数据收集的可行性,有些指标可能会很好地表达对城市水资源社会再生能力的影响,但由于过分专业化、专题化很难收集到,或者由于各省市统计工作的状况不同,产生一些空缺。这里,本研究选择了与这样的指标相似的指标进行替代或者通过别的指标进行换算,以此保证了今后工作的可持续性。

表 7-1 为城市水资源社会再生能力评价指标体系层次结构图。由此可见,城市水资源再生能力系统总体分两部分,即再生量与再生效率系统,每部分包括目标层与指标层,指标层分别包括 10 项和 12 项指标,再生量指标均为有量纲指标,而再生效率指标多为无量纲的比率型指标或是有量纲的比值型指标。

表 7-1 　　　　　　　　　　　城市水资源再生能力评价指标体系层次结构

城市水资源再生能力评价指标体系	城市水资源再生量评价指标	城市基础	GNP(万元)
			环境管理水平
			污水处理能力(t/d)
			水库库容量(亿 t)
		工业	工业废水排放达标量(万 t)
			工业废水处理回用量(万 t)
			治理废水投资(万元)
		生活	生活用水价格(元/t)
		农业及景观	园林绿地面积(hm²)
			有效灌溉面积(hm²)
	城市水资源再生效率评价指标	城市基础	人均 GNP(万元)
			人均教育事业费支出(元)
			排水管道密度(km/km²)
			单位售水成本(元/t)
		工业	工业废水排放达标率(%)
			工业废水处理回用率(回用量/处理量)
			治理废水投资力度(投资额/GNP)
		生活	人均生活用水量(t)
			千吨水含工资水平(元/千吨)
			城市供水普及率(%)
		农业及景观	建成区绿化覆盖率(%)
			万元农业产值耗水量(t/万元)

第二节　黄河流域典型城市水资源社会可再生性评价

水资源的社会可再生性纯粹是指水资源在利用过程中所表现出来的特性[1,2],包含两方面的内容:一是由于合理利用和采取节水措施(如工业节水、农业节水、循环利用、污水回用等),使新鲜水的用量得以减少;二是通过改善水质,使某一用途的可利用水量得以增加。由此可见,该特性具有相对性,如工业中因循环用水而减少的新鲜水用量就是相对意义上的可再生资源量。再如,进行污水处理,使之可为工农业等再利用,这实际上就增加了水资源量。因此,在研究水资源可再生性问题时,应充分考虑水资源在利用过程中所表现出来的社会可再生性,并对之进行评价。

目前,水资源社会可再生性研究可从以下几方面进行综合考虑:①工业用水的可再生性研究,包括循环用水、一水多用、按质用水、工业污水的处理与回用、设备及工艺改造产生的节水效应等;②农业用水的可再生性研究,包括污水农灌、减少单位面积水田灌溉用水量、减少单位面积旱田灌溉用水量、减少无效蒸发量等;③生活用水的可再生性研究,包括生活小区中水、生活节水、生活废水的处理与回用等。

显然,城市是水资源社会可再生利用的最主要场所,黄河流域内重要大中城市都面临着不同程度的水资源短缺问题。因此,选择黄河流域典型城市开展水资源社会可再生性评价研究,对于探讨水资源社会可再生性评价的理论方法、提高流域内城市水资源利用率和促进城市可持续发展具有重要意义。

一、城市水资源社会可再生性评价

根据水资源社会可再生性的定义,可以看出水资源社会可再生性与具体的水资源系统无关,体现的只是人类利用水资源方式的特性,城市水资源社会可再生性的评价目标是使水资源发挥其最大的效用功能。为此,在绝对量和相对量两个层次上分别对城市水资源社会可再生性进行评价。

(一)绝对量评价

绝对量评价采用还原方法对城市水资源社会可再生性进行评价,即先计算出城市在不考虑水资源循环利用、污水处理与回用等情况下实际需要的用水量,主要包括以下几种情况:

(1)工业用水(V_1)。指在不考虑节水情况下所需要的工业用水量。主要包括不考虑其循环利用,即不考虑其循环利用率与循环利用次数;不考虑其一水多用,认为所有的工业用水都只利用一次;不考虑工业污水的处理与回用,即不考虑其对水资源的补偿量,而认为所有的工业用水均为新鲜水情况下的工业用水量。

(2)农业用水(V_2)。指在不考虑节水情况下所需要的农业用水量。主要包括不考虑污水农灌、减少单位面积水田灌溉用水量、减少单位面积旱田灌溉用水量和减少无效蒸发量等。

(3)生活用水(V_3)。指在不考虑其循环利用、一水多用、生活污水处理与回用、生活小区中水、生活节水情况下的生活用水量。

V_1、V_2与V_3之和为不考虑任何节水条件下城市的实际需水量,该值比上目前城市的实际用水量V_p,得到的数值R(见式(7-1))就可作为比较城市水资源社会可再生性大小的依据,R值越大,说明水资源社会可再生能力越强。

$$R = \sum_{i=1}^{3} V_i / V_p \tag{7-1}$$

但此法往往处于过于理想的条件下,在如何界定"不考虑节水"方面存在一定的问题。如某一行业,生产实体的生产工艺不同,用水量就会有差异,自然单位产值的耗水量也会不同,都不考虑节水,同一行业内仍存在衡量标准不统一的问题;同样,农业用水中"不考虑节水"的概念应如何界定,是认为渠道和田间可以无限渗漏还是以当地某一用水数值作为灌溉定额?而这种认定的灌溉定额在不同地区会有较大差异,这又会造成不同城市的无法比拟性。因此,在此仅将之作为一种评价方法提出,并不真正以此开展评价。

(二)相对量评价

在难以获取绝对量,无法采用绝对量评价方法对城市水资源社会可再生性进行评价的情况下,可采用相对量评价方法。该方法是利用与城市水资源社会可再生性相关的主要指标体系进行综合评价,指标选择是评价的关键,在确定指标体系的基础上,通过建立评价标准,利用综合评价方法,可得到城市水资源社会可再生性能力的相对大小。

在指标的选择上,有人采取了绝对量指标与相对量指标混用的方法,作者认为不妥。在评价过程中,应只利用相对量指标(如亩均水资源量、人均水资源量等),而不应再用绝对量指标(如水资源量等),原因在于相对量指标可以相互比较,而绝对量指标却不能,况且利用绝对量指标存在这样一个突出问题,即若干小的绝对量可以合成一个大的绝对量,从而失去了比较的意义。

二、城市水资源社会可再生性评价指标体系及评价方法

基于相对量指标,对城市水资源社会可再生性进行相对量评价。

(一)可再生性评价指标体系构建

通过分析,构建了城市水资源社会可再生性评价指标体系,由以下 8 个主要指标构成:

(1)万元工业产值耗水量(t/万元)。该值越小,表明城市产业结构越合理,水资源可再生能力越强。

(2)万元农业产值耗水量(t/万元)。该值越小,表明城市水资源社会可再生能力越强。

(3)生活用水定额(L/(人·d))。相对来说,城市居民生活水平越高,生活用水定额也就越高,城市的经济基础就越好。但鉴于后叙的评价对象主要为缺水城市,此处认为该值越小越有利于水资源再生。

(4)污水达标排放率(%)。该值越大,经过处理的污水就越多,可回用的污水量就越大,水资源可再生能力就越强。

(5)污水处理回用率(%)。由于污水的处理与回用可减少新鲜水的用量,因此该值越大,水资源可再生能力就越强。

(6)工业水循环利用率(%)。由于循环用水可减少新鲜水用量,因此该值越大,水资源可再生能力越强。

(7)人均国民生产总值(元/人)。该值越大,说明城市经济基础越好,就可能有越多的资金投入节水设施的建设。

(8)人均供水量(t/人)。该值是水资源利用的一个控制性指标,认为人均供水量的多少直接影响着水资源可再生能力。

(二)可再生性评价方法

本章对城市水资源社会可再生性的评价是相对量评价,采用的方法如下:

(1)指数法。首先将各个指标进行标准化处理:对于其值与可再生能力成正比的指标,将所有评价城市该指标值中的最大值设为 1,最小值设为 0,反之,将最大值设为 0,最小值设为 1;然后采用式(7-2)进行加权(等权重)处理,得到不同城市水资源社会可再生性的综合评价值。

$$R_j = \sum_{i=1}^{n} V_{ji} / n \qquad (7\text{-}2)$$

式中：R_j 为 j 城市水资源社会可再生性综合评价值；V_{ji} 为经标准化处理后 j 城市 i 指标的值；n 为指标个数。

(2)改进的灰关联分析方法[3]。该方法在计算某个指标的绝对差时利用式(7-3)代替传统方法中的 $\Delta_i(k) = |X_0(k) - X_i(k)|$

$$\Delta_i(k) = \begin{cases} a_i(k) - X_0(k) & (X_0(k) \leqslant a_i(k)) \\ 0 & (a_i(k) < X_0(k) < b_i(k)) \\ X_0(k) - b_i(k) & (X_0(k) \geqslant b_i(k)) \end{cases} \qquad (7\text{-}3)$$

式中：$\Delta_i(k)$ 为绝对差；$X_0(k)$ 为参考序列(母序列)；$X_i(k)$ 为比较序列(子序列)；$a_i(k)$、$b_i(k)$ 分别为级别区间的上、下限。

上述情况适合指标值较小的情况；对应指标值较大的情况，将 $a_i(k)$ 作为级别区间的下限，将 $b_i(k)$ 作为级别区间的上限即可。

该方法在使用前要先建立评价标准，对于其值与可再生能力成正比的指标，以所有样本中的最大值作为能力最强标准，以最小值作为能力最弱标准；反之，以所有样本中最小值作为能力最强标准，以最大值作为能力最弱标准。中间值等分为较强、中等及较弱 3 个等级，最终形成包括 5 个级别的评价标准。

在实际评价过程中，以评价城市各指标值组成母序列，评价标准各级别指标值组成子序列，应用改进的灰关联分析法计算母序列与子序列的关联情况，关联度最大子序列的级别即为评价城市所属的级别。

三、黄河流域典型城市水资源社会可再生性评价

(一)可再生性评价结果

这里选择了黄河流域具有代表性的 8 个典型城市——兰州、西宁、银川、呼和浩特、西安、太原、郑州、济南作为水资源社会可再生性的评价对象，在查阅文献和实地调研的基础上获取了指标值，利用指数法和改进的灰关联分析法进行评价，评价过程中各指标的权重相等。

指数法评价结果表明，黄河流域 8 个典型城市的水资源社会可再生能力由大到小排序为济南＞太原＞郑州＞兰州＞西安＞银川＝呼和浩特＞西宁(见图 7-2)。其中济南、太原的水资源社会可再生性在流域中处于中上水平，银川、呼和浩特和西宁处于中下水平，其他城市处于中间水平。

改进的灰关联分析法评价结果表明，济南的水资源社会可再生性在黄河流域最强，太原和郑州较强，兰州和西安属中等水平，银川、呼和浩特和西宁较弱(见图 7-3)。

比较两种方法的评价结果，可以清楚地看出，其评价结果基本上一致。

(二)增强黄河流域典型城市水资源社会可再生性的途径

进一步分析黄河流域典型城市水资源社会可再生能力，可以发现增强这些城市水资源社会可再生性的途径(见表 7-2)。

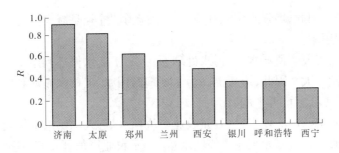

图 7-2 指数法评价结果

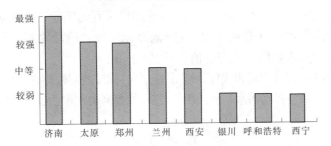

图 7-3 改进的灰关联分析方法评价结果

表 7-2 黄河流域典型城市水资源社会可再生性的增强途径

指标	济南	太原	郑州	兰州	西安	银川	呼和浩特	西宁
万元工业产值耗水量(t/万元)				−		−		
万元农业产值耗水量(t/万元)						−		−
生活用水定额(L/(人·d))								
污水达标排放率(%)							+	
污水处理回用率(%)				+	+		+	+
工业水循环利用率(%)					+	+		+
人均国民生产总值(元/人)							+	+
人均供水量(t/人)	+	+	+		+		+	

注:"+"表示提高该指标值使水资源社会可再生性增强;"−"表示降低该指标值使水资源社会可再生性增强。

　　济南市:除人均供水量外,其他指标在评价城市中均名列前茅,而由于该市人均供水量的提高受当地的水资源条件的制约,因此流域外调水工程(如南水北调)的实施,可望进一步增强该市的水资源社会可再生能力。

　　太原市:生活用水定额较小,污水达标排放率较大,其他指标处于中间水平。因此,需提高人均供水量,随着万家寨引黄工程的建成,黄河水引至太原,该市的水资源社会可再生能力可望得到进一步提高。

　　郑州市:除污水达标排放率较大、人均供水量较小外,其余指标处于中间水平。需要提高人均供水量来增强水资源社会可再生能力。

　　兰州市:万元工业产值耗水量和污水达标排放率较大,污水处理回用率较小,其他指标处于中间水平。因此,增强水资源社会可再生能力的途径是减少万元工业产值耗水量、提高污水处理回用率。

西安市:万元工业产值耗水量、污水处理回用率、工业水循环利用率、人均供水量均较小,生活用水定额较大。因此,应从提高污水处理回用率、工业水循环利用率、人均供水量入手来增强水资源社会可再生能力。

银川市:万元工业产值耗水量、万元农业产值耗水量、人均供水量较大,水循环利用率较小。因此,可通过降低万元工业产值耗水量、万元农业产值耗水量,提高水循环利用率来增强水资源社会可再生能力。

呼和浩特市:整体水资源社会可再生能力较弱,除万元工业产值耗水量较小外,其他指标值均不利于水资源的社会再生,故应降低万元农业产值耗水量,提高污水达标排放率、污水处理回用率、人均国民生产总值、人均供水量。

西宁市:整体水资源社会可再生能力弱,除污水达标排放率较高外,其他指标值均不利于水资源的社会再生,故应提高污水处理回用率、工业水循环利用率、人均国民生产总值。

参 考 文 献

[1] 沈珍瑶.水资源可再生性初探.见:中国博士后科学基金会.2000 年中国博士后学术大会论文集(土木与建筑分册).北京:科学出版社,2001.60~62

[2] 杨志峰,沈珍瑶,夏星辉,等.水资源可再生性基本理论及其在黄河流域的应用.中国基础科学,2002,(5):4~7

[3] 沈珍瑶,谢彤芳.一种改进的灰关联分析方法及其在水环境质量评价中的应用.水文,1997,(3):13~15

第八章 黄河流域水资源可再生性综合评价

本章以黄河流域10个行政分区及19个流域二级分区为评价对象,建立黄河流域水资源可再生性综合评价指标体系,并采用9种方法进行评价。

第一节 水资源可再生性评价指标体系的建立

一、水资源天然可再生性的评价指标体系

天然情况下,认为可以以某地区或某流域的水资源更新量除以该地区或该流域占据的面积来反映水资源的天然可再生能力,但由于目前给出的水资源量一般均是多年平均值,认为不作补充说明可能不合适,在此建议考虑不同保证率情况下水资源可再生能力的变化问题。另外,由于目前已经很难知道天然情况下的水质状况,在此简单认为所讨论的水资源其水质能达到用水要求,因此不将之作为其中一个指标。

故此,在仅考虑主要指标的情况下,水资源天然可再生性的评价指标为:①单位面积的水资源量(多年平均),此值在较大区域可以利用水资源评价数据,在小区域可以由水资源更新速率及水资源占据的体积获得;②不同保证率情况下的单位面积水资源量,以丰水年与枯水年单位面积水资源量表示。

考虑到许多因素对水资源天然可再生性直接有关,因此认为下述指标也应包括在指标体系中:①单位面积地表水水资源量;②单位面积地下水水资源量;③蒸发量(或干旱指数),该指标对黄河流域必须予以考虑,对其他流域可以不考虑;④降水量,它是水资源的来源,其大小变化直接影响到水资源量的大小;⑤水源涵养指标,暂以植被覆盖率代替,主要是由于径流的下渗透率与植被覆盖率密切相关;⑥过境水资源量(以客水利用率表示),它是水资源短缺地区水资源的一个良好补充,因此也作为一个评价指标,对于黄河流域、宁夏自治区是比较典型的利用过境水资源的地区。

二、水资源天然—社会复合可再生性的评价指标体系

由于水资源天然—社会复合可再生性是水资源可再生性的本质特点,因此其研究相对较为复杂。同时由于在定义中将水资源利用时的可再生性作为其社会可再生性进行探讨,因此在本节中也不包括这部分内容。

水资源天然可再生性评价指标将作为水资源天然—社会复合可再生性的评价指标体系中的自然特性来对待,同时其自然特性中尚须包括水质方面的指标,这里暂用水质现状达标率这个指标。注意到对于流域或地区较大范围内水质可再生性评价目前还没有找到合适的指标,后续将结合生态环境方面的指标来综合反映水质可再生性。另外,在本指标体系中仍用水质恢复半衰期这个概念来反映水资源质的可再生性,至于其具体获得的方

法正在研究中。显然水质恢复半衰期数值越大,越不利于水质恢复。

其他方面的特性包括水资源天然—社会复合可再生性的经济特性、工程技术特性及生态环境特性。经济特性主要是指人类的经济活动会对水资源的形成及可利用水资源量产生影响;工程技术特性主要对可利用水资源量产生影响;生态环境特性主要对水资源的形成产生影响。其他的间接影响因素在此暂不考虑。

经济特性:①GDP 年增长率;②农业总产值年增长率;③工业总产值年增长率;④水利工程投资增长率。

工程技术特性:①地表水控制率,为当地地表水蓄水工程入库水量与当地地表水水资源量之比,该值越大,人类就可能多多利用地表水,同时水库也可能改变局地气候;②渠系水利用系数,指的是渠首引水量减去渠系渗漏补给量的差值与渠首引水量之比,此值越大,渠系渗漏补给量越小,利用率越高;③水利设施灌溉保证率,有效灌溉的耕田面积占总耕田面积的百分比,灌溉的耕田会改变地区水分与热量条件,因此有可能对气候产生影响。

生态环境特性:①土地利用情况(暂以土地退化治理率表示),不同的土地利用方式对水资源再生是有影响的,目前尚难以找到合适的指标;②水土保持情况(以水土流失治理率表示),水土流失的治理对水资源的影响尚有不同看法,但其确实减少了地表水水量,同时却增加了地下水水量,因此在评价时肯定水土流失治理的作用,认为其值越大越有利于水资源再生;③污水处理率,该值越高越有利于水资源再生;④单位面积废气排放量,排放量越大,特别是其中的温室气体越多,越易改变气候,但其对水资源的影响情况难以判断,在此仅作为一个应考虑的因素,不参与实际评价。

三、水资源社会可再生性的评价指标体系

水资源的社会可再生性指的是人们在利用水资源时引起的水资源可再生性,从技术、社会及人口三方面建立指标体系。

水资源社会可再生性的技术方面指标:①工业用水循环利用率,原则上该值越高,则水的利用率越高;②污水处理率(污水回用率),污水处理且回用,则使不是水资源的污水转变为水资源,且有利于水质再生;③单位面积污水排放量,此值越小越好。

水资源社会可再生性的经济方面指标:①万元产值工业耗水率,在保证产值的情况下耗水率越低越好;②万元产值农业耗水率,在保证产值的情况下耗水率越低越好;③万元产值第三产业耗水率,在保证产值的情况下耗水率越低越好;④农业用水每吨水的价格,考虑到黄河流域水资源主要为农业灌溉用水,因此用农业用水每吨水的价格这个指标来反映水资源可再生性的一个方面,农业用水的价格增加,用水浪费相应就减少,有利于水资源再生。

水资源社会可再生性的人口方面指标:①城镇生活用水定额,在保证人们正常生活用水的情况下,该值低则表示减少了浪费;②农村生活用水定额,在保证人们正常生活用水的情况下,该值低则表示减少了浪费;③牲畜用水定额,在保证牲畜正常需水的情况下,该值低则表示减少了浪费;④人口年增长率。

表 8-1 给出了从水资源可再生性的基本特点入手,用来评价水资源可再生性的指标

体系,共32个指标(扣除重复指标)。

表 8-1   水资源可再生性评价指标体系

基本特性	特性归类	指　标
水资源可再生性评价指标体系		

	基本特性	特性归类	指　标
水资源可再生性评价指标体系	水资源天然可再生性	自然特性	单位面积的水资源量(1)　单位面积地表水水资源量(2)　单位面积地下水水资源量(3)　丰水年单位面积水资源量(4)　枯水年单位面积水资源量(5)　蒸发量(或干旱指数)(6)　降水量(7)　水源涵养指标(以植被覆盖率代替)(8)　过境水资源量(以客水利用率表示)(9)
	水资源天然—社会复合可再生性	自然特性	单位面积的水资源量(1)　单位面积地表水水资源量(2)　单位面积地下水水资源量(3)　丰水年单位面积水资源量(4)　枯水年单位面积水资源量(5)　蒸发量(或干旱指数)(6)　降水量(7)　水源涵养指标(以植被覆盖率代替)(9)　过境水资源量(以客水利用率表示)(9)　水质现状达标率(10)　水质恢复半衰期(11)
		经济特性	GDP年增长率(12)　农业总产值增长率(13)　工业总产值增长率(14)　水利工程投资增长率(15)
		工程技术特性	地表水控制率(16)　渠系利用系数(17)　水利设施灌溉保证率(18)
		生态环境特性	土地退化治理率(19)　水土流失治理率(20)　污水处理率(21)单位面积废气排放量(22)
	水资源社会可再生性	技术特性	工业用水循环利用率(23)　污水处理率(21)　单位面积污水排放量(24)
		经济特性	万元产值工业耗水率(25)　万元产值农业耗水率(26)　万元产值第三产业耗水率(27)　农业用水每吨水的价格(28)
		人口特性	城镇生活用水定额(29)　农村生活用水定额(30)　牲畜用水定额(31)　人口年增长率(32)

第二节　指标体系的筛选

对于建立的指标体系,需要经过筛选以确定主要评价指标。一般评价指标的选取方法有定性分析和定量分析二种。定性分析法主要是从评价的目的和原则出发,考虑到评价指标的充分性、可行性、稳定性、必要性以及指标与评价方法的协调性等,这些已在前文建立指标体系时考虑了。因此,本节主要采用定量分析法来筛选指标体系。

一、利用灰关联方法筛选指标体系

以黄河流域 10 个行政分区及 19 个流域二级分区为单位（10 个行政分区及 19 个流域二级分区的名称见表 8-8，下同），利用灰关联方法进行了指标体系的初选工作。灰关联方法的步骤为大家所熟悉，这里不再给出，有关情况说明如下：

（1）考虑到天然情况下水资源的可再生能力是进行一切工作的基础，选定指标（1）即单位面积的水资源量作为参考序列（母序列），其他列入指标体系表中的指标组成的序列即为比较序列。考虑到此 31 个指标中有些指标值难以获得，有些指标对水资源可再生性的意义尚不明确，且有些指标不具有普遍性，因此过境水资源量（以客水利用率表示）、单位面积废气排放量等指标不参与比较。根据文献，获得了黄河流域 10 个行政分区及 19 个流域二级分区 32 个指标值。由于有些指标值难以获得，这些指标暂不参加下述的定量评价。

（2）在对参考序列与比较序列进行无量纲处理时，对于指标值越大越好的情况，处理方法为以各序列中最大值为 1，其余均以此值相除；对于指标值越小越好的情况，以最小指标值除以其他指标值。

（3）分辨系数取 0.5。通过计算，得到的关联度计算结果如表 8-2 所示。表中空的数据是由于未获得指标的实际数据，因而未能获得其相应的关联度。

由表 8-2，筛选如下指标进行水资源可再生性评价：单位面积的水资源量、单位面积地表水水资源量、单位面积地下水水资源量、丰水年单位面积水资源量、枯水年单位面积水资源量、干旱指数、降水量、水源涵养指标（以植被覆盖率代替）、水质现状达标率、农业总产值增长率、万元产值工业耗水率、万元产值农业耗水率作为评价指标，同时由于相当一部分指标没有实际数据，而这些指标对水资源可再生性影响较大，故先给予补充，它们是水质恢复半衰期、地表水控制率、工业用水循环利用率与污水处理率，这样，评价指标共有 16 个。

表 8-2　　　　　　　　　　　　评价指标灰关联分析结果

参考指标	单位面积的水资源量	
比较指标	由行政分区数据得到的关联度	由流域分区数据得到的关联度
单位面积地表水水资源量	0.925	0.881
单位面积地下水水资源量	0.833	0.816
丰水年单位面积水资源量	0.963	0.956
枯水年单位面积水资源量	0.949	0.918
干旱指数	0.798	0.731
降水量	0.636	0.690
植被覆盖率	0.676	0.666
水质现状达标率		0.718
水质恢复半衰期		
GDP 年增长率	0.538	
农业总产值增长率	0.646	0.709

参考指标	单位面积的水资源量	
比较指标	由行政分区数据得到的关联度	由流域分区数据得到的关联度
工业总产值增长率	0.611	0.618
水利工程投资增长率		
地表水控制率		
渠系利用系数		
水利设施灌溉保证率	0.610	0.639
土地退化治理率		
水土流失治理率	0.590	
污水处理率		
工业用水循环利用率		
单位面积污水排放量		0.545
万元产值工业耗水率	0.678	0.680
万元产值农业耗水率	0.703	0.683
万元产值第三产业耗水率		
农业用水每吨水的价格		
城镇生活用水定额	0.547	0.591
农村生活用水定额	0.598	0.623
牲畜用水定额	0.663	0.609
人口年增长率	0.657	
过境水资源量		
单位面积废气排放量		

二、利用主成分分析方法筛选指标体系

主成分分析方法的步骤如下：

(1)数据的标准化处理

$$y_{ij} = \frac{x_{ij} - x_j}{S_j} \quad (i = 1,2,\cdots,n; j = 1,2,\cdots,J) \tag{8-1}$$

式中：x_{ij} 为第 i 个分区第 j 个指标的值；x_j、S_j 分别为第 j 个指标的样本均值和样本标准差。

(2)计算数据表 $(y_{ij})_{I \times J}$ 的相关矩阵 R。

(3)求 R 的 j 个特征值：$\lambda_1 \geqslant \lambda_2 \geqslant \cdots \geqslant \lambda_J$，以及对应的特征向量 $u_1, u_2, \cdots, u_J$，它们标准正交，$u_1, u_2, \cdots, u_J$ 称为主轴。

(4)求主成分

$$z_k = \sum_{j=1}^{J} u_j x_j \quad (j = 1,2,\cdots,J; k = 1,2,\cdots,J) \tag{8-2}$$

(5)精度分析。通过求累积贡献率 E 来判断，$E = \sum_{k=1}^{m} \lambda_k / \sum_{j=1}^{J} \lambda_j$，一般要求取 $E > 80\%$ 的

最小 m 值,则可得主超平面的维数 m,从而可对 m 个主成分进行综合分析。

通过对黄河流域 10 个行政分区的指标值进行主成分分析,得到如下结果:计算所得的前 4 个特征根 $\lambda_1 = 8.63$,$\lambda_2 = 4.12$,$\lambda_3 = 2.33$,$\lambda_4 = 2.10$,其累积贡献率 $E = (8.63 + 4.12 + 2.33 + 2.10)/19 = 90.42\%$,因此取此 4 个特征根对应的特征向量 u_1、u_2、u_3、u_4 对应于相关指标,其表示见表 8-3。

表 8-3 相关矩阵的特征向量

特征向量	指标 1	2	3	4	5	6	7	8	12	13
u_1	−0.318	−0.307	−0.305	−0.322	−0.308	0.274	−0.323	−0.141	−0.058	0.051
u_2	0.097	0.164	−0.001	0.084	0.120	−0.039	−0.032	−0.373	0.376	−0.009
u_3	−0.182	−0.160	−0.142	−0.155	−0.211	−0.249	−0.016	0.301	0.251	−0.463
u_4	0.042	0.063	0.105	0.046	0.041	−0.023	−0.148	−0.029	0.214	−0.424

特征向量	指标 14	18	20	25	26	29	30	31	32
u_1	−0.197	0.140	−0.245	0.081	0.294	−0.185	−0.213	−0.057	0.112
u_2	−0.284	−0.412	−0.217	0.356	−0.020	0.087	−0.106	−0.458	0.072
u_3	0.089	−0.264	0.232	0.174	−0.112	0.305	−0.355	0.165	−0.014
u_4	0.075	0.004	−0.269	−0.406	0.055	−0.376	−0.154	−0.094	−0.558

在获得特征向量与特征值,并确定主超平面的维数之后,计算主因子载荷矩阵,其计算公式为

$$D_{J \times m} = U_{J \times m} \Lambda^{\frac{1}{2}} \tag{8-3}$$

其中 $\Lambda^{\frac{1}{2}} = \begin{cases} \sqrt{\lambda_1} & 0 & \cdots & 0 \\ 0 & \sqrt{\lambda_2} & \cdots & 0 \\ \vdots & \vdots & \ddots & \vdots \\ 0 & 0 & \cdots & \sqrt{\lambda_m} \end{cases}$。本例中 $J = 19$,$m = 4$,则主因子载荷矩阵如表 8-4

所示。

表 8-4 正交旋转后的主因子载荷矩阵

项目	指标 1	2	3	4	5	6	7	8	12	13
主成分(1)	−0.936	−0.901	−0.897	−0.946	−0.904	0.804	−0.950	−0.414	−0.169	0.149
主成分(2)	0.198	0.334	−0.002	0.172	0.244	−0.078	−0.065	−0.757	0.764	−0.019
主成分(3)	−0.279	−0.245	−0.216	−0.237	−0.322	−0.380	−0.025	0.460	0.384	−0.708
主成分(4)	0.061	0.091	0.152	0.066	0.059	−0.033	−0.214	−0.042	0.310	−0.614

项目	指标 14	18	20	25	26	29	30	31	32
主成分(1)	−0.578	0.412	−0.719	0.239	0.865	−0.546	−0.625	−0.168	0.330
主成分(2)	−0.577	−0.867	−0.440	0.724	−0.040	0.177	−0.216	−0.930	0.147
主成分(3)	0.136	−0.404	0.354	0.266	−0.171	0.467	−0.543	0.252	−0.021
主成分(4)	0.109	0.005	−0.389	−0.588	0.080	−0.544	−0.223	−0.136	−0.807

由表 8-4 及据此所作的图 8-1 可知:

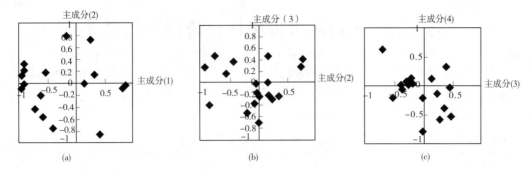

图 8-1　指标关系图

主成分(1)中各因子载荷值,从正方向看,较大的是万元产值农业耗水率与干旱指数,分别为 0.865 与 0.804;从负方向看,主要为降水量、丰水年单位面积水资源量、单位面积的水资源量、枯水年单位面积水资源量、单位面积地表水水资源量及单位面积地下水水资源量,其载荷值很大,说明与上述二指标正好相反,另外,水土流失治理率、农村生活用水定额、工业总产值增长率、城镇生活用水定额等与主成分(1)也有密切关系,只是载荷值小一些而已。

主成分(2)中各因子载荷值,从正方向看,较大的是 GDP 年增长率与万元产值工业耗水率,分别为 0.764 与 0.724;从负方向看,牲畜用水定额、水利设施灌溉保证率及植被覆盖率,其载荷值很大,而工业总产值增长率与主成分(2)也有密切关系。

主成分(3)中各因子载荷值,从正方向看,较大的是城镇生活用水定额、植被覆盖率,但其值较小,仅为 0.467 与 0.460;负方向上与之相关的为农业总产值增长率与农村生活用水定额。

主成分(4)中各因子载荷值,从正方向看,载荷值均较小;负方向上人口年增长率、农业总产值增长率、万元产值工业耗水率较大。

根据上述分析,筛选如下指标进行水资源可再生性评价:单位面积的水资源量、单位面积地表水水资源量、单位面积地下水水资源量、丰水年单位面积水资源量、枯水年单位面积水资源量、干旱指数、降水量、水源涵养指标(以植被覆盖率代替)、GDP 年增长率、水利设施灌溉保证率、万元产值工业耗水率、万元产值农业耗水率及牲畜用水定额。同时增加水质恢复半衰期、地表水控制率、工业用水循环利用率与污水处理率作为评价指标,共 17 个指标。

三、指标体系筛选结果

根据上述两种方法得到的结果,筛选如下指标进行水资源可再生性评价:单位面积的水资源量、单位面积地表水水资源量、单位面积地下水水资源量、丰水年单位面积水资源量、枯水年单位面积水资源量、干旱指数、降水量、水源涵养指标(以植被覆盖率代替)、水质现状达标率、水质恢复半衰期、GDP 年增长率、农业总产值增长率、水利设施灌溉保证率、万元产值工业耗水率、万元产值农业耗水率、牲畜用水定额、地表水控制率、工业用水循环利用率与污水治理率共 19 个指标作为评价指标。

第三节 水资源可再生性评价标准的建立

评价标准的建立有一个相对于多大范围的问题,分别以黄河流域数据与全国数据为基准建立了评价标准。表8-5给出的评价标准是以全国数据为基准,表中将水资源可再生能力分成强、较强、中等、较弱、弱五级。

表8-5 评价标准的建立(以全国数据为基准)

指标	单位	强(Ⅰ)	较强(Ⅱ)	中等(Ⅲ)	较弱(Ⅳ)	弱(Ⅴ)
单位面积的水资源量	m³/(m²·年)	>0.85	0.45~0.85	0.17~0.45	0.05~0.17	<0.05
单位面积地表水水资源量	m³/(m²·年)	>0.85	0.45~0.85	0.15~0.45	0.05~0.15	<0.05
单位面积地下水水资源量	m³/(m²·年)	>0.20	0.13~0.20	0.08~0.13	0.04~0.08	<0.04
丰水年单位面积水资源量	m³/(m²·年)	>1.5	1.0~1.5	0.4~1.0	0.15~0.4	<0.15
枯水年单位面积水资源量	m³/(m²·年)	>0.5	0.3~0.5	0.1~0.3	0.03~0.1	<0.03
干旱指数	倍比	<0.5	0.5~3.0	3.0~15.0	15.0~20.0	>20.0
降水量	mm	>1 500	1 000~1 500	500~1 000	100~500	<100
植被覆盖率	%	>80	60~80	40~60	20~40	<20
水质现状达标率	%	>95	80~95	65~80	50~65	<50
水质恢复半衰期	天					
GDP年增长率	%	>8.25	7.75~8.25	7.25~7.75	6.75~7.25	<6.75
农业总产值增长率	%	>10	8~10	6~8	4~6	<4
地表水控制率	%	>50	25~50	15~25	5~15	<5
水利设施灌溉保证率	%	>60	45~60	30~45	15~30	<15
工业用水循环利用率	%	>90	70~90	50~70	30~50	<30
污水处理率	%	>80	60~80	40~60	20~40	<20
万元产值工业耗水率	m³/万元	<200	200~400	400~600	600~1 000	>1 000
万元产值农业耗水率	m³/万元	<500	500~1 000	1 000~1 500	1 500~2 000	>2 000
牲畜用水定额	m³/头	<3.5	3.5~5.5	5.5~7.5	7.5~9.5	>9.5

建立评价标准时采用的方法如下:

以黄河流域数据为基准的评价标准,是黄河流域10个行政分区及19个流域二级分区有关实际指标数值的统计结果,利用的是五个级别平均分布法。

以全国数据为基准的评价标准,主要采用下述方法进行:①对绝大多数指标,可以找到其以省为单位的或以较大二级流域区为单位的资料,同样采用统计结果,如单位面积的水资源量、单位面积地表水水资源量、单位面积地下水水资源量三个指标是根据全国77个流域二级区的有关水资源量资料,进行计算获得的;②部分指标由于极难获得统计数据或数据不够,则参考黄河流域数据及西北地区研究资料。

考虑到利用黄河流域数据构造的评价标准仅具有相对意义,下述评价利用全国数据构造的评价标准。

第四节　不同评价方法的评价结果

关于评价方法,目前有许多。在此尝试若干种方法,以比较其结果的差异。其中前2种是常规方法,后7种为智能方法。

考虑到实际情况,将总体黄河流域水资源可再生性,以黄河流域行政分区数据及二级流域区数据进行评价。

一、灰关联分析方法评价

(一)指标权重的确定

权重(weigh)一词出自数理统计学。在权威的韦氏大词典中,对"weigh"的专业词意解释为"在所考虑的群体或系列中赋予某一项(目)的相对值;表示某一项(目)相对重要性所赋予的一个数"。因此,在具体的多指标决策或评价问题中,权重应是体现某种意义下指标重要性程度的数值。确定权重的过程应该是指标在决策问题中相对重要程度的一种主观评价和客观反映的综合度量过程。

各项指标和各层次指标集的权重是综合评价的关键环节。权重的计算方法多种多样,但主要可归纳为两类:一类是以专家的经验和判断为基础的主观赋权法,如专家调查法、层次分析法、环比评分法、二项系数法、二元对比法等;另一类是根据指标的统计资料计算权重的客观赋权法。客观赋权法又有以方差的倒数为权、以变异系数为权和以复相关系数的倒数为权、熵权值赋权、主成分赋权,投影寻踪赋权等多种方法。指标权重的确定方法有很多,此处利用主成分赋权法,这种赋权法是以实际指标信息来确定权重,不存在因人而异的缺点。

仍以黄河流域行政分区的实际数据为例,前部分与主成分分析方法一样,在获得主因子载荷矩阵之后,需进一步计算权重的合成方法。本次主要考虑参与评价指标的情况,评价指标的主因子载荷矩阵见表8-6。

取前4个特征根 $\lambda_1 = 7.158\ 7, \lambda_2 = 3.356\ 1, \lambda_3 = 1.826\ 6, \lambda_4 = 1.171\ 1$。

利用下式求指标对主成分分量的贡献

$$\alpha_{J \times m} = R_{J \times J}^{-1} D_{J \times m} \tag{8-4}$$

再由下式获得第 i 个评价指标的权重值

$$\overline{w_i} = \sum_{j=1}^{m} |\alpha_{i,j}| E_j \tag{8-5}$$

其中 $E_j = \dfrac{\lambda_j}{\sum\limits_{i=1}^{m} \lambda_i}$。

进一步对所有权重归一化,获得标准权重

$$w_i = \frac{\overline{w_i}}{\sum\limits_{j=1}^{J} \overline{w_j}} \tag{8-6}$$

表 8-6 评价指标的主因子载荷矩阵

项目	X_1	X_2	X_3	X_4	X_5	X_6	X_7	X_8	X_9
主成分(1)	0.968 4	0.963 6	0.890 4	0.970 7	0.950 7	− 0.792 5	0.903 3	0.226 2	
主成分(2)	− 0.005 5	0.135 1	− 0.206 8	− 0.032 5	0.044 7	0.062 6	− 0.235 7	− 0.786 9	
主成分(3)	0.235 2	0.206 0	0.190 6	0.189 8	0.286 7	0.439 5	0.033 1	− 0.523 7	
主成分(4)	0.059 8	0.072 7	0.351 0	0.095 5	0.022 8	0.173 7	− 0.299 2	− 0.162 5	

项目	X_{10}	X_{11}	X_{12}	X_{13}	X_{14}	X_{15}	X_{16}	X_{17}	X_{18}
主成分(1)	0.327 9	− 0.153 7		− 0.542 5			− 0.145 5	− 0.842 4	− 0.045 5
主成分(2)	0.733 6	− 0.022 4		− 0.765 4			0.801 8	0.112 9	− 0.912 9
主成分(3)	− 0.402 3	0.833 4		0.327 8			− 0.140 9	0.248 8	− 0.245 4
主成分(4)	0.222 5	− 0.519 0		0.061 8			− 0.611 1	0.388 2	− 0.191 3

指标的权重如表 8-7 所示。

表 8-7 各指标权重计算结果

指标	X_1	X_2	X_3	X_4	X_5	X_6	X_7	X_8	X_9
权重值	0.060	0.065	0.078	0.061	0.062	0.070	0.070	0.080	
指标	X_{10}	X_{11}	X_{12}	X_{13}	X_{14}	X_{15}	X_{16}	X_{17}	X_{18}
权重值	0.080	0.072		0.080			0.080	0.075	0.066

下面评价时将利用表 8-7 所示的权重,表中有 4 个指标权重值无,是因为没有实际数据之故,评价时可采用平均值代之,但仍应保持各指标权重之和为 1。

(二)灰关联分析方法评价结果

该方法的具体做法在前面已经介绍,但母序列与子序列的取法不同,在实际评价中,以样本的各指标值组成母序列,以评价标准各级别的指标值组成子序列,讨论母序列与子序列的关联情况,取关联度最大的子序列所在级别为样本所属级别。

由于评价标准是区间的概念而非点的概念,因此需将传统的基于点到点距离的灰关联分析方法进行改进,使之适应点到区间的距离,并提出了具体的改进方法,即在计算某个指标的绝对差时利用下式代替 $\Delta_i(k) = |X_0(k) - X_i(k)|$

$$\Delta_i(k) = \begin{cases} a_i(k) - X_0(k) & (X_0(k) \leqslant a_i(k)) \\ 0 & (a_i(k) < X_0(k) < b_i(k)) \\ X_0(k) - b_i(k) & (X_0(k) \geqslant b_i(k)) \end{cases} \tag{8-7}$$

其中 $a_i(k)$、$b_i(k)$ 为级别区间的上、下限,上述情况适合指标值越小越好的情况;对应指标值越大越好的情况,将 $a_i(k)$ 作为级别区间的下限,将 $b_i(k)$ 作为级别区间的上限即可。

由行政分区数据和评价标准级别组成的关联度矩阵如式(8-8)所示,其中权重利用表8-7给出的数据,列所示为评价标准级别,第一列对应第一级,第二列对应第二级,其余类推;行对应各行政分区,与表8-8中次序一致,第一行为青海,最后一行为黄河全区。

$$R = \begin{bmatrix} 0.524 & 0.641 & 0.819 & 0.854 & 0.743 \\ 0.582 & 0.729 & 0.839 & 0.736 & 0.639 \\ 0.531 & 0.665 & 0.807 & 0.820 & 0.717 \\ 0.511 & 0.629 & 0.767 & 0.771 & 0.772 \\ 0.548 & 0.630 & 0.712 & 0.747 & 0.767 \\ 0.530 & 0.659 & 0.831 & 0.863 & 0.739 \\ 0.541 & 0.686 & 0.866 & 0.848 & 0.702 \\ 0.581 & 0.704 & 0.879 & 0.823 & 0.652 \\ 0.614 & 0.727 & 0.832 & 0.741 & 0.622 \\ 0.504 & 0.637 & 0.847 & 0.887 & 0.744 \end{bmatrix} \tag{8-8}$$

根据最大关联度原则,则四川、陕西、河南、山东属水资源可再生能力中等区,青海、甘肃、山西属水资源可再生能力较弱区,宁夏、内蒙古属水资源可再生能力弱区,黄河流域总体上属水资源可再生能力较弱区。

由二级流域分区数据和评价标准级别组成的关联度矩阵如式(8-9)所示,其中权重利用表8-7给出的数据,列所示为评价标准级别,第一列对应第一级,第二列对应第二级,其余类推;行对应各二级流域分区,与表8-9中次序一致,第一行为河源—龙羊峡,最后一行为黄河全区。

由该矩阵可知,河源—龙羊峡、湟水、洮河、龙羊峡—兰州干流区间、洛河、伊洛河、沁河、三门峡—花园口干流区间、花园口—利津、利津—河口属水资源可再生能力中等区,兰州—下河沿、下河沿—石嘴山、头道拐—龙门、汾河、泾河、渭河、龙门—三门峡干流区间、黄河内流区属水资源可再生能力较弱区,石嘴山—头道拐属水资源可再生能力弱区,黄河流域总体上属水资源可再生能力较弱区。

二、模糊综合评判法

利用模糊综合评判法也进行了黄河流域水资源可再生性的评价。

模糊综合评判法的步骤如下:

(1)隶属函数的构造。构造隶属函数的原则为,对应于评价标准某个评价级别,若指标值在该级别范围内,则其隶属度为1;若指标值在该级别的相邻级别范围内,则其隶属度为一个 0→1 的数,越近此级别隶属度越接近于1,越远离此级别隶属度越接近于0;若指标值不在该级别及其相邻级别范围内,则其隶属度为0。

$$R = \begin{bmatrix} 0.535 & 0.662 & 0.810 & 0.781 & 0.697 \\ 0.604 & 0.729 & 0.830 & 0.760 & 0.618 \\ 0.619 & 0.704 & 0.812 & 0.746 & 0.612 \\ 0.536 & 0.685 & 0.864 & 0.805 & 0.667 \\ 0.533 & 0.646 & 0.771 & 0.800 & 0.762 \\ 0.519 & 0.605 & 0.717 & 0.788 & 0.746 \\ 0.540 & 0.636 & 0.730 & 0.764 & 0.771 \\ 0.558 & 0.673 & 0.792 & 0.821 & 0.736 \\ 0.556 & 0.656 & 0.801 & 0.802 & 0.683 \\ 0.558 & 0.609 & 0.703 & 0.763 & 0.749 \\ 0.630 & 0.693 & 0.743 & 0.737 & 0.681 \\ 0.557 & 0.645 & 0.819 & 0.831 & 0.696 \\ 0.556 & 0.650 & 0.759 & 0.779 & 0.724 \\ 0.577 & 0.697 & 0.868 & 0.797 & 0.643 \\ 0.581 & 0.681 & 0.859 & 0.822 & 0.648 \\ 0.624 & 0.737 & 0.847 & 0.789 & 0.624 \\ 0.632 & 0.782 & 0.831 & 0.726 & 0.606 \\ 0.596 & 0.721 & 0.850 & 0.727 & 0.608 \\ 0.531 & 0.620 & 0.731 & 0.774 & 0.759 \\ 0.537 & 0.658 & 0.817 & 0.847 & 0.727 \\ 0.536 & 0.656 & 0.812 & 0.846 & 0.731 \end{bmatrix} \qquad (8-9)$$

　　如对于单位面积的水资源量这个指标,对应不同级别的隶属函数可构造如图 8-2 所示。

　　其他指标也可类似构造隶属函数,在此从略。

　　(2)求出不同样本、不同指标对应不同级别的隶属度矩阵。

　　(3)根据隶属度矩阵与各指标的权重获得样本对应于不同级别的评判向量,按向量中值最大者确定样本所属级别。

　　由行政分区数据和评价标准级别组成的评判矩阵如式(8-10)所示,矩阵中行列意义与式(8-8)相同。

　　根据评判向量中值最大原则,则四川、山东属水资源可再生能力中等区,青海、甘肃、山西、陕西、河南属水资源可再生能力较弱区,宁夏、内蒙古属水资源可再生能力弱区,黄河流域总体上属水资源可再生能力较弱区。

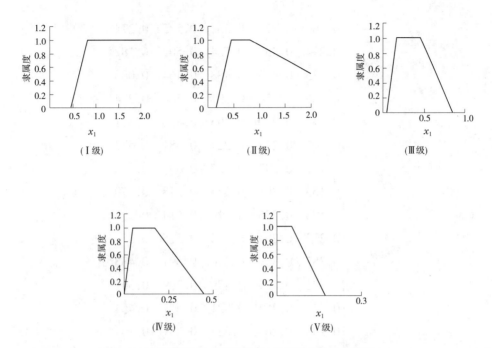

图 8-2　不同级别的隶属函数图(单位面积的水资源量)

$$R = \begin{bmatrix} 0.158 & 0.177 & 0.467 & 0.694 & 0.374 \\ 0.214 & 0.416 & 0.591 & 0.399 & 0.194 \\ 0.158 & 0.286 & 0.453 & 0.606 & 0.388 \\ 0.097 & 0.340 & 0.384 & 0.397 & 0.518 \\ 0.226 & 0.280 & 0.195 & 0.413 & 0.578 \\ 0.119 & 0.209 & 0.461 & 0.699 & 0.419 \\ 0.111 & 0.258 & 0.574 & 0.662 & 0.314 \\ 0.188 & 0.261 & 0.645 & 0.663 & 0.166 \\ 0.261 & 0.416 & 0.547 & 0.459 & 0.192 \\ 0.086 & 0.155 & 0.550 & 0.726 & 0.363 \end{bmatrix} \tag{8-10}$$

由流域分区数据和评价标准级别组成的评判矩阵如式(8-11)所示,矩阵中行列意义与式(8-9)相同。

由该矩阵可知,河源—龙羊峡、湟水、洮河、龙羊峡—兰州干流区间、伊洛河、花园口—利津、利津—河口属水资源可再生能力中等区,头道拐—龙门、汾河、渭河、龙门—三门峡干流区间、沁河、三门峡—花园口干流区间属水资源可再生能力较弱区,兰州—下河沿、下河沿—石嘴山、石嘴山—头道拐、泾河、洛河、黄河内流区属水资源可再生能力弱区,黄河流域总体上属水资源可再生能力较弱区。

$$R = \begin{bmatrix} 0.166 & 0.271 & 0.532 & 0.525 & 0.274 \\ 0.294 & 0.437 & 0.524 & 0.502 & 0.182 \\ 0.423 & 0.425 & 0.488 & 0.464 & 0.088 \\ 0.136 & 0.358 & 0.591 & 0.584 & 0.274 \\ 0.164 & 0.270 & 0.305 & 0.424 & 0.531 \\ 0.201 & 0.228 & 0.227 & 0.381 & 0.572 \\ 0.187 & 0.292 & 0.237 & 0.363 & 0.576 \\ 0.166 & 0.305 & 0.355 & 0.578 & 0.479 \\ 0.196 & 0.236 & 0.416 & 0.614 & 0.387 \\ 0.277 & 0.209 & 0.163 & 0.515 & 0.559 \\ 0.357 & 0.367 & 0.210 & 0.391 & 0.433 \\ 0.221 & 0.169 & 0.479 & 0.709 & 0.301 \\ 0.225 & 0.254 & 0.321 & 0.577 & 0.454 \\ 0.208 & 0.264 & 0.637 & 0.631 & 0.154 \\ 0.208 & 0.212 & 0.575 & 0.659 & 0.216 \\ 0.293 & 0.354 & 0.514 & 0.566 & 0.193 \\ 0.293 & 0.442 & 0.561 & 0.411 & 0.146 \\ 0.216 & 0.407 & 0.625 & 0.403 & 0.159 \\ 0.201 & 0.244 & 0.240 & 0.381 & 0.559 \\ 0.167 & 0.227 & 0.461 & 0.649 & 0.373 \\ 0.167 & 0.226 & 0.444 & 0.645 & 0.389 \end{bmatrix} \tag{8-11}$$

三、模糊综合评判法与灰关联分析法结合评价

模糊综合评判法与灰关联分析法评价结果的比较如表 8-8、表 8-9 所示。由表中可知,两种评价方法评价结果基本一致,但也可以看出,模糊综合评价结果除大部分(71%)与灰关联分析评价结果一致外,另有部分(26%)比灰关联分析评价结果低一个级别,对洛河的评价结果二者相差较大,原因可能是其指标两极分化比较严重,对于这种情况,常规的模糊综合评判方法及灰关联分析法是不适应的。

同时对照模糊综合评判法与灰关联分析法,可以发现,灰关联分析法中关联度计算比模糊综合评判法中隶属度计算精细。因此,认为灰关联分析法评价结果更为可靠,结合评价指标的具体值,给出了综合评判的结果。

四、倒 S 形评价模型

水资源虽然是可再生资源 ,但其开发利用现在面临较大的压力。对水资源可再生能

表 8-8　　　　　　　　黄河流域行政分区水资源可再生能力评价结果的对比

行政分区	灰关联分析评价结果	模糊综合评判结果	综合评判结果
青海	IV	IV	IV
四川	III	III	III
甘肃	IV	IV	IV
宁夏	V	V	V
内蒙古	V	V	V
山西	IV	IV	IV
陕西	III	IV	III～IV
河南	III	IV	III～IV
山东	III	III	III
黄河流域(含内流区)	IV	IV	IV

表 8-9　　　　　　　黄河流域二级流域分区水资源可再生能力评价结果的对比

流域分区	灰关联分析评价结果	模糊综合评判结果	综合评判结果
河源—龙羊峡	III	III	III
湟水	III	III	III
洮河	III	III	III
龙羊峡—兰州干流区间	III	III	III
兰州—下河沿	IV	V	IV～V
下河沿—石嘴山	IV	V	IV～V
石嘴山—头道拐	V	V	V
头道拐—龙门	IV	IV	IV
汾河	IV	IV	IV
泾河	IV	V	IV～V
洛河	III	V	IV
渭河	IV	IV	IV
龙门—三门峡干流区间	IV	IV	IV
伊洛河	III	III	III
沁河	III	IV	III～IV
三门峡—花园口干流区间	III	IV	III～IV
花园口—利津	III	III	III
利津—河口	III	III	III
黄河内流区	IV	V	IV～V
黄河流域	IV	IV	IV
黄河流域(含内流区)	IV	IV	IV

力进行研究,将为水资源可持续开发利用提供理论基础和决策依据。水资源可再生能力是指水资源通过天然作用或社会经营能为人类反复利用的能力[1,2]。所谓水资源可再生能力综合评价就是根据水资源可再生能力评价指标,通过所建立的数学模型,对一个地区的水资源可再生能力进行评价,为水资源可持续开发利用提供决策依据。由于实际水资源可再生能力各项指标的评价结果常常是不相容的,直接利用水资源可再生能力评价标准表进行水资源可再生能力等级评判缺乏实用性,因此灰关联分析方法、模糊综合评判法和神经网络方法等相继而出,但这些方法的计算结果都是一些离散的等级,是半定量化的,等级的分辨率较粗。而实际水资源可再生能力一般是连续的实数值,也就是说,按目前常用的评价方法对水资源可再生能力进行评价,即使是属于同一等级,它们对应的水资源可再生能力也常常相差显著,这对于指导水资源可再生能力评价和水资源可持续开发利用工作十分不便。而投影寻踪方法较常规方法更合理、精确和直观[3]。另外,已定的水资源评价标准是否合理也缺乏必要的检验手段。目前水资源可再生能力综合评价的研究焦点依然是如何科学、客观地将一个多指标问题综合成一个单指标的问题,也只有在一维空间中才能使水资源可再生能力综合评价成为可能。为此,本节结合水资源可再生能力评价标准,利用投影寻踪(Projection Pursuit,简称PP)、遗传算法和倒S形曲线,提出了一种适合于对水资源可再生能力进行综合评价的新方法——遗传投影寻踪方法(Genetic Projection Pursuit Method, 简称GPPM),并对黄河流域10个行政分区的水资源可再生能力进行综合评价。

步骤1:构造投影指标函数。

(1)建立投影数据。根据水资源可再生能力评价标准产生用于水资源可再生能力评价的原始数据,它包括反映水资源可再生能力的指标 $x^*(i,j)$ 及对应的评价等级 $y(i)$,$i = 1,2,\cdots,n, j = 1,2,\cdots,n_p$,其中 n、n_p 分别为样品的个数和指标数。对 $x^*(i,j)$ 进行归一化处理为 $x(i,j)$,即

$$x(i,j) = x^*(i,j)/x_{\max}(j) \quad (i = 1,2,\cdots,n, j = 1,2,\cdots,n_p) \tag{8-12}$$

其中 $x_{\max(j)}$ 为第 j 个指标的最大值。

(2)计算投影值。设 $a = (a(1),a(2),\cdots,a(n_p))$ 为投影方向,GPPM 方法就是把 $x(i,j)$ 投影到 a 上,得到一维投影值 $z(i)$

$$z(i) = \sum_{j=1}^{n_p} a(j)x(i,j) \quad (i = 1,2,\cdots,n) \tag{8-13}$$

(3)建立投影目标函数。在综合投影值时,要求投影值 $z(i)$ 应尽可能大地提取 $x(i,j)$ 中的变异信息,即 $z(i)$ 的标准差 S_z 尽可能大,同时要求 $z(i)$ 与 $y(i)$ 的相关系数 R_{zy} 的绝对值 $|R_{zy}|$ 尽可能大[3],本节取投影目标函数 $f(a)$ 为

$$f(a) = S_z \mid R_{zy} \mid \tag{8-14}$$

步骤2:用遗传算法优化投影指标函数。

投影指标函数 $f(a)$ 随着投影方向 a 变化而变化,可通过求解投影目标函数最大值来估计最佳投影方向 a^*,即

$$\max f(a) = S_z \mid R_{zy} \mid \tag{8-15}$$

$$\sum_{j=1}^{n_p} a(j)^2 = 1 \qquad (-1.0 \leqslant a(j) \leqslant 1.0) \tag{8-16}$$

这是一个以 $a = (a(1), a(2), \cdots, a(n_p))$ 为优化变量的非线性优化问题,用常规的方法处理较困难,为了增强 GPPM 的实际应用能力和计算效率,本节用格雷码加速遗传算法给出最佳投影方向。最大适应度函数值对应的个体与最大投影目标函数对应的最佳投影方向 a^* 相对应。

步骤 3:建立水资源可再生能力综合评价数学模型。

由步骤 2 求得的最佳投影方向 a^* 代入式(8-13)后,得到第 i 个样品的最佳投影值 $z^*(i)$,根据 $z^*(i)$ 与 $y(i)$ 的散点图可建立水资源可再生能力综合评价的数学模型。笔者发现,可以用如下的倒 S 形曲线作为水资源可再生能力综合评价的数学模型,即

$$y^*(i) = \frac{N}{1 + e^{c(1) + c(2)/[z^*(i) + 1.5]}} \tag{8-17}$$

式中: $y^*(i)$ 为第 i 个样品的水资源可再生能力等级的计算值; N 为水资源可再生能力的最高等级; $c(1)$、$c(2)$ 可通过求解如下最小化问题来确定

$$\min F(c(1), c(2)) = \sum_{i=1}^{n} [y^*(i) - y(i)]^2 \tag{8-18}$$

同样可用格雷码加速遗传算法来优化上述问题。

本节以全国数据为标准,将水资源可再生能力分成强(Ⅰ级)、较强(Ⅱ级)、中等(Ⅲ级)、较弱(Ⅳ级)、弱(Ⅴ级)五级。上文用主成分分析法筛选出 19 个指标,本节将高度相关的单位面积的水资源量、单位面积地表水水资源量、单位面积地下水水资源量、丰水年单位面积水资源量、枯水年单位面积水资源量等 5 个指标进行了部分删除,只保留其中第一个指标,即单位面积的水资源量指标。表 8-10 列出了各评价指标与对应等级的情况,即评价标准。

表 8-10　　　　　　　　　　　　　　　评价标准

指标	单位	强(Ⅰ)	较强(Ⅱ)	中等(Ⅲ)	较弱(Ⅳ)	弱(Ⅴ)
单位面积的水资源量(1)	m³/(m²·年)	>0.85	0.45~0.85	0.17~0.45	0.05~0.17	<0.05
干旱指数(2)	倍比	<0.5	0.5~3.0	3.0~15.0	15.0~20.0	>20.0
降水量(3)	mm	>1 500	1 000~1 500	500~1 000	100~500	<100
植被覆盖率(4)	%	>80	60~80	40~60	20~40	<20
GDP 年增长率(5)	%	>8.25	7.75~8.25	7.25~7.75	6.75~7.25	<6.75
农业总产值增长率(6)	%	>10	8~10	6~8	4~6	<4
水利设施灌溉保证率(7)	%	>60	45~60	30~45	15~30	<15
万元产值工业耗水率(8)	m³/万元	<200	200~400	400~600	600~1 000	>1 000
万元产值农业耗水率(9)	m³/万元	<500	500~1 000	1 000~1 500	1 500~2 000	>2 000

指标	单位	强（Ⅰ）	较强（Ⅱ）	中等（Ⅲ）	较弱（Ⅳ）	弱（Ⅴ）
牲畜用水定额(10)	m³/头	<3.5	3.5~5.5	5.5~7.5	7.5~9.5	>9.5
水质现状达标率(11)	%	>95	80~95	65~80	50~65	<50
地表水控制率(12)	%	>50	25~50	15~25	5~15	<5
工业用水循环利用率(13)	%	>90	70~90	50~70	30~50	<30
污水处理率(14)	%	>80	60~80	40~60	20~40	<20

值得说明的是,由于资料所限对黄河流域 10 个行政分区只获取了前 10 个指标,见表 8-11。

表 8-11   黄河流域各行政分区指标值

行政分区	指标(1)	(2)	(3)	(4)	(5)	(6)	(7)	(8)	(9)	(10)
青海	0.137	2.3	443.3	8.3	3.98	1 906	4.90	8.3	17.0	24.75
四川	0.278	0.5	712.6	8.0	6.75	154	3.94	5.0	43.9	50.00
甘肃	0.091	2.1	496.7	8.1	6.75	904	4.33	8.1	17.86	109.98
宁夏	0.019	5.0	313.2	7.9	6.75	5 499	4.98	2.7	42.57	53.32
内蒙古	0.034	7.0	286.9	6.5	10.13	4 341	4.90	2.7	55.11	38.35
山西	0.085	1.9	549.0	7.3	3.88	943	6.09	21.0	28.73	26.01
陕西	0.096	1.9	549.9	7.4	6.75	1 007	7.22	20.0	40.32	39.39
河南	0.168	2.0	660.5	6.8	6.75	1 341	7.24	25.2	61.30	15.41
山东	0.185	1.8	714.7	7.4	10.72	404	5.77	8.2	42.82	51.71
黄河流域 (含内流区)	0.094	2.1	465.7	7.3	6.75	1 554	5.61	13.3	37.40	37.81

根据表 8-10、表 8-11 的数据,就可利用 GPPM 对黄河流域 10 个行政分区的水资源可再生能力进行综合评价。计算过程如下:

在表 8-10 中各等级取值范围内均匀随机产生各 5 个样本 $x^*(i,j)$,与对应的等级一起组成样本系列,并对 $x^*(i,j)$ 进行归一化处理为 $x(i,j)$,$i=1,\cdots,25$,$j=1,\cdots,10$,由 GPPM 中的式(8-14)~式(8-16)得最大投影指标函数值为 $f(a^*)=0.812\ 5$,最佳投影方向为 $a^*=(0.488,-0.386,0.423,0.405,0.147,0.128,0.297,-0.212,-0.175,-0.410)$。

图 8-3 为最佳投影值 $z^*(i)$ 与等级 $y(i)$ 的散点图。

从 $z^*(i)$ 与 $y(i)$ 的散点图可以看出,$z^*(i)$ 与 $y(i)$ 的图形与倒 S 形曲线较为接近,因此可以用倒 S 形曲线所对应的函数,即式(8-19)建立水资源可再生能力综合评价的数学模型。

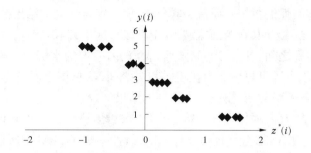

图 8-3　最佳投影值 $z^*(i)$ 与经验等级 $y(i)$ 的散点图

用 GPPM 计算的水资源可再生能力评价模型为

$$y^*(i) = \frac{5}{1 + e^{3.6216 - 6.7575/[z^*(i)+1.5]}} \tag{8-19}$$

用 GPPM 中的式(8-13)计算的等级与各个样本的经验值的误差分析见表 8-12。可见,有 80％的样本的计算误差的绝对值都不超过 0.2,而所有样本的计算误差的绝对值都不超过 0.5,可见,用 GPPM 对水资源可再生能力进行综合评价是可行的。

表 8-12　　　　　各样品等级的经验值 $y(i)$ 与 GPPM 计算值 $y^*(i)$ 的误差分析

绝对误差值落在下列区间的百分比(%)					平均绝对误差 (%)	平均相对误差 (%)
$[0,0.1]$	$[0,0.2]$	$[0,0.3]$	$[0,0.4]$	$[0,0.5]$		
48	80	92	96	100	0.12	4.75

GPPM 对黄河流域 10 个行政分区水资源可再生能力评价结果见表 8-13。

表 8-13　　　　　黄河流域各行政分区水资源可再生能力的评价结果

行政分区	投影值	GPPM 综合评判结果
青海	−0.015	3.583
四川	0.248	2.804
甘肃	0.041	3.409
宁夏	−0.193	4.124
内蒙古	−0.107	3.867
山西	0.106	3.212
陕西	0.119	3.175
河南	0.226	2.865
山东	0.182	2.988
黄河流域(含内流区)	0.074	3.310

本研究推出了一种适合于对水资源可再生能力进行综合评价的新方法——遗传投影寻踪方法,给出了 GPPM 的详细步骤,并对黄河流域 10 个行政分区水资源可再生能力进行了综合评价,得出的主要结论如下:

(1)GPPM 得到的评价结果具有可行性,各个样本的计算误差的绝对值都小于 0.5,

其评价结果是一种连续性的数据。而灰关联分析、模糊综合评判的结果是离散型的数据。

(2)GPPM 计算结果表明,在黄河流域 10 个行政分区中,四川、河南、山东的水资源可再生能力在较强和中等之间,甘肃、山西、陕西、青海、内蒙古的水资源可再生能力在中等和较弱之间,宁夏的水资源可再生能力在较弱和弱之间,从总体上看,黄河流域水资源可再生能力较弱,这与灰关联分析、模糊综合评判的结果一致。

(3)GPPM 具有适应性、通用性强的特点,只要求给出评价标准表和评价对象的各指标值,对式(8-17)进行很小的修改,即可适应新的评价问题。GPPM 与所评价问题的性质无关,可广泛应用于各种评价问题。

五、插值模型

在上节研究的基础上,本节采用大量的样本,利用全局收敛的格雷码加速遗传算法[4]来优化投影方向,并根据最佳投影值与其对应等级之间所呈现的关系,建立插值型评价模型,由此提出了一种适合于对水资源可再生能力进行综合评价的新模型——基于遗传投影寻踪的插值模型(简称插值模型),并对黄河流域 10 个行政分区的水资源可再生能力进行综合评价。

(一)计算步骤

本节的插值模型包括以下五个步骤。

步骤 1:建立投影数据。同前文。

步骤 2:计算投影值。同前文。

步骤 3:建立投影目标函数。同前文。

步骤 4:用格雷码加速遗传算法[4]来优化投影方向。同前文。

步骤 5:建立水资源可再生能力综合评价的插值模型。详见下面的评价式(8-20)。

(二)评价

利用表 8-10 和表 8-11 中的数据,对黄河流域水资源可再生性进行评价。

计算过程如下:

为了使算法具有说服力,使投影曲线较为稠密,我们在各级别取值范围内均匀随机产生各 100 个指标样本 $x^*(i,j)$,与对应的 5 个等级 $y(i)$ 一起组成样本系列,并对 $x^*(i,j)$ 进行归一化处理为 $x(i,j)$,$i=1,\cdots,500,j=1,\cdots,10$,用式(8-20)得最佳投影方向为 $a^*=$(0.496 193 70, −0.207 701 20, 0.537 876 50, 0.441 176 20, 0.324 691 60, 0.249 710 50, 0.028 866 19, −0.294 920 10, −0.117 135 00, −0.231 493 30),其中 0.496 193 70、−0.207 701 20、0.537 876 50、0.441 176 20、0.324 691 60、0.249 710 50、0.028 866 19、−0.294 920 10、−0.117 135 00、−0.231 493 30 可作为 1~10 个指标的广义权重。

从最佳投影方向可以看出,单位面积的水资源量、降水量、植被覆盖率、GDP 年增长率、农业总产值增长率、水利设施灌溉保证率等 6 个指标投影值为正,属于同一方向;干旱指数、万元产值工业耗水率、万元产值农业耗水率、牲畜用水定额等 4 个指标投影值为负,属于同一方向,与相关分析一致。这里的正负只是反映评价指标投影方向的不同,其绝对值才真正反映其对评价目标的贡献的大小。

最大投影目标函数值为 $f(a^*)=0.75$。

最佳投影值 $z^*(i)$ 与经验等级 $y(i)$ 的散点图见图 8-4。其中 A、B、C、D、E、F、G、H、I、J 的坐标分别为（-0.745, 5）、（-0.33, 5）、（-0.169, 4）、（-0.015, 4）、（0.128, 3）、（0.337, 3）、（0.515, 2）、（0.669, 2）、（1.044, 1）、（1.887, 1）。

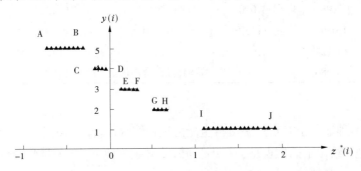

图 8-4　最佳投影值 $z^*(i)$ 与经验等级 $y(i)$ 的散点图

从图 8-4 可以看出：

（1）$z^*(i)$ 与 $y(i)$ 的图形为阶梯形下降曲线。现对 A、B、C、D、E、F、G、H、I、J 等 10 个点进行分段线性插值，则该折线所对应的函数即式(8-20)，可作为水资源可再生能力综合评价的数学模型。为了方便起见，把 B、C、D、E、F、G、H、I 的坐标分别表示为 $(c(1), d(1))$、$(c(2), d(2))$、$(c(3), d(3))$、$(c(4), d(4))$、$(c(5), d(5))$、$(c(6), d(6))$、$(c(7), d(7))$、$(c(8), d(8))$。

插值模型计算的上述黄河流域行政分区水资源可再生能力评价模型为下面的分段连续函数

$$y^*(i) = f(z^*(i)) = \begin{cases} d(1) & (z^*(i) \leqslant c(1)) \\ d(1) + [d(2)-d(1)]/[c(2)-c(1)] \cdot [z^*(i)-c(1)] & (c(1) < z^*(i) \leqslant c(2)) \\ d(3) & (c(2) < z^*(i) \leqslant c(3)) \\ d(3) + [d(4)-d(3)]/[c(4)-c(3)] \cdot [z^*(i)-c(3)] & (c(3) < z^*(i) \leqslant c(4)) \\ d(5) & (c(4) < z^*(i) \leqslant c(5)) \\ d(5) + [d(6)-d(5)]/[c(6)-c(5)] \cdot [z^*(i)-c(5)] & (c(5) < z^*(i) \leqslant c(6)) \\ d(7) & (c(6) < z^*(i) \leqslant c(7)) \\ d(7) + [d(8)-d(7)]/[c(8)-c(7)] \cdot [z^*(i)-c(7)] & (c(7) < z^*(i) \leqslant c(8)) \\ d(8) & (z^*(i) \geqslant c(8)) \end{cases}$$

$$(8\text{-}20)$$

（2）用插值模型计算的各个样本的最佳投影值 $z^*(i)$ 与对应等级 $y(i)$ 之间的误差为 0，可见用插值模型对上述黄河流域行政分区水资源可再生能力进行综合评价的精度较高。

本节的插值模型对黄河流域 10 个行政分区水资源可再生能力评价结果见表 8-14。由此我们可以得出，在黄河流域 10 个行政分区中，四川、河南、山西、陕西、山东水资源可再生能力中等；青海、甘肃、黄河流域的水资源可再生能力在中等和较弱之间；宁夏、内蒙古的水资源可再生能力较弱。

表 8-14　　　　　　　　　黄河流域各行政分区水资源可再生能力的评价结果

行政分区	投影值	插值模型评价结果	行政分区	投影值	插值模型评价结果
青海	0.058	3.489	山西	0.139	3.000
四川	0.198	3.000	陕西	0.131	3.000
甘肃	0.089	3.272	河南	0.185	3.000
宁夏	−0.121	4.000	山东	0.169	3.000
内蒙古	−0.086	4.000	黄河流域(含内流区)	0.087	3.288

(三)结论

本节推出了一种适合于对水资源可再生能力进行综合评价的新模型——基于遗传投影寻踪的插值模型,给出了插值模型的详细步骤,并对黄河流域 10 个行政分区的水资源可再生能力进行了综合评价,得出的主要结论如下:

(1)插值模型得到的评价结果具有精确性,500 个检验样本的计算误差为 0,其评价结果是一种连续性的数据,而灰关联分析、模糊综合评判、理想区间法的评价结果是离散型的数据,精度无法控制。

(2)插值模型计算结果表明,从总体上看,黄河流域水资源可再生能力在中等和较弱之间。

(3)插值模型具有适应性、通用性强的特点,直接根据评价等级标准,由样本数据驱动,就可以建立用于水资源可再生能力综合评价的数学模型,克服了模糊综合评判等函数模式类评价方法构造评价指标集与评价等级之间函数关系的困难,所建模型简便、适用性强。所建的插值模型与评价问题的性质无关,可广泛应用于各种评价问题中。

(4)插值模型解决了各项评价指标、评价结果的不相容问题。新模型可把水资源可再生能力多维评价指标综合成一维投影指标,根据等级值的大小就可以对水资源可再生能力进行综合评价,解决了各单项水资源可再生能力评价指标评价结果的不相容问题。

(5)插值模型分辨力高。由于最佳投影值与等级值的图形为阶梯形下降曲线,可以得出最佳投影值越小的区域,其水资源可再生能力越强的结论。对于多个区域水资源可再生能力的评价问题,新模型既可以利用等级值从整体上来判别水资源可再生能力所属等级,又可以利用最佳投影值对处于同一等级的各区域水资源可再生能力进行细致评价。新模型既具有较强的分类功能,又具有较好的排序功能,提高了水资源可再生能力综合评价问题各层次的分辨力。

六、智能评价模型

为了科学地计算水资源可再生能力评价指标的权重,解决各项评价指标的不相容问题,使评价方法具有可操作性,本研究采用主、客观相结合的赋权基点法,从模拟智能生成过程的遗传算法出发,以全局收敛的格雷码加速遗传算法为工具来确定权重,并结合模拟智能行为过程的模糊评价理论,建立了一种新的评价模型——混合智能模型,并对黄河流域 10 个行政分区的水资源可再生能力进行了综合评价。

由于影响水资源可再生能力的因素既有天然的又有社会的,因此对水资源可再生能力进行综合评价就是一个多指标决策问题。由于实际多指标决策问题各项评价指标常常是不相容的,因此各指标权重的确定较为困难。为了解决这一问题,人类从多个角度进行过不懈的努力,形成了众多的求解模型,归纳起来主要有两类,一类是融决策者主观偏好的综合评价法,如 Delphi 法[5]、特征向量法[6]、最小平方和法[7]、AHP 法[8]等;另一类是完全客观地单从数据指标进行评价,如灰关联评价法[9]、多目标决策理想点法[10]、投影寻踪方法[11]等。两类方法相辅相成。周文坤等[12]先给出主观和客观两种权重,然后以两种权重为基础,建立优化模型,并以最小二乘法为工具,用 Lagrange 算法来确定最优权重。但实际问题是,主观确定的权重和客观确定的权重未必事先就知道,在这种情况下,文献[12]的方法就很难实施。为了充分利用已有的信息和现代计算智能,本节采用主、客观相结合的赋权基点法,即在待选的方案中,选择一个大家比较熟悉的方案作为基点,该方案的评价等级由专家事先凭经验定出,而各指标的权重事先并不知道,从模拟智能生成过程的遗传算法出发,通过选择的基点,以全局收敛的格雷码加速遗传算法为工具来建立确定权重的优化模型,从中优选出一组最具代表意义的权重,并把计算出的权重与模拟智能行为过程的模糊评价理论[13]相结合,为水资源可再生能力的综合评价建立了一种新的评价模型——混合智能模型,并进一步用于黄河流域各行政分区的水资源可再生能力的综合评价。

(一)计算模型

1. 确定权重的遗传优化模型

多目标决策理想点法是一种较简单的多指标决策方法,本节利用多目标决策理想点法的原理,利用基点来建立确定权重的遗传优化模型。确定水资源可再生能力指标权重的遗传优化模型的基本步骤分为以下五步。

步骤 1:构造目标向量函数。

用水资源可再生能力综合评价标准所控制的 n 个指标构造目标向量函数 $\overline{F}(x)$

$$\overline{F}(x) = [\overline{f_1}(x), \overline{f_2}(x), \cdots, \overline{f_j}(x), \cdots, \overline{f_n}(x)]^{\mathrm{T}} \tag{8-21}$$

式中:$\overline{f_j}(x)$ 为第 j 个指标。

步骤 2:构造基点指标向量。

设第 k_0 个监测点的等级为第 i_0 级为专家所公认,取第 k_0 个监测点为基点,则基点指标向量 $\overline{F}_{k_0}(x)$ 为

$$\overline{F}_{k_0}(x) = [\overline{f_{1,k_0}}, \overline{f_{2,k_0}}, \cdots, \overline{f_{j,k_0}}, \cdots, \overline{f_{n,k_0}}]^{\mathrm{T}} \tag{8-22}$$

式中:$\overline{f_{j,k_0}}$ 为基点的第 j 个指标值。

步骤 3:构造理想区间向量。

水资源可再生能力综合评价标准中的每一等级的标准指标构成理想区间向量 $\overline{F_i^*}(x)$

$$\overline{F_i^*}(x) = [\overline{f_{1,i}^*}, \overline{f_{2,i}^*}, \cdots, \overline{f_{j,i}^*}, \cdots, \overline{f_{n,i}^*}]^{\mathrm{T}} \quad (i = 1, 2, \cdots, m)$$

$$\overline{f_{j,i}^*} = [\overline{a_{j,i}} \quad \overline{b_{j,i}}] \tag{8-23}$$

式中：m 为等级个数；$\overline{a_{j,i}}$、$\overline{b_{j,i}}$ 分别为等级 i 的第 j 个标准指标所对应区间的左、右端点，其中当第 j 个指标为一个点时，令 $\overline{a_{j,i}} = \overline{b_{j,i}}$。

步骤4：各指标规范化处理。

为了增强可比性及消除不同量纲的影响，使模型具有一般性，式(8-22)、式(8-23)中的 $\overline{f_{j,k_0}}$、$\overline{f_{j,i}^*}$、$\overline{a_{j,i}}$、$\overline{b_{j,i}}$ 须规范化。

$$f_{j,k_0} = \overline{f_{j,k_0}} / f_{\max}(j)$$
$$a_{j,i} = \overline{a_{j,i}} / f_{\max}(j)$$
$$b_{j,i} = \overline{b_{j,i}} / f_{\max}(j)$$
$$f_{j,i}^* = [a_{j,i} \quad b_{j,i}]$$

其中 $f_{\max}(j)$ 为水资源可再生能力综合评价中第 j 个指标的最大值，即

$$f_{\max}(j) = \max_j \{\overline{f_{j,k_0}}, \overline{b_{j,i}}\}$$

单位化后的基点指标向量为

$$F_{k_0}(x) = [f_{1,k_0}, f_{2,k_0}, \cdots, f_{j,k_0}, \cdots, f_{n,k_0}]^{\mathrm{T}}$$

单位化后的理想区间向量为

$$F_i^*(x) = [f_{1,i}^*, f_{2,i}^*, \cdots, f_{j,i}^*, \cdots, f_{n,j}^*]^{\mathrm{T}}$$

步骤5：利用基点和格雷码加速遗传算法求权重。

记 n 个指标(目标)的权重向量为 $\lambda = (\lambda_1, \cdots, \lambda_n)$，$\sum_{j=1}^n \lambda_j = 1 (0 \leqslant \lambda_j \leqslant 1; j = 1, 2, \cdots, n$ (待定))。设第 k_0 个监测点的情况专家比较熟悉，其等级专家定为第 i_0 等级。第 k_0 个监测点的监测值 $F_{k_0}(x)$ 到标准等级 i 所对应的理想区间向量的距离 $d(i, k_0, \lambda)$ 为

$$d(i, k_0, \lambda) = \| F_{k_0}(x) - F_i^*(x) \|$$

$$= \sum_{j=1}^n \lambda_j \Delta(i, k, j) \tag{8-24}$$

其中

$$\Delta(i, k_0, j) = \begin{cases} a_{j,i} - f_{j,k_0} & (f_{j,k_0} < a_{j,i}) \\ 0 & (f_{j,k_0} \in [a_{j,i} \quad b_{j,i}]) \\ f_{j,k_0} - b_{j,i} & (f_{j,k_0} > b_{j,i}) \end{cases}$$

$d(i, k_0, \lambda)$ 表示第 k_0 个监测点的等级 i_0 与标准等级 i 的接近程度。$d(i, k_0, \lambda)$ 越小表示第 k_0 个监测点的等级 i_0 与标准等级 i 越接近，$d(i, k_0, \lambda)$ 越大表示第 k_0 个监测点的等级 i_0 与标准等级 i 越偏离。由此，建立权重目标函数如下

$$\min f(i, \lambda) \tag{8-25}$$

其中

$$f(i, \lambda) = \begin{cases} 0 & (\min d(i, k_0, \lambda) = d(i_0, k_0, \lambda)) \\ 10^8 & (\min d(i, k_0, \lambda) \neq d(i_0, k_0, \lambda)) \end{cases}$$

$$\sum_{j=1}^n \lambda_j = 1 \quad (0 \leqslant \lambda_j \leqslant 1; j = 1, 2, \cdots, n)$$

这是一个以 $\lambda = (\lambda_1, \lambda_2, \cdots, \lambda_n)$ 为优化变量的非线性优化问题,用常规的方法处理较困难。为了增强算法的实际应用能力和计算效率,本节用格雷码加速遗传算法给出最佳权重向量。

本节把式(8-25)的最优解(最佳评价权重)$\lambda^* = (\lambda_1^*, \lambda_2^*, \cdots, \lambda_n^*)$ 作为水资源可再生能力 n 个指标的最佳权重。

以上五步构成确定水资源可再生能力指标权重的遗传优化模型。

2. 模糊评价模型

水资源可再生能力评价的模糊评价模型分为以下三步。

步骤 1:构造规范化决策矩阵 R。

对于 k 个评价单元、n 个评价指标的水资源可再生能力综合评价问题,其决策矩阵 A 为

$$A = \begin{array}{c} x_1 \\ x_2 \\ \vdots \\ x_k \end{array} \begin{bmatrix} f_1 & f_2 & \cdots & f_n \\ a_{11} & a_{12} & \cdots & a_{1n} \\ a_{21} & a_{22} & \cdots & a_{2n} \\ \vdots & \vdots & & \vdots \\ a_{k1} & a_{k2} & \cdots & a_{kn} \end{bmatrix}$$

其中 $a_{ij} = f_j(x_i)$,表示第 i 个评价单元的第 j 个评价指标值($i = 1, 2, \cdots, k; j = 1, 2, \cdots, n$)。

对 n 项评价指标,指标值越大,该指标所对应的水资源可再生能力(相对优属度)r_{ij} 越大,有

$$r_{ij} = \frac{a_{ij}}{\bigvee\limits_i a_{ij} + \bigwedge\limits_i a_{ij}} \qquad (8\text{-}26)$$

指标值越小,该指标所对应的水资源可再生能力(相对优属度)r_{ij} 越小,有

$$r_{ij} = \frac{1/a_{ij}}{\bigvee\limits_i 1/a_{ij} + \bigwedge\limits_i 1/a_{ij}} \qquad (8\text{-}27)$$

若 $a_{ij} = 0$,可令 $a_{ij} = a_{ij} + \varepsilon$,其中 ε 为很小的一个常数,并对 A 进行规范化处理成矩阵 R

$$R = \begin{bmatrix} r_{11} & r_{12} & \cdots & r_{1n} \\ r_{21} & r_{22} & \cdots & r_{2n} \\ \vdots & \vdots & & \vdots \\ r_{k1} & r_{k2} & \cdots & r_{kn} \end{bmatrix} \qquad (i = 1, 2, \cdots, k; \quad j = 1, 2, \cdots, n) \qquad (8\text{-}28)$$

步骤 2:确定模糊隶属度。

设第 i 个评价单元对水资源可再生能力的相对隶属度为 u_i,根据模糊集理论可将隶属度定义为权重[14],则加权广义距离为

$$d(r_i) = u_i^p \sqrt{\sum_{j=1}^{n} (\lambda_j^* \mid r_{ij} - 1 \mid)^p} \qquad (8\text{-}29)$$

式(8-29)描述了第 i 个评价单元与最强的水资源可再生能力的距离,其中 λ_j^* 是由

计算模型 1 求得的第 j 个指标的最佳权值，$\sum_{j=1}^{n} \lambda_j^* = 1$。

通过优化下面的目标函数

$$\min F(u_i) = u_i^2 \Big[\sum_{j=1}^{n} (\lambda_j^* \cdot | r_{ij} - 1 |)^p \Big]^{2/p} + (1 - u_i)^2 \Big[\sum_{j=1}^{n} (\lambda_j^* \cdot r_{ij})^p \Big]^{2/p}$$

(8-30)

可以求得 u_i 的最优值。由取得极值的必要条件

$$\frac{\partial F(u_i)}{\partial u_i} = 0 \quad (i = 1, 2, \cdots, k)$$

解得

$$u_i = \frac{1}{1 + \left[\dfrac{\sum_{j=1}^{n} (\lambda_j^* \cdot | r_{ij} - 1 |)^p}{\sum_{j=1}^{n} (\lambda_j^* \cdot r_{ij})^p} \right]^{2/p}}$$

(8-31)

这里取 $p = 2$，根据最大隶属度原则，可得到所有评价单元对最强水资源可再生能力的隶属度的相对排序。隶属度值越大，则该评价单元的水资源可再生能力越强；隶属度值越小，则该评价单元的水资源可再生能力越弱。

步骤 3：按 u_i 由大到小的顺序排列评价单元的水资源可再生能力强弱次序，找出评价单元的水资源可再生能力强弱等级。

以上三步构成确定水资源可再生能力等级的模糊评价模型。

以上两个计算模型构成了水资源可再生能力综合评价的遗传加权模糊智能评价模型。

(二)评价

本节以全国数据为标准[15~19]，将水资源可再生能力分成最强（Ⅰ级）、较强（Ⅱ级）、中等（Ⅲ级）、较弱（Ⅳ级）、最弱（Ⅴ级）五级。表 8-15 列出了用于黄河流域水资源可再生能力评价的各指标与对应等级的情况。

表 8-15 　　　　　　　　　　　　　评价标准

指标	单位	最强（Ⅰ）	较强（Ⅱ）	中等（Ⅲ）	较弱（Ⅳ）	最弱（Ⅴ）
单位面积的水资源量(1)	$m^3/(m^2 \cdot 年)$	<1.70	0.85	0.45	0.17	0.05
单位面积地表水水资源量(2)	$m^3/(m^2 \cdot 年)$	<1.70	0.85	0.45	0.15	0.05
单位面积地下水水资源量(3)	$m^3/(m^2 \cdot 年)$	<0.40	0.20	0.13	0.08	0.04
丰水年单位面积水资源量(4)	$m^3/(m^2 \cdot 年)$	<3.00	1.50	1.00	0.40	0.15
枯水年单位面积水资源量(5)	$m^3/(m^2 \cdot 年)$	<1.00	0.50	0.30	0.10	0.03
干旱指数(6)	倍比	>0.01	0.5	3.0	15.0	20.0
降水量(7)	mm	<3 000	1 500	1 000	500	100
GDP 年增长率(8)	%	<17	8.25	7.75	7.25	6.75
农业总产值增长率(9)	%	<20	10	8	6	4
万元产值农业耗水率(10)	$m^3/万元$	>0.01	500	1 000	1 500	2 000
牲畜用水定额(11)	$m^3/头$	>0.01	3.5	5.5	7.5	9.5

黄河流域各行政分区指标值见表8-16。

表 8-16　　　　黄河流域各行政分区指标值

行政分区	指标										
	(1)	(2)	(3)	(4)	(5)	(6)	(7)	(8)	(9)	(10)	(11)
青海	0.137	0.137	0.061	0.158	0.117	2.3	443.3	8.3	3.98	1 906	4.90
四川	0.278	0.278	0.127	0.323	0.239	0.5	712.6	8.0	6.75	154	3.94
甘肃	0.091	0.091	0.036	0.111	0.071	2.1	496.7	8.1	6.75	904	4.33
宁夏	0.019	0.017	0.032	0.024	0.015	5.0	313.2	7.9	6.75	5 499	4.98
内蒙古	0.034	0.015	0.032	0.037	0.029	7.0	286.9	6.5	10.13	4 341	4.90
山西	0.085	0.069	0.054	0.103	0.067	1.9	549.0	7.3	3.88	943	6.09
陕西	0.096	0.080	0.056	0.114	0.078	1.9	549.9	7.4	6.75	1 007	7.22
河南	0.168	0.132	0.095	0.210	0.125	2.0	660.5	6.8	6.75	1 341	7.24
山东	0.185	0.172	0.061	0.193	0.177	1.8	714.7	7.4	10.72	404	5.77
黄河流域 (含内流区)	0.094	0.083	0.051	0.107	0.081	2.1	465.7	7.3	6.75	1 554	5.61

从表8-16中的数据来看,内蒙古多年平均降水量为286.9mm,单位面积的水资源量为0.034m³/(m²·年),单位面积地表水水资源量为0.015m³/(m²·年),单位面积地下水水资源量为0.032m³/(m²·年),丰水年单位面积水资源量为0.037m³/(m²·年),枯水年单位面积水资源量为0.029m³/(m²·年),显然上述各指标所对应的等级均为Ⅴ级(最弱),专家也公认为该地区的水资源可再生能力为Ⅴ级。取内蒙古地区为基点,该地区的水资源可再生能力为Ⅴ级,用格雷码加速遗传算法求解,综合专家意见后,选出一组公认的最佳评价权重

$$\lambda^* = (0.124, 0.124, 0.124, 0.124, 0.124, 0.079, 0.142, 0.027, 0.039, 0.044, 0.047)$$

为了使模糊评价模型既能按 u_i 来排序,又能找出评价单元的水资源可再生能力强弱的等级,将五个标准等级的最高界限值和各评价单元的指标值放在一起来构造决策矩阵 R。由表8-15、表8-16的数据,可得规范化决策矩阵 R 如下

$$R = \begin{bmatrix} 0.989 & 0.991 & 0.926 & 0.992 & 0.985 & 0.968 & 0.723 & 0.838 & 1.000 & 1.000 & 0.999 \\ 0.494 & 0.496 & 0.463 & 0.496 & 0.493 & 0.484 & 0.351 & 0.419 & 0.020 & 0.000 & 0.003 \\ 0.262 & 0.262 & 0.301 & 0.331 & 0.296 & 0.323 & 0.330 & 0.335 & 0.003 & 0.000 & 0.002 \\ 0.099 & 0.087 & 0.185 & 0.132 & 0.099 & 0.161 & 0.309 & 0.251 & 0.001 & 0.000 & 0.001 \\ 0.029 & 0.029 & 0.093 & 0.050 & 0.030 & 0.032 & 0.287 & 0.168 & 0.000 & 0.000 & 0.001 \\ 0.080 & 0.080 & 0.141 & 0.052 & 0.115 & 0.143 & 0.353 & 0.167 & 0.004 & 0.000 & 0.002 \\ 0.162 & 0.162 & 0.294 & 0.107 & 0.235 & 0.230 & 0.340 & 0.283 & 0.020 & 0.000 & 0.003 \\ 0.053 & 0.053 & 0.083 & 0.037 & 0.070 & 0.160 & 0.345 & 0.283 & 0.005 & 0.000 & 0.002 \\ 0.011 & 0.010 & 0.074 & 0.008 & 0.015 & 0.101 & 0.336 & 0.283 & 0.005 & 0.000 & 0.002 \\ 0.020 & 0.009 & 0.074 & 0.012 & 0.029 & 0.093 & 0.277 & 0.424 & 0.001 & 0.000 & 0.002 \\ 0.049 & 0.040 & 0.125 & 0.034 & 0.066 & 0.177 & 0.311 & 0.162 & 0.005 & 0.000 & 0.002 \\ 0.056 & 0.047 & 0.130 & 0.038 & 0.077 & 0.177 & 0.315 & 0.283 & 0.005 & 0.000 & 0.001 \\ 0.098 & 0.077 & 0.220 & 0.069 & 0.123 & 0.213 & 0.289 & 0.283 & 0.005 & 0.000 & 0.001 \\ 0.108 & 0.100 & 0.141 & 0.064 & 0.174 & 0.231 & 0.315 & 0.449 & 0.006 & 0.000 & 0.002 \\ 0.055 & 0.048 & 0.118 & 0.035 & 0.080 & 0.150 & 0.311 & 0.283 & 0.005 & 0.000 & 0.002 \end{bmatrix}$$

经计算可得 I ～ V 等级和黄河流域各地区的模糊隶属度分别为 0.957、0.445、0.279、0.130、0.054、0.107、0.197、0.094、0.066、0.072、0.099、0.106、0.144、0.151、0.097。

按 u_i 由大到小的顺序排列各评价单元的水资源可再生能力强弱次序, 其结果是 $u_1 > u_2 > u_3 > u_7 > u_{14} > u_{13} > u_4 > u_6 > u_{12} > u_{11} > u_{15} > u_8 > u_{10} > u_9 > u_5$。

根据上面的计算结果, 可判断黄河流域各评价单元的水资源可再生能力从强到弱依次为四川、山东、河南、青海、陕西、山西、黄河流域(含内流区)、甘肃、内蒙古、宁夏。由于四川、山东、河南的水资源可再生能力优于Ⅳ级标准的最高界限值, 劣于Ⅲ级标准的最高界限值, 所以它们都属于Ⅲ级, 而青海、陕西、山西、黄河流域(含内流区)、甘肃、内蒙古、宁夏优于V级标准的最高界限值, 劣于Ⅳ级标准的最高界限值, 所以它们都属于Ⅳ级。即四川、山东、河南水资源可再生能力中等, 青海、陕西、山西、黄河流域(含内流区)、甘肃、内蒙古、宁夏水资源可再生能力较弱。将灰关联分析、遗传投影寻踪法对上述黄河流域行政分区水资源可再生能力的评价结果与智能评价方法的评价结果进行比较, 各方法比较结果如表 8-17 所示。智能评价方法兼具分类和排序功能。从表 8-17 可以看出, 智能评价方法的评价结果与灰关联分析法和遗传投影寻踪法较接近。

表 8-17　　　黄河流域行政分区水资源可再生能力评价结果的对比

区域	智能评价方法	灰关联分析法	遗传投影寻踪法
青海	4	4.000	3.316
四川	3	3.000	2.341
甘肃	4	4.000	3.000
宁夏	4	5.000	4.856

区域	智能评价方法	灰关联分析法	遗传投影寻踪法
内蒙古	4	5.000	4.616
山西	4	4.000	3.072
陕西	4	3.000	3.112
河南	3	3.000	3.042
山东	3	3.000	2.611
黄河流域(含内流区)	4	4.000	3.269

注:表 8-17 中智能评价方法的等级 1、2、3、4、5 分别表示等级 Ⅰ、Ⅱ、Ⅲ、Ⅳ、Ⅴ。

(三)结论

(1)在应用混合智能模型对水资源可再生能力进行综合评价过程中,采用了主、客观相结合的新的赋权基点法,利用格雷码加速遗传算法和专家意见共同确定权重,既融入了人的主观意见,又避免了各分目标之间的比较、评分。本节得到的最佳评价权值、隶属度真实地反映了水资源可再生能力的实际情况,取得了较好的效果。

(2)混合智能模型不仅可以对水资源可再生能力进行综合评价,还可以直接对各指标进行筛选。在计算时发现,反映与天然因素有关的水资源可再生能力的单位面积的水资源量、单位面积地表水水资源量、单位面积地下水水资源量、丰水年单位面积水资源量、枯水年单位面积水资源量、降水量、干旱指数等指标的权值之和一直较大,反映与社会因素有关的水资源可再生能力的农业总产值增长率、万元产值农业耗水率、牲畜用水定额等指标的权值也较大。表明这些因素的综合作用对水资源可再生能力的评价起着决定性的作用。另外,GDP 年增长率的权值较小,表明该指标对水资源可再生能力综合评价影响较小。如有必要,可对最佳评价权值的分量值较小的 GDP 年增长率指标进行删除。

(3)混合智能模型具有可操作性,权值一旦定出,只要利用模糊评价模型就可对水资源可再生能力进行评价。混合智能模型计算结果表明,从整体上来看,黄河流域的水资源可再生能力较弱。混合智能模型可广泛应用于各种水资源综合评价问题中。

七、多目标决策理想区间模型

本节首先对多目标决策理想点法进行改进,把评价标准处理成区间的形式,然后利用基点和格雷码加速遗传算法求权重,提出了一种多目标决策理想区间法(Multi-Objective Decision-Making Ideal Interval Method,简称 MODMIIM),并进一步用于黄河流域 10 个行政分区的水资源可再生能力的综合评价。

(一)多目标决策理想区间法的基本原理

水资源可再生能力评价的多目标决策理想点法的基本原理是把影响水资源可再生能力的 n 个指标看成是多目标决策中的 n 个目标函数 $f_j(x)(j=1,2,\cdots,n)$,而把反映水资源可再生能力的 m 个等级视为 x。对于每个目标函数分别有其最优值为 $f_j^*(j=1,2,\cdots,n)$,这里的最优值 f_j^* 指的是各等级所对应的第 j 个标准指标值。如果所有这些指

标的最优解 $x_j^*(j=1,2,\cdots,n)$（这里的最优解 x_j^* 指的是第 j 个标准指标值所对应的等级）都相同，设为 x^*，则在 x^* 处所有的目标函数都同时达到各自的最优值，其相应的解 x^* 即为各指标所代表的某一地区某一时间内的水资源可再生能力综合评价的等级。但这种情况不太可能发生。多目标决策理想点法把最优值 $f_j^*(j=1,2,\cdots,n)$ 看成为理想点，把一个地区某一时间内的实际监测点评价指标与理想点处的评价标准指标的距离作为该地区水资源可再生能力评价指标与理想点处的水资源可再生能力评价标准指标的接近程度，把离监测点最近的理想点所对应的等级找出来，近似看成该地区水资源可再生能力综合评价的等级。

在水资源可再生能力综合评价中，多目标决策理想点法把监测样本的各指标值和每一等级的各指标值都视为点的概念，把监测样本的各指标分布看成一条曲线，把评价标准的各级别视为一组曲线，进行多目标决策。然而，作为一种新方法的尝试应用，应根据研究领域的特点对原方法进行改进。显然水资源可再生能力综合评价各等级的指标值为区间的概念。如水资源可再生能力评价标准表 8-15 中，单位面积的水资源量的 2 级（表示水资源可再生能力较强）标准值在 $0.45\sim0.85\mathrm{m}^3/(\mathrm{m}^2\cdot$年$)$ 之间，降水量的 3 级（表示水资源可再生能力属于中等）标准值在 $500\sim1\,000\mathrm{mm}$ 之间，均为区间的概念。如果仍用传统的多目标决策理想点法，则不够准确。

基于以上认识，本节对多目标决策理想点法进行改进，提出了多目标决策理想区间法。这里，多目标决策理想区间法把最优值 $f_j^*(j=1,2,\cdots,n)$ 看成为理想区间，把一个地区某一时间内的水资源可再生能力评价实际指标 $f_j(x)(j=1,2,\cdots,n)$ 与理想区间处的水资源可再生能力评价标准指标的距离作为评价该地区水资源可再生能力评价指标与理想区间处的水资源可再生能力评价标准指标的接近程度，把离监测点最近的理想区间所对应的等级找出来，近似看成该地区水资源可再生能力综合评价的等级。距离公式见式(8-48)。

另外，各指标权重的确定也是影响水资源可再生能力综合评价的一个重要因素。本节利用基点和格雷码加速遗传算法求权重，把监测样本的各指标值视为点的概念，将每一等级的各标准指标值视为理想区间，建立了一种更适合在水资源可再生能力综合评价中应用的 MODMIIM。

(二)计算步骤

步骤 1：构造目标向量函数及监测点指标向量。

选用水资源可再生能力综合评价标准所控制的 n 个指标来综合评价水资源可再生能力，由此构造目标向量函数 $F(x)$

$$F(x)=[f_1(x),f_2(x),\cdots,f_j(x),\cdots,f_n(x)]^\mathrm{T} \tag{8-32}$$

式中：$f_j(x)$ 为第 j 个指标，$j=1,2,\cdots,n$。

设第 k 个监测点指标向量为 F_k

$$F_k=[f_{1,k},f_{2,k},\cdots,f_{j,k},\cdots,f_{n,k}]^\mathrm{T} \tag{8-33}$$

式中：$k=1,2,\cdots,L$，其中 L 为监测点个数；$f_{j,k}$ 为第 k 个监测点第 j 个指标值。

步骤 2：构造理想区间向量。

水资源可再生能力综合评价标准中的每一等级的标准指标构成理想区间向量 F_i^*

$$F_i^* = [f_{1,i}^*, f_{2,i}^*, \cdots, f_{j,i}^*, \cdots, f_{n,i}^*]^{\mathrm{T}} \tag{8-34}$$

$$f_{j,i}^* = [a_{j,i}, b_{j,i}]$$

式中：$i = 1,2,\cdots,m$，其中 m 为等级个数；$a_{j,i}$、$b_{j,i}$ 分别为第 i 个等级第 j 个标准指标所对应区间的左、右端点。

在这里，不防设各指标从等级Ⅰ～Ⅴ的数值是从小到大排列的，否则该指标只要作个倒代换处理即可。如表 8-15 中的指标 1、2、3、4、5、7、8、9，经过倒代换处理后从等级Ⅰ～Ⅴ的数值分别就是从小到大排列了，当指标中出现 0 时，就用一个很小的常数，比如 0.001 来代替。各监测点指标也应进行相应处理。

步骤 3：确定权重。

本节利用基点和格雷码加速遗传算法确定权重。记 n 个指标（目标）的权重向量为 $\lambda = (\lambda_1,\cdots,\lambda_n)$，$(0 \leqslant \lambda_j \leqslant 1; j = 1,2,\cdots,n$（待定））。设第 k_0 个监测点的等级是第 i_0 级为专家所公认。称第 k_0 个监测点为基点。

为了提高评价结果的精度，取第 k_0 个监测点的监测值 $F_{k_0}(x)$ 到第 i 个等级理想区间向量的距离为 $d(i,k_0,\lambda)$ 为

$$d(i,k_0,\lambda) = \parallel F_{k_0}(x) - F_i^*(x) \parallel$$

$$= \sum_{j=1}^{n} \lambda_j \Delta(i,k_0,j) \tag{8-35}$$

其中 $\Delta(i,k_0,j)$ 的计算如下：

当评价因子处于 1 级时，即 $i = 1$ 时

$$\Delta(i,k_0,j) = \begin{cases} (f_{j,k_0} - a_{j,1})/(b_{j,1} - a_{j,1}) & (f_{j,k_0} \in [a_{j,1}, b_{j,1}]) \\ 1 + (f_{j,k_0} - a_{j,2})/(b_{j,2} - a_{j,2}) & (f_{j,k_0} \in [a_{j,2}, b_{j,2}]) \\ 3 & (f_{j,k_0} > b_{j,2}) \end{cases} \tag{8-36}$$

当评价因子处于 2～4 级时，即 $i = 2,3,4$ 时

$$\Delta(i,k_0,j) = \begin{cases} (f_{j,k_0} - a_{j,i})/(b_{j,i} - a_{j,i}) & (f_{j,k_0} \in [a_{j,i}, b_{j,1}]) \\ 1 + (f_{j,k_0} - b_{j,i-1})/(a_{j,i-1} - b_{j,i-1}) & (f_{j,k_0} \in [a_{j,i-1}, b_{j,i-1}]) \\ 1 + (f_{j,k_0} - a_{j,i+1})/(b_{j,i+1} - a_{j,i+1}) & (f_{j,k_0} \in [a_{j,i+1}, b_{j,i+1}]) \\ 3 & (f_{j,k_0} < a_{j,i-1}, f_{j,k_0} > b_{j,i+1}) \end{cases}$$

$$\tag{8-37}$$

当评价因子处于 5 级时，即 $i = 5$ 时

$$\Delta(i,k_0,j) = \begin{cases} (f_{j,k_0} - a_{j,5})/(b_{j,5} - a_{j,5}) & (f_{j,k_0} \in [a_{j,5}, b_{j,5}]) \\ 1 + (f_{j,k_0} - b_{j,4})/(a_{j,4} - b_{j,4}) & (f_{j,k_0} \in [a_{j,4}, b_{j,4}]) \\ 3 & (f_{j,k_0} < a_{j,4}) \end{cases} \tag{8-38}$$

建立权重优化模型：

$$\mathrm{Min}\, f(\lambda) \tag{8-39}$$

其中

$$f(\lambda) = \begin{cases} 1 & (\min d(i,k_0,\lambda) = d(i_0,k_0,\lambda), \quad i=1,2,\cdots,m) \\ 10^8 & (\min d(i,k_0,\lambda) \neq d(i_0,k_0,\lambda), \quad i=1,2,\cdots,m) \end{cases} \tag{8-40}$$

$$\sum_{j=1}^{n} \lambda_j = 1 \quad (\lambda_j \geqslant 0; j=1,2,\cdots,n) \tag{8-41}$$

本节用格雷码加速遗传算法求解上述问题,一般解可能不止一个,这时可根据专家意见或凭经验等定出最佳评价权重。设最佳评价权重为 $\lambda^* = (\lambda_1^*, \lambda_2^*, \cdots, \lambda_n^*)$。

步骤4:确定水资源可再生能力评价等级。

对每一监测点 k 计算 $\min_i d(i,k,\lambda^*)$,其中最小距离 $\min_i d(i,k,\lambda^*)$ 对应的等级 i 即为第 k 个监测点水资源可再生能力综合评价的等级。

以上四步构成了水资源可再生能力综合评价的 MODMIIM。这里 n、m、L 分别为水资源可再生能力综合评价标准的指标个数、等级个数和监测点个数。

(三)评价

本节以全国数据为标准,将水资源可再生能力分成强(Ⅰ级)、较强(Ⅱ级)、中等(Ⅲ级)、较弱(Ⅳ级)、弱(Ⅴ级)五级,表8-15列出了11个指标与对应的等级的情况。这里 $n=11$,$m=5$,$L=10$。黄河流域各行政分区指标值见表8-16。

取内蒙古地区为基点,该地区的水资源可再生能力为Ⅴ级,由式(8-39)用格雷码加速遗传算法求解,综合专家意见后,选出一组公认的最佳评价权重

$\lambda^* = (0.124, 0.124, 0.124, 0.124, 0.124, 0.079, 0.142, 0.027, 0.039, 0.044, 0.047)$

再由表8-16的数据和式(8-35),可计算每个监测点(行政分区)指标到Ⅰ~Ⅴ级理想区间向量的综合距离,见表8-18。

表8-18　　黄河流域各行政分区指标到Ⅰ~Ⅴ级理想区间向量的综合距离

行政分区(k)	$d(1,k,\lambda^*)$	$d(2,k,\lambda^*)$	$d(3,k,\lambda^*)$	$d(4,k,\lambda^*)$	$d(5,k,\lambda^*)$
青海	2.783	2.506	1.360	0.869	1.981
四川	2.598	1.342	0.751	1.774	2.858
甘肃	2.719	2.464	1.675	1.011	1.629
宁夏	2.905	2.629	2.289	1.149	0.879
内蒙古	2.859	2.681	2.451	1.134	0.779
山西	2.836	2.436	1.519	1.025	1.799
陕西	2.886	2.405	1.348	0.930	1.964
河南	2.889	2.094	0.944	1.061	2.494
山东	2.702	1.827	1.090	1.430	2.633
黄河流域(含内流区)	2.892	2.634	1.399	0.728	1.758

根据表8-18的计算结果,在每个监测点的5个距离中取最短距离,结果见表8-19。

由此可以得出,四川、河南、山东水资源可再生能力中等,青海、甘肃、山西、陕西、黄河流域(含内流区)水资源可再生能力较弱,宁夏、内蒙古水资源可再生能力最弱。

表 8-19　　黄河流域各行政分区指标到各理想区间向量的综合距离的最小值及所属等级

行政分区	最短距离	所属等级
青海	0.869	Ⅳ
四川	0.751	Ⅲ
甘肃	1.011	Ⅳ
宁夏	0.879	Ⅴ
内蒙古	0.779	Ⅴ
山西	1.025	Ⅳ
陕西	0.930	Ⅳ
河南	0.944	Ⅲ
山东	1.090	Ⅲ
黄河流域(含内流区)	0.728	Ⅳ

(四)结论

鉴于多目标决策理想点法把评价标准处理成点的概念存在的缺陷,本节对多目标决策理想点法进行了改进,并利用基点确定权重,推出了一种适合于对水资源可再生能力进行综合评价的新方法——多目标决策理想区间法,给出了 MODMIIM 的详细步骤,并对黄河流域 10 个行政分区水资源可再生能力进行了综合评价,得出的主要结论如下:

(1)MODMIIM 采用了主、客观相结合的新的赋权基点法,利用格雷码加速遗传算法和专家意见共同确定权重,既融入了人的主观意见,又避免了各分目标之间的比较、评分。解决了在多指标决策中出现的相容或不相容评价指标权重确定较为困难的问题,得到的最佳评价权重比较符合实际。

(2)MODMIIM 不仅可以对水资源可再生能力进行综合评价,还可以直接对各指标进行筛选。在计算时发现,反映与天然因素有关的水资源可再生能力的单位面积的水资源量、单位面积地表水水资源量、单位面积地下水水资源量、丰水年单位面积水资源量、枯水年单位面积水资源量、干旱指数、降水量等指标的权值之和一直较大,反映与社会因素有关的水资源可再生能力的农业总产值增长率、万元产值农业耗水率、牲畜用水定额等指标的权值之和也较大。可见,这些因素的综合作用对水资源可再生能力的评价起着决定性的作用。另外,GDP 年增长率的权值较小,表明该指标对水资源可再生能力综合评价影响较小。如有必要,可对最佳评价权值的分量值较小的 GDP 年增长率指标进行删除。

(3)MODMIIM 计算结果表明,在黄河流域 10 个行政分区中,四川、河南、山东水资源可再生能力中等,青海、甘肃、山西、陕西、黄河流域(含内流区)水资源可再生能力较弱,宁夏、内蒙古水资源可再生能力最弱,从总体上看,黄河流域水资源可再生能力较弱。MODMIIM 可广泛应用于各种水资源综合评价问题中。

八、RBF 神经网络模型

目前,用于多指标综合评价的方法有很多,如多目标决策理想区间法[20]、遗传投影寻踪法[21]、层次分析法[22]、污染损失率法[23]、变权识别模型[24]、模糊综合评判法[25]、灰关联分析方法[9]等,每一种方法都有各自的特点。众所周知,BP 神经网络用于评价、函数逼近时,权值的调节采用的是负梯度下降法,该法有它的局限性,即存在收敛速度慢和局部极小等缺点[26,27],而径向基函数(Radial Basis Function,RBF)神经网络无论在逼近能力、分类能力和学习速度等方面均优于 BP 神经网络。本研究将目前较好的 RBF 网络法应用于水资源可再生能力的综合评价,并给出了 MATLAB 6.5 环境下的 RBF 网络方法。

(一)RBF 网络原理

RBF 网络由三层组成,第一层为输入层,第二层为隐含的径向基层,第三层为输出线性层,其网络结构如图 8-5 所示。

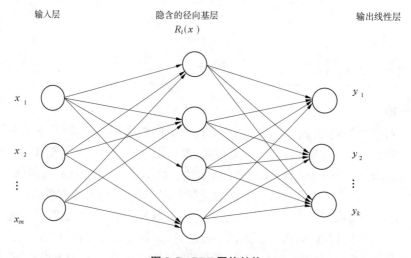

图 8-5　RBF 网络结构

径向基函数是径向对称的,最常用的是高斯函数

$$R_i(x) = \exp\left[-\frac{\|x - c_i\|^2}{2\sigma_i^2}\right] \quad (i = 1,2,\cdots,p) \tag{8-42}$$

式中:x 为 m 维输入向量;c_i 为第 i 个基函数的中心;σ_i 为第 i 个感知的变量;p 为感知单元的个数,$\|x - c_i\|$ 为向量 $x - c_i$ 的范数。

从图 8-5 可以看出,隐含层实现 $x \rightarrow R_i(x)$ 的非线性映射,输出层实现 $R_i(x) \rightarrow y_k$ 的线性映射,即

$$y_k = \sum_{i=1}^{p} w_{ik} R_i(x) \quad (k = 1,2,\cdots,q) \tag{8-43}$$

式中:q 为输出节点数。

从理论上而言,RBF 网络可以近似任何的非线性函数。

(二)RBF 网络模型

RBF 网络模型由以下三步组成。

步骤1:由水资源可再生能力评价标准表8-15 的数据,建立 RBF 网络训练样本的输入、输出向量。

对于 n 个评价等级(或评价单元、备选方案)、m 个评价指标的水资源可再生能力综合评价问题,其输入、输出向量为以下 n 组

$$x = [x_1, x_2, \cdots, x_n], \quad y = [1, 2, 3, \cdots, n] \tag{8-44}$$

其中

$$x_i = \begin{bmatrix} a_{i1} & a_{i2} & \cdots & a_{im} \end{bmatrix}^{\mathrm{T}} \tag{8-45}$$

$$a_{i,j} = \overline{a_{i,j}} / f_{\max}(j) \tag{8-46}$$

这里,$p = 1$,$f_{\max}(j)$ 为第 j 个指标的最大值,$\overline{a_{i,j}} = f_j(x_i)$ 表示第 i 个评价等级(或评价单元、备选方案)的第 j 个评价指标值,a_{ij} 为 $\overline{a_{i,j}} = f_j(x_i)$ 的归一化值,$i = 1, 2, \cdots, n$,$j = 1, 2, \cdots, m$。

步骤2:用 newrb 函数设计一个 RBF 网络。

格式:$net = \mathrm{newrb}(x, y, g, s)$。

用 RBF 网络逼近函数时,newrb 可自动增加 RBF 网络的隐层神经元,直到均方误差满足为止。其中,x、y、g、s 分别为归一化输入向量、目标向量、均方误差和 RBF 的分布系数。

步骤3:用 sim 函数对水资源可再生能力等级进行评价。

格式:$b = \mathrm{sim}(net, a)$。

其中 a、b 分别为待评价单元的归一化输入向量和用 RBF 网络对水资源可再生能力进行评价的等级值。

以上三步构成确定水资源可再生能力等级的 MATLAB 环境下的 RBF 网络模型。

(三)RBF 评价

由上面数据可给出黄河流域各行政分区评价结果,见表8-20。

从表8-20 中可以看出,总体上黄河流域水资源可再生能力较弱。

(四)结论

(1)用 MATLAB 环境下的 RBF 网络方法对水资源可再生能力进行综合评价,精度高,操作简便,评价结果真实可靠。

(2)MATLAB 环境下的 RBF 网络方法,评价结果具有可比性,实例计算的结果与多目标决策理想区间法、灰关联分析法、模糊综合评判法、遗传投影寻踪法等方法的评价结果较接近。

(3)MATLAB 环境下的 RBF 网络方法适用性强,不仅能确定各评价对象所属的级别,而且能进行不同评价对象之间水资源可再生能力大小的比较,可广泛应用于各种领域的水资源综合评价问题中。

表 8-20　　　　　　　　　　　黄河流域各行政分区评价结果的对比

行政分区	多目标决策理想区间法	灰关联分析法	模糊综合评判法	遗传投影寻踪法	RBF 神经网络法
青海	4	4.000	4	3.316	4.663
四川	3	3.000	3	2.341	1.954
甘肃	4	4.000	4	3.000	3.938
宁夏	5	5.000	5	4.856	4.975
内蒙古	5	5.000	5	4.616	4.912
山西	4	4.000	4	3.072	2.916
陕西	4	3.000	4	3.112	2.589
河南	3	3.000	4	3.042	2.107
山东	3	3.000	3	2.611	2.037
黄河流域(含内流区)	4	4.000	4	3.269	3.546

九、物元模型

蔡文教授创立的物元分析方法,从对事物的矛盾转化的形式入手,为人脑的"出点子,想办法"打开了一条新的研究途径,成为解决不相容问题的有利工具,已广泛应用于价值工程、经济管理、人工智能、决策分析、土壤评价、水质评价等方面[28,29]。但在应用物元分析方法对多指标决策问题进行综合评价时,各指标权重的确定依然是个研究热点。目前,评价方法权重的选取一般采用层次分析法、神经网络法。层次分析法强调主观因素,神经网络法强调客观因素,各有特点。但对每一种评价方法都不应该生搬硬套,而应根据实际情况建立合理的数学模型。为了充分利用已有的信息和现代优化工具,本节采用主、客观相结合的赋权基点法,即在待选的方案中,选择一个大家比较熟悉的方案作为基点,该方案的评价等级由专家事先凭经验定出,而各指标的权重事先并不知道。通过选择的基点,以全局收敛的格雷码加速遗传算法为工具来建立确定权重的优化模型,从中优选出一组最具代表意义的权重,作为物元评价模型的权重,从而提高评判结果的准确性。即,首先,通过基点,以遗传算法为工具,建立优化模型来确定权重集;其次,以水资源可再生能力评价等级、评价指标及其特征值来构造物元,建立模型的经典域、节域和关联函数;最后,根据最优权重和关联函数计算出关联度,利用关联度对水资源可再生能力进行综合评价。为水资源可再生能力的综合评价建立了一种新的评价模型——遗传加权物元模型,并进一步用于黄河流域 10 个行政分区的水资源可再生能力的综合评价。

(一)物元模型的基本步骤

水资源可再生能力综合评价的物元模型由 2 个基本模型组成。

基本模型 1:确定权重的遗传优化模型。

基本模型 2:物元模型。

水资源可再生能力评价的物元模型由以下 4 步组成。

步骤 1:确定物元。

对要评价的水资源可再生能力的等级,记为事物 M;反映水资源可再生能力的 n 个指标,看成是特征 $C = (c_1, c_2, \cdots, c_n)^T$;关于特征 C 的量值,记为 $X = (x_1, x_2, \cdots, x_n)^T$。以有序三元 $R = (M, C, X)$ 组作为物元,即

$$
R = \begin{bmatrix} M & c_1 & x_1 \\ & c_2 & x_2 \\ & \vdots & \vdots \\ & c_n & x_n \end{bmatrix} \tag{8-47}
$$

其中 x_i 为 M 关于 c_i 的量值,$i = 1, 2, \cdots, n$。

步骤 2:确定经典域、节域。

将评价标准表的水资源可再生能力的等级 j,记为标准事物 M_{0j}(这里 $j = 1, 2, \cdots, 5$)。M_{0j} 的特征 c_i 的量值范围 $x_{0ji} = [a_{0ji}, b_{0ji}]$ 称为经典域,记为 $X_{0j} = (x_{0j1}, x_{0j2}, \cdots, x_{0jn})^T$,$i = 1, 2, \cdots, n$。经典域的物元矩阵 R_{0j} 可表示为

$$
R_{0j} = \begin{bmatrix} M_{0j} & c_1 & x_{0j1} \\ & c_2 & x_{0j2} \\ & \vdots & \vdots \\ & c_n & x_{0jn} \end{bmatrix} \tag{8-48}
$$

又记 $\quad R_p = \begin{bmatrix} M_p & c_1 & x_{p1} \\ & c_2 & x_{p2} \\ & \vdots & \vdots \\ & c_n & x_{pn} \end{bmatrix}$, $X_p = (x_{p1}, x_{p2}, \cdots, x_{pn})^T$, $x_{pi} = [a_{pi}, b_{pi}]$ (8-49)

x_{p1}、x_{p2}、$\cdots$、x_{pn} 分别为事物 M 关于 c_1、c_2、$\cdots$、c_n 所取值范围,称为节域。显然,这里 $x_{0ji} \subset x_{pi}$。

步骤 3:确定关联函数。

关联函数表示物元的量值取值为实轴上一点时,物元符合要求的范围程度。由于可拓集合的关联函数可用代数式表示,就使得解决不相容问题能够定量化。令有界区间 $x_{0ji} = [a_{0ji}, b_{0ji}]$ 的模定义为

$$
d = | x_{0ji} | = | b_{0ji} - a_{0ji} | \tag{8-50}
$$

某一点 x_i 到区间 x_{0ji} 的距离为

$$
\rho(x_i, x_{0ji}) = | x_i - (a_{0i} + b_{0i})/2 | - (b_{0i} - a_{0i})/2 \quad (i = 1, 2, \cdots, n) \tag{8-51}
$$

关联函数用下式表示

$$
K_j(x_i) = \begin{cases} \rho(x_i, x_{0ji}) / [\rho(x_i, x_{mi}) - \rho(x_i, x_{0ji})] & (x_i \notin x_{0ji}) \\ -\rho(x_i, x_{0ji})/d & (x_i \in x_{0ji}) \end{cases} \tag{8-52}
$$

步骤 4:等级的评定。

对于每个特征 c_i 由基本模型 1 得到最佳权系数 λ_i^*,则待评对象 M 关于等级 j 的关联度为

$$
K_j(M) = \sum_{i=1}^{n} \lambda_j^* K_j(x_i) \tag{8-53}
$$

取 $K_{j0}(M) = \max_j K_j(M)$，则评定 M 属于等级 j_0。

以上四步构成确定水资源可再生能力等级评价的物元模型。

由基本模型1、基本模型2构成了水资源可再生能力综合评价的遗传加权物元模型。

(二)评价

由黄河流域各行政分区的数据和水资源可再生能力综合评价的遗传加权物元模型，可计算黄河流域各行政分区Ⅰ～Ⅴ级的关联度，见表8-21。

根据表8-21的计算结果，可以得出，四川、河南、山东水资源可再生能力中等，青海、甘肃、山西、陕西水资源可再生能力较弱，宁夏、内蒙古水资源可再生能力最弱。

表 8-21 　　　　　　　　　　　黄河流域各行政分区关联度计算结果

区域	Ⅰ	Ⅱ	Ⅲ	Ⅳ	Ⅴ
青海	-0.689	-0.496	-0.205	0.057	-0.349
四川	-0.454	-0.261	0.075	-0.288	-0.490
甘肃	-0.709	-0.506	-0.335	-0.020	-0.277
宁夏	-0.788	-0.700	-0.570	-0.378	0.061
内蒙古	-0.773	-0.700	-0.555	-0.270	0.005
山西	-0.719	-0.537	-0.325	0.011	-0.271
陕西	-0.702	-0.518	-0.258	0.036	-0.302
河南	-0.634	-0.414	0.017	-0.071	-0.400
山东	-0.584	-0.384	-0.030	-0.128	-0.425
黄河流域(含内流区)	-0.713	-0.544	-0.294	0.045	-0.285

十、总结

本研究对水资源可再生能力综合评价的理论依据、运用条件和过程作了较深入的研究。针对水资源可再生能力综合评价过程中出现的非线性、不精确性和不确定性问题，将智能算法中的遗传算法、神经网络方法、模糊评价等评价方法用于水资源可再生能力综合评价。提出了确定权重的遗传优化模型，建立了基于遗传算法的投影寻踪倒S形评价模型、插值模型、智能模型、多目标决策理想区间模型、RBF神经网络模型和物元模型等多个评价模型，并对黄河流域10个行政分区的水资源可再生能力进行了综合评价，计算结果见表8-22。结果表明，从总体上看，黄河流域水资源可再生能力较弱。将各种评价方法进行了对比研究。研究结果表明，所计算的权重较为合理，所建立的评价模型在不同条件下提高了评价精度。

表 8-22　　黄河流域各行政分区水资源可再生能力不同评价模型评价结果的对比

行政分区	理想区间模型（MODMIIM）	灰关联分析	模糊综合评判	灰关联分析与模糊综合评判结合	倒 S 形评价模型(遗传投影寻踪法)	插值模型	智能模型	RBF 网络模型	物元模型
青海	4	4	4	4	3.316	3.489	4	4.663	4
四川	3	3	3	3	2.341	3.000	3	1.954	3
甘肃	4	4	4	4	3.000	3.272	4	3.938	4
宁夏	5	5	5	5	4.856	4.000	4	4.975	5
内蒙古	5	5	5	5	4.616	4.000	4	4.912	5
山西	4	4	4	4	3.072	3.000	4	2.916	4
陕西	4	3	4	3～4	3.112	3.000	4	2.589	4
河南	3	3	4	3～4	3.042	3.000	3	2.107	3
山东	3	3	3	3	2.611	3.000	3	2.037	3
黄河流域（含内流区）	4	4	4	4	3.269	3.288	4	3.546	4

参 考 文 献

[1] 沈珍瑶,杨志峰．黄河流域水资源可再生性评价指标体系与评价方法．自然资源学报,2002,17(2)：188～197

[2] 沈珍瑶,杨志峰．水资源的可再生性与持续利用．中国人口·资源与环境,2002,12(5):77～78

[3] 金菊良,等．水质综合评价的投影寻踪模型．环境科学学报,2001,21(4):431

[4] 杨晓华,陆桂华,杨志峰,等．格雷码加速遗传算法及其理论研究．系统工程理论与实践,2003,23(3):100～106

[5] Hwang C L, Lin M J. Croup decision making under multiple criteria: methods and applications. Berlin Heidelberg, New York: Springer－Verlag, 1987.23～41

[6] Saaty T l. A scaling method for priorities in hierarchical structures. Journal of Mathematical Psychology, 1997,15:234～281

[7] Chu A T W,Kalaba R E, Spingam K. A comparision of two methods for determining the weights of belinging to fuzzy sets. Journal of Optimization Therory and Application, 1979,27:531～538

[8] 马云东,胡明东．改进的 AHP 法及其在多目标决策中的应用．系统工程理论与实践,1997,17(6):40～57

[9] 邓聚龙,灰色系统理论教程.武汉:华中理工大学出版社,2000

[10] 陈武,李凡修,梅平．应用多目标决策理想点法综合评价水环境质量．环境工程,2002,20(3):64～65

[11] 金菊良,魏一鸣,丁晶．水质综合评价的投影寻踪模型,环境科学学报,2001,21(4):431～434

[12] 周文坤,武振业,鞠廷英.多目标群体决策的一种综合集成方法．西南交通大学学报,2001,36(1):100～103

［13］杨纶标,高英仪．模糊数学原理及其应用．广州:华南理工大学出版社,2001

［14］张文国、陈守煜、王国利,等．复杂环境系统影响评价的模糊优选理论模型及其应用研究．华北水利水电学院学报,1998,36(4):100～103

［15］水电部黄河水利委员会水文局.黄河流域片水资源评价.1986.6:9

［16］黄河视点:黄河的重大问题及其对策简介.2002

［17］黄河水利委员会黄河中游治理局．黄河水土保持志．郑州:河南人民出版社,1993

［18］黄河水利委员会水文局．黄河水文志．郑州:河南人民出版社,1996

［19］水电部黄河水利委员会．黄河流域水资源分析报告(1997年度).1998.12

［20］杨晓华,杨志峰,郦建强,等．水环境质量综合评价的多目标决策理想区间法．水科学进展,2004,15(2):202～205

［21］杨晓华,杨志峰,郦建强．区域水资源潜力综合评价的遗传投影寻踪方法．自然科学进展,2003,13(5):554

［22］王莲芬．层次分析法引论(第1版).北京:中国人民大学出版社,1990

［23］何斌,谢开贵．大气环境质量综合评价的污染损失率法.环境保护,1998,(3):33～35

［24］何斌,高登好．大气环境质量综合评价的变权识别模型及其应用.环境工程,2001,19(6):57～58

［25］肖继先,应用模糊综合评价级数评价大气环境质量.环境工程,1994,12(6):46～49

［26］闻新,周露、王丹力,等.MATLAB神经网络应用设计.北京:科学出版社,2001

［27］黄涛珍,王晓东．BP神经网络在洪涝灾损失快速评估中的应用.河海大学学报(自然科学版),2003,31(4):457～460

［28］蔡文,杨春燕,林伟初.可拓工程方法.北京:科学出版社,1997

［29］蔡文.物元模型及其应用.北京:科学技术文献出版社,1998

第九章　黄河干流典型河段水体交换与传输特征评价

第一节　水体交换与传输的基本理论

一、概况

从水资源再生快慢的角度研究汇流过程中水资源交换与传输的时间维特征一般用平均传输时间与更替周期两个指标表征。

关于水体的交换与传输特征,前人曾提出不同的概念加以描述,作者曾对相关概念进行了总结[1],大致分为两类:一类是基于微观角度的概念,如寿命(age)、滞留时间(residence time, detention time)、传输时间(transit time),用于描述水体内部物质交换与传输特征;另一类是基于宏观角度的概念,如交替时间、平均寿命、冲刷速率和冲刷时间、水交换指标、更新时间、平均滞留时间、平均传输时间、更替周期。其中平均寿命、平均滞留时间、平均传输时间是所研究系统内部质点微观特征的综合体现,更替周期与更新时间则用于描述水体与外界交换的时间维特征。对于同一水体,在一定的条件下,各量之间存在着一定的关系。

地球上水的循环作用,使各种水体处于不断的运动之中,原来存在于某一水体中的水不断排出,新的水又不断地补充进去,这种作用称为水的更新[2]。在参与水循环的过程中,水体内水量或物质全部被交替更新一次所需的时间称为更替周期,可用以下几种方法计算。

$$更替周期 = \frac{水体体积}{进入或离开水体的通量} \tag{9-1}$$

$$T_r = \frac{M_0}{F_0} \tag{9-2}$$

$$T_r = \frac{V}{Q} = \frac{V}{(Q_{out} + Q_{in})/2} \tag{9-3}$$

式中:T_r 为更替周期,d;M_0 为系统中某种物质的量,m³ 或 kg;F_0 为稳定状态下进入或离开系统的物质通量,m³/d 或 kg/d;V 为水体体积,m³;Q_{out}、Q_{in} 为水体的出流量与入流量,m³/s。

当式(9-2)用于计算水量时,即为式(9-3)。

刘昌明等[3]研究了稳定情况不同交换比时水体的更新时间与更替周期(水循环交替期)的关系,但是在个别提法上表述不清,根据其提法难以导出后面的结论。本研究在其基础上将"单位时间"改为"前期水量所占比例"后得出原文中的结论,用式(9-4)表示。不同交换比时更新时间与更替周期的关系如图 9-1 所示。

$$\begin{cases} \alpha - 1 - e^{-1} \approx 0.632\ 1 & (t/T_r = 1) \\ \alpha < 1 - e^{-1} \approx 0.632\ 1 & (t/T_r < 1) \\ \alpha > 1 - e^{-1} \approx 0.632\ 1 & (t/T_r > 1) \end{cases} \tag{9-4}$$

式中：α 为累积出流比，即累积出流量占前期水量的比值，其中累积出流量是指从初始时刻 t_0 到时刻 t 时段内流出水体的总量，前期水量是指 t 时刻水体中蓄存的 t_0 时刻的水量；t 为累积出流比为 α 时所需时间，称为更新时间，d；T_r 为更替周期，d。

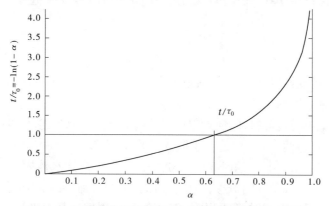

图 9-1　不同交换比时更新时间与更替周期的关系曲线

从式(9-4)及图 9-1 可以看出，随着交换比的增加，更新时间逐渐增长。当累积出流比小于 63.21％时，更替周期要比实际的更新时间值偏大；当累积出流比大于 63.21％时，更替周期要比实际的更新时间值偏小；当更替周期与更新时间相等时，此时的交换比为 63.21％，也即通常所用的更替时间是交换比为 63.21％情况下的更新时间，是一个特例。由于计算更替周期相对简单，而计算更新时间所需信息量较大，当探讨水体与外部环境的水量或物质交换规律时，用更替周期即可满足要求。

二、典型情况下更替周期与平均传输时间的关系

更替周期与平均传输时间均为宏观的概念，二者既有区别又有联系，前者着重水体与外界交换特征的描述，后者则用于水体内部传输特征的表征，在稳定条件下两值相等。下面就几种简单情况研究二者的变化规律与相互关系。由于现实世界中水体的几何形状、补、径、排情况非常复杂，不可能充分、全面地掌握其各种条件，只能对某些情况进行概化，在此基础上利用目前的知识、技术再进行研究。由于更替周期与平均传输时间均为宏观概念，可采用"黑箱"方法从宏观上把握水体的交换特征。下面探讨几种典型条件下二者各自变化规律与它们之间的关系，以便加深对概念的了解，明确其意义及局限所在。

(一)代表单元体

代表单元体是一个抽象的概念，用以表示现实水体中的某一点或某一计算单元。通过研究代表单元体可以了解整个水体或部分水体的特征。假设从水体中任取一立方体作为代表单元体(见图 9-2)，其长、宽、高分别为 dx、dy、dz，该单元体被水全部充满，假设在

单元体的 x、y、z 三个方向均有水流通过,垂直于 x 方向的两个断面流量分别为 $Q_x|_{-\frac{\mathrm{d}x}{2}}$、$Q_x|_{\frac{\mathrm{d}x}{2}}$,流速为 $v_x|_{-\frac{\mathrm{d}x}{2}}$、$v_x|_{\frac{\mathrm{d}x}{2}}$,由于微元体足够小,认为 $Q_x|_{-\frac{\mathrm{d}x}{2}} = Q_x|_{\frac{\mathrm{d}x}{2}} = Q_x$,$v_x|_{-\frac{\mathrm{d}x}{2}} = v_x|_{\frac{\mathrm{d}x}{2}} = v_x$。同理,$y$、$z$ 方向的流量分别为 Q_y、Q_z,流速分别为 v_y、v_z 则更替周期 T_r 为

$$T_r = \frac{\mathrm{d}x\mathrm{d}y\mathrm{d}z}{Q_x + Q_y + Q_z} = \frac{\mathrm{d}x\mathrm{d}y\mathrm{d}z}{v_x\mathrm{d}y\mathrm{d}z + v_y\mathrm{d}x\mathrm{d}z + v_z\mathrm{d}x\mathrm{d}y} = \frac{1}{\frac{v_x}{\mathrm{d}x} + \frac{v_y}{\mathrm{d}y} + \frac{v_z}{\mathrm{d}z}} \quad (9\text{-}5)$$

各方向平均传输时间分别为

$$t_x = \frac{\mathrm{d}x}{v_x}, t_x = \frac{\mathrm{d}y}{v_y}, t_x = \frac{\mathrm{d}z}{v_z} \quad (9\text{-}6)$$

式中:T_r 为更替周期,s 或 d;t 为平均传输时间,s 或 d;v 为传输速率,m/s 或 m/d。

由于 $\mathrm{d}x = v_x\mathrm{d}t$,$\mathrm{d}y = v_y\mathrm{d}t$,$\mathrm{d}z = v_z\mathrm{d}t$,所以 $T_r = \frac{\mathrm{d}t}{3}$,$t_x = t_y = t_z = \mathrm{d}t$,此时更替周期为各方向

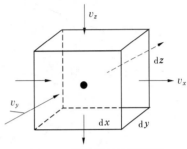

图 9-2　代表单元体示意图

平均传输时间的 1/3;若只有两个方向有水流通过,则更替周期为平均传输时间的 1/2;若为一维情况,则更替周期与平均传输时间二者相等。

当代表单元体的体积在物理意义上趋于 0 时,由于流速 $v \neq 0$ 而 $\mathrm{d}x \to 0$,更替周期 $T_r \to 0$,平均传输时间 $t \to 0$。若定义更替速率为更替周期的倒数,则更替速率 $v_r \to +\infty$,此时探讨更替周期与更替速率是无意义的。若单元体代表的是大区域中的一个单元,此时 $\mathrm{d}x \neq 0$,更替周期与更替速率是有实际意义的。例如可将一个水库概化为多个代表单元体,计算出各个单元体的曲,然后利用频率分布函数计算整个水库的更替周期。在计算精度要求不高时可将整个水库作为一个代表单元体处理。

(二)一维管流

设有一均匀流管,如图 9-3 所示,管中充满水,流管横截面积为 A。控制定流量的水流过该管,入流量等于出流量,为 Q,则更替周期 T_r 为

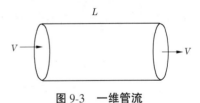

图 9-3　一维管流

$$T_r = \frac{V}{Q} = \frac{AL}{Q} = \frac{AL}{Av} = \frac{L}{v} = t \quad (9\text{-}7)$$

更替速率为更替周期的倒数,记为 v_r,表示单位时间内水资源更新量与蓄水量之比。

$$v_r = \frac{1}{T_r} = \frac{1}{t} \quad (9\text{-}8)$$

式中:V 为体积,m^3;A 为过水断面面积,m^2;L 为流管长度,m;v_r 更替速率,1/s 或 1/d;其他符号含义同前。

从以上两式可以看出:

(1)更替周期等于平均传输时间。

(2)随着流管长度的增加,更替周期、平均传输时间越来越长,更替速率越来越小,可用图 9-4 表示。当 L 趋于 0 时,更替周期、平均传输时间趋于 0,更替速率趋于无穷大,即

再生能力趋于无穷大;当 L 趋于无穷大时,更替周期趋于无穷大,更替速率趋于0。故在这两种极限情况下探讨更替周期是无意义的。

若 L、A 一定,流量变化时,更替周期或平均传输时间与流量成反比,即随流量的增加而减小,随流量的减小而增大,而更替速率与流量成正比,用图9-5表示。

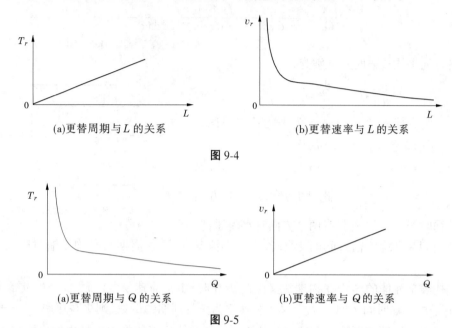

(a)更替周期与 L 的关系   (b)更替速率与 L 的关系

图9-4

(a)更替周期与 Q 的关系   (b)更替速率与 Q 的关系

图9-5

(三)理想河段

当河流为均匀流时,可概化为一维管流,于是更替周期与平均传输时间相等。下面探讨河流均匀取水或均匀补水两种情况下更替周期与平均传输时间的变化及二者的关系。

如图9-6所示,设有一底坡为 i 的天然顺坡河道,断面为矩形,河长为 L,河宽为 B,粗糙系数为 n,B、n 为常量,不随河长而变化。

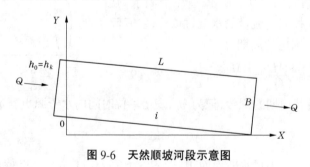

图9-6　天然顺坡河段示意图

1.均匀流情况

设:

(1)河道中有流量为 Q 的稳定均匀水流通过,令上游断面水深等于临界水深,即

$$h_0 = h_k = \sqrt[3]{\frac{\alpha Q^2}{gB^2}} \tag{9-9}$$

式中：h_0 为入口断面水深，m；h_k 为临界水深，m；α 为修正系数；Q 为流量，$\mathrm{m^3/s}$；g 为重力加速率，$\mathrm{m/s^2}$；B 为河宽，m。

（2）河道坡度 i 小于 0.1，则可用铅垂水深代替垂直于槽底的水深，于是河道槽蓄量 $S = LBh_0$。

$$T_r = \frac{S}{(Q_{\mathrm{in}} + Q_{\mathrm{out}})/2} = \frac{LBh_0}{Q} = \frac{L}{v_0} = t \tag{9-10}$$

式中：T_r 为更替周期，s；S 为河槽蓄量，$\mathrm{m^3}$；Q_{in}、Q_{out} 为入口断面流量与下游断面流量，$\mathrm{m^3/s}$；v_0 为断面平均流速，m/s；L 为河长，m。

从式（9-10）可以看出，与一维管流相同，均匀流条件下的更替周期与平均传输时间相等。

2. 均匀取水

设沿河道均匀取水，单位时间单位面积的取水率为 ε，单位为 $\mathrm{m^3/(s \cdot m^2)}$，则流量沿程递减率为 εBx，距入口 x 远处的流量为

$$Q(x) = Q - \varepsilon Bx \tag{9-11}$$

同时 $$Q(x) = A(x)v(x) = Bh(x)v(x) \tag{9-12}$$

式中：x 为距入口处水平向距离，m；$A(x)$ 为过水断面面积，$\mathrm{m^2}$；$v(x)$ 为断面平均流速，m/s。

此时水流为非均匀渐变流，在微河段内可视为均匀流处理，从而有

$$v(x) = C\sqrt{Ri}, \quad C = \frac{1}{n}R^{\frac{1}{6}}, \quad R = \frac{A(x)}{\chi} = \frac{Bh(x)}{B + 2h(x)} \tag{9-13}$$

式中：C 为谢才系数；R 为水力半径，m；i 为河道坡度；χ 为湿周，m。

将式（9-13）代入式（9-12）并与式（9-11）结合，整理得

$$Q(x) = Q - \varepsilon Bx = \frac{B^{\frac{5}{3}} i^{\frac{1}{2}} h^{\frac{5}{3}}(x)}{n[B + 2h(x)]^{\frac{2}{3}}}$$

$$v(x) = \frac{B^{\frac{2}{3}} i^{\frac{1}{2}} h^{\frac{2}{3}}(x)}{n[B + 2h(x)]^{\frac{2}{3}}} < v_0 \tag{9-14}$$

$$\frac{B^{\frac{5}{3}} i^{\frac{1}{2}}}{n} h^{\frac{5}{3}}(x) = (Q - \varepsilon Bx)[B + 2h(x)]^{\frac{2}{3}}$$

令 $h(x) = 0$，则 $x = \dfrac{Q}{\varepsilon b}$，即当河长 $L = x$ 时，由于沿途取水，断面流量已减为 0。本节只讨论河长远小于 $\dfrac{Q}{\varepsilon b}$ 时的情形。

令 $h(x) = \dfrac{1}{2}h_0$，计算得

$$x\left(\frac{h_0}{2}\right) = \frac{Q - \dfrac{B^{\frac{5}{3}} i^{\frac{1}{2}} h^{\frac{5}{3}}}{2^{\frac{5}{3}} n(B + h)^{\frac{5}{3}}}}{\varepsilon B} \tag{9-15}$$

同理计算出 $h(x) = \dfrac{h_0}{4}$、$h(x) = \dfrac{h_0}{3}$、$h(x) = \dfrac{2h_0}{3}$、$h(x) = \dfrac{3h_0}{4}$ 时断面离入口的距离，

并据此画出水面曲线,如图 9-7 所示。

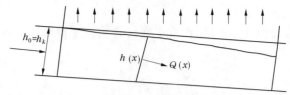

图 9-7　水面曲线

从图 9-7 可以看出,均匀取水时河道的槽蓄量 S' 小于均匀流时同样长河道的槽蓄量 S,平均流量为

$$(Q_{in} + Q_{out})/2 = [Q + (Q - \varepsilon bx) + \varepsilon Bx]/2 = Q \tag{9-16}$$

更替周期为

$$T'_r = \frac{S'}{Q} < \frac{S}{Q} = T_r \tag{9-17}$$

从式(9-17)中可以看出,均匀取水条件下的传输速率小于均匀流时的传输速率,平均传输时间大于均匀流时的平均传输时间。从式(9-17)可以看出,由于取水,更替周期比均匀流时缩短,水体更新能力增强,此时更替周期与平均传输时间不再相等。

3.均匀补水

假设沿河均匀补水,则水面线为一壅水曲线,当河流入口断面的流量仍为 Q,水深仍为 h_0 时,由于沿途补水,河道槽蓄量呈递增趋势,此时,单位时间的交换量大于 Q。采用上面的方法探讨非均匀渐变流情况下更替周期与平均传输时间的变化。距入口 x 处的流量为

$$Q(x) = Q + \varepsilon Bx \tag{9-18}$$

而 $Q(x) = A(x)v(x) = Bh(x)v(x), v(x) = C\sqrt{Ri}, C = \frac{1}{n}R^{\frac{1}{6}}, R = \frac{A(x)}{\chi} = \frac{Bh(x)}{B + 2h(x)}$,整理得

$$v(x) = \frac{1}{n}i^{\frac{1}{2}}\left[\frac{Bh(x)}{B + 2h(x)}\right]^{\frac{2}{3}} > v_0 \tag{9-19}$$

$$\left. \begin{array}{l} Q(x) = Q + \varepsilon Bx = \dfrac{B^{\frac{5}{3}}i^{\frac{1}{2}}h^{\frac{5}{3}}(x)}{n[B + 2h(x)]^{\frac{2}{3}}} \\[4mm] \dfrac{B^{\frac{5}{3}}i^{\frac{1}{2}}}{n}h^{\frac{5}{3}}(x) = (Q + \varepsilon Bx)[B + 2h(x)]^{\frac{2}{3}} \end{array} \right\} \tag{9-20}$$

令 $h(x) = 2h_0$、$3h_0$、$4h_0$、$5h_0$ 等,画出水面曲线,如图 9-8 所示。

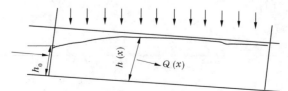

图 9-8　水面曲线示意图

从图9-8可以看出,均匀补水时同样长河道的槽蓄量S'大于均匀流时的槽蓄量S,而作为分子的平均流量$\overline{Q}$为

$$\overline{Q} = (Q_{in} + Q_{out})/2 = [Q + (Q + \varepsilon Bx) + \varepsilon Bx]/2 = Q + \varepsilon Bx \qquad (9-21)$$

由式(9-21)可知,$\overline{Q}$大于均匀流时的流量,此时更替周期$T'_r = \dfrac{S'}{Q + \varepsilon Bx}$,其大小应视取水率大小而定。

从式(9-19)看出,均匀补水时传输速率大于均匀流时的传输速率,平均传输时间小于均匀流时的平均传输时间。

综上所述,在取水或补水情况下,更替周期与平均传输时间不再相等。取水时更替周期缩短,平均传输时间增长;补水时平均传输时间缩短,更替周期视补水量大小而定。在现实中很少有均匀补水或均匀取水的情况,两值的关系更为复杂,通常情况下两值并不相等。

三、典型河段水交换与传输特征分析方法

(一)更替周期计算方法

在稳定状态下,一维管流的更替周期与平均传输时间是一致的,当河段内有取水或补水时,两值不再相等。以典型河段为例,研究更替周期与平均传输时间的计算方法。

用下式计算非稳定条件下河流的更替周期

$$T_r = \frac{V}{Q} = \frac{V_0 - (Q_{out} - Q_{in}) \times t}{(Q_{out} + Q_{in})/2} \qquad (9-22)$$

式中:V_0为初始时刻水体体积,m^3;其他符号含义同前。

考虑到进出水体的流量对更替周期的影响程度不同,Liu 等[4]引入相对系数(式9-23)对其进行修正。当河段中有较大支流汇入,且其流量约占总入流量的50%时,苏A·A·索科洛夫[5]用式(9-24)中的相对系数(或称权重系数)进行修正,修正后的计算式为(9-25)。

$$r = \frac{Q_{out}}{Q_{in} + Q_{out}} \qquad (9-23)$$

$$r = 0.5 - (0.5 - l_1/l)a_1/a \qquad (9-24)$$

$$T_r = \frac{V}{rQ_{in} + (1 - r)Q_{out}} \qquad (9-25)$$

式中:r为相对系数;l_1为上游断面到支流入口处的距离,km;a_1为支流的汇水面积,km^2;l为计算河段的长度,km;a为计算河段的面积,km^2;其他符号含义同前。

计算更替周期经常遇到的一个问题是河槽蓄水量的确定,有关这方面的介绍虽然较多,但通常是针对较短河段的精细研究,对资料要求较高,下面介绍几种简单的计算方法。

理论上可用下式计算河槽蓄水量

$$V = \int_{L_1}^{L_2} A \, dl \qquad (9-26)$$

式中:V为槽蓄量,m^3;A为河槽的过水断面面积,m^2;L_1、L_2分别为河段的上游端与下

游端距原点的距离,m。

在实际计算过程中,由于无法得到面积的连续函数,所以需用离散形式计算。

对于柱状河道,可用式(9-27)计算;对于棱柱形河道,可用式(9-28)计算。为了充分考虑河床的形状变化对槽蓄量的影响,可在式(9-27)的基础上引入河床形状因子对其进行修正,得到式(9-29)。对于较复杂的河道,且有关河床几何形状的数据较多时,可用式(9-30)计算。

$$V = AL \tag{9-27}$$

$$V = \frac{1}{3}(A_1 + A_2 + \sqrt{A_1 \times A_2})L \tag{9-28}$$

$$V = \alpha \frac{A_1 + A_2}{2}L \tag{9-29}$$

$$V = \sum_i \frac{1}{2}(D_i + B_i)(\frac{Z_{i1} + Z_{i2}}{2} - H_{di})L_i \tag{9-30}$$

式中:A_1、A_2 为河段两端横截面面积,m^2;L 为计算河段长度,m;B_i 为包括泄洪时断面宽度和仅起调蓄作用的附加宽度,m;D_i 为第 i 个河段的河底宽度,包括附加行洪河道底宽和仅起调蓄作用的河道底宽,m;Z_{i1}、Z_{i2}分别为第 i 个河段首、末节点水位,m;H_{di} 为第 i 个河段的河底高程,m;L_i 为第 i 个河段的河段长,m;α 为调节系数或称为河床形状因子,根据河床的形状确定;其他符号含义同前。

此外还可用 HYPACK 软件结合跟踪测量计算槽蓄量。该软件是一个功能完备的用于水下地形数据采集和处理的软件包,可以支持多种定位设备和测深仪器,具有体积计算、剖断面图绘制等多项功能[6]。

A·A·索科洛夫提出用特定时期的平均流量与滞时(即平均传输时间)估算河槽蓄水量的方法[5]。首先将河网分割成没有支流入流的河段,用水文资料估算河段平均流量,然后用式(9-31)计算河槽蓄水量。对于单个河段,利用该方法计算出的河槽蓄水量计算更替周期必然与平均传输时间相等。但是对于一个河网系统,二者未必相等。对于一个河网系统,其槽蓄量为用式(9-32)计算,更替周期用式(9-33)计算。当各河段平均传输时间不相等时,河网的更替周期显然不等于各河段更替周期或平均传输时间之和。而整个河网的平均传输时间应等于从出口到距出口最远处的传输时间,与更替周期是两个不同的概念。

$$V_i = \overline{Q_i} \times t_i \tag{9-31}$$

式中:$\overline{Q_i}$ 为第 i 个河段的平均流量,m^3/s;t_i 为第 i 个河段的平均传输时间,s。

$$V = \sum_{i=1}^n \overline{Q_i} \times t_i \tag{9-32}$$

$$T_r = \frac{\sum_{i=1}^n \overline{Q_i} \times t_i}{Q_{out}} \tag{9-33}$$

式中:V 为整个河网系统的槽蓄量,m^3;n 为河段数;Q_{out} 为河网系统出口断面流量,m^3/s;其他符号含义同前。

(二)平均传输时间计算方法

(1)根据水文测站每月各测次的断面面积与断面平均流量计算断面平均流速,用各测次算术平均值作为月均流速。

(2)计算河段上、下游断面流速平均值,作为河段平均流速。

(3)用下式计算单位河长的平均传输速率

$$\bar{v} = \frac{\overline{Q}}{\overline{A}} \tag{9-34}$$

式中:$\bar{v}$ 为平均传输速率,m/s;$\overline{Q}$ 为平均流量,m³/s;$\overline{A}$ 过水断面平均面积,m²。

第二节 黄河干流典型河段更替周期及平均传输时间变化趋势分析

一、黄河干流典型河段更替周期变化趋势分析

对黄河上游唐乃亥—兰州及中下游吴堡—利津几个河段的更替周期进行计算,分析各河段1991~1997年各月份人为影响下的水资源更替特征。各河段长度见表9-1。中下游河段及测站位置见图9-9。

表 9-1　　　　　　　　　　　　计算河段长度

河段	唐乃亥—贵德	贵德—循化	循化—小川	小川—兰州	吴堡—龙门
长度(km)	189	166	114	97	277.5
河段	龙门—潼关	潼关—花园口	花园口—高村	高村—利津	
长度(km)	228	128	86.8	475.5	

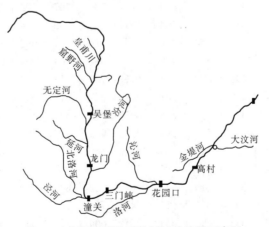

图 9-9　黄河中下游河段与测站位置示意图

(一)计算步骤

(1)利用各水文测站90年代的测次数据,以每月各测次的过水断面面积的平均值作

225

为月均值(见表9-2)与河段长一起代入式(9-29)计算河槽蓄水量。计算过程中,忽略河床形状的影响,取 $\alpha=1$。

表 9-2　　　　　　唐乃亥—兰州河段水文测站月均断面面积　　　　(单位:m²)

测站	年份	月份												年均值
		1	2	3	4	5	6	7	8	9	10	11	12	
唐乃亥	1991	144	147	173	196	273	304	421	497	349	350	234	169	271
	1992	138	130	145	231	277	437	689	500	427	416	262	157	317
	1993	138	128	174	280	350	483	521	579	441	347	242	153	320
	1995	123	122	152	233	331	282	292	422	407	303	232	167	256
	1996	138	138	167	217	290	381	348	334	293	279	197	132	243
	1997	125	114	163	188	370	330	446	308	249	242	196	131	238
贵德	1991	433	419	365	258	449	388	503	535	422	361	453	239	402
	1992	353	366	287	243	479	469	481	311	169	80	308	317	322
	1993	307	433	207	341	306	501	343	363	486	357	153	402	350
	1994	379	413	406	413	534	258	377	424	399	414	409	432	405
	1995	430	319	393	258	310	380	367	275	249	372	461	337	346
	1996	391	300	492	101	184	366	323	451	300	283	376	352	326
	1997	278	304	288	332	311	475	242	166	310	329	452	365	321
循化	1991	343	349	456	287	385	451	503	456	433	325	454	225	389
	1992	356	299	227	282	426	428	411	468	271	120	289	364	328
	1993	311		351	381	360	422	383	421	423	344	261	297	359
	1994	312	392	301	382	474	363	450	406	409	352	230	382	371
	1995	364	235	364	296	307	395	366	399	394	398	341	247	342
	1996	326	318	313	136	256	301	416	362	322	305	288	100	287
	1997	99	206	229	336	248	380	371	458	290	305	277	257	288
小川	1991	522	506	495	642	718	632	738	690	594	607	498	538	598
	1992	445	464	424	644	694	644	737	707	602	641	640	558	600
	1993	518	513	487	586	704	671	799	753	714	772	636	602	646
	1994	554	507	412	654	716	778	714	709	693	602	635	594	630
	1995	565	541	459	652	728	692	684	664	639	649	696	520	624
	1996	531	457	498	689	778	676	701	714	553	656	591	518	614
	1997	497	442	438	486	761	701	621	614	529	710	721	491	584
兰州	1991	444	416	387	536	695	667	792	535	506	468	519	383	529
	1992	401	425	380	500	696	732	932	723	505	600	465	483	570
	1993	432	471	428	514	669	724	865	676	628	608	709	501	602
	1994	444	414	445	581	672	776	839	887	630	575	492	492	604
	1995	457	442	384	513	673	604	682	843	790	481	490	450	567
	1996	423	358	400	536	617	742	714	765	461	591	506	400	543
	1997	368	364	356	485	634	501	604	724	454	463	479	381	484

(2)用式(9-25)计算河段更替周期,式中流量值为河段上、下游两断面流量的算术平均值,作此处理的理由是认为支流汇入流量对断面流量的影响较小。

通过计算,发现吴堡—龙门、潼关—花园口河段的支流汇入量与测站总流量之比大多在10%左右或小于10%,虽然龙门—潼关河段在个别月份支流汇入比例较大,但多数月份的汇入比例仍在10%左右(见表9-3),因此认为忽略支流汇入的影响不致对结果产生较大影响。

表9-3　　　　　　　　中下游典型河段支流汇入量与上游端测站总流量之比

河段	年份	月份											
		1	2	3	4	5	6	7	8	9	10	11	12
吴堡—龙门	1991	0.15	0.12	0.07	0.06	0.04	0.06	0.03	0.02	0.03	0.04	0.08	0.19
	1992	—	0.11	0.06	0.04	0.02	0.01	0.02	0.06	0.03	0.03	0.06	0.14
	1993	0.38	0.12	0.04	0.02	0.01	0.01	0.03	0.03	0.01	0.03	0.09	0.10
	1994	0.09	0.16	0.07	0.05	0.01	0.01	0.03	0.14	0.03	0.01	0.09	0.19
	1995	0.34	0.14	0.06	0.04	0.01	0.02	0.07	0.04	0.05	0.03	0.06	0.18
	1996	0.21	0.14	0.10	0.04	0.02	0.03	0.06	0.07	0.03	0.04	0.09	0.37
	1997	0.08	0.10	0.06	0.04	0.01	0.01	0.03	0.03	0.03	0.03	0.10	0.12
龙门—潼关	1991	0.33	0.23	0.20	0.32	0.46	0.12	0.49	0.27	0.46	0.43	—	—
	1992	—	0.30	0.17	0.33	0.21	0.41	0.04	0.06	0.10	0.08	0.03	0.09
	1993	—	0.09	0.07	0.08	0.06	0.10	0.10	0.24	0.36	0.35	0.41	0.17
	1994	0.29	0.36	0.15	0.19	0.24	0.14	0.28	0.23	0.17	0.21	0.29	0.29
	1995	—	0.20	0.12	0.27	0.07	0.17	0.35	0.08	0.07	0.11	0.22	0.36
	1996	0.40	0.06	0.05	0.06	0.03	0.01	0.05	0.16	0.15	0.11	0.11	0.10
	1997	0.07	0.12	0.01	0.06	0.03	0.18	0.23	0.40	0.32	0.21	0.76	0.34
潼关—花园口	1991	0.13	0.11	0.08	0.07	0.10	0.06	0.10	0.04	0.04	0.04	0.08	0.07
	1992	0.09	0.05	0.03	0.05	0.02	0.04	0.01	0.01	0.01	0.01	0.02	0.02
	1993	0.07	0.02	0.01	0.01	0	0	0.01	0.02	0.06	0.05	0.06	0.06
	1994	0.11	0.08	0.06	0.04	0.06	0.03	0.04	0.09	0.03	0.04	0.09	0.11
	1995	0.13	0.03	0.04	0.10	0.06	0.06	0.14	0.03	0.01	0.02	0.06	0.12
	1996	0.12	0.02	0.01	0.01	0	0	0.02	0.03	0.03	0.03	0.06	0.06
	1997	0.02	0.02	0.01	0.01	0	0.01	0.04	0.33	0.17	0.10	0.39	0.26

(3)为便于不同河段之间的比较,将计算出的河段更替周期除以河段长,获得单位河长(1km)的更替周期,计算结果见表9-4。

(二)计算结果分析

根据计算结果,分析中下游各河段单位河长更替周期在90年代的年内与年际变化趋势以及空间变化规律,从图9-10～图9-15可以看出:

(1)各河段单位河长更替周期的年内变化规律非常一致,在5～7月份更替周期较长,在其他月份较短,各河段更替周期年际变化较小。

(2)吴堡—龙门、龙门—潼关、潼关—花园口、花园口—高村各河段单位河长更替周期在相同月份相差不大,而高村—利津河段其值相差较大。总的变化趋势是从上游向下游方向单位河长的更替周期逐渐增大,见图9-15。分析认为是槽蓄量逐渐减少、水流速度渐缓所致,特别是高村—利津河段河水接受的补给量较小,加上人类的开采利用,水量减少很快,水流速度变得非常缓慢。

表 9-4　　　　　　　　　中下游典型河段单位河长更替周期　　　　　　　　（单位:min）

河段	年份	月份											
		1	2	3	4	5	6	7	8	9	10	11	12
吴堡—龙门	1991	9.2	9.3	9.3	9.8	16.1	13.2	18.3	12.3	13.8	14.3	11.5	11.4
	1993	9.0	9.7	9.1	10.3	17.0	22.5	9.7	7.5	8.4	10.2	10.8	8.0
	1994	8.2	9.8	9.3	9.0	17.0	16.6	9.9	8.0	9.4	11.3	9.8	8.8
	1995	9.8	10.0	9.4	9.5	19.7	22.7	15.2	9.5	8.8	12.8	10.0	9.2
	1996	9.2	9.4	11.8	4.4	13.0	6.0	6.7	9.5	3.8	13.7	12.1	5.6
	1997	8.2	10.3	12.4	10.7	17.9	21.5	22.6	9.9	11.6	15.4	16.4	10.4
龙门—潼关	1991	8.3	8.7	10.0	10.0	15.7	11.3	19.8	13.0	15.2	13.0	12.2	10.5
	1992	11.6	10.0	10.5	14.3	18.2	14.8	17.1	8.0	9.8	10.0	8.9	8.1
	1993	9.5	9.2	8.4	9.5	14.5	20.3	10.2	7.3	8.4	10.1	10.2	8.4
	1994	9.2	10.0	9.8	9.3	15.9	16.8	9.7	8.1	10.5	10.8	8.9	8.4
	1995	10.5	10.0	9.3	9.7	16.6	22.9	13.8	8.7	9.1	12.2	9.7	9.2
	1996	13.1	10.3	10.2	5.6	12.1	9.1	8.1	9.2	6.6	13.1	11.5	7.6
	1997	8.1	11.4	11.7	12.4	17.1	19.6	21.4	11.3	11.1	13.3	15.9	11.1
潼关—花园口	1991	10.1	10.8	11.7	11.6	14.4	11.5	21.2	13.4	16.7	13.6	14.4	12.0
	1992	13.3	13.7	13.4	14.4	15.5	17.6	18.5	9.3	9.9	11.0	11.6	10.5
	1993	12.5	11.7	11.0	11.7	14.8	20.6	13.0	9.0	10.0	12.3	12.0	11.1
	1994	12.1	12.4	12.4	12.0	14.3	19.7	12.9	10.3	12.2	13.0	11.4	10.4
	1995	12.0	12.0	12.6	12.4	17.1	24.5	16.1	9.9	10.1	12.3	11.2	11.4
	1996	16.7	14.1	12.0	12.1	12.8	15.3	13.8	9.9	10.8	12.3	10.8	14.3
	1997	11.6	13.8	14.2	14.4	16.6	29.0	29.2	13.7	13.5	15.1	21.5	15.2
花园口—高村	1995	15.7	14.2	12.8	12.1	13.6	28.3	17.1	9.8	8.5	11.1	12.8	14.4
	1996	19.0	21.5	13.0	12.4	10.4	16.1	13.2	16.7	8.9	11.6	10.3	16.5
	1997	18.6	18.6	12.6	12.3	13.3	35.3	39.9	13.3	15.0	15.8	29.7	21.3
高村—利津	1995	20.0	17.5	11.5	12.8	7.8	428.5	25.1	8.9	6.5	14.4	14.2	11.2
	1996	29.8	41.5	17.0	13.6	13.6	47.8	24.5	14.3	7.0	16.2	9.5	13.7
	1997	27.2	37.6	15.0	13.6	17.9	192.0	326.2	13.1	21.4	28.9	31.6	22.2

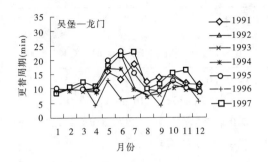

图 9-10　吴堡—龙门河段单位河长更替
周期年内变化趋势

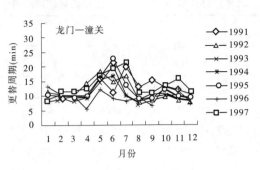

图 9-11　龙门—潼关河段单位河长更替
周期年内变化趋势

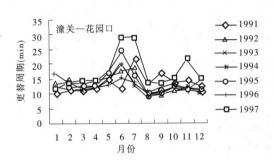

图 9-12　潼关—花园口河段单位河长更替
周期年内变化趋势

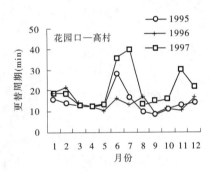

图 9-13　花园口—高村河段单位河长更替
周期年内变化趋势

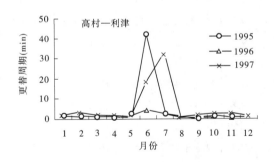

图 9-14　高村—利津河段单位河长更替
周期年内变化趋势

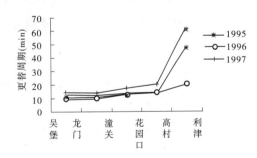

图 9-15　吴堡—利津河段单位河长更替
周期空间变化趋势

二、黄河干流典型河段平均传输时间变化趋势分析

根据式(9-34)计算黄河干流典型河段平均传输速率,再转化为单位河长的平均传输
时间,其结果见表 9-5 及图 9-16～图 9-26。

表 9-5(1)　　　　　　　　上中游典型河段单位河长平均传输时间　　　　　（单位:min）

河段	年份	月份											
		1	2	3	4	5	6	7	8	9	10	11	12
唐乃亥—贵德	1991	14.4	16.4	14.5	18.8	11.3	11.0	8.6	7.5	9.6	10.4	11.4	19.2
	1992	15.5	14.8	18.1	16.7	9.9	8.5	6.8	7.8	10.4	11.5	10.6	11.8
	1993	12.5	11.3	12.9	9.9	9.5	7.0	7.5	7.3	7.3	8.9	12.2	12.0
	1995	12.1	13.0	11.1	10.7	9.0	8.8	8.7	8.4	7.6	8.7	9.0	12.5
	1996	13.3	14.2	10.5	13.9	11.8	8.4	8.7	8.2	9.8	10.1	10.7	12.7
	1997	15.0	14.0	12.3	11.3	8.8	8.3	8.6	9.7	9.2	9.6	9.9	12.3
贵德—循化	1991	12.4	11.8	10.9	19.9	11.0	11.0	8.9	8.6	10.0	11.7	10.1	20.7
	1992	12.3	14.0	19.2	17.5	9.6	9.8	9.3	8.4	14.1	25.0	10.6	9.5
	1993	10.3		10.6	9.9	10.4	8.1	9.3	9.2	8.1	9.4	13.2	10.2
	1994	10.1	9.0	9.8	8.9	7.7	10.0	8.5	8.1	8.5	9.2	10.5	9.1
	1995	9.0	11.4	8.8	10.9	10.4	8.8	9.2	9.5	8.4	8.9	8.8	11.0
	1996	9.8	10.6	9.0	21.8	14.9	10.5	9.3	8.8	10.7	11.3	10.7	13.8
	1997	14.7	12.5	12.7	10.8	11.5	8.6	9.9	8.3	9.8	10.1	9.6	10.9
循化—小川	1991	17.0	14.9	14.8	14.2	9.5	9.3	8.0	9.8	11.1	12.2	14.7	18.8
	1992	16.9	19.0	28.2	12.2	9.5	9.6	8.6	7.8	13.4	19.0	11.9	12.4
	1993	13.4		16.1	11.1	9.7	9.3	8.6	8.6	9.2	8.7	13.3	11.9
	1994	12.5	11.8	17.3	9.4	8.3	8.4	7.8	7.3	9.3	10.7	14.8	11.4
	1995	11.4	15.8	13.3	10.6	9.7	9.2	8.9	8.3	9.1	10.4	10.8	13.1
	1996	13.0	15.2	14.5	15.5	10.0	9.9	8.4	8.7	11.8	9.7	11.9	17.4
	1997	20.1	21.4	17.3	13.8	10.6	9.7	9.2	8.3	12.7	9.9	10.3	16.8
小川—兰州	1991	20.9	21.8	28.3	14.0	9.6	9.4	8.2	12.9	14.0	15.6	20.9	20.6
	1992	26.6	22.2	31.3	13.0	9.9	9.4	8.2	8.1	14.8	13.4	14.1	17.3
	1993	19.2	18.7	25.3	13.7	10.2	10.4	7.9	9.5	10.7	10.1	12.1	14.1
	1994	16.7	18.5	23.0	11.2	9.5	8.6	8.0	7.0	11.1	12.7	16.6	15.6
	1995	16.7	19.1	24.7	12.4	10.3	11.0	9.3	8.3	9.1	15.1	13.7	15.8
	1996	19.9	27.9	23.6	12.7	9.8	9.1	9.3	8.7	15.8	10.5	13.8	17.2
	1997	23.0	30.0	23.5	17.6	10.1	12.2	10.6	10.4	15.8	12.4	12.4	24.6
吴堡—龙门	1991	9.1	8.5	6.9	9.7	16.9	7.4	6.7	10.8	9.3	15.1	9.9	8.4
	1993	9.1	8.7	6.6	9.3	16.9	14.9	9.6	6.4	8.7	9.7	11.0	8.9
	1994	8.4	9.0	7.0	9.4	20.0	12.8	6.7	5.1	7.5	12.2	8.1	9.7
	1995	9.9	8.6	6.7	9.0	18.5	21.5	6.0	6.4	5.7	13.2	9.4	9.5
	1996	9.0	8.7	7.0	16.1	18.1	28.7	15.3	5.2	18.7	12.4	14.1	21.7
	1997	8.0	8.8	6.4	11.2	17.0	19.3	7.8	7.1	11.3	17.4	14.1	11.1

河段	年份	月份											
		1	2	3	4	5	6	7	8	9	10	11	12
龙门—潼关	1991	9.2	8.8	7.5	10.6	16.2	8.6	8.0	11.7	10.9	14.1	11.6	10.5
	1992	12.2	9.7	8.5	13.4	16.5	12.5	9.4	6.7	8.6	10.8	9.4	8.9
	1993	10.1	9.3	6.9	9.7	15.2	16.0	9.4	6.5	9.4	10.4	11.3	9.6
	1994	9.6	10.1	7.9	9.8	21.0	14.3	7.4	5.7	7.5	12.3	9.1	10.5
	1995	11.6	9.6	7.9	10.2	18.8	21.7	7.1	7.0	6.2	13.3	10.2	9.9
	1996	11.7	9.9	9.1		17.7			5.9		13.3	13.7	27.7
	1997	8.8	11.1	7.9	12.9	18.1	22.2	11.6	7.2	11.9	17.0	16.2	13.8
潼关—花园口	1991	10.1	9.7	9.4	10.9	14.3	10.0	12.0	12.1	12.9	12.9	13.0	12.6
	1992	13.4	11.7	11.4	13.1	15.9	15.2	11.6	8.3	8.4	10.4	10.4	10.6
	1993	12.2	10.3	9.3	11.0	13.2	17.0	10.3	7.5	10.1	11.4	11.7	10.7
	1994	11.4	11.5	10.5	11.3	16.4	16.1	9.4	7.7	8.2	12.4	10.8	11.5
	1995	11.5	11.1	10.5	11.8	18.4	22.2	10.1	8.3	7.7	11.2	10.8	11.4
	1996	14.2	13.1	11.7		14.6			7.2		12.0	10.2	13.4
	1997	11.2	13.2	10.9	13.3	17.3	27.0	19.7	8.9	12.7	17.6	19.6	15.6
花园口—高村	1995	14.2	14.9	12.2	11.8	27.2	31.9	11.5	8.5	8.4	11.5	11.7	14.3
	1996	18.5	18.5	13.3		16.2			9.2		11.5	11.0	17.6
	1997	17.2	16.4	11.2	12.0	17.5	33.2	29.6	9.3	14.3	25.9	21.6	19.7
高村—利津	1995	22.7	24.8	19.2	19.6	80.1	83.3	14.7	10.9	10.9	14.6	17.4	23.7
	1996	32.9	24.9	24.4	19.3	27.3	16.8	11.6	13.6	10.5	12.8	15.3	26.2
	1997	33.5	26.7	15.3	15.8	34.3	57.6	25.9	15.8	20.3	32.8	33.7	30.8

表 9-5(2)　中下游典型河段单位河长平均传输时间　（单位:min）

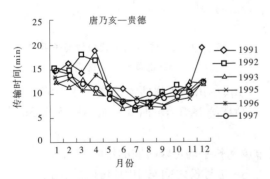

图 9-16　唐乃亥—贵德河段单位河长平均
传输时间年内变化趋势

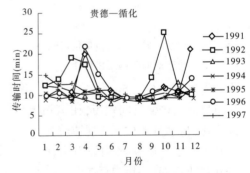

图 9-17　贵德—循化河段单位河长平均
传输时间年内变化趋势

从图 9-16～图 9-19 可以看出,上游的唐乃亥—贵德、贵德—循化两河段在一年中水量较多的 5～10 月份单位河长平均传输时间较短,其值在 10min 左右,其他月份的平均传

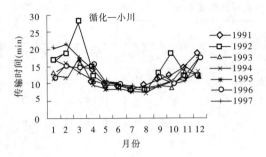

图 9-18　循化—小川河段单位河长平均
传输时间年内变化趋势

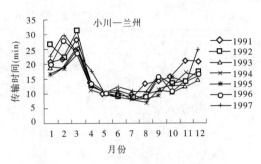

图 9-19　小川—兰州河段单位河长平均
传输时间年内变化趋势

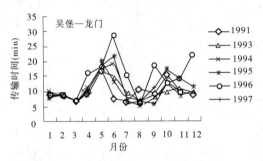

图 9-20　吴堡—龙门河段单位河长平均
传输时间年内变化趋势

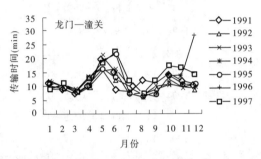

图 9-21　龙门—潼关河段单位河长平均
传输时间年内变化趋势

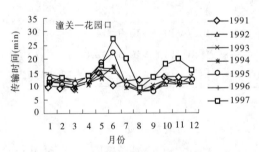

图 9-22　潼关—花园口河段单位河长平均
传输时间年内变化趋势

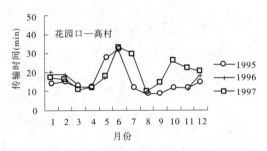

图 9-23　花园口—高村段单位河长平均
传输时间年内变化趋势

输时间较长,在 10～25min 之间变化。循化—小川、小川—兰州两河段在一年中的 5～8
月份单位河长传输时间较短,在 10min 左右,其他月份平均传输时间较长,在 15～33min
之间变化,与水量丰枯变化规律较为一致。

从图 9-20～图 9-24 可以看出,中下游段单位河长平均传输时间的年内变化规律与上
游变化规律不同,一年中存在两个峰值,分别在 5～7 月份之间与 10 月份前后,与农业用
水高峰期一致,其他月份平均传输时间较短,但气温较低的月份平均传输时间偏长,与产
流量大小成正相关。

从以上各图可以看出,上游唐乃亥—兰州、中下游的吴堡—花园口段各典型河段的单
位河长平均传输时间值年际变化不大。花园口—高村河段 1995、1996 年相同月份的传输

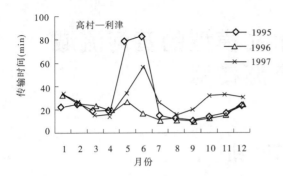

图 9-24 高村—利津河段单位河长平均
传输时间年内变化趋势

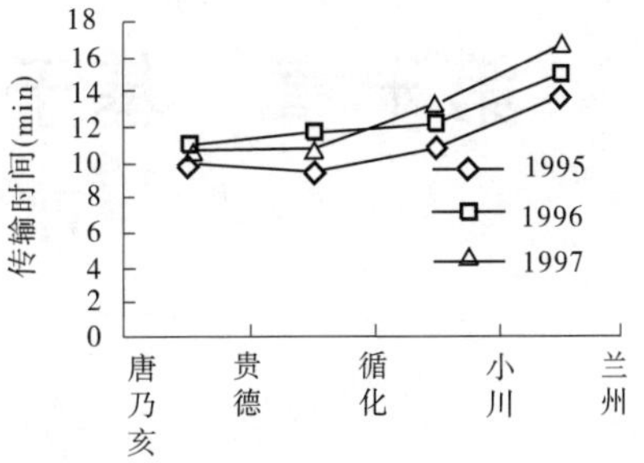

图 9-25 唐乃亥—兰州河段单位河长
平均传输时间空间变化趋势

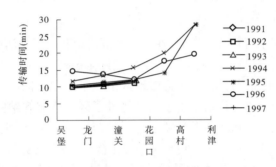

图 9-26 吴堡—利津河段单位河长平均传输时间空间变化趋势

时间值以及高村—利津河段 1996、1997 年相同月份的传输时间值非常接近。

从图 9-25 和图 9-26 可以看出,唐乃亥—兰州河段、吴堡—利津河段从上游向下游方向单位河长的平均传输时间呈递增趋势。

三、平均传输时间与更替周期的比较

通过比较中下游各河段单位河长更替周期与平均传输时间,认为二者年内与年际变化规律一致,在每年的 5～7 月份和 9～10 月份两值较大,其他月份较小,年际间变化率不大。空间上二者变化趋势也基本一致,从上游向下游逐渐增大。

参 考 文 献

[1] 刘绿柳,杨志峰,沈珍瑶. 水体交换与传输的时间维特征. 自然资源学报,2003,18(1):87～93

[2] 张明泉,曾正中. 水资源评价. 兰州:兰州大学出版社,1994. 10～12

[3] 刘昌明,任鸿遵. 水量转换——试验与计算分析. 北京:科学出版社,1988. 3～21

[4] Liu L., Z.F. Yang, Z.Y. Shen. Estimation of water renewal times for the middle and lower sections of the Yellow River. Hydrological Processes, 2003, 17(10): 1941～1950

[5] A·A·索科洛夫. 水量平衡计算方法——用于研究与实践的国际指南. 北京:科学出版社,1995

[6] 赵学民,王卫平,张宗德. HYPACK 水文测量软件在水下地形测量中的应用. 水文,2000,20(3):38～40

第十章 基于水文模型的黄河流域水资源模拟

第一节 绪 言

一、研究背景、目的及意义

（一）研究背景

水作为人类所需而不可替代的资源,在国民经济建设和人民生活中起着重要的作用,即维持人类生命的作用、维持工农业生产和维持良好生态环境的作用。随着人类社会的发展,人类对水的需求不断增加,世界上许多地区出现了程度不同的水问题,主要表现为洪涝、水资源短缺、水质污染。洪涝是由于水量超过了区域能够容纳的阈值,从而提出了防洪需要。水资源短缺是区域水资源量缺乏,不能满足生产、生活、生态需要,产生旱灾,从而发生缺水危机。水质污染一方面使环境质量下降,一方面导致缺水。目前,世界大约有 90 个国家、40% 的人口面临缺水的局面[1]。全世界有 10 亿人喝不到洁净水,每年有 2.5 亿人因水的问题染病,有 1 000 万人因饮用不洁净水而死亡[2]。这些问题均可归结为水文循环过程中水分时空分布的不均匀性,人类活动更加剧了问题的严重性,突出表现在水资源短缺与水质污染。

黄河流域地处干旱—半干旱—半湿润的过渡地区,黄河是我国西北和华北的重要水源,黄河流域也是我国主要的缺水地区[3]。流域内的水问题突出表现为洪水威胁、缺水断流和生态环境恶化。洪水的发生严重威胁着沿岸人民的生命与财产安全,影响了正常的生产生活。缺水断流严重影响了沿黄地区的工农业用水需求,同时加速了"地上悬河"的形成,更易引发洪水。生态环境恶化主要体现在水土流失、水质污染两方面,水土流失增加了黄河输沙压力,水质污染更加剧了水资源短缺。这些问题交织在一起,影响着国民经济发展与生态环境建设,已经引起了社会各界的关注。

解决这些问题的一个重要依据便是深入认识流域水循环机制,揭露水文现象及其变动规律的内在联系,因此研究水文循环问题具有十分重要的理论与实践意义[4]。水文循环作为一种多因素相互作用的复杂过程,包括大气过程、地表过程(包括生物过程)和地下过程。在此过程中水分运动把赋存于不同空间中的水串联与耦合,同时伴随着物质、能量与信息的迁移,水资源量获得再生、水质得以恢复。随着社会的发展,人类社会的作用力又不断凸显并添加进去。水文模型作为研究水文过程的工具多年来一直发挥着重要作用。随着技术的进步和人类认识水平的提高,已从水文模型转向分布式水文模型的研究,有助于更深入地研究水循环问题、掌握水文要素变化动态。水资源的可再生性是对水文循环的效应,包括水量的再生与水质的恢复,通过水文模拟可以促进对水资源再生的数量、质量及其演变规律的了解。国际上水文水资源基础研究的热点之一即是"研究地球水循环的数量、质量、力和能量及化学生物过程影响的作用机理和量化（IHP）"。将水资源可再生性作为一种理论来研究有助于水资源评价工作的展开，为水资源合理开发利用提供理论依据，该理论的提出只是近几年的事情，其理论体系还不完善，需要继续充实、完善，是目前研究的热点之一。

为了解决黄河流域严重的水问题，需要深入研究水文循环过程及其水文循环效应——水资源的再生性。通过研究，掌握流域径流过程、土壤水分、蒸散量的变化动态，明确不同子流域（或区域）、河段的水资源再生量、再生速率及水质恢复速率，为解决黄河流域水问题提供理论依据。

（二）研究目的与意义

水文模拟的目的是研究水文循环规律，研究流域内径流变化，预测气候变化、人类活动对径流过程的影响，水资源再生性是对水资源再生量、再生速率及其演变规律的研究，其目的都是为防洪减灾、水资源可持续利用提供理论依据。下面从两个方面研究水文循环过程及其效应：一是建立半分布式模型，通过水文模拟从流域尺度研究水文循环中的径流过程及水文循环效应之一的水资源量再生；二是用更替周期与平均传输时间表示水资源交换与传输特征，指出水资源交换与传输是水资源再生的一个方面，从河段尺度研究水资源再生的时间维特征。

首先建立一个面向大尺度的半分布式模型，从而可为今后流域水文模拟，分析环境变化对径流过程、水资源再生量的影响提供技术支持。通过对河段尺度水资源交换传输特征的研究，为水资源可再生性评价提供数据支持，丰富水资源可再生性的研究内容。最终目的都是为解决流域水问题、实现水资源的合理开发利用提供理论依据。

二、水文模拟工作的研究进展

由于水文循环系统的复杂性，目前人类只能认识、掌握系统的某些过程，并在不断的实践与探索中继续加深对系统的认识。随着人类认识的深入，研究范围不断扩展，水文循环的研究经历了从单个水文系统向整个水文循环系统扩展的过程，水文模拟也经历了由单个过程的模拟向以系统理论为基础的整个过程的模拟。早期的水文循环分析大多针对某一个水循环环节（如降雨、产流、下渗、汇流），随着研究的深入，人们将系统的概念引入到水文循环研究当中，将水文循环的整体过程作为一个完整系统进行模拟[5]，从而产生了水文模型，它的产生是对水文循环规律研究的必然结果，是一条又快、又省、又好的模拟流域径流形成过程、掌握径流规律的途径[6,7]。伴随研究的不断深入，水文模型经历了由集总式模型向分布式水文模型、由概念性向具有物理基础的方向发展的过程，同时对水文循环机理的掌握程度也提出了越来越高的要求。

（一）水文模型的研究进展

1. 水文模型发展回顾

20 世纪 50 年代以来，在计算机被大量引入水文研究的领域后，开始采用数学、物理方法模拟径流形成过程，建立数学模型，进行流域产汇流计算，在水文计算和水文预报等方面发挥了很好的作用，先后提出了许多流域产汇流模型[8]。60、70 年代是其蓬勃发展的时期,涌现出了大量的流域水文模型[9],在此期间概念性与分布式水文模型同时发展。由于集总式模型考虑的是水文过程对流域水文的影响,对流域降雨经植被截留、土壤入渗、水分在土壤中流动和以地表径流的形式流出流域的径流过程进行计算,得到的是经过上述水文过程作用的流域径流过程线,至于各水文过程在流域内部的空间差异则没有考虑[10],因此提出了分布式水文模型的要求。而流域内人类活动对于环境影响程度的研究则需要具有物理基础的分布式水文数学模型。同时"技术驱动"的研究现状已开始开辟一条可以了解更多降雨径流因果机制的希望之路。80年代以来由于新技术、新方法如遥感(RS)、地理信息系统(GIS)等的出现及其在水文模型中的应用,原有的水文模型在其结构上作了适当的调整以适应新技术和新方法的应用,从而促进了分布式水文模型的发展。90年代以后由于加深了对水文机理以及它对生态系统和人类活动影响的了解,建立了可描述空间变异性、多变量、参数化的现代水文模型。近期水循环过程模拟研究发展的重要趋势是不同学科背景的方法、手段和测试技术与水循环模拟过程的结合,水循环模拟技术向着动态性、综合性、分布式、数字化的方向发展[11]。

2. 水文模型的分类

由于模型产生的历史时期不同,受当时科学技术水平限制,模型的结构、对水文过程的处理方式也不相同,即使是同一时期的模型,由于资料条件、研究目的的不同,模型也不尽相同。按照不同的标准,将水文循环模型分为不同的类型。按研究内容分为水循环子系统模型(如蒸散发模型、下渗模型、汇流模型等)和流域水循环全系统模型;按模型的基本性质分为实体模型、类比模型和模拟模型[11],其中模拟模型又称为水文数学模型,简称水文模型。流域水文模型是水循环全系统模型,根据时间尺度将其分为时水文模型、日水文模型、月水文模型和年水文模型,根据空间尺度将其分为小流域模型、中流域模型和大流域模型,根据参数是否具有明确的物理意义将其分为确定性模型、随机性模型与混合模型[8]。随机性模型基于概率统计,采用多种随机方法,描述水文现象的偶然性规律,在一组已知的不变条件下,每次产生的水文现象可能都不相同,没有惟一的对应关系。确定性模型描述水文现象的必然规律,其因果关系是惟一的、完全对应的[12]。介于两者之间的是混合模型,该类模型的一些参数具有明确的物理意义,一些参数则不具有物理意义。根据对水文过程的了解程度及描述方式,将确定性模型分为经验性模型、概念性模型与基于物理基础的分布式模型,简称黑箱模型、灰箱模型与白箱模型[13]。经验性的黑箱模型建立在系统输入—输出关系上,是一种具有统计性质的时间序列回归模型,其核心问题是通过"系统识别"求出一个脉冲响应函数。概念性的灰箱模型利用一些简单的物理概念对复杂的水文现象进行概化,既可以模拟水循环的整个系统,又可以模拟水循环的某个环节。由于传统概念性集总模型不能描述流域空间分异性,于是有向分布式方向发展的趋势,而基于物理基础的分布式模型又过于复杂,于是出现了向概念性模型靠拢的趋势,此类模型即为半分布式模型。为了与半分布式水文模型加以区分,也为了叙述方便,后文将基于物理基础的分布式模型称为完全分布式模型。流域水文模型分类系统见图10-1。

3. 水文模型间的比较

1)集总式模型

集总式模型忽略了流域特征参数在空间上的变化,把全流域作为空间分布均匀的整

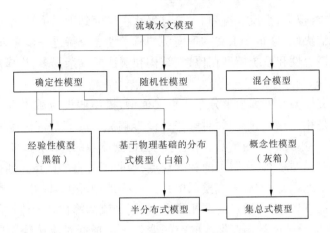

图 10-1　流域水文模型分类系统

体。模型不考虑土地利用、地形、土壤等下垫面因素与降水、气温等气候因素在流域内的空间分异性,从而忽略产汇流的空间非均匀性,用简单的基于水文法规的等式对一些水文过程加以描述,其他过程则用一些经验代数方程加以表示。模拟往往只涉及现象的表面而不涉及现象的本质或物理机制,模型中的许多参数缺乏明确的物理意义,需要根据长期观测获得的大量数据来确定每个流域的模型参数值,模型参数只能在一个相对稳定的流域内使用,如果流域状况发生变化,模型参数需重新确定。其应用限制于有多年实测资料的情况,无法解决变化环境(如土地利用、气候变化或异常)中的水文水资源问题[14],因而集总式模型是不完善的。此类模型在小尺度流域的模拟效果较差,较适用于大、中尺度的流域水文模拟。

2)分布式模型

根据单元面积产汇流过程转变为整个流域产汇流过程的方法,将分布式水文模型划分为非耦合式与耦合式两类。耦合式的分布式流域水文模型又称完全分布式模型,模型考虑产汇流过程中各单元面积贡献之间的相互作用,用微分方程描述降水、地表径流与地下径流,必须通过联立求解各单元面积产汇流过程的偏微分方程组,才能求得流域的总响应。这些方程能够充分考虑流域内部地理要素的空间变化、地理要素空间分布格局对水文过程的影响以及水文过程间的作用。因此,模型具有最坚实的理论基础和最精确的物理过程描述,参数有明确的物理意义,能充分考虑下垫面条件(植被、土壤、土地利用、地形)分布的不均一性,更准确地反映产流量的时空变化并提高水文预报或模拟的准确性,具有预测流域(集水区)任一点上有关特征的能力[15]。虽然从理论上讲,具有明确物理意义的参数不需要率定,可通过直接量测得到,但由于量测值是基于点的信息,在应用于面时代表性不够,加之有些参数时空变化幅度较大,难以通过实验方法确定。在实际应用时,参数率定仍是此类分布式水文模型的重要一环[16],需要更多的水文资料和对水文系统物理过程的更深入的了解,此过程中,不仅需要流域和子流域出口断面的流量,而且还需要地下水位、土壤含水量等资料。郭生练等[17]认为以下三方面限制了此类模型的广泛应用:①缺少资料,虽然空间技术、遥感技术的应用部分解决了分布式水文物理模型要求的大量空间信息资料问题,但仍存在精度不够或代价昂贵等问题;②模型的科学性和技术水平,在流域水文模拟中,水流、输移和水质过程从小尺度到大尺度转化的问题,目前从科学上还没有完全解决好,分布式水文物理模型的科学性还有待进一步完善;③分布式流域水文物理模型同概念性和系统模型相比,其结构和解法要复杂得多,许多水文工作者和工程师对它了解不深。

非耦合式水文模型又可称为半分布式水文模型,模型假设流域中每个单元面积对流域总响应的贡献是相互独立的,因而对一些直接影响流域的产汇流过程的处理方式是分布的,在分别求得各单元面积的贡献后,通过叠加得到流域的总响应。此类模型界于完全分布式模型与集总模型之间,克服了两者的缺点,吸收了各自的优点。通过空间离散方式将流域划分成若干地域元(子流域或模拟单元),每个地域元上以一组参数表示该部分流域的自然地理特征,单元之间通过河网相联系,利用径流演算得到全流域的总输出。与集总式模型相比,更能反映流域内产汇流的空间变化。可根据对流域径流机制的掌握情况及资料详细程度对产汇流机理进行适当概化,着重于产汇流过程的宏观表现,不要求用偏微分方程描述水文循环的每个过程,与完全分布式模型相比,对先验知识及数据条件的要求较低,求解计算相对简单,比较适合于中国当前的技术水平与数据条件。

模型能够与先进的计算机技术及遥感、地理信息系统等相结合,如利用 DEM 进行地形分析,获取流域地形参数,利用地理信息系统与遥感技术获取土地利用、植被覆盖、土壤含水量等信息,因而能够及时地模拟人类活动和下垫面因素变化对流域水文循环过程的影响。模型能够有效地进行参数的敏感度分析,可利用遥感等现代技术获取的资料对模型结果进行定性分析比较,增强模型的可靠性。其优点可概括为以下几方面。

(1)摒弃了集总式模型不能描述气象因素与下垫面要素空间变异性的缺陷,通过空间离散实现对流域下垫面要素及气候要求空间分布不均匀性的描述。

(2)可直接引进现有的概念性模型模拟流域内各单元的产流,通过单元叠加得到流域总产流,开发成本低、成效快。

(3)避免了完全分布式模型采用偏微分方程进行水文过程描述的严格要求,可根据情况对水文物理过程进行概化,利用经验公式描述某些物理过程,模型参数量大大减少,降低了对水文机制掌握程度的要求及对数据的要求。

4.分布式水文模型研究进展

国外对分布式水文模型的研究始于 1969 年 Freezet 和 Harlan 的研究,Hewlett 与 Troenale 于 1975 年提出了森林流域的变源面积模拟模型(简称 VSAS)。丹麦、法国和英国的水文学者于 1976 年开始开发 SHE 模型[13, 18]并不断被改进,Morris[19](1980)进行了 IHDM 的研究,Beven 等[20](1987)和 Calver 等[21](1995)对之进行了改进。90 年代以后由于技术与方法的改进以及对水文循环机理的进一步认识,开发出了新一代的模型如 THALES[22,23](Grayson, 1992)、AGNPS[24](Young 等, 1995)、COSSEM[25](Burney 和 Edwards,1996)、SLURP[26](Kite,1998)。

由于历史原因,我国现代水文模型研究在 20 世纪六七十年代几乎处于停滞状态,70 年代后期在水循环模拟方法和技术等方面取得了快速全面的发展。主要体现在两方面:一是国外水文方法与模型的吸收引进与改造,二是建模和参数选取方法的自创(王浩等[11],2001)。90 年代以来模拟技术较以往有了很大的飞跃,对分布式水文模型则在近几年才开始研究,针对不同研究区及研究目的相继提出了一些建模构想或开发出新的模型,取得了一定进展,郭生练[27](1997)、黄平等[28](1997)介绍了分布式水文模型发展现状,展望了其发展前景。

黄平等[28,29]1997年提出了流域三维动态水文数值模型,分析了其应用前景,随后于2000年建立了描述森林坡地饱和与非饱和带水流运动规律的基于物理基础的分布式水文模型。郭生练等[30](2000)提出了一个基于DEM的分布式流域水文物理模型。唐莉华等[31](2002)针对小流域提出了一个具有很强物理基础的分布式水文模型,用有限差和有限元法求解。此类模型精度虽高,但要求大量的模型参数及对水文机制的详细了解,只能应用于资料翔实的小流域。

王国庆等[32](1998)针对黄河流域的水资源评价问题,提出了中游分布式水资源评价模型。任立良等[32](1999)在新安江与TOPMODEL模型基础上建立了基于DEM的数字流域水文模型,成功应用于淮河史灌河流域内蒋集站集水区。由于产流机制为蓄满产流,更适用于湿润地区。李兰等[34](2000)提出了一种基于子流域的分布式水文模型,用于分析降水径流规律、洪水预报,在丰满、龙河口和陆浑等水库流域得到应用。张建云等[35](2000)建立了参数网格化的分布式月径流模型,并应用模型进行了华北、江淮流域的水资源动态模拟评估。杨井等[36](2002)等基于GIS建立了两参数分布式月水量平衡模型,模型结构简单,适用于水资源评价,但模型结构及物理过程的描述过多依赖于经验。穆宏强等[37](2001)提出了分布式水文生态模型的理论框架,对于模型的合理性、适用性及应用前景还需进一步研究。

可以看出,国内在分布式水文模型方面已经取得了一定的进展,但一些模型尚处于理论探讨阶段,距离实际应用还有一段距离。已获得成功应用的模型,也由于自身的局限性,或者只能适用于小流域,或者适用于满足一定条件的区域。单纯针对黄河流域建立的分布式水文模型则很少,因此研究面向黄河流域的分布式水文模型非常必要,既可以丰富国内分布式模型,又可为研究黄河流域水文循环动态提供技术支持,为防洪减灾、生态需水、水资源再生的研究提供依据。

(二)水循环机理的研究进展

水文模型对过程描述的精确程度取决于对水文循环各过程的掌握程度,对区域水文循环机理越清楚,建立的模型越能接近真实情况。分布式水文模型特别是基于物理基础的分布式水文模型的发展,对水文循环机理的研究提出了更高的要求。刘昌明等[4](2001)从径流、大气水分循环与降水、蒸散发三个方面对水文循环机理的研究进行了总结。

1. 产汇流

传统水文产流机制主要发展于20世纪30、40年代的Horton地表径流理论。Horton超渗产流的条件是当降雨强度(i)超过土壤入渗能力(f_p)或包气带缺水量(D)得到满足时即可产流,共有以下几种情况(左其亭,王中根,2002)[12]:

(1)当$i \leq f_p$,$I - E \leq D$时,无径流产生,河流处于原先的退水状态。

(2)当$i > f_p$,$I - E \leq D$时,河流中将出现由单一地面径流形成的尖瘦且涨落大致对称的洪水过程线。

(3)当 $i \leqslant f_p$，$I-E > D$ 时，河流中将出现由单一地下径流形成的矮胖且涨落大致对称的洪水过程线。

(4)当 $i > f_p$，$I-E > D$ 时，河流中将出现由地表和地下两种径流成分混合而成的涨洪快速、落洪缓慢、具有明显不对称的洪水过程线。

上文中：i 为降雨强度，mm/s；f_p 为土壤入渗能力，mm/s；I 为下渗到包气带中的水量，mm；E 为蒸散量，mm；D 为包气带缺水量，mm。

"超渗"产流模式下次降雨量—总径流量关系与降雨强度有关，一般发生在植被稀少、土壤发育不良、土壤入渗能力较小的条件下。由于流域土壤类型的不均匀性及降雨时空不均匀性，在一些情况下即使降雨强度小于土壤入渗能力，仍有径流产生，Horton 超渗产流无法解释这一现象，进入 20 世纪 60 年代末，变产流面积概念的形成与提出对超渗地表径流形成机制的统治地位提出了强有力的挑战。70 年代变产流面积的概念被广为接受，Kirby 等在大量水文实验研究的基础上提出了山坡水文学产流理论，揭示了蓄满产流的机制。在两种透水性有差别的土层，形成相对不透水界面上，可形成临时饱和带，其侧向流动即成为壤中流；如果该界面上土层的透水性远远好于其下面土层的透水性，则随着降雨的继续，临时饱和带向上发展，直至上层土壤全部达到饱和水量，土壤饱和后的降雨则形成饱和地面径流。"蓄满"产流模式中次降雨量—总径流量关系不受降雨强度影响，在湿润地区的森林环境下，由于土壤发育，地表径流以饱和地表径流的形式产生。在凹形坡面上当降雨停止后由于土壤结构或坡度形状使得壤中流流出地表，此种产流方式称为"回归流"。为了简化，很多降雨径流模型忽略了这部分地表径流(陈喜[38]，1999)。

蓄满产流和超渗产流模型是两种典型的、概化了的产流理论和计算方法，前者适合于湿润地区，后者适合于干旱地区。但在许多地区，既不干旱也不湿润，常称为干旱半干旱地区。在此类区域上，有些洪水引起蓄满产流，有些洪水引起超渗产流。同一场洪水，前期可能是超渗产流，到后期又可能变为蓄满产流。在较干旱地区以超渗产流为主的流域，遇上长期连绵的低强度降雨，也可能产生蓄满产流。在较湿润地区以蓄满产流为主的流域，久旱后遇雨强特大的暴雨，也会有超渗产流发生等(包为民等[39]，1997)。芮孝芳[40](1995)提出包气带与产流机制很少具有固定的对应关系，并用图形的方式表示了不同产流机制的相互转化关系。

针对流域内超渗与蓄满并存与相互转化的现象，一些学者提出了混合产流、综合产流、复合产流等模型来描述这一复杂的产流机制。如包为民等[39](1997)应用面积比例法计算混合产流进行了分析，提出了垂向混合产流模型。孙秀玲等[41](1998)应用复合产流模型与综合产流模型对山东省烟台附近的夹河流域汛期暴雨径流进行了模拟。白清俊等[42](1999)对综合产流进行了详细论述并应用于半干旱区的一个小集水区。这几个模型既有差别又存在相似之处。其中复合产流模型将蓄满产流与超渗产流模型结合起来，流域产流受降雨补给量和流域土壤蓄水量的控制，根据补给量大小及土壤缺水量决定采用哪类产流模型，与计算混合产流的面积法没有本质区别。

垂向混合产流模型分地面径流和地面以下径流两部分。地面径流取决于降雨强度和前期土湿，当降雨强度超过土壤下渗能力时，产生地面径流，为超渗产流模式。地面以下径流包含壤中流和地下径流，产流量大小取决于前期土湿和实际下渗水量，在下渗水量补足土壤缺水量的地方产流,否则不产流,为蓄满产流模式。该模型与山西省水文水资源勘测局提出的"双超模型"具有异曲同工之处。综合产流模型把流域蓄水容量曲线与土壤的下渗能力曲线有机结合起来,流域降雨产流受流域土壤蓄水量与土壤入渗能力的控制。对于超渗产流地区,只要取较小的入渗率和足够大的田间持水量,就等同于超渗产流模型;在蓄满产流区域取较大的入渗率就可保证流域蓄满产流。垂向混合产流模型与综合产流模型的区别在于,前者在垂向上分别应用超渗与蓄满两种产流方式,而后者在流域内的不同水平空间分别应用两种产流方式。

关于如何定义流域内两种产流共存的现象,目前还未形成共识,姑且称之为混合产流。关于此类产流机制研究较少,还没有形成一套独立的产流理论,因此加强混合产流的研究,并提出一套实用的产流计算方法是非常有意义的。随着遥感技术及电子技术的发展,流域的空间划分将越来越细,传统的集总式模型已向分布式模型过渡,为采用混合产流模型进行产流计算带来了广阔的应用领域,混合产流模型将是今后多数流域产流计算的主要方法(白清俊等[42],1999)。

汇流计算的经典理论是1932年Sherman[43]与后来Clarke[44]提出的单位线理论,至今该理论仍是水文学在汇流方面的主要理论。Nash的瞬时单位线把流域的调蓄作用概化为一系列的线性水库进行模拟。McCarthy[45](1938)从河段水量平衡方程出发推导出的Muskingum河道洪水演算模型是河道汇流的基本方法,其后Cunge[46](1969)在Muskingum线性模型基础上,假设水深—流量存在单值对应关系,利用经典动力波方程与四点有限差分方法,对模型加以改进。之后在瞬时单位线基础上又发展了地貌瞬时单位线理论,导出了由地貌、地形参数和水力参数表达的分析式,从而可将汇流单位线与地貌特征、气候因子结合起来考虑,用以模拟汇流(芮孝芳等[6],1997;刘昌明等[4],2001)。之后不断有人在此基础上作进一步的研究,Wang等[47](1981)探索了流域汇流的非线性机理,Rinaldo等[48](1991)提出了流域汇流受控于地貌扩散与水动力扩散的新观点。

在黄河流域,针对产汇过程开展了许多研究工作,其中对于汇流过程的研究方法,不外乎目前常见的单位线模型、Muskingum模型及其改进以及洪水演进数值模型几种。对于产流过程多集中于黄土高原地区,如宋孝玉等[49](1998)对黄土高原沟壑区不同下垫面条件下的农田降雨入渗及产流规律进行了野外试验研究,王全九等[50](1998)对黄土地区的层状土入渗机制进行了研究,李凯荣等[51](1998)对黄土高原刺槐人工林地土壤水分下渗进行了研究,刘贤赵等[52](2001)对黄土高原沟壑区典型小流域的坡地降雨入渗产流过程中的滞后效应进行了研究。此外,包为民[53](1993)根据干旱地区水文、气候特征,对格林—安普特下渗曲线进行了改进,以中游地区部分小流域对模型进行了验证。对高寒区的研究较少,包为民等[54](2000)以终年雪线将冰川积雪划分为两部分,采用变融雪因子与固定融雪因子方法计算雪线以上与雪线以下两个区域的融雪径流。

这些研究工作有助于了解土壤入渗性能、流域产流机制,从而为选用合适的水文过程描述方程,建立合适的水文模型奠定基础。

2. 大气水分循环与降水

降水是流域内水资源的最终来源,大气水分循环是水文循环的一个重要环节,是不同区域、不同形式的水分交换的一个重要途径。1958年徐淑英对中国大陆上空的水汽输送和水量平衡进行了研究,之后郑斯中等人对中国长江流域、新疆和东部地区的水分运动和水量平衡进行了研究。对于局部区域的研究,70 年代在黄山、峨眉山等部分山丘区径流实验站进行了降水与地形关系的研究,文迁等[55](1997)研究了江西乐安河支流泪水流域及其附近区域地形对降水的影响。80 年代刘国纬等详细研究了中国上空温度状况、并建立了中国国家尺度及七大流域水文循环和水量平衡模型(刘国纬等[56],1997)。

针对黄河流域的水分循环与降水,许多学者研究了流域降水的变化特征(吴现中等[57],1990;可素娟等[58],1997;康玲玲等[59],1999),李春晖[60](2003)研究了降水与纬度、地形的关系,刘国纬等[56](1997)研究了较大时间尺度的水汽循环,饶素秋等[61](1995)研究了水汽在汛期的运移规律几个方面。这些工作为水文模拟时分析降水特征提供了理论依据。

3. 蒸散发

蒸散发是水文循环中大气和土壤之间的关键连接"桥梁",是水文循环的一个重要环节(耶茨[62],1993),涉及土壤、植被和大气等与天气、气候密切相关的多种复杂过程(马耀明[63]等,1997)。流域总的蒸散发量是流域内所有的水面、土壤以及植被蒸发与散发的总和,蒸散发量的计算是水文模型中的一个重要组成部分。目前计算蒸散发量的方法有试验法、模拟法、模型法及卫星遥感法。

试验法中蒸渗仪、田间试验小区方法可以直接测得实际蒸散发量,由于其代表性较差,在应用于流域范围时存在困难,蒸发皿方法则是比较常用的方法。在野外实验与植物微气象学的基础上提出的模拟方法从系统水热通量等的传输机制出发来研究,综合考虑了土壤—植被—大气系统的相互作用,具有牢固的物理基础,但过程过于复杂,需要输入的参数往往较多,在应用于大区域蒸散量计算时存在局限性(马耀明等[63],1997)。20 世纪 70 年代后期以来,开始引进卫星技术估算区域蒸散发量,并取得了一系列成果。Jockson 等[64](1977)、Seguint 等[65](1983)以及 Hatfield[66](1983)等尝试用卫星热红外资料估算大尺度区域蒸散量,开创了卫星遥感估算区域蒸散发量的先例。之后不断有人利用卫星资料估算地表特征参数用于蒸散发量的计算,我国在这方面也做了大量的研究探索,由于其成本较高,计算精度尚达不到实际要求而限制了其应用,有待进一步的深入研究。

模型方法中的水量平衡法利用入流—出流的观测值,用 $E_{act} = P - R + \Delta S$($E_{act}$ 为流域蒸散量,mm;P 为流域平均降水量,mm;R 为流域平均径流量,mm;ΔS 为计算时段内流域蓄水增量,mm)推算蒸散量,方法简单,但只能用于长期(季或年)的粗略估算,不能用于短期计算。其他模型方法利用气象数据计算蒸散发能力或实际蒸散量。常用的有温度法、湿度法、回归法、辐射法、能量平衡法、质量输送法与综合法,许多学者对不同方法的计算效果进行了比较。对于不同的研究区,计算效果的优劣存在差异,较为一致的观点是单纯基于温度的方法计算效果最差,综合方法一般得到平均水平的结果(赵卫民等[67],2000)。较常见的综合方法有 Penman 法及其改进、互补相关法等。彭曼模型是英国的 Penman 综合了涡动与能量平衡的途径推导的基于合理的物理学原则的计算蒸散量的近似公式,联合国粮农组织对其改进,提出了有植物覆盖的彭曼公式。Monteith[68]于 1963 年提出了 Penman-Monteith 公式,我国通过引入修正系数加以改进,使其更符合中国的情况(于东升等[69],1998)。互补相关法是 Bouchet[70]于 1963 年首次提出的,之后加拿大的莫顿对其进行了广泛的研究,提出了 Morton 型互补相关模型。该模型成功避开了复杂的土壤—植被—大气系统,简化了蒸散发机理分析,输入的数据少,常规气象资料即可满足要求,不存在参数化困难的问题,无需改变参数值即可地区移用,而且应用范围广,可用于日、旬、月、年的计算,也可用于多年平均值的计算(钱学伟等[71],1996)。黄河流域设有众多蒸发观测站,为计算流域蒸散发量、进行水文模拟提供了资料支持。原水电部黄河水利委员会水文局[72](1986)曾绘制了分片陆面蒸发量、水面蒸发量图件,王德芳等[73](1996)对水面蒸发规律进行了研究,钱云平等[74](1997)开展了动水水面蒸发实验,李万义[75](1999)对水面蒸发影响因素进行了研究。

综上可以看出,黄河流域水文模拟及相关研究已经取得了许多成果,但是仍缺乏比较成熟的分布式水文模型。为了更好地模拟水文过程及其对各种作用的响应,今后的研究方向将是建立既考虑垂向水分和能量传输,又考虑水平水分运动的分布式水文模型,充分利用先进的计算机技术与空间、遥感信息及地面资料。正是在这一需求的基础上,根据当前的数据条件,基于 DEM 与土地覆盖建立了基于一定物理基础的大尺度半分布式水文模型,用于研究流域径流过程,并为水资源可再生性的研究提供技术支持。

第二节 水文模型的构建

一、建模思路

建立一个水文模型应在充分了解研究区的下垫面特征、气候特征的基础上,根据研究目的、可获取的资料的详细程度,建立切实可行的模型结构,选择能反映研究区产汇流特点、精度高的模型描述水文物理过程。对于分布式水文模型,则应与先进的计算机技术、空间技术紧密结合,体现模型的先进性。目前的资料条件限制了完全分布式水文模型在大尺度流域或数据缺乏地区的应用,半分布式水文模型则适合于这些区域的水文模拟研究,它既体现了分布式模型本身的先进性,又能与黄河流域大尺度区域的产汇流条件、资料条件相适应,这两点综合起来使其具有较高的开发价值和较好的应用前景。国内比较著名的半分布式模型——新安江模型适用于湿润地区,不适于用半干旱、半湿润区的黄河流域。国外的半分布式水文模型则由于其要求的数据条件与国内情况不同,或者适用研究区特点存在差异,直接引用较为困难。基于以上原因,在分析兰州以上研究区气候、下垫面特点的基础上,按照以下原则建立面向大尺度流域、紧跟水文模型发展趋势的半分布式水文模型。通过反复验证,调整模型结构,选择合适的描述水文物理的经验公式,最终建立结构合理、模拟精度较高的水文模型。建模流程见图 10-2。

建模原则:①针对数据缺乏、大尺度的特点,描述各水文物理过程的公式应尽可能简单、参数较少;②为保证模型的高精度,选用模型时还应注重其适用性、合理性;③模型参数易于获取,可从常规观测资料中或利用 GIS、RS 技术获得。

二、研究区概况

本章以大通河流域、兰州以上流域作为研究对象,两个流域面积均大于 10 000km²,

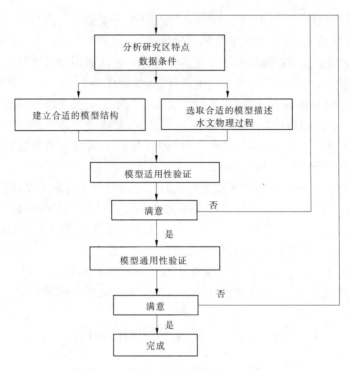

图 10-2　建模流程

属于大尺度流域,但面积相差较大,大通河流域面积1万多 km²,兰州以上流域面积20多万 km²。其中大通河流域是兰州以上集水区的一个子流域,全部位于半干旱区,流域内人类活动影响较小。兰州以上流域则包含半干旱、半湿润两种水文气候类型,区内设有几座大型水库。选择这两区域作为研究区,可以验证面积相差较大的情况下模型在大尺度流域的适用性以及在不同气候条件下的适用性。

（一）兰州以上流域概况

黄河发源于青藏高原巴颜喀拉山北麓,流域面积 77.24 万 km²（不计内流区面积 4.22 万 km²）,其中兰州以上(见图 10-3)集水面积约 22.26 万 km²,约占黄河流域面积的 29%,河段长 2 119km。流域出口站—兰州站多年平均天然径流量 323 亿 m³,占全河径流量的 58%(王甲斌等[76],1989)。流域内共有冰川 176 条,冰川面积 172.41km²,冰川储量 122.93 亿 m³(杨针娘[77],2000;刘宗香等[78],2000)。冰川融水量 2.86 亿 m³,占兰州以上天然径流量的 0.9%。玛多县以上为河源区,海拔 4 200～4 600m,为高原湖泊沼泽地貌,湖泊、沼泽众多,湖周围为丘陵地带,相对高差多为 100～200m,地形变化平缓,切割较浅,植被稀疏低矮,属高山草甸,天然牧场广阔,分布有高海拔的多年冻土。玛多—唐乃亥段大部分为高山峡谷地貌,河道切割较深,间有开阔的谷地和平缓的高山草地,除生长有大片的牧草外,还有一些灌木林分布。该段从青海省的久治与甘肃的陈万仓,经四川省到青海省河南县外斯,是黄河在青海省境内的最大弯曲部,区域内地势平坦,水草好,有成片灌木林,附近最大支流是右岸四川境内的白河和黑河,水系发育,水量丰沛,流域蓄水能力强,属平原性河流,流域东南与长江流域白龙江、岷江等水系相邻,自然景观大不相同。这一地区降水量大,为黄河上游湿润地区之一,也是黄河上游的主要产流区。唐乃亥以下

· 244 ·

至青海、甘肃省界,干流切割甚深,几经峡谷和盆地。该段黄河干流峡谷众多,水流湍急、落差集中,水量充沛稳定,水能资源丰富,开发条件优越。龙羊峡—寺沟峡 276km 河段上,水头落差达 865m。该段河谷和盆地分布有大片耕地和林网,盛产粮食、油料和瓜果等,是青海省农业区之一。两岸山区和河谷植被稀疏,水土流失严重(李万寿等[79],1999)。土地覆盖类型分布状况见图 10-4,面积百分比见表 10-1。

该区属高原大陆性气候类型,河源区和唐乃亥以下黄土高原区为半干旱区,其他地区为半湿润区。气温随海拔增高呈下降趋势,黄河源区年平均气温在 −5℃ 左右,流域多年平均气温为 −2.5℃,1980~2000 年年均气温在 −2~10℃,由西向东南、东北两个方向递增(见图 10-5)。1960~1989 年均降水量在 300~700mm 之间,1980~2000 年年降水量在 300~700mm 之间,由东南向西北呈减少趋势(图 10-6、图 10-7)。1956~1979 年除小部分地区陆面蒸发量在 200~300mm 之间外,大部分地区在 300~400mm 之间。干旱指数除小部分地区在 3.0~7.0 之间外,大部分地区在 1.0~3.0 之间。平均径流深在 100~500mm 之间,径流系数在 0.2~0.5 之间(水电部黄河水利委员会水文局[72],1986)。1960~1989 年平均蒸散量与年降水量比值在 0.8~1.0 之间,由东南向西北递增(见图 10-8)。

(二)大通河流域

大通河是黄河上游支流湟水的最大支流,位于北纬 36°30′~38°25′、东经 98°30′~103°15′,介于祁连山与大坂山之间,发源于青海省天峻县托勒南山,自西北向东南流经青海省刚察、祁连、海晏、门源、互助、乐都,折经甘肃省天祝、永登及兰州市红古区等区(县)再转流至青海省民和县享堂镇汇入湟水,共流经两省 11 个县(市)。流域呈一狭长带状,干流全长 574.12km,流域面积 15 130km²,平均比降为 2.1‰(朱俭[80],2001;张锁成等[81],1997;李万寿等[79],1997)。流域多年平均径流量 30.52 亿 m³,流域控制站享堂站控制面积 15 126km²,年输沙量 323 万 t,平均产沙量 214t/km²,1956~1979 年年均径流量为 28.5 亿 m³,年径流深 188.4mm,径流系数在 0.3~0.4 之间,1983~1997 年年均径流量为 29 亿 m³,年径流深 196mm,径流系数在 0.5~0.8 之间。

该流域属大陆性气候,水汽主要来源于印度洋孟加拉湾上空的西南暖湿气流。祁连山巨大的高度具有拦截水汽的优越条件,降水量南坡大于北坡。夏季东南季风和西南季风影响强烈,使流域内降水比较丰沛。冬季受西风带和蒙古高压双重控制,气候干燥寒冷。1980~2000 年平均气温在 −2~8℃ 之间(见图 10-9),在垂向上随海拔增加呈下降趋势(见图 10-10)。年降水量 1956~1979 年在 400~500mm 之间,80~90 年代在 250~350mm 之间,90 年代变化较平缓(见图 10-11),垂向上随海拔增高呈增加趋势(见图10-12)。1956~1979 年陆地蒸发量在 200~300mm 之间,干旱指数在 1.5~2.0 之间(原水电部黄河水利委员会水文局[72],1986),1983~1997 年蒸散发量在 100~300mm 之间,蒸散比呈上升趋势,径流系数呈减小趋势(见图 10-13),气候向干旱方向变化。

流域地势高亢,气候寒冷,支流多发源于祁连山冰川地带,属冰雪雨水型河流,冰川融水对径流影响较大。据中国科学院兰州冰川所资料,大通河流域的冰川面积为 40.97km²,冰川储量 12.5 亿 m³。冷龙岭南坡为主要支流老虎沟、永安河的发源地。区内存在着大气降水、冰雪融水和地下水、地表水等水资源形式,其中地表水与地下水相互

图 10-3　兰州以上流域的水系与气象站点

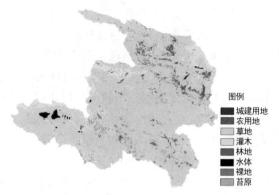

图 10-4　兰州以上土地覆盖类型分布图

表 10-1　　　　　　　　　　兰州以上流域土地覆盖类型面积百分比

土地覆盖类型	面积百分比（%）	土地覆盖类型	面积百分比（%）
城市/建设用地	0.1	林地	1.0
农用地	2.2	水体	0.9
高山草原	87.2	裸地	0.3
灌木	7.0	苔原	2.3

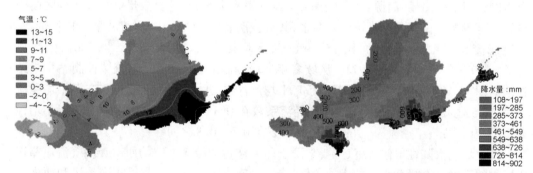

图 10-5　黄河流域 1980~2000 年年均气温　　　图 10-6　黄河流域 1960~1989 年年均降水量

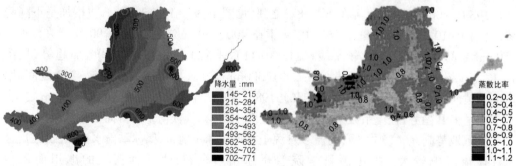

图 10-7　黄河流域 1980~2000 年年均降水量　　　图 10-8　黄河流域 1960~1989 年年均蒸散比率

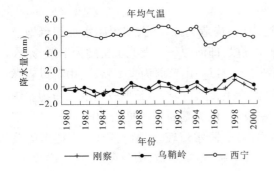

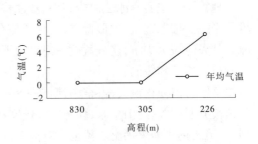

图 10-9　大通河流域 1980~2000 年年均气温　　　　图 10-10　大通河流域气温随高程变化曲线

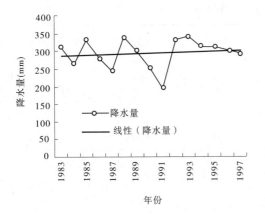

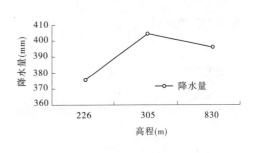

图 10-11　1983~1997 年年均降水量变化趋势　　　图 10-12　大通河流域降水量随高程变化曲线

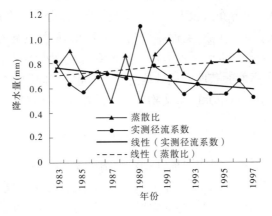

图 10-13　1983~1997 年蒸散比与径流系数变化趋势

转换、补充频繁。在时间上,径流的分布与降水分布趋势大体一致,汛期 6~9 月份占全年径流量的 63.3%~71.5%,灌溉期 4~7 月份占全年径流量的 43.3%~54.9%,月最大径流量集中在 7 月份,占全年径流量的 18.4%~26.4%。5 月中旬~9 月下旬,气温稍高,冰川消融,冰川融水量 0.38 亿 m³,冰川补给径流的比例为 1.64%。以享堂站为代表,5~9 月份径流量占全年的 75%,其余时间为冬季枯水期,径流较少(张锁成等[81],1997)。加上 4 月份河流消融补给径流的作用造成年内河川径流有突增和突减的状况(李万寿等[79],1997)。

地貌类型主要有冰蚀构造高山、侵蚀构造中山、构造剥蚀丘陵、冰川冰水堆积台地及堆积平原。按照地貌、地形特点,可将流域分为三段,即河源—尕大滩水文站为上游,尕大滩—甘肃连城为中游,连城盆地—河口为下游。上游以高山草原为主要特征,中游以森林和种植生长期较短的农作物为主,下游光热资源充足,适宜种植生长期较长的农作物。流域内草原所占面积最大,占整个流域的86%左右,其他类型面积比见表10-2。土壤类型与植被类型相关,高山草原、森林区气候寒冷而湿润,降水量较多,植被较好,表层多为草甸土、暗栗钙土和黑钙土。黄土丘陵沟壑区,气候干旱,植被稀疏,沟壑纵横,黄土多为淡、红、灰钙土,覆盖于红层之上。河川地区土壤肥沃,以栗钙土为主。

表 10-2　　　　　　　大通河流域土地覆盖类型面积及面积百分比

土地覆盖类型	面积(km²)	面积百分比(%)	土地覆盖类型	面积(km²)	面积百分比(%)
城市/建设用地	2	0.01	林地	20	0.1
农用地	673	4.4	水体	4	0.03
高山草原	13 042	85.8	裸地	129	0.8
灌木	731	4.8	苔原	592	3.9

三、模型结构

半分布式水文模型主要表现在单元划分方法、水源的划分方法以及产汇流计算模型方面。单元划分是建立半分布式模型的一个关键,单元划分方法会影响到模型结构,单元划分的好坏会对模拟精度产生影响,但哪种划分方法更好,并无定论,应根据流域下垫面特征、站网分布、数据条件选取合适的方法。单元划分的大小除受流域自身大小、地形、地貌特点限制外,还应考虑能够获取的流域信息、计算耗时等问题,综合几方面的因素确定单元划分的数量及大小。对单元内水文物理过程的概化、水源的划分也是由产汇流特点、数据条件及研究目的决定的。

(一)单元的划分

在大尺度流域上,流域下垫面因素(地形、土壤类型、植被覆盖)和气象因素(如降水、气温、日照等)的空间非均匀性表现得非常明显。为了反映这些因素的空间分异性对流域水文循环的影响以及人类活动和气候变化对流域径流过程的干扰,同时也为了更好地与DEM和遥感(RS)相结合,分布式水文模型通过将流域划分成子区、子流域、坡面或是网格等形式的地域元以实现对空间分异性的描述,这种方法称为"空间离散"(王中根等[82],2002)。水文模拟时通常假设这些地域元内部性质均一,各地理要素具有相应的模型输入参数,地域元之间有一定的拓扑关系,通过这种拓扑关系说明物质的传输方向。分布式模型要求计算各地域元的相关地形参数、流域内河网结构拓扑关系等,这些都可通过构建数字流域来实现。

目前流域离散的方法主要有三种:单元网格、山坡和自然子流域。单元网格划分方法是基于栅格 DEM 将研究区域(或流域)划分为若干个大小相同的矩形网格,完全分布式水文模型通常采用这种方法。基于山坡的划分方法是将分布式水文模型的最小计算单元落脚于一个矩形坡面,首先根据 DEM 进行河网和子流域的提取;然后基于等流时线的概念将子流域分为若干条汇流网带,在每一个汇流网带上围绕河道划分出若干个矩形坡面,在每个矩形坡面上根据山坡水文学原理建立单元水文模型,进行坡面产汇流计算;最后,进行河网汇流演算(Yang 等[83],2000)。基于自然子流域的划分是将研究区按自然子流域的形状进行离散,能够利用 DEM 自动、快速地进行河网的提取和子流域的划分。该方法的最大好处是单元内和单元之间的水文过程十分清晰,单元水文模型很容易引进传统水文模型,从而简化计算,缩短模型开发时间。当然,水文单元的划分不局限于此,也可以是上述三种的组合,如自然子流域和单元网格相结合的方法。

群体响应单元是在矩形网格的基础上,在其内又划分成若干具有相同土地覆盖的区域(GRU),从而一个栅格格网中可以包含多个 GRU。栅格单元内 GRU 的位置只对水流过程产生影响,而不影响产流量的大小。与集总模型比较,以 GRU 方法离散计算域的半分布式流域水文模型能更好地进行调参和验证。

聚合模拟单元(ASA)是基于自然子流域的划分方法,根据 DEM 将流域划分为若干子流域,按照土地覆盖类型将子流域划分为更小的模拟单元。该方法最初由 Kite 和 Kouwen[84](1995)提出,并应用于半分布式 SLURP 模型中。其优点是 ASA 依据河网形状确定,每个 ASA 均与河道相连,通过河网连接在一起,便于将 ASA 上的流量演算至流域出口。单元内性质不均一,而是由一组性质已知的更小的面积单元构成。这些更小的面积单元类似于分组响应单元,可根据植被类型、土壤性质等进行划分。由于该种单元与土地覆盖类型密切相关,因而能及时反映流域内土地利用、植被覆盖等的变化,见其示意图 10-14。

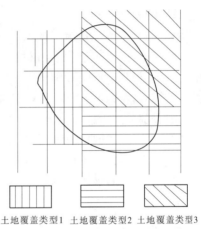

土地覆盖类型1　土地覆盖类型2　土地覆盖类型3

图 10-14　ASA 示意图

水文响应单元(HRU)、水文相似单元(HSU)则根据下垫面的相似性将流域离散成不同的地域元。

水文响应单元法将流域离散成空间结构分布不均,但土地利用、地形、土壤、地质相对均一的面积单元,每个单元内的水文动态的变化小于不同的单元上水文动态的变化,单元位置只对水流流程有影响。该方法建立在两个假定基础之上:①与特定的地形—土壤—地质相关连的每一种土地利用状况具备均一的水文动态过程;②土地利用和各自的地形—植被—地质所反映的物理特性控制着水文动态。

水文相似单元是指土壤持水能力近似的区域,由土壤蓄水容量面积分布函数相类似的单元构成。土壤蓄水容量面积分布函数用来表示一次暴雨过程中流域内实际上土壤饱和程度的非线性分布对地表径流和表层流的影响。通过土地利用与植被覆盖图层的叠加得到这些分布曲线。

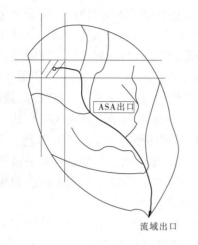

图 10-15 网格单元的汇流过程示意图

本章将研究区划分为若干聚合模拟单元，各单元之间通过河网连接在一起，单元内各土地覆盖类型具有不同的模型参数值，其产流量汇流到 ASA 内最邻近的河道内，然后沿河道向下游汇流至 ASA 出口，再继续汇流至流域出口。流域内某网格单元的汇流过程示意图见图 10-15。对于同一流域，不同 ASA 的划分将会对模型模拟精度产生影响，当测站数量较多、数据充分时可通过划分成较多的 ASA 单元以提高模拟精度。但当测站数量较少、资料较少时，较多的 ASA 单元并不能提高模拟精度。考虑到研究区内测站比较稀疏，且可获取的模型参数也较少，同时考虑到计算耗时，没有必要将流域划分为较多的 ASA，具体划分方法见本章第二节第一部分。

（二）层的划分

流域内的水文过程是指水在流域内的运动和分配，包括植被截留、填洼、土壤下渗、区域蒸散发、产流、汇流等过程。各过程在时间和空间上通过地理要素的作用彼此相互联系、相互作用、相互影响。降雨从空中降落，首先被植物拦截，一部分停留在冠层，一部分继续下落，暂时累积到积雪层上或直接落到地上。落到地上的水继续向土壤下渗，当水量较大时，则有部分产生地面径流。入渗到土壤中的水一部分产生壤中流，一部分消耗于蒸散发，还有一部分向深处渗透补给地下含水层。蒸散发与这些过程是同时进行的，主要包括冠层蒸发、水面蒸发、土壤蒸散发等过程。目前概念性模型的区别主要在于层的划分不同，有的包括冠层，有的不包括冠层，有的考虑地下水，有的则不考虑地下水，有的将土壤层分为 1 层、2 层或更多层。

大通河流域冰川年径流量 0.38 亿 m³，占该流域年径流量的 1.2% 左右，兰州以上研究区冰川年径流量 2.86 亿 m³，占天然径流量的 0.9%。虽然冰雪径流量占年径流量比例很小，但在融雪期间融雪径流对逐日过程线的影响较大，如果不考虑融雪径流，势必影响模型的模拟精度，因此模型应考虑融雪作用。而研究区内林地较少，植被类型比较简单，多为各种类型的草地，枯枝落叶层的截留作用可以忽略，作此概化处理不致影响模拟精度。对于地下部分，将其分为土壤层与地下水层，地下水层只是一个概念，并非与实际的地下含水层相对应。据此，将流域蓄水体在垂向上划分为冠层、积雪、土壤层与地下水层四层，涉及降水、截留、融雪、下渗和蒸发各过程，见图 10-16。

模型总的水量平衡方程式为

$$\frac{\partial S}{\partial t} = P - E_{act} - R \qquad (10-1)$$

式中：S 为全部水分蓄量，mm；P 为降水量，mm；R 为流域出口总出流量，mm；E_{act} 为陆面蒸散发量，mm。

模拟时首先计算各个单元内的产流量，然后通过河道汇流演算至单元出口或流域出口,作为模型输出。

(三)时段的划分

流域水文过程不但在空间上表现出不均匀性,而且在时间上表现出连续的、不均匀的、非线性的变化特性。为了表达水文过程的时间分异性,模型将时间划分为一定长度的时段,假定在每一个时段内水文过程是均匀变化的,采用差分方法求解水文过程的连续变化。由于模型是面向大尺度的连续径流过程,若时段取为小时或分钟,则输入、输出数据量太大,严重影响模型运行速度,同时对于大尺度流域来说,也无此必要。为了比较精确地反映流域径流动态,以天作为计算时段。

四、水文过程的假定与计算

(一)冠层截留

降水首先被冠层截留并消耗于蒸

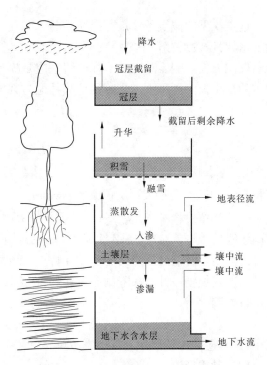

图 10-16　垂直结构示意图(摘自 Kite[26],1998)

散发,在径流模拟时首先计算冠层截留量。当研究大暴雨或大洪水时,截留损失通常忽略不计,但在水量平衡研究中,截留则举足轻重,其影响程度取决于自然特性、植被覆盖的类型和密度、降雨特性、季节等因素。林冠截留量由林冠吸附量和附加截持量两部分组成,其中,林冠吸附量为林冠表面湿润所需水量,与冠层表面积和叶表面的持水能力成正比,即叶面积越大,叶面持水能力越强,林冠吸附量越大。附加林冠截持量是指在降雨过程中林冠的蒸发量,与叶面积大小及当地的气候条件、降雨历时有关。目前还难以从理论上建立比较好的模型来模拟植物冠层截留的物理过程,大多采用经验或半经验模型,且多数局限在对森林冠层截留过程的研究,对农田生态系统冠层截留量的研究并不多见(穆宏强等[85],2002)。刘昌明[86]等在研究 SPAC 系统的蒸散发计算时,根据对农田试验观测的结果分析,认为植物对降雨的截留作用与降雨强度和植物覆盖度有关,并建立了计算植物截流量的经验公式。

$$I_c = \begin{cases} 0.55d_c P^{[0.52-0.008\,5(P-0.5)]} & (P \leqslant 17\text{mm}) \\ 1.85d_c & (P > 17\text{mm}) \end{cases} \tag{10-2}$$

式中:I_c 为日平均降水的植物截留量,mm;d_c 为作物覆盖度;P 为日平均降雨强度,mm。

刘贤赵等[87](1998)、王彦辉等[88](1998)对有关冠层截留计算模型进行了总结,将其分为三类:①根据已有的数据运用统计方法建立的经验模型和半经验模型;②以经验和概念为基础,应用水量平衡原理建立的概念性模型;③根据机理和理想化条件并运用数学物理方法或系统论方法建立的理论性模型。

经验性的统计模型最为简单,也是目前水文模型中最常用的,分为线性与非线性两种。这类模型的假设条件是冠层初始持水量为 0,而实际上初始时刻冠层可能持有一定量的水,时段内还存在一定量的蒸发,因而在计算冠层实际截留量时必须考虑冠层缺水量与蒸发能力的影响。冠层的实际截留量应是模型计算值与冠层截留容量、冠层缺水量二者中的较小值。用以下二式分别计算林地与其他植被的冠层截留容量。

$$I_{cm} = LAI \times d \tag{10-3}$$

$$I_{cm} = \frac{LAI}{LAI_{\max}} \times I_{cm\max} \tag{10-4}$$

式中:d 为水膜厚度,mm;LAI 为叶面积指数;$LAI_{\max}$ 为最大叶面积指数;I_{cm} 为冠层截留容量,mm;$I_{cm\max}$ 为最大冠层截留容量,mm。

由于截留过程本身是非线性的,雨量较大时线性模型的误差很大,非线性模型精度一般高于线性模型的精度(王彦辉等[88],1998)。非线性的 Horton 经验模型(式(10-5))在计算降雨截留量时能反映降雨的非线性特点,且计算简单、参数少,适合数据缺乏的大尺度流域。但是模型是针对次降雨而建立的,在应用于日降雨截留计算时,将日降雨量作为次降雨量处理。

$$I = aP^b \tag{10-5}$$

式中:I 为冠层截留能力,mm;a、b 为截留系数;P 为日降雨量,mm。

(二)融雪径流

积雪一方面消耗于升华,影响流域水热平衡,一方面产生融雪径流,影响水量平衡。用于计算冰雪融化量的方法有表面能量平衡法、度—日因子法、固定因子辐射平衡法。利用遥感技术研究融雪水文在过去的 30 年中取得了显著的进展,其计算结果主要用于以上几种模型的输入,但由于图像的空间分辨率与监测的时间频率问题在实际应用时受到限制。1994 年 William 等[89]对固定因子辐射平衡法、表面能量平衡法、度—日因子法三种方法进行了比较,认为前两种方法结果一致,计算精度优于第三种方法,但这两种方法对数据要求高,在数据缺乏时难以应用。而 Tarboten 等[90](1991)、Vehviläinen[91](1991)、Rango 等[92](1995)指出在数据缺乏时度—日模型计算精度并不一定差。鉴于研究区的数据条件及度—日因子法具有投入少、计算简单的特点,选用该模型计算融雪量。

$$\begin{cases} R_{sn} = \alpha(T - T_0) & (T > T_0) \\ R_{sn} = 0 & (T \leqslant T_0) \end{cases} \tag{10-6}$$

式中:R_{sn} 为冰雪消融量,mm/d;T_0 为雨、雪的临界气温,℃;T 为日均气温,℃,当 $T - T_0 < 0$ 时,令 $T - T_0 = 0$,此时没有融雪;α 为融雪因子,变化范围通常在 3.5~6.0mm/(℃·d)之间,一般森林愈少,其值愈大,融雪初期较小,随后逐渐增大。

式(10-6)中各参数可以以实验观测值作为其初值,再根据模型运行效果进行修正(陶诗言等[93],2000)。在缺乏详细资料的地区可用下面经验关系估算度—日因子。

$$\alpha = 1.1\rho_s / \rho_w \tag{10-7}$$

式中:ρ_s、ρ_w 分别为雪和水的密度。

式(10-6)中的临界气温对径流计算有相当的敏感性,如果气温在临界气温附近,则气温稍有误差就可能导致雨、雪判读错误,如果将实际降雨定为降雪,就会使计算的径流响应过缓,忽略了降雨形成的尖锐的洪峰,反之则会使流量洪峰过高过快。康尔泗等[94] (2002)的研究表明,在山区植被带,海拔较低,气温较高,积雪量又相对较少,积雪较易融化,因此度—日因子较小,积雪融化主要是春、秋的季节积雪。而在我国大陆性气候条件下发育的高山冰雪冻土带海拔高,气温较低,冰雪消融的能源主要是太阳辐射,消融过程和山区植被带有所不同,度—日因子较大,且随海拔增高增加较多。根据观测资料,如取融化的临界气温为0℃,推算出6~8月份冰川融化的度—日因子在海拔3 750m处平均为10.8mm/(℃·d),在平均海拔4 006m处的冰川为17.2mm/(℃·d)。

计算时应注意以下几点:

(1)度—日因子不是固定不变的,而是随积雪特性的变化而变化的。

(2)如果点的预测值用于面上,应根据所在面(高程分带或网格)的平均高程作修正。

(3)根据流域局部积雪的情况率定的度—日因子不能用于流域完全覆盖积雪的情况,应根据实际积雪覆盖面积加以修正。

(三)地面、地下产流

流域产流是水分在下垫面垂向运动过程中,在各种因素综合作用下的发展过程,是下垫面对降雨的再分配过程。此过程中各径流成分的产生主要取决于非饱和带地下水运动的机理、特性和运动规律。蓄满产流与超渗产流是两种典型的、实际应用的产流理论和计算方法,前者适合于湿润地区,后者适合于干旱地区。但在干旱半干旱地区,有些洪水是蓄满产流,有些则是超渗产流。同一场洪水,前期可是超渗产流,到后期又变为蓄满产流。对一个流域而言,蓄满产流与超渗产流是相对的,混合产流则是绝对的,混合产流是指两种产流并存(包为民等[39],1997)。

兰州以上区域包括半干旱与半湿润两种气候类型,半湿润区易产生蓄满产流,而半干旱区易发生超渗产流。冰川、积雪及冻土的存在则增加了产流的复杂性。在冰雪融水补给径流的地区,发生超渗产流的概率较小,大通河流域虽然位于半干旱区,但其上游山区存在一定量的冰川与积雪,易发生蓄满产流,其他地区则以超渗产流为主。即使在以蓄满产流或以超渗产流为主的区域其产流方式也不是固定的,而是随降雨量的大小、降水历时变化而发生变化,故采用混合产流与融雪径流两种产流机制。冰雪融化量一部分消耗于蒸发,其余部分补充积雪层蓄水量,超过的水量则与同时期降雨产生的净雨一起参与产流量的计算。采用混合产流模型结构将产流量分为地面径流、壤中流与基流三部分,到达地下的融雪径流作为落地处理参与地面产流量的计算。具有空间分布特征的格林—安普特下渗曲线计算时段下渗量,将落地雨划分为地面径流量和下渗量两部分,下渗的水流除消耗于土壤蒸散发外,补充土壤层蓄水量,产生壤中流,并下渗补给地下水。

1.地面径流

地面径流为超渗产流,如果经过冠层截留后的落地雨量大于模拟单元平均下渗能力,则产生地面径流,否则不产生地面径流。为了提高模拟精度,认为ASA内每个聚合面积上的下渗能力仍存在差异,采用具有流域分布特征的格林—安普特下渗曲线计算。格林—安普特下渗公式(式10-8)物理成因清楚,参数物理意义明确,由于其中一些量很难测到,如湿润锋面的毛管水压力、饱和层深度等,几乎还没有被直接应用过。包为民[53] (1993)、包为民等[39](1997)从实际应用角度出发,根据土壤含水量对毛管水压力的影响关系,在忽略地面滞水深条件下对格林—安普特下渗公式进行改进,使其具有流域分布特征、能考虑前期降雨对下渗的影响,并成功应用于半干旱地区。

对于一个下垫面条件不均匀的流域,其下渗率在流域上的各个点也不同,按照下渗率从小到大的顺序排列与下渗率相应的面积,勾画出下渗分布曲线,见图10-17,用式(10-9)表示为指数函数。

$$f = K(Z + H + \varphi)/Z \tag{10-8}$$

$$\alpha = 1 - \left[1 - \frac{f}{f_m(1 + b)}\right]^b \tag{10-9}$$

式中:f 为下渗速率,mm/d;f_m 为平均下渗率,mm/d;K 为饱和传导系数,mm/d;Z 为饱和层厚度,mm;H 为地面滞水深,mm;φ 为湿润锋面的毛管水压力,mm;b 为系数,代表流域入渗能力分布的不均匀性,$b = 0$ 时表示分布均匀,b 值越大表示分布越不均匀,b 值取决于地形地质条件,它对入渗能力分布曲线的影响如图10-18所示。在同一种聚类面积上入渗能力虽有差异,但差别不是很大,以 $b = 0.2$ 表示其不均匀性。

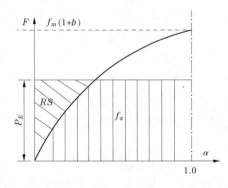

图 10-17　下渗分布曲线

f_a—实际下渗率,mm/d;P_E—时段净雨,mm,
指到达地面的雨量;RS—时段地面径流量,mm;
α—下渗小于某个定值 F 的面积比

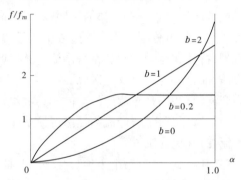

图 10-18　b 值对入渗能力分布曲线的影响

$$f_m = f_c\left(1 + K_f \frac{S_F - S}{S_F}\right) \tag{10-10}$$

式中:f_m 为平均下渗率,mm/d;f_c 为饱和条件下的下渗率,mm/d;K_f 为与入渗相关的系数,反映土壤含水量对下渗的影响,是土壤含水量的函数;S_F 为田间持水量,mm;S 为土壤层实际含水量,mm。

用土壤层饱和持水量替换田间持水量,用经验公式(10-11)计算系数 K_f,得平均下渗率公式(式10-12)。

$$K_f = \left(1 - \frac{S_1}{S_{1\max}}\right) \tag{10-11}$$

$$f_m = f_c\left[1 + \left(1 + \frac{S_1}{S_{1\max}}\right)^2\right] \tag{10-12}$$

式中:S_1 为土壤层实际含水量,mm;$S_{1\max}$ 为土壤层最大持水量,mm。

对于时段净雨 P_E,时段实际下渗量为 f_a,用下式计算

$$f_a = \begin{cases} \int_0^{R_E} (1 - \alpha) \mathrm{d}F & (P_E < f_m(1 + b)) \\ f_m & (P_E \geqslant f_m(1 + b)) \end{cases} \tag{10-13}$$

对式(10-13)积分得

$$f_a = \begin{cases} f_m - f_m \left(1 - \dfrac{P_E}{f_m(1 + b)}\right)^{1+b} & (P_E < f_m(1 + b)) \\ f_m & (P_E \geqslant f_m(1 + b)) \end{cases} \tag{10-14}$$

则地面产流量 RS 为

$$RS = P_E - f_a \tag{10-15}$$

2. 地下径流

地下径流包括壤中流与基流两部分。入渗到土壤层中的水量首先补充土壤缺水量,土壤蓄水量按一定比例产生壤中流,并有一部分渗漏到地下水层,用以下两式计算。

$$RI = S_1 \times k_1 \tag{10-16}$$

$$RP = S_1 \times (1 - k_1) \times \tanh\left(\frac{S_1}{S_2}\right) \tag{10-17}$$

式中:RI 为壤中流,mm;RP 为渗漏量,mm;k_1 为土壤水出流系数,1/s;S_1 为土壤蓄水量,mm;S_2 为地下水层蓄水量,mm。

渗漏量如果在满足地下水层缺水量基础上仍有剩余,则多余的量加到壤中流,称此部分为溢流量,用 OG 表示,地下径流量用蓄泄模型计算。

如果 $RP + S_2 > S_{2\max}$,则

$$OG = RP + S_2 - S_{2\max}, \quad RG = S_{2\max} \times k_2 \tag{10-18}$$

如果 $RP + S_2 < S_{2\max}$,则

$$OG = 0, \quad RG = S_2 \times k_2 \tag{10-19}$$

式中:$S_{2\max}$ 为地下水层最大蓄水量,mm;OG 为溢流量,mm;RG 为地下水层产流量,mm;k_2 为地下水层出流系数,1/s。

则总产流量 R 为

$$R = RS + RI + OG + RG \tag{10-20}$$

(四)汇流

经植物截留后的雨水质点抵达地面,满足填洼及下渗后再下降的水质点在重力作用下沿坡面边下渗边流动,流动过程中不断汇集,进入较大的、有明显边界约束的小沟,然后以明渠水流的方式进入更大一些的沟,继而注入河道。在此过程中坡面流的流程较短,一般不超过数百米,坡面流除没有固定边坡约束外,与明渠水流相比坡面流的水深远小于明渠水流,受降雨入注、下渗及糙率等影响明显,大多数情况下与运动波近似,其流程与宽度量级相当,非线性特性比明渠流更突出(芮孝芳[40],1995)。从时间尺度看,水流在坡面和河网中传播的时间相差很大,应采用不同的方法模拟坡面流与河道汇流。Wyss 等[95](1990)曾用 2×10^{-3} m/s 作为地下水流速,Naden[96](1993)以 0.6m/s 作为河川径流流

速。对于不同的产流机制也会有不同的坡面流流速，Dunne(1982)[97] 指出 Horton 超渗产流流速为 $2.8\times10^{-3}\sim0.14\text{m/s}$，坡面上河道附近饱和超渗流流速为 $8.3\times10^{-5}\sim0.03\text{m/s}$，从坡面到河网，壤中流流速量级为 $2.8\times10^{-8}\text{m/s}$。

模型中河网总入流由地表径流、壤中流与基流构成。每种土地覆盖类型上的坡面流、壤中流、基流首先汇集到最邻近的河道内，然后再沿河道汇流至 ASA 出口直至流域出口，两部分汇流时间之和即为子流域内每种土地覆盖类型的全部汇流时间。基流汇流时间较长，因而不考虑其坡面汇流过程，只考虑河网调蓄过程。坡面流主要体现为漫流形式，假设坡面流为足够宽的宽浅型河道，用一维圣维南不稳定流方程组表示

连续方程

$$\frac{\partial q}{\partial x} + \frac{\partial h}{\partial t} = i$$

动量方程

$$u\frac{\partial u}{\partial x} + \frac{\partial u}{\partial t} + g\frac{\partial h}{\partial x} = g(i_0 - i_f) - S \tag{10-21}$$

式中：q 为单宽流量，m^3/s；h 为水深，m；u 为流速，m/s；i_0 为坡面坡度；i_f 为阻力坡降；i 为雨强，m/s；x 为距离，m；t 为时间，s；g 为重力加速度，m/s^2；S 为源汇项，m/s^2。

用数值方法解圣维南方程，求出流量、流速、集水深度等水文变量的时空变化过程时要求流域大量详细的自然地理资料，而通常所掌握的流域常规观测资料，如降雨、蒸发、出口断面流量、流域地形等难以满足此要求，因此实际上很难将该方法应用于流域上。在流域水文模型中常假设坡面流为宽浅型河道水流，采用简化的运动波模型，根据曼宁公式计算坡面流流速。

$$u = \frac{1.49}{n}R^{\frac{2}{3}}\sqrt{s} \tag{10-22}$$

式中：u 为流速，m/s；R 为水力半径，m；n 为曼宁阻力系数；s 为坡度。

天然河道中的洪水波属于浅水长波，其运动规律可以用圣维南方程组来描述。河道演进的模型中的 Muskingum 线性经验模型自 20 世纪 30 年代中期创立以来，已在世界上众多河流的洪水演算中得到了广泛的应用，其特点是计算简单、所需资料少。Cunge[98] (1969)在此基础上，假设水深—流量存在单值对应关系，利用经典动力波方程与四点有限差分方法，对模型加以改进，是目前较常用的方法之一，这里采用该方法计算河道汇流。

Muskingum-Cunge 模型

$$O_{t+\Delta t} = C_1 I_{t+\Delta t} + C_2 I_t + C_3 O_t + C_4 \tag{10-23}$$

$$\left.\begin{aligned}
C_0 &= k - kx + \Delta t/2 \\
C_1 &= -(k - \Delta t/2)/C_0 \\
C_2 &= (k + \Delta t/2)/C_0 \\
C_3 &= (k - kx - \Delta t/2)/C_0 \\
C_4 &= 0.5(q_1 + q_2)\Delta x\Delta t/C_0 \\
C_1 + C_2 + C_3 &= 1
\end{aligned}\right\} \tag{10-24}$$

$$k = \Delta x/c \tag{10-25}$$

$$x = 0.5[1 - q_0/(cS_0\Delta x)] \tag{10-26}$$

$$c = 1.27\beta S_0^{0.3}/(q_0^{0.4}n^{0.6}) \tag{10-27}$$

$$\beta = \frac{5}{3}S - \frac{2}{3}\frac{A_0}{B_0^2}\frac{\mathrm{d}B}{\mathrm{d}y} \tag{10-28}$$

式中：Q_t、$Q_{t+\Delta t}$ 分别为 t 与 $t+\Delta t$ 的出流流量，m^3/s；I_t、$I_{t+\Delta t}$ 分别为 t 与 $t+\Delta t$ 的入流流量，m^3/s；C_1、C_2、C_3、C_4 为模型系数；k 为河段平均传播时间，s；Δt 为时间步长，s；x 为权重系数，取值范围为 $0\sim1$；c 为与单宽流量 q_0 对应的动力波波速，m/s；Δx 为演算河段长度，m；S_0 为河底坡度；A_0 为与参考流量 Q_0 对应的横截面面积，m^2；B_0 为与 Q_0 对应的河床宽度，m；y 为河深，m，通过曼宁公式将摩阻系数、深度、速度联系起来；β 为与河道形状有关的系数，$0<\beta\leqslant5/3$。

河段长度、河段宽度、河底坡度（取地面坡度值）均由 TOPAZ 模型输出。单宽流量由模拟流量值除以河宽计算而得，β 取矩形河道值为 1，河床糙率参考相关文献确定。将各值代入公式（10-27）计算出动力波波速 c，再依次代入相应各式求出系数 C_1、C_2、C_3、C_4，如此便可进行河道汇流演进计算。

如果流域内存在湖泊或水库，由于其调蓄作用或人类取用水使得天然径流过程发生变化，蓄水使得出口站流量减小，人为排水使得流量增大。由于所建模型没有考虑湖泊或水库的调蓄作用及人类取用水，模型输出的是天然状态下的流量，因此模型率定与验证所用的流量过程必须是经过还原后的流量。

（五）蒸散发

1. 计算方法

蒸散是径流模拟的一个重要环节，在水量平衡中占有重要地位，包括植物的蒸腾、土壤或水体表面和植物表面的蒸发。当地表为不透水面时，用 Morton 型水体蒸发模型计算蒸发量。若地表覆盖为其他类型，采用三层蒸散模型计算流域蒸散发量。首先计算陆面蒸散发能力，以此为限度从冠层、积雪层和土壤层逐层扣除各自蓄水量作为蒸散发量，直至满足陆面蒸散发能力。若三层蓄水量之和不能满足陆面蒸散发能力，则实际蒸散发量为三部分蓄水量之和（式 10-29），否则实际蒸散发量等于蒸散发能力。

$$E_{act} = E_c + E_{sn} + E_s \tag{10-29}$$

式中：E_{act} 为实际蒸散发量，mm；E_c 为冠层蒸发量，mm；E_{sn} 为积雪升华量，mm；E_s 为土壤蒸散量，mm。

2. 陆面蒸散发能力计算

目前计算蒸散发能力的模型方法有温度法、能量平衡法、综合法，其中综合法计算较好。应用较多的有 Ponman 模型及其各改进、互补相关模型（CRAE）。加拿大的 Morton 经过多年研究提出了 Morton 型互补相关方法（Morton[99]，1983），该方法成功地避开了复杂的"土壤—植被"系统，仅输入常规气象资料，且适用范围广，无需修改模型参数值即可进行地区移用。互补相关关系示意图见图 10-19。在一定的辐射能条件下供水很充分时，陆面蒸散量和蒸散发能力收敛于湿润条件下的陆面蒸散发量，用式（10-30）计算。

$$E_P = 2E_{TW} - E_{TP} \tag{10-30}$$

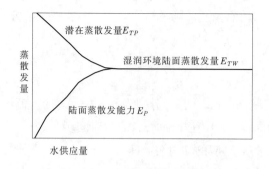

图 10-19 互补相关关系

式中：E_P 为陆面蒸散发能力，mm；E_{TP} 为潜在蒸散发量，mm；E_{TW} 为湿润环境陆面蒸散发量，mm。

由于计算陆面蒸散发能力时要用到露点温度值，而我国的常规气象观测数据中没有该项，为此须首先利用其他测项计算出露点温度后再代入相应公式计算。

3. 露点的计算

露的发生是天气活动的一个指标，可以提供云覆盖、温度与雾的形成信息，露点可定义为空气中水汽饱和时的温度，也即空气中的水汽开始凝结成水的温度。露点的计算方法大致可分为两种：一种是已知气温与相对湿度，先计算出实际水汽压，再计算露点；另一种方法是已知实际水汽压，此时，可直接代入公式计算露点。下面以大通河附近的一个气象站祁连托勒为例，用不同方法计算其 1983 年 6 月的逐日露点并进行比较，从中选择合适的方法。

1）已知实测水汽压

在已知实测水汽压的情况下，可采用 Teten's 方法计算露点，Teten's 法适用的气温范围为 $-35 \sim 50℃$，计算误差小于 $0.1℃$。对相关公式整理得如下计算式

$$Td = \frac{A \times \ln(e\_vp/610.78)}{B - \ln(e\_vp/610.78)} \tag{10-31}$$

或

$$Td = \frac{116.9 + A \times \ln e\_vp}{B - \ln e\_vp} \tag{10-32}$$

式中：Td 为露点，℃；e_vp 为水汽压，kPa。

不同文献所用系数 A、B 略有不同，A 的取值分别有 237.3、238.3、241.88、237.7、237.5、137.3，与之相应的 B 值分别为 17.27、17.294、17.558、7.5、7.5、16.78。

2）已知气温与相对湿度

若水汽压未知，可先计算水汽压 e_vp，然后代入式（10-31）或式（10-32）计算露点。

$$e\_vp = RH/100 \times 6.11 \times \exp\left(\frac{7.5 \times T}{237.7 + T}\right) \tag{10-33}$$

或 $$e\_vp = 6.1078 \times \exp\left[5.0065 \times \ln\left(\frac{\ln 273.15}{T + 273.3}\right)\right] \times \exp\left[24.846 \times \left(1 - \frac{273.15}{T + 273.3}\right)\right] \tag{10-34}$$

或

$$e\_vp = RH/100 \times 0.611 \times \exp\left(\frac{12.27 \times T}{237.7 + T}\right) \tag{10-35}$$

式中：T 为气温，℃；e_vp 为水汽压，kPa；RH 为相对湿度。

也可用 Maguns-Tetens 公式，将气温与相对湿度直接代入式（10-36）计算露点，该式适用于气温 $0 \sim 60℃$，相对湿度 $0.01 \sim 1.00$ 的范围。

$$Td = \frac{A \times \alpha(RH, T)}{B - \alpha(RH, T)} \tag{10-36}$$

其中 $$\alpha(RH,T) = \frac{A \times T}{B + T} + \ln(RH)$$

式中：$A = 237.7$，$B = 17.27$；其他符号含义同前。

由于使用不同的计算公式会使结果略有偏差，为了选取一种较合适的方法，用不同方法采用不同系数计算了祁连托勒气象站 1983 年 6 月逐日露点。该气象站 6 月份的最高气温是 15.8℃，最低气温是 2.4℃，平均气温为 9.9℃，平均相对湿度 0.66，均在 0.01～1.00 之间变化。采用 7 套系数用两种方法计算出的露点值见表 10-3。a 表示根据实测水汽压计算，b 表示根据气温与相对湿度计算。

表 10-3　　　　　　　　　1983 年 6 月祁连托勒气象站逐日露点　　　　　　　　（单位：℃）

日期	1a	2a	3a	5a	6a	7a	4b	5b	7b
1	−1.7	−1.7	−1.7	−1.7	−1.7	−1.7	0.9	0.9	1.3
2	−1.4	−1.4	−1.4	−1.4	−1.4	−1.4	−0.1	−0.1	2.2
3	0.2	0.2	0.2	0.2	0.2	0.2	1.7	1.7	−0.1
4	−0.5	−0.5	−0.5	−0.5	−0.5	−0.5	3.3	3.3	−0.6
5	−8.2	−8.2	−8.2	−8.2	−8.2	−8.2	−4.8	−4.8	6.6
6	−8.6	−8.6	−8.6	−8.6	−8.6	−8.6	−2.8	−2.8	4.7
7	−3.3	−3.3	−3.3	−3.3	−3.3	−3.3	−1.7	−1.7	1.8
8	−3.0	−3.0	−3.0	−3.0	−3.0	−3.0	1.0	1.0	0.4
9	−3.8	−3.9	−3.8	−3.8	−3.8	−3.8	3.6	3.6	0.1
10	−0.5	−0.5	−0.5	−0.5	−0.5	−0.5	−1.4	−1.4	1.4
11	−1.2	−1.2	−1.2	−1.2	−1.2	−1.2	3.0	3.0	−0.4
12	−2.2	−2.2	−2.2	−2.2	−2.2	−2.2	3.6	3.6	−0.1
13	0.2	0.2	0.2	0.2	0.2	0.2	2.9	2.9	−0.1
14	0	0	0	0	0	0	5.7	5.7	−0.7
15	0.4	0.4	0.4	0.4	0.4	0.4	2.4	2.4	−0.1
16	−1.4	−1.4	−1.4	−1.4	−1.4	−1.4	7.0	7.0	−0.8
17	1.1	1.1	1.1	1.1	1.1	1.1	6.6	6.6	−0.9
18	1.5	1.5	1.5	1.5	1.5	1.5	4.3	4.3	−0.8
19	0.9	0.9	0.9	0.9	0.9	0.9	6.2	6.2	−0.8
20	3.2	3.2	3.2	3.2	3.2	3.2	5.3	5.3	−0.8
21	1.7	1.7	1.7	1.7	1.7	1.7	5.8	5.8	−0.8
22	2.3	2.3	2.3	2.3	2.3	2.3	6.6	6.6	−0.9
23	2.7	2.7	2.7	2.7	2.7	2.7	6.0	6.0	−0.8
24	1.5	1.5	1.5	1.5	1.5	1.5	5.5	5.5	−0.9
25	1.5	1.5	1.5	1.5	1.5	1.5	6.7	6.7	−0.9
26	−0.2	−0.2	−0.2	−0.3	−0.2	−0.3	4.1	4.1	−0.5
27	−0.9	−1.0	−0.9	−1.0	−0.9	−1.0	5.7	5.7	−0.6
28	0	0	0	0	0	0	6.2	6.2	−0.7
29	1.1	1.1	1.1	1.1	1.1	1.1	7.2	7.2	−0.8
30	2.9	2.9	2.9	2.9	2.9	2.8	7.2	7.2	−0.9

从表 10-3 中可以看出，两种方法的计算结果多数情况相差较大。而用实测水汽压计算

的露点值,尽管采用的系数略有差别,但结果相差不大。用相对湿度、气温计算的 4b 与 5b 值几乎完全相同,经过对公式推导,发现只是在系数上略有差别,而 7b 列中的数值与其他各列相差均较大。由于 4b、5b、7b 在计算时首先根据气温与相对湿度计算出水汽压,然后再用水汽压计算露点,在计算水汽压过程中总存在一定误差,故在已知实测水汽压时,最好直接利用水汽压。通过比较前 6 列可以发现,3a 列中的数据通常介于其他各列值之间,所以可以用 3a 的计算方法,即 Teten's 公式,取系数 $A = 241.88$、$B = 17.558$,该公式适用于 $-35 \sim 50\,℃$ 范围。考虑到该方法适用范围广,计算结果较精确,用此法计算露点。

五、模型处理模块与水文核心部分的计算流程

由于模型为松散耦合式的半分布式模型,需要首先利用 GIS 工具或其他成熟有模型处理 DEM,提取水文特征,建立分布式的数字流域,包括划分单元、提取水系、计算河网拓扑关系及地形参数,然后确定每个单元的土壤、植被参数,将降雨过程、流域初始水分状况及其他气象信息输入到模型的核心程序,进行流域水文过程的模拟与计算。

水文模型包括水文、气象数据准备,参数录入或修改,运行控制几个模块。水文、气象数据准备模块用于逐日流量、湖泊水库水位、蓄量、泄水量的准备与气象数据提取。气象数据提取是指从国家常规气象观测数据库中提取出模拟时段的降水、气温、大气压、日照时数,以备模型调用。作这样的处理可以在进行同时段径流模拟时避免重复打开庞大的气象数据库,从而节省了模型运行时间,提高了运行效率。参数录入或修改模块使用户能够在屏幕上直接录入或修改模型参数。运行控制模块提供几个控制选项供用户选择,用以指定进行参数率定还是水文模拟以及结果的输出格式。模型水文核心部分的计算流程见图 10-20～图 10-22。

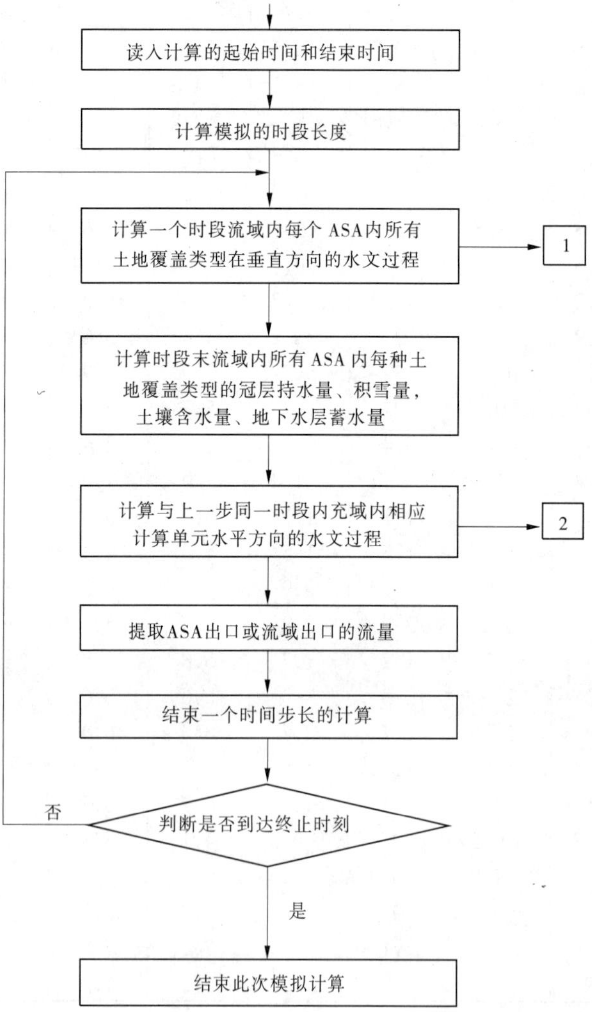

图 10-20 产汇流计算流程图(1)

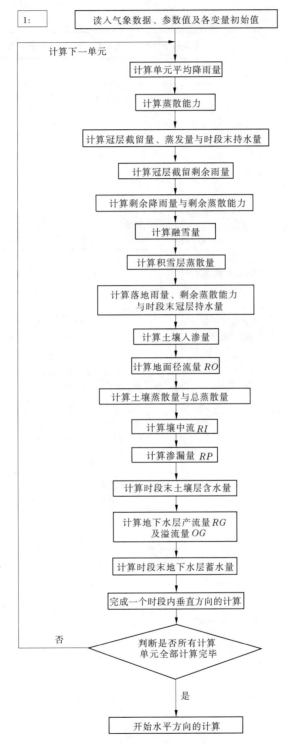

图 10-21 产汇流计算流程图(2)

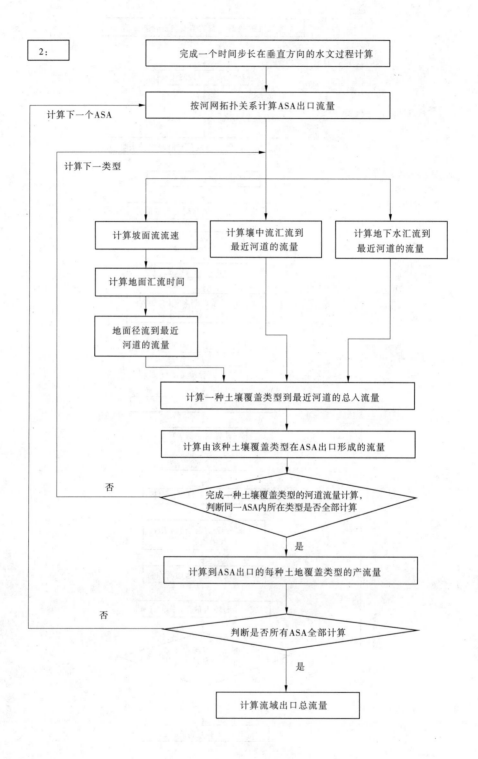

图 10-22　产汇流计算流程图(3)

第三节　模型率定与验证

一、数据准备

(一)数字流域的建立

1. 基于DEM的生成算法

1)方法概述

数字流域是以数字的形式存储流域有关信息,包括划分的单元面积、高程、单元连接方式以及河段长度、坡度、连接次序等地形、地貌参数,是分布式水文模型的基础。

利用地形图、DEM或DTM进行空间离散、确定单元流向与河网结构拓扑关系是目前常用的构建数字流域的方法。应用地形图进行数字流域的构建耗时多、精度低、重现性差。目前常采用GIS技术或一些计算模型根据DEM或DTM自动获取水系并进行流域地形参数化。国外在这方面已做了大量的研究,梁天刚等[100](1998)对其进行了总结,如美国地质调查局开发的基于DEM分析地表水流方向、确定分水岭界线、提取水系空间分布的地表水文特征模型,Tarboton等学者开发的计算河床坡度及集水区中自分水岭至出水口的最长水道长度等水文参数的算法。ANSWER系统的ELEVAA处理程序根据栅格DEM计算坡度和坡向,进而划分子集水区。美国环境系统研究所(ESRI)研制的通用GIS软件ARC/INFO,则综合了上述众多学者的研究成果,开发出了基于GIS系统的地表水文模拟专用模块,从而为建立地表水文模拟信息系统提供了良好的环境。但其存在几点缺陷:一是生成水系时不能考虑下垫面特性的空间差异性;二是生成的水系及河网拓扑关系难以被水文模型直接调用(任立良、刘新仁[101],2001),三是烦琐、费时(Martin等[102],2002)。近几年国内在这方面的研究及应用逐渐增多,如张山山[103](1998)利用ARC/INFO的GRID模块进行流向计算与流域划分,间国年等[104](1998)基于DEM设计了流域自动分割算法,任立良[105](2000)利用数字高程流域水系模型进行水系与子流域的提取工作。

基于DEM的构建水文模型的方法虽多,但常用的DEM网络模式不外乎方格网络模式、等高线网络模式和不规则三角网络模式。三种模式的算法不同,互具优点及限制,至于孰优孰劣,尚无定论。但从分析的简便性、资料普及性及处理成本等角度来加以比较,规则网络模式较具优势,是近年来主要的研究方向之一。在规则网络模式DEM上进行河系提取可分为局部性与全面性两种方法:局部性方法由每一网点与其邻近点的高度关系来分析个别网点局部地貌特征,再连接被分析为谷地的网点形成水系;全面性方法是根据网点局部的坡度及坡向,模拟水流在几何面上的流动行为,再计算每一网点的集流面积,以判断水系的位置。部分学者认为局部性方法所初步分析出来的河系经常存在不连续的现象,而全面性方法从具有水文意义的角度出发,在配合分布式水文模型应用时比较方便(詹仕坚等[106],2000)。其中专为流域水文建模开发的TOPAZ(Topographic Parameterization)(Farbrecht等[107],1999)、Rivertools以及ArcView + Spatial Analysis等软件各有特点。Rivertools、ArcView + Spatial Analysis优于可视化分析,但对于大块平坦区的处理不尽人意。TOPAZ 算法完善,由若干模块构成,其主要模块 DEDNM 可完成大部分工作,输出栅格水流流向、流域分水线、河网与子流域、河道与子流域的编码和河网结构拓扑关系,其计算流程见图 10-23。

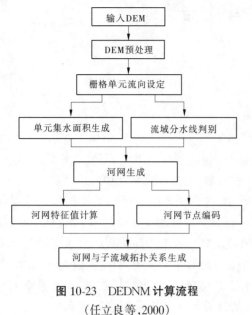

图 10-23　DEDNM 计算流程
(任立良等,2000)

2)DEM 预处理

在 DEM 内普遍存在着两类特殊的单元:洼地与平地。洼地是指某个单元的高程值小于其周围相邻的所有单元高程,又可分为凹陷型洼地和阻挡型洼地两类。凹陷型洼地是指一组栅格单元的高程低于其四周,而阻挡型洼地是指垂直于排水路径方向有一条狭长带的栅格单元,其高程较高,类似于横跨河道的障碍物或坝体(任立良等[108],1999)。凹陷型洼地的产生是由于单元的高程值是其所覆盖地区的平均高程,当河谷的宽度小于单元的宽度时,较低的河谷高程拉低了该单元的高程,此种现象往往出现在流域的上游。平地是指相邻的 8 个单元具有相同的高程,与测量精度、DEM 分辨率及研究区地形有关(顾用红等[109],2001)。

洼地与平地的存在是进行水文分析特别是流向确定的一大障碍,必须对 DEM 进行预处理,预处理过程包括数据的平滑、洼地的填充。平滑处理的目的是消除栅格化、投影转换过程中高程数据重采样而产生的无值格网和凹陷点,实际工作中采用 9 个点一组的平滑处理方法(李硕等[110],2002)。目前消除洼地的常用方法有滤波和填洼两种。滤波法可以消除孤立较浅的洼地,而保留较大的洼地;填洼法可以消除所有洼地,但会产生大片平坦区域,Garbrecht 和 Martz(1992)[112]提出用高程增量叠加算法设定平坦格网内的水流方向。对于阻挡型洼地,通过降低阻挡物存在处的高程,使水流穿过障碍物。采用填洼法对洼地进行处理,采用高程增量叠加法对原有及填洼后形成的平地进行处理,洼地处理过程见示意图 10-24。

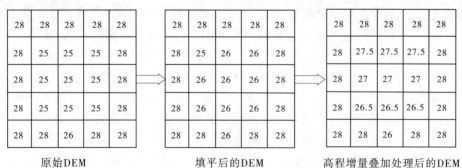

原始DEM　　　　　填平后的DEM　　　　高程增量叠加处理后的DEM

图 10-24　DEM 洼地处理过程示意图

3)水流方向的分析

水流方向是指水流离开网格时的指向,它决定着地表水流的方向及网格单元间流量的分配,是基于 DEM 的分布式与半分布式水文模型中一个十分关键的问题,通常利用预处理后的 DEM 确定水流方向。Mark 等学者的研究结果表明,确定各个栅格单元的水流方向是采用 DEM 进行地表水文分析的基础(梁天刚等[100],1998)。目前,关于水流方向的确定有 D8 法(Fairchild 和 Leymarie[111],1991)、Rho8 法、Aspectdrive 法、DEMON 法、ERS 法及多流向法,应用比较广泛的是 D8 法和多流向法。D8 法建立在坡面流域模拟的概念基础之上,假设地表不透水,降雨均匀,单元上的水流向地势最低处,该方法简单,易与水文模型结合,故采用此法确定 DEM 单元的水流流向。首先计算 DEM 每一栅格单元与其相邻的 8 个单元之间的坡度,然后按最陡坡度原则设定该单元的水流流向。地面上某点的坡度表示地表面在该点倾斜程度的一个度量,它是一个既有大小又有方向的矢量,本书所指的坡度是指坡度值。自 DEM 理论形成以来,人们提出了 5 种计算坡度的方法,分别为四块法、空间矢量法、拟合平面法、拟合曲面法、直接解法。其中拟合曲面法是解求坡度的最佳方法,计算时一般采用二次曲面,即 3×3 窗口(见图 10-25),每个窗口中心为一个高程点,用下式计算点 e 的坡度(左其亭等[12],2002)。

$$slope = \sqrt{slope_{we}^2 + slope_{sn}^2} \qquad (10\text{-}37)$$

$$slope_{we} = \frac{e_1 - e_3}{2 \times cellsize} \qquad (10\text{-}38)$$

$$slope_{sn} = \frac{e_4 - e_2}{2 \times cellsize} \qquad (10\text{-}39)$$

e_5	e_2	e_6
e_1	e	e_3
e_8	e_4	e_7

图 10-25　3×3 窗口计算点

式中:$slope$ 为坡度;$slope_{we}$ 为 x 方向的坡度;$slope_{sn}$ 为 y 方向的坡度;$cellsize$ 为格网 DEM 的各网间隔;e_1、e_2、e_3、e_4 分别为栅格单元 1、2、3、4 的中心高程。

水文方向确定时首先将被处理的栅格单元 e 同其最邻近的 8 个栅格单元进行编码,单元 e 同其相邻的 8 个栅格单元中坡降最大的一个栅格单元中心之间连线的方向被定义为处理栅格的水流方向,有效的水流方向定义为东北、东、东南、南、西南、西、西北和北,并分别用 128、1、2、4、8、16、32 和 64 这 8 个有效特征码表示,见图 10-27。处理过程如下(左其亭等[12],2002):

(1)对所有 DEM 边缘的单元赋以指向边缘的方向值。

(2)对于第一步中未赋方向值的单元,计算其对 8 个邻域单元的距离权落差值。如单元的尺寸为 1,对角线上单元间距为 $\sqrt{2}$,其他为 1。

32	64	128
16	e	1
8	4	2

图 10-26　D8 法编码示意

(3)确定具有最大落差的单元,执行以下步骤:①如果最大落差值小于 0,则赋以负值,表明此单元方向未定;②如果最大落差值大于或等于 0,且最大的只有一个,则将对应此最大值的方向值作为中心单元的方向值;③如果最大落差值大于 0,且有一个以上的最大值,则在逻辑上以查表方式确定水流方向;④如果最大落差值大于 0,且有一个以上的落差值为0,则以这些0值的方向值相加;⑤在极端情况下,如果8个邻域高程值都与中心单元高程值相同,则中心格网方向值赋以255。

(4)对没有赋以负值、0、1、2、4、…、128的每一个单元,检查对中心单元有最大落差值的邻域单元。如果邻域单元的水流方向值为0、1、2、4、…、128,且此方向没有指向中心单元,则此单元的方向值作为指向中心单元的方向值。

(5)重复第(4)步,直到没有任何单元能被赋以方向值,对方向值不为0、1、2、4、…、128的单元赋以负值。

如此即可确定各单元流向,并形成水流方向矩阵。流向分析过程见图10-27。

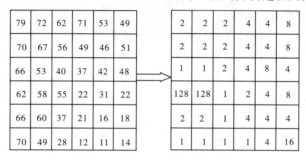

图10-27 流向分析过程示意图

4)汇流分析

汇流分析的目的是确定流路,在水流方向矩阵的基础上生成水流累积值栅格矩阵。其基本思想是,以规则格网表示的数字地面高程模型每点处有一个单位的水量,按照水从高处流向低处的规律,根据前面生成的水流方向矩阵计算每点处所流过的水量值,如此即可得区域水流累积数值矩阵(左其亭等)[12]。因此,单元的汇流累积值可以反映该点汇聚水流能力的强弱程度,值越大,表示水流能够流入其中的栅格数目越多,汇流能力也就越强,可视为河谷,反之则汇流能力较弱,汇流累积值为0的单元可视为分水岭。汇流分析过程示意图见图10-28。

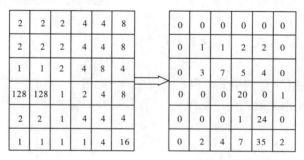

图10-28 汇流分析过程示意图

5)集水区划分与河网生成

流域中存在山坡系统和河网系统相互作用的过程,河网既与流域各个部分相连,同时又把整个山坡系统连为一个整体,起到连接流域中降雨输入和地表径流在出口断面输出的作用。在确定河网的基础上确定每一河段的集水面积、子流域分水线,建立河段和子流域的拓扑关系,并计算出各河段的特征参数如坡度、长度、高程差等,同时将计算结果以栅格格式与表格格式分别存储于不同的文件。栅格格式便于可视化操作,表格格式中的数据作为水文模型的输入。

任立良等[105](2000)对勾画河网的方法进行了总结,共分三个步骤:确定流域边界内的水道;裁剪小于某一指定长度的河段;生成河道级数编码,为后面的河网拓扑结构分析做准备。

(1)确定水道。给定临界集水面积阈值,如果某处集水面积超过此阈值,水道的起始点则出现于该处。该方法能直接产生单一方向且连接完好的河网系统。但是当流域产流空间地貌变化较大时,则会生成大量的伪水道,Martz 和 Garbrecht[112](1995)给出了解决此问题的方法,即在不同类型的区域设置不同的临界集水面积。

(2)裁剪小于某一指定长度的河段。依据临界集水面积值确定的水道其中可能包含一些很短的水道,通常这些很短的一级水道位于河谷两边的凹痕或沟壑出口,并非真正的水道,需要将其裁剪下去。可通过设置最小水道长度将伪水道裁剪下去以达到这一目的。

(3)河网编码:按照 Garbrecht 编码系统对河网所有节点进行编码,首先从流域出口断面向上游靠左搜索,对每个节点按次序递增编码,直至水道起始点为止;然后从该水道按起始点反方向搜索,直至找到新的节点或水道起始点为止,并同时按递增规则编码。依此类推,直至流域出口断面完毕(任立良等[108],1999)。一旦生成完好的河网,即可确定每一河段的级数,确定河段级数的常见方法有霍顿(Horton)分级法、斯特拉勒(Strahle)分级法、希尔夫分级(Shreve)法、斯契蒂戈(Scheidegger)分级法。Horton 分级法与 Strahle 分级法之间的关系为:每条 ω 级 Horton 河流由 $1\sim\omega$ 级 Strahle 河流首尾相连构成,而每条 Strahle 河流只是一条 Horton 河流的一部分。Scheidegger 分级法与 Shreve 分级法的不同仅在于前者比后者更便于进行数值处理。Strahle 分级法便于建立河系的地貌定律,目前在地貌瞬时单位线理论中常引用此方法(芮孝芳[40],1995)。

采用 Strahle 分级法确定河流的级数,定义从河源出发的河流为 1 级河流,同级的两条河流交汇所形成的河流级数增加 1 级。不同级的两条河流交汇形成的河流级数取两者中级数较高者,定义流域的级与河系中最高级数相同(见图 10-29)。具体做法是给定每一河段与河网节点的识别码,确定串联型河网的最优演算次序。

利用生成的河网栅格图及其河段起始点、河网编码,可以确定子流域面积,为水文过程参数化提供基础数据。利用 TOPAZ 模型将流域分为若干聚合模拟单元(ASA)并计算相关地形参数。每个 ASA 内又根据土地覆盖类型划分为水文性质相近的更小的区域,水文模拟时的最小面积单元是 ASA 内水文相拟的区域。在计算出的各网格单元到最近河道及到 ASA 出口的距离的基础上,计算 ASA 内每个小区域到最近河道及 ASA 出口的平均距离。用各网格单元到最邻近河道与 ASA 出口的高程差的平均值作为每种土地覆盖类型的平均高程差,最后计算每种土地覆盖的平均坡度。ASA 内每个网格单元到邻近河道的高程差及距离见示意图 10-30。

2.利用 TOPAZ 模型建立数字流域

1)大通河流域

(1)提取研究区。对 DEM 处理之前,首先提取研究区,为了保证流域的完整性,DEM

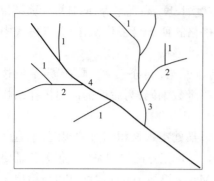

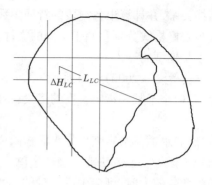

图 10-29　Strahle 河网分级示意图　　　　图 10-30　ASA 内网格单元到最近河道的
高程差与距离示意图

图像范围应略大于研究区。以 1:25 万国家基础地形图上制成的 DEM 图为基础,首先从 DEM 图库中提取 J4706、J4707、J4708、J4711、J4712、J4809、J4713 几个图幅,以保证覆盖整个大通河流域,利用 ARC/INFO 软件将其合并为一个图层,再通过重采样方法,将栅格单元大小转换为 200m×200m、500m×500m 与 1km×1km 三种,用来比较不同空间分辨率的 DEM 生成的水系及流域的异同。

(2)数字地形分析与参数计算。将 DEM 栅格数据输出为 ASCII 格式的文件,给出最小集水区的两种阈值,运行 TOPAZ 程序。由于不同空间分辨率的 DEM 生成的流域面积略有不同,低空间分辨率的 DEM 生成的流域面积通常较高分辨率的 DEM 生成的流域面积偏大。例如用 3 种不同空间分辨率生成的大通河流域面积与水系的异同,见表 10-4 与图 10-31～图 10-33。

表 10-4　　　　　　　　　不同分辨率生成的大通河流域面积比较

分辨率	最小水道长度 (m)	水道最小给水面积阈值 (hm²)	集水区面积 (km²)	与文献的相对误差
文献	—	—	15 130	—
200m×200m	200	1 000	15 144	0.19%
500m×500m	500	1 000	15 174	0.30%
1km×1km	1 000	40 000	15 215	0.40%

从表 10-4 中可以看出,用 1km×1km 栅格 DEM 生成的大通河流域的集水区面积为 15 215 km²,比张锁成等[81](1997)给出的大通河流域面积 15 130km² 大 85km²,约为 0.56%,用 500m×500m 分辨率生成的流域面积比文献中的面积大 56km²,约为 0.37%,更接近于实际情况。鉴于所用的地表覆盖栅格图的分辨率只能精确到 1km,同时考虑到计算耗时的问题,采用 1km 分辨率的 DEM 数据。选取了 4 种阈值组合(见表 10-5)比较不同阈值对生成的聚合模拟单元个数的影响。ASA 的数量对水文模型的输出结果会产生影响,ASA 面积越小,数量越多,则模拟精度越高。但是,伴随 ASA 数量的增加,对气象站的密布程度、土壤参数量、河道参数量的要求也就越高,同时计算耗时增加。因此,在

实际模拟时应根据数据条件及计算机配置选取合适的 ASA 数量,当气象站较少时,过多的 ASA 并不会提高水文模拟结果的精度。对于大通河流域,由于其周围气象站数目较少,1990 年以前可用的气象站较多,分别为祁连、刚察、乌鞘岭、西宁、门源、民和,1990 年后则只有刚察、乌鞘岭、西宁三个气象站的数据,因此利用情况 4 的阈值组合,将流域离散成 6 个模拟聚合单元,见图 10-34,各单元面积分别为 659km²、660km²、252km²、627km²、4 300km²、911km²、7 810km²。网格单元流向见图 10-35。河网拓扑关系单元信息见表 10-6。水文模拟时所用的 ASA、水系、气象站点及主要水文站位置见图 10-33。

表 10-5　　　　　　　不同集流阈值生成的大通河流域聚合模拟单元个数

序号	最小水道长度(m)	集水阈值(hm²)	ASA 数量
1	1 000	10 000	80
2	1 000	20 000	42
3	1 000	30 000	15
4	1 000	40 000	6

表 10-6　　　　　　　　大通河流域河网拓扑关系、单元信息

序号	级数	节点代码	连接顺序	入流节点		下游节点	高程(m)	河长(m)	集水区面积(km²)				
									源头	左岸	右岸	河道	全部
1	2	2	10	2	−1	−1	1 800	−1	403	1	0	5	409
2	2	3	9	3	10	1	3 100	240 836	422	96	107	25	650
3	2	3	7	4	5	2	3 711	157 439	−1	39	92	14	145
4	1	1	6	−1	−1	3	3 769	2 414	401	111	54	13	579
5	2	3	5	6	7	3	3 800	15 485	−1	31	158	13	202
6	1	1	4	−1	−1	5	3 847	14 657	428	4	0	2	434
7	2	3	3	8	−1	5	3 800	16 899	−1	2 227	2 025	133	4 385
8	1	1	1	−1	−1	7	3 900	13 071	−1	−1	−1	−1	−1
9	1	1	2	−1	−1	7	4 025	28 728	−1	2 905	4 792	199	7 896
10	1	1	8	−1	−1	2	3 108	5 414	429	28	26	11	494

注:表中"−1"为无效数据。

2)兰州以上流域

同构建大通河数字流域过程类似,选用第 2 组阈值进行流域单元划分,生成的河网拓扑关系、单元信息等见表 10-8。不同分辨率的 DEM 生成的水系见图 10-36、图 10-37。三种最小给水面积阈值生成的聚合模拟单元及数字见表 10-7 及图 10-38～图 10-40。

表 10-7　　　　　　　　不同阈值时兰州以上的聚合模拟单元

序号	最小水道长度(m)	集水阈值(hm²)	ASA 数量
1	1 000	400 000	33
2	1 000	500 000	23
3	1 000	1 000 000	7

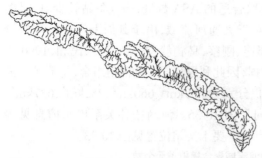 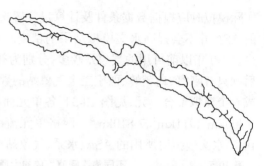

图 10-31　200m 网格 DEM 生成的大通河水系及边界　　图 10-32　500m 网格生成的大通河水系及边界

表 10-8 第 3 种组合计算得到的河网拓扑关系、单元信息

序号	级数	节点代码	连接顺序	入流节点		下游节点	高程(m)	河长(m)	集水区面积(km²)				
									源头	左岸	右岸	河道	全部
1	3	2	24	2	−1	−1	1 600	−1	5 040	3 914	6 170	258	15 382
2	3	3	23	3	22	1	1 694	103 569	5 180	3 415	7 122	115	15 832
3	2	3	19	4	5	2	1 700	40 456	5 538	23	53	11	5 625
4	1	1	18	−1	−1	3	3 200	419 245	5 841	590	2 656	71	9 158
5	2	3	17	6	7	3	1 800	18 556	5 351	125	67	22	5 565
6	1	1	16	−1	−1	5	2 534	87 740	−1	31 051	23 638	563	55 252
7	2	3	15	8	9	5	2 226	114 326	5 086	783	1 568	61	7 498
8	1	1	14	−1	−1	7	2 272	8 657	−1	13	440	22	475
9	2	3	13	10	21	7	2 661	154 267	6 488	1 915	115	33	8 551
10	2	3	11	11	20	9	2 932	122 196	−1	5 197	1 003	56	6 256
11	2	3	9	12	19	10	3 166	67 184	−1	5 806	3 237	129	9 172
12	2	3	7	13	14	11	3 500	226 380	−1	2 665	2 400	99	5 164
13	1	1	6	−1	−1	12	3 500	42 941	5 283	1 197	826	72	7 378
14	2	3	5	15	16	12	3 500	30 698	−1	421	91	14	526
15	1	1	4	−1	−1	14	3 500	78 811	5 117	10 512	9 839	348	25 816
16	2	3	3	17	18	14	4 300	695 546	−1	288	925	33	1 246
17	1	1	1	−1	−1	16	4 350	25 314	−1	−1	−1	−1	−1
18	1	1	2	−1	−1	16	4 322	87 154	−1	3 259	8 856	87	12 202
19	1	1	8	−1	−1	11	3 347	13 485	5 007	18	17	7	5 049
20	1	1	10	−1	−1	10	3 435	59 284	−1	4 080	6 586	99	10 765
21	1	1	12	−1	−1	9	2 987	62 527	-1	8 568	5 456	192	14 216
22	2	3	22	23	24	2	1 800	59 698	−1	753	1 390	51	2 194
23	1	1	20	−1	−1	22	2 304	129 083	5 218	893	512	51	6 674
24	1	1	21	−1	−1	22	3 411	309 363	5 442	1 208	1 514	53	8 217

注： 表中"−1"为无效数据。

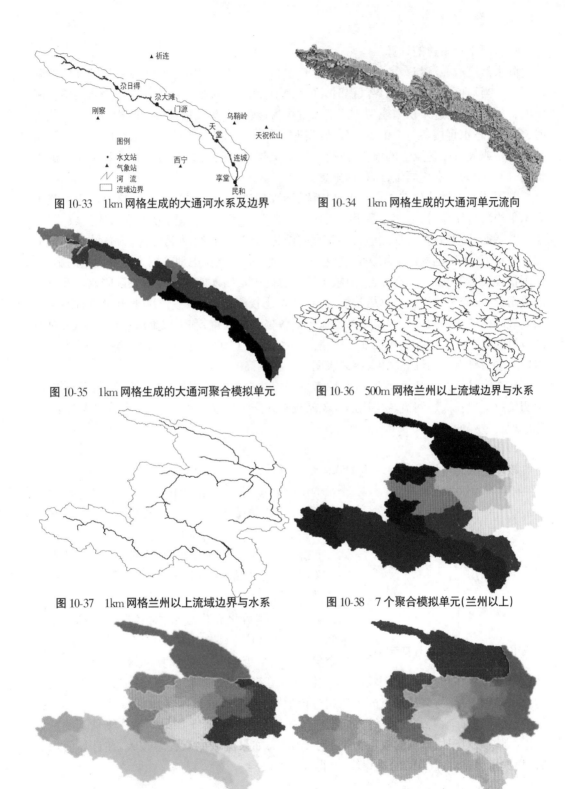

图 10-33　1km 网格生成的大通河水系及边界

图 10-34　1km 网格生成的大通河单元流向

图 10-35　1km 网格生成的大通河聚合模拟单元

图 10-36　500m 网格兰州以上流域边界与水系

图 10-37　1km 网格兰州以上流域边界与水系

图 10-38　7 个聚合模拟单元(兰州以上)

图 10-39　23 个聚合模拟单元(兰州以上)

图 10-40　33 个聚合模拟单元(兰州以上)

(二)面平均雨量的计算

降水是流域径流与蒸散的来源,其形式包括雨、雪两种,用临界气温来判别具体的降水形式。当地面气温高于临界气温时,降水为雨,地面气温低于临界气温时降水为雪。降雨时,降水量直接进入积雪模型的液态水蓄积量,液态水蓄积量超过当时积雪的持水能力时,多余液态水直接参与产汇流过程;降雪时,雪首先堆积在流域上待融。由于降水资料是降水站或气象站各点上的值,在进行流域水文模拟时需将其转换为各计算单元上的平均值,即转化为面平均雨量,简称面雨量。

常用的面雨量计算方法有算术平均法、泰森多边形法、等雨量线法、格点法等。其中算术平均法简便易行,适用于面积小、地形起伏不大、测站与降雨分布均匀的流域(翟家瑞[113],1990)。泰森多边形法假设各站点间雨量呈线性变化,缺乏弹性,为各站点雨量的加权平均值,该法比算术平均法合理,精度也较高,但不能考虑地形因素对降雨量的影响。等雨量线法精度高,并具有弹性,要求足够数量的雨量站才能绘出反映实际降水空间分布的等雨量线,较多地依赖于分析技能,而且操作比较复杂,在某些情况下由于资料不足难以实现。格点法采用估计理论计算出流域内各格点的权重,利用权重法计算面雨量,对测站数目的要求不像等雨量线法那么严格。翟家瑞[113](1990)比较了相同测站条件下泰森多边形法与格点法的计算精度,结果表明后者精度高于前者。

在选取具体方法计算面雨量时,除考虑了方法自身的优劣外,更多地考虑了研究区可用测站数量。在大通河流域可用的气象站仅有西宁、乌鞘岭、刚察三个,宜采用格点法,计算原理及过程如下。

1.估计理论

该理论认为流域内任何一点的降雨量与其四周各象限内最近站的降雨量有关,受每

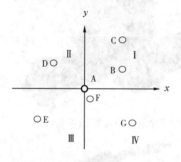

图 10-41 A点降雨量计算示意图

个站的影响程度与距此站的距离的某次方(通常用二次方)成反比。如图 10-41 所示,已知 B、C、D、E、F、G点的降雨量,估计 A 点的降雨量。以 A 为中心,作东西、南北两条互相垂直的直线,分平面为 4 个象限,在每个象限内找一个距 A 点最近的站,分别求出这些站到 A 点的距离 D_i($i=1,2,3,4$),用距离平方的倒数除以距离平方的倒数之和作权重,对各站降雨量加权并求和,用式(10-40)计算 A 点的降雨量。计算时原则上每个象限选一最近的站参加计算,对站的远近没有具体要求,当各象限的站点相距较远时,应根据计算流域的地理特征取一个最大影响距离作为约束,当参照点与估计站点的距离超过该值时,则不再取该站参加,即其权重为 0。如果测站位于坐标轴上,以逆时针方向把它转入下一象限计算。如果测站位于估算的网格点上,则该站对于估计点的权重为 1。对于山区,如果流域内高程差较大,在计算面均值时,根据高程差对式(10-40)进行修正,得式(10-42)。

$$P_A = \sum_{i=1}^{4} W_i P_i \tag{10-40}$$

$$W_i = \frac{1}{D_i^2} \bigg/ \sum_{i=1}^{4} \frac{1}{D_i^2} \tag{10-41}$$

$$P_A = \sum_{i=1}^{4} W_i f(\Delta h_i) P_i \tag{10-42}$$

$$f(\Delta h) = 1 + r \cdot (\Delta h)/10^4 \tag{10-43}$$

式中：P_A 为 A 点降雨量，mm；D_i 为 A 点分别到参照站的距离，m；P_i 为第 i 个参照站的降雨量，mm；W_i 为第 i 个象限的参照站在计算 A 点降雨量时的权重；$f(\Delta h)$ 为与高程有关的函数；Δh 为参照站与 A 点的高程差，m；r 为降雨量随高程变化率，%/100m。

2.计算方法

先计算出各测站在计算域内各网格点的权重，然后计算面平均雨量，计算步骤如下：

(1)将流域分为若干网格，计算出各测站的相应坐标，以图 10-42 为例加以说明。

(2)利用估计理论求出计算域内各网格点的测站权重，见表 10-9。

统计出每个测站在网格点计算时的权重之和以及所有测站的权重总和，网格点权重为每个测站的权重之和与所有测站权重总和(见表 10-10)，这样即可利用各网格点权重及降雨量计算出面平均雨量。

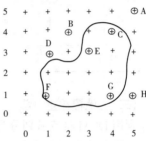

图 10-42　各网格点的权重计算

如果计算时间序列较长，经常会出现测站位置变迁或测站增减的情况，原有计算方法无法处理此问题。为了解决这一问题，在原算法基础上进行部分修改，使其适合变测站权重的计算。

表 10-9　　　　　　　　　　　各网格点测站权重计算

网格点坐标		象限Ⅰ			象限Ⅱ			象限Ⅲ			象限Ⅳ		
X	Y	站	D^2	W	站	D^2	W	站	D^2	W	站	D^2	W
1	1	F	0	1.00									
1	2	E	5	0.10	D	1	0.45				F	1	0.45
2	1	G	1	0.45	D	5	0.10	F	1	0.45			
2	2	E	2	0.25	D	2	0.25	F	2	0.25	G	2	0.25
2	3	E	1	0.31	B	1	0.31	D	1	0.31	G	5	0.07
3	1	G	0	1.00									
3	2	C	5	0.08	E	1	0.42	F	5	0.08	G	1	0.42
3	3	E	0	1.00									
3	4	C	1	0.33				B	1	0.33	E	1	0.34
4	2	A	10	0.07	E	2	0.31	G	2	0.31	H	2	0.31
4	3	A	5	0.03	C	1	0.42	E	1	0.42	H	5	0.08
4	4	C	0	1.00									

表 10-10   各测站的网格点权重

站	网格点权重和	站网格点权重
A	0.15	0.012
B	0.64	0.053
C	1.83	0.153
D	1.11	0.093
E	3.15	0.262
F	2.23	0.186
G	2.50	0.203
H	0.39	0.033
合计	12.00	1.000

(三)土地覆盖重分类

利用 DEM 将流域划分为子流域后,在每个子流域内部按照土壤覆盖类型相同的原则进一步划分为更小的水文性质相似的面积聚合单元,为此需进行土地覆盖类型的分类。土地覆盖分类的原始数据为 1km 分辨率的 USGS 土地覆盖分类栅格数据,按照 USGS 分类标准,共有 24 种土地覆盖类型。黄河流域内有 19 种,见图 10-43,其中草原所占比例最大,达 45.7%,灌木次之,占 19.697%,农地/草地类型占 10.774%,其他类型均不足10%,有的比例非常小,甚至不到 1%,各类型所占面积见表 10-8。考虑到一些类型所占面积很小,它们的 LAI、糙率、土壤持水性、入渗性能等参数对水文模拟结果的影响较小或可以忽略不计,因而在 USGS 分类基础上将某些类型相近的合并为一类,以减少模型参数量,提高模型运行效率,模型所用土地覆盖栅格图即是在 USGS 基础上经过重新分类后的数据。分类时参考黄河流域 1:400 万植被类型、土地利用图,对原来某些相近的类型进行合并,合并后共有 8 种,其中农用地、草地、灌木、林地所占比例分别为 25.95%、45.72%、22.14%、3.72%,约占整个流域面积的 97%,其他类型所占比例不到 3%。分类步骤如下:

(1)从 Inter 网上下载分辨率为 1km×1km 的 1992、1993 年亚洲区土地覆盖图,其投影方式为 Lambert 投影,共 24 种土地覆盖类型。

(2)利用 ERDAS 软件将图像导入为 8 位 IMG 格式。

(3)将投影转换为 UTM 投影方式,以便与水文模型要求的其他栅格图像投影类型一致。

(4)提取黄河流域作为研究区。

(5)将 IMAGE 图像转换为栅格图像,单元格大小为 1km×1km。

(6)利用 ERDAS 或 ARCVIEW 对土地覆盖类型进行重分类,分类情况见表 10-11,分类结果见图 10-44。

表 10-11

黄河流域土地覆盖类型重分类

原分类号	原分类名称	面积百分比（%）	重分类号	新分类名称	面积百分比（%）
1	城市/建设用地	0.11	1	城市/建设用地	0.11
2	旱地/草地	6.36	2	农用地	25.95
3	水浇地/草地	6.43			
5	农用地/草地	10.77			
6	农用地/林地	2.39			
7	草地	45.71	3	草地	45.71
8	灌木	19.70	4	灌木	22.13
9	灌木/草地	0.55			
10	稀疏大草原	1.89			
11	落叶阔叶林	2.50	5	林地	3.72
12	落叶针叶林	0.11			
14	常绿针叶林	0.01			
15	混交林	1.10			
16	水体	0.89	6	水体	0.89
17	草本湿地	0.01	3	灌木	0.01
18	木本湿地	0			
19	裸地或稀疏植被	0.83	7	裸地	0.83
21	木本苔原	0.65	8	苔原	0.65
22	混合苔原	0			

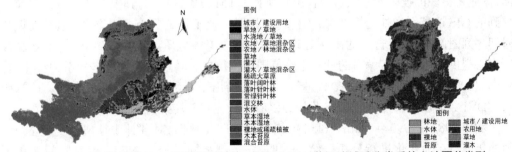

图 10-43　黄河流域 USGS 土地覆盖类型　　图 10-44　黄河流域重分类后的土地覆盖类型

(四)LAI 值的计算

1.计算方法

模型在计算冠层截留量时需要用到叶面积指数(Leaf Area Index，LAI)，它是陆地生态系统一个十分重要的结构参数，与土地覆盖类型相关性较大，它和蒸散、冠层光截获、地表净第一生产力、能量交换等密切相关（张佳华等[114]，1999），可以采用称重法、坐标法、函数法、标准叶片序列图法和针刺法、光学法等测量确定其值的大小，但是这些方法通常适用于较小区域的精细研究，难以应用于大尺度区域。对于大尺度区域 LAI 值的计算，Myneni 等[115]（1994）、Sellers 等[116]（1994）、Franklin 等[117]（1997）的研究表明 LAI 与 NDVI有很强的相关性，可用于大尺度土地覆盖动态变化的检测。Sellers 等[116]（1994）、Soegaard等[118]（1998）认为 FAPAR 与 LAI 存在对数关系，见式(10-44)～式(10-46)。其他学者认为 LAI 与 NDVI 存在线性关系或指数关系，见式(10-47)与式(10-48)。

$$LAI = \frac{LAI_{max}}{\ln(1 - FAPAR)\ln(1 - FAPAR_{max})} \qquad (10\text{-}44)$$

常绿阔叶林 $\qquad LAI = -2.34\ln(1 - FAPAR) \qquad (10\text{-}45)$

其他植被类型 $\qquad LAI = -1.67\ln(1 - FAPAR) \qquad (10\text{-}46)$

式中：$FAPAR$ 为植被冠层对光合有效辐射的截获量；LAI 为叶面积指数。

式(10-44)可用于不同的植被类型。

农地、草地与灌木

$$LAI = a \times NDVI + b \qquad (10\text{-}47)$$

Asrar 等[119]（1985）取式(10-47)中参数值 $a = 1.71$、$b = 0.4$；Nemani 等[120]（1995）取参数值 $a = 1.71$、$b = 0.48$。

针叶林、阔叶林

$$LAI = (a \times NDVI)^b \qquad (10\text{-}48)$$

式(10-48)中 Spanner 等[121]（1990）所用参数值为 $a = 3.23$、$b = 2.6$；Pierce 等[122]（1993）所用参数值 $a = 3.85$、$b = 2$；Kyung 等[123]（2001）所用参数值为 $a = 1/0.26$、$b = 2$。

2. NDVI 变化规律分析

1）低分辨率 NDVI 变化分析

1982～1999 年 AVHRR 的 NDVI 遥感数据空间分辨率为 8km×8km，原始数据的投影方式为古得投影（Goode's Homolosine Projection），在统计各土地覆盖类型 NDVI 值之前，需先将影像的投影方式从古得投影转换为 UTM 投影，以便与其他图像一致。目前所见到的 GIS 遥感图像处理软件中，支持古得投影转换工作的只有 PCI 软件，但其处理长时间序列图像时，由于自身的限制处理效率较低。美国地质调查局（USGS）的 EROS 数据中心提供了用 C 语言编写的针对全球范围的古得投影转换为经纬度坐标系的程序，香宝[124]（2000）对该程序的有关参数进行了调整，给出了亚洲区投影转换的参数。计算所用 NDVI 数据已转换为 ALBERS 投影，在使用时，先将其转换为 UTM 投影方式。

利用 1982～1990 年 8km×8km 的栅格型 NDVI 数据，对各种土地覆盖类型 NDVI 值的年内与年际变化进行分析。结果表明，各类型相同月份的 NDVI 值年际间变化不大，多数月份在 80 年代的 1986 年或 1987 年、90 年代的 1992 年出现一相对低值，在 90 年代的 1996 年出现一相对高值，总的来说，18 年间各月份 NDVI 值都在其均值附近波动。在 3～6 月份，NDVI 值按照林地→农地→城市→灌木→草地→苔原→裸地顺序递减；7～9 月份，NDVI 值按林地→苔原→农地→草地→城市→灌木→裸地的顺序递减；10 月份与7～9 月份规律相似，只是农作物的 NDVI 值大于苔原的值。总的说来，林地 NDVI 值最大,裸地 NDVI 值最小,见图 10-45~图 10-52。

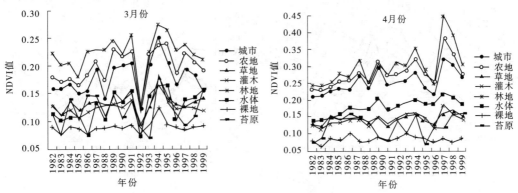

图 10-45 3 月份 NDVI 年际变化趋势   图 10-46 4 月份 NDVI 年际变化趋势

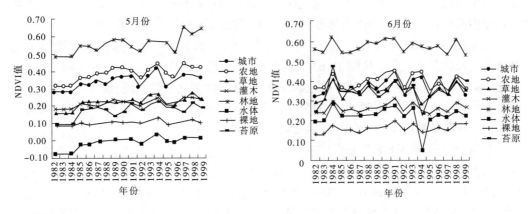

图 10-47 5 月份 NDVI 年际变化趋势   图 10-48 6 月份 NDVI 年际变化趋势

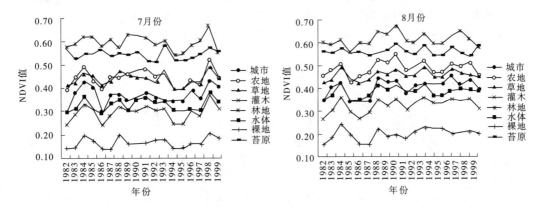

图 10-49 7 月份 NDVI 年际变化趋势   图 10-50 8 月份 NDVI 年际变化趋势

从图 10-53~10-60 中可以看出,NDVI 年内变化规律与植被生长规律一致,3 月份处于植被生长初期,NDVI 值最低,8 月份处于植被生长旺盛期,NDVI 值最高,在此期间 NDVI 值呈上升趋势,8~10 月份植被处于枯败期,NDVI 值逐渐下降。水体周围的植被

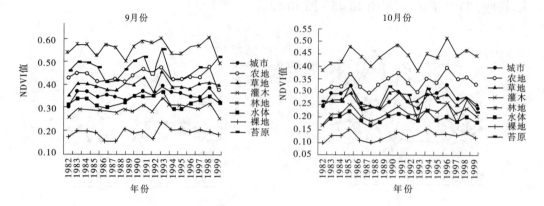

图 10-51　9月份 NDVI 年际变化趋势　　图 10-52　10月份 NDVI 年际变化趋势

在5月份出现一个最低值,与此变化规律不太符合,除5月外,其他月份依然遵循此规律,具体原因有待调查分析,由于水体面积很小,对模拟结果不会产生影响,在此不予以深究。

定义每年的 NDVI 最大值与最小值之差为一年中 NDVI 的变化量,用以反映地表植被年内生长状况的变化。从图10-61可以看出,各类型的 NDVI 值在此18年间没有大的变化,都在平均值附近波动,其中裸地 NDVI 在90年代变化非常平缓,说明此期间裸地变化处于相对稳定时期,没有发生大的变化。按苔原→林地→草地→农地→城市→灌木→裸地的顺序各植被类型的 NDVI 年内变化量呈递减趋势。

2)高分辨率 NDVI 变化分析

以上分析所用数据的空间分辨率为 8km×8km,且没有包括每年的1~2月、11~12月份,为此利用分辨率较高的 1km×1km NDVI 栅格图,分析1992年4月~1993年3月共12个月整个黄河流域7种土地覆盖类型 NDVI 的逐月变化,比较两者的研究结果是否一致。

所用遥感数据来自美国地质调查局(USGS)地理资源观测系统数据中心(EROS-EDC)的亚洲区 1km×1km 分辨率 NOAA-AVHRR NDVI 数据集,中国地区1992年4月~1993年3月12个月的资料是由NOAA卫星平台上AVHRR传感器的第一和第二通道

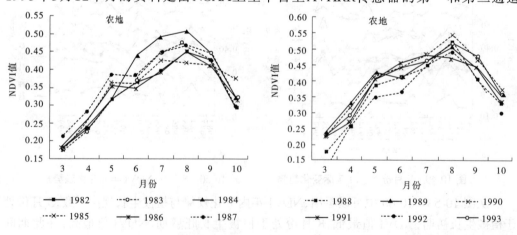

图 10-53　1982~1987年农地 NDVI 年内变化趋势　　图 10-54　1988~1993年农地 NDVI 年内变化趋势

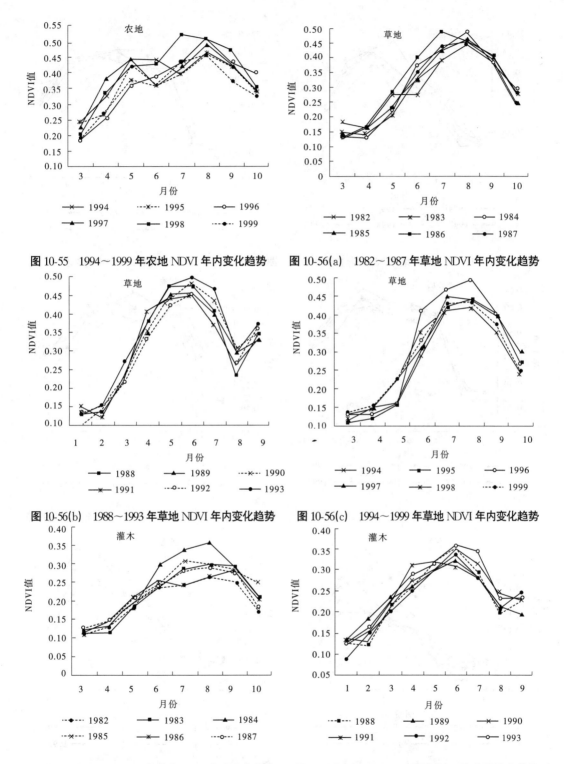

图 10-55　1994～1999 年农地 NDVI 年内变化趋势

图 10-56(a)　1982～1987 年草地 NDVI 年内变化趋势

图 10-56(b)　1988～1993 年草地 NDVI 年内变化趋势

图 10-56(c)　1994～1999 年草地 NDVI 年内变化趋势

图 10-57(a)　1982～1987 年灌木 NDVI 年内变化趋势

图 10-57(b)　1988～1993 年灌木 NDVI 年内变化趋势

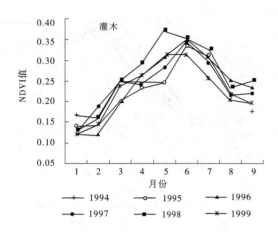

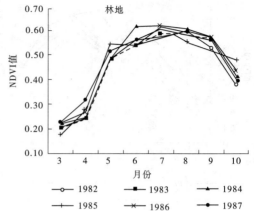

图 10-57(c)　1994～1999 年灌木 NDVI 年内变化趋势　　**图 10-58(a)　1982～1987 年林地 NDVI 年内变化趋势**

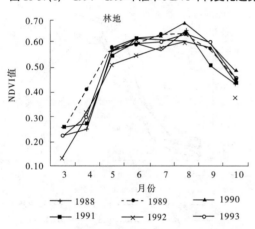

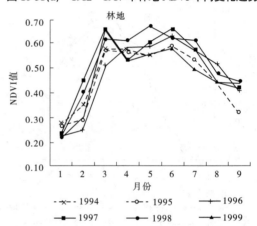

图 10-58(b)　1988～1993 年林地 NDVI 年内变化趋势　　**图 10-58(c)　1994～1999 年林地 NDVI 年内变化趋势**

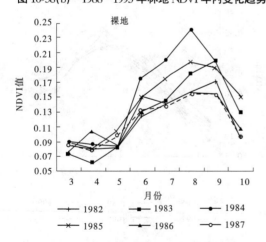

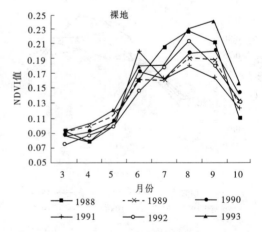

图 10-59(a)　1982～1987 年裸地 NDVI 年内变化趋势　　**图 10-59(b)　1988～1993 年裸地 NDVI 年内变化趋势**

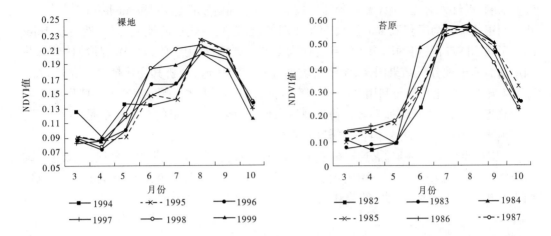

图 10-59(c)　1994～1999 年裸地 NDVI 年内变化趋势　图 10-60(a)　1982～1987 年苔原 NDVI 年内变化趋势

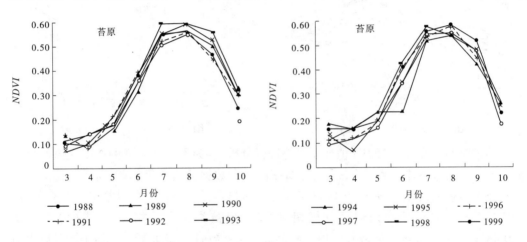

图 10-60(b)　1988～1993 年苔原 NDVI 年内变化趋势　图 10-60(c)　1994～1999 年苔原 NDVI 年内变化趋势

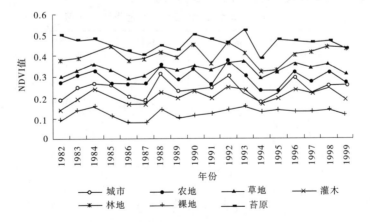

图 10-61　1982～1999 年各土地覆盖类型 NDVI 年内变化量

(即红光和近红外通道)所计算得到的。数据经过了辐射校正、臭氧和 Rayleigh 散射纠正、几何纠正处理。为了获取黄河流域 NDVI 图像,首先数字化黄河流域边界,然后从 Inter 网上下载 NDVI 图,将两图像坐标系转换为 UTM 坐标,利用 ARCVIEW 提取研究区,并利用前面的土地分类结果图像,统计各类型逐月 NDVI 值,分析其变化规律,见图10-62。NDVI 值年内变化趋势与利用 8km 分辨率数据分析结果基本一致,随着生育期后移均呈增加趋势,在植被生长旺盛期 8 月份出现最高值,与地上生物量的动态特征是一致的,其中裸地变化趋势不很明显,但仍遵循这一规律。

NDVI 年内变化量与低分辨率的分析基本一致,按林地→苔原→草地→农地→城市→灌木→裸地顺序 NDVI 年内变化量递减(见图 10-63),其中裸地年内变化最不明显,约为 0.02,林地变化量最大,约为 0.42。

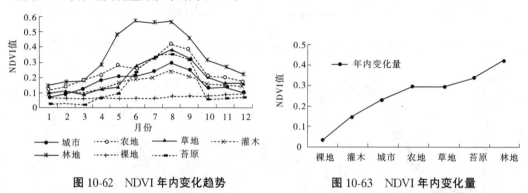

图 10-62　NDVI 年内变化趋势　　　　图 10-63　NDVI 年内变化量

通过对两种分辨率 NDVI 值变化趋势进行分析,认为不同分辨率的 NDVI 值所反映的植被变化规律基本一致,考虑到高分辨率的一套数据包括全年的值,而 NDVI 值的年际变化不是很大,利用黄河流域 1992 年 4 月~1993 年 3 月 NDVI 值计算出的 LAI 值,作为模型输入。鉴于两个研究区气候相对寒冷,植被类型也较相近,用式(10-47)、式(10-48)计算黄河流域各类型 LAI 值。确定式中各系数时,在上面给定参数值的基础上适当调整,作为计算用参数值。计算结果见表 10-12。

表 10-12　　　　　　1992~1993 年黄河流域各土地覆盖类型 LAI 值

月份	农地	灌木	林地	裸地	苔原
1	1.4	1.1	3.8	0.8	0.6
2	1.8	1.8	13.3	0.9	0.8
3	1.4	1.4	2.4	0.8	0.6
4	1.8	1.3	5.2	0.8	0.6
5	1.3	1.6	9.5	1.5	1.0
6	1.6	1.7	10.5	1.3	0.9
7	1.8	1.8	12.9	1.4	1.2
8	1.9	1.9	10.5	1.6	1.1
9	1.6	1.6	8.3	1.3	1.0
10	1.3	1.5	5.2	1.3	0.7
11	1.8	1.8	7.2	1.0	1.0
12	1.5	1.2	3.0	1.0	0.7

3.冠层截留容量的确定

冠层截留容量是指冠层最大持水量,是拦截面大小和拦截面的持水能力的函数。林冠截留容量近似取为叶面积指数与叶表面最大水膜厚度的乘积,用式(10-49)计算,式中水膜厚度参考于澎涛[10](2001)给出的不同群类型的叶表面最大水膜厚度,取森林植被的最大水膜厚度为0.208。其他植被类型的截留容量决定于植物生长情况与降水量,参考Horton 经验公式,根据经验取降水量为80mm时的植被截留量作为截留容量。式中的参数 a、b 与植被高度有关,因而不同的植被高度对应不同的截留容量。考虑到植被较高时对应的 LAI 值也较大,首先计算出一年中植被最高时的截留容量,然后用式(10-50)计算各时期的截留容量。

林地

$$I_{cm} = LAI \times d \tag{10-49}$$

其他植被

$$I_{cm} = \frac{LAI}{LAI_{max}} \times I_{cm\,max} \tag{10-50}$$

式中:I_{cm} 为冠层截留容量,mm;d 为叶表面最大水膜厚度,mm;$I_{cm\,max}$ 为最大冠层截留容量,mm;LAI 为叶面积指数;LAI_{max} 为最大叶面积指数。

参考相关植被类型的 Horton 公式参数值(张元甡、金光炎[125],1991),计算出各种植被在 80mm 降雨时的最大截留容量,见表 10-13。

表 10-13   **不同植被类型在 80mm 降雨时的最大截留容量**

项目	草地	灌木、裸地	农地	苔原
高度 h(m)	0.2	0.5	1.2	0.2
a	$0.005h$	$0.01h$	$0.005h$	$0.005h$
b	$0.08h$	$0.04h$	$0.04h$	$0.05h$
n	1	1	1	1
最大截留容量(mm)	1.13	3.20	3.85	0.81

(五)土壤参数的计算

1.出流系数与最大蓄水量的计算

模型用土壤水出流系数与地下水出流系数分别计算土壤产流量与地下水基流量,出流系数通过分析河川径流过程线得到。流量过程线分析的第一步是基流分割,即将河川径流分为地表径流、壤中流与地下径流两部分。Chapman[126](1990)认为基流是直接径流与前期基流的加权平均值,并将基流期定义为流量过程线中持续时间至少 4d,且其半对数曲线为直线的时段。模拟的基流实际上包括两部分,即壤中流与地下径流。

基流分割的方法较多,某些方法建立在质量守恒基础上,利用化学物质或示踪剂计算。这些方法都需要暴雨期间流域内水的汇流时间及前期土壤水分信息,在使用时常常由于数据缺乏而受到限制。手工分割河川流量过程线的方法主观性较强,耗时多,精度不高,重现性差。McCuen[127](1989)提出的数值解析法虽然基于物理推理,但仍然没有摆脱主观性。计算机技术的应用将手工方法自动化,从而去除了手工方法的主观性,节约了时间。目前已有几种方法采用了自动技术,如固定时间间隔法、递归滤波法。其中递归滤波法能够重现图形分割法的结果,克服了手工方法任意性较强的缺点,同时能考虑个人偏好。递归数字滤波技术(Nathan 等[128],1990)最初用于信号分析与处理(Lyne 等[129],1979),根据高频信号滤波原理从基流中滤去地表径流部分,虽没有实际的物理意义,但是客观性强且具有重现性。

基流分析的第二步是对退水特征定量化,退水特征在估算水资源供水、河流—含水层相互作用、含水层特征(如扩散率)方面非常有用。退水段是降水后流量衰减的表现,可用多种曲线方程表示基流退水过程,常见的有单指数方程、双指数方程、双曲线方程。用退水系数 α 表示流量衰减速率,α 值越大,排水越迅速,地下水储水能力越差;反之,α 值小,河川流量衰减慢,排水缓慢,地下水储水能力强。本章用递归数字滤波法进行基流分割,然后用指数退水曲线方程、蓄泄方程计算出流系数与最大蓄水量。

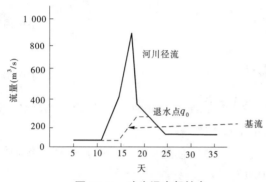

图 10-64　确定退水起始点

1)基流分割

用递归滤波法(Nathan 和 McMahon[128],1990)进行基流分割,首先确定退水起始点(见图10-64),然后按照用户要求,滤波器可以从退水起始点向前、向后、向前处理 3 次河川流量,分离出地表径流、壤中流和浅层地下水(为方便,称之为基流)。滤波方程为

$$q_s^t = \beta q_s^{t-1} + \frac{1+\beta}{2}(Q^t - Q^{t-1}) \tag{10-51}$$

$$q_b^t = Q^t - q_s^t \tag{10-52}$$

式中:q_s^t 为被滤去的 t 时刻地表径流流量,m^3/s;Q^t 为 t 时刻河川流量,m^3/s;β 为滤波参数,滤波参数越小,基流所占比例越大;q_b^t 为 t 时刻基流流量,m^3/s。

2)出流系数计算

利用分离出的壤中流、基流退水过程,用以下两种指数退水曲线法之一计算出流系数。

(1)简单指数退水曲线法。退水曲线方程为

$$Q_t = Q_0 \exp(-t/\alpha) \tag{10-53}$$

出流系数为

$$k = 1 - \alpha \tag{10-54}$$

式中:α 为退水系数;k 为出流系数;Q_t 为 t 时刻河川流量,m^3/s;Q_0 为退水点处的河川流量,m^3/s;t 为退水时间,d。

选取前期十分干旱且峰后退水持续时间很长的大洪水过程,利用分割出的壤中流或基流退水过程用最小二乘法计算出方程中的系数 α,然后代入式(10-54)计算出流系数 k。

(2)双指数退水曲线法。用半对数法绘制的基流曲线有时并不是直线,最好用双指数

退水曲线计算。双指数退水方程由 Horton[130]（1933）首先提出，后得到广泛应用。方程形式为

$$Q = Q_0 \exp(-mt^n) \tag{10-55}$$

对上式两边取两次对数，有

$$\ln\left(\frac{Q_0}{Q_t}\right) = mt^n \tag{10-56}$$

$$\ln\left[\ln(\frac{Q_0}{Q_t})\right] = \ln m + n\ln t$$

或

$$\lg\left[\lg(\frac{Q_0}{Q_t})\right] = \lg m + n\lg t - 0.369\,222 \tag{10-57}$$

选取几次久旱后较大洪水的退水曲线，利用最小二乘法计算出参数 m、n，然后计算出流系数 k。

$$k = 1 - \ln\left(\frac{Q_0}{Q_t}\right) = 1 - e^{-m} \tag{10-58}$$

式中：m、n 为计算参数；其他符号含义同前。

3）最大蓄水量计算

根据壤中流与基流的洪峰流量及上述计算的相应出流系数用式（10-59）计算土壤最大蓄水量与地下水层最大蓄水量。

$$S_{\max} = \frac{Q_{\max}}{k} \tag{10-59}$$

式中：$S_{\max}$ 为最大蓄水量，mm；$Q_{\max}$ 为洪峰流量，mm/s；k 为出流系数。

首先用递归滤波法对大通河流域各水文测站的流量过程线进行基流分割，然后用指数退水曲线法进行退水分析，以享堂站为例，其径流分割结果见图 10-65。在分割出地下径流并求出其出流系数、最大蓄水量后，进一步分割壤中流并计算其出流系数、最大蓄水量，计算结果见表 10-14。由于计算的出流系数、最大蓄水量是测站以上所有土地覆盖类型、地形等因素综合作用的结果，而模型所需参数是各种土地覆盖类型所对应的出流系数与最大蓄水量，因此计算值只能作为模型参数的初值，还需通过率定进一步确定参数值。对于兰州以上流域的各参数值参考大通河流域相应土地覆盖类型的参数值确定。

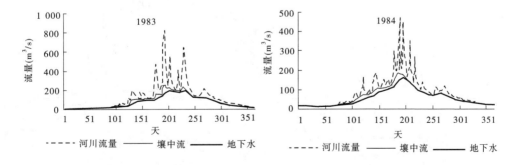

图 10-65　1983～1987 年、1993～1997 年享堂站河川径流分割结果

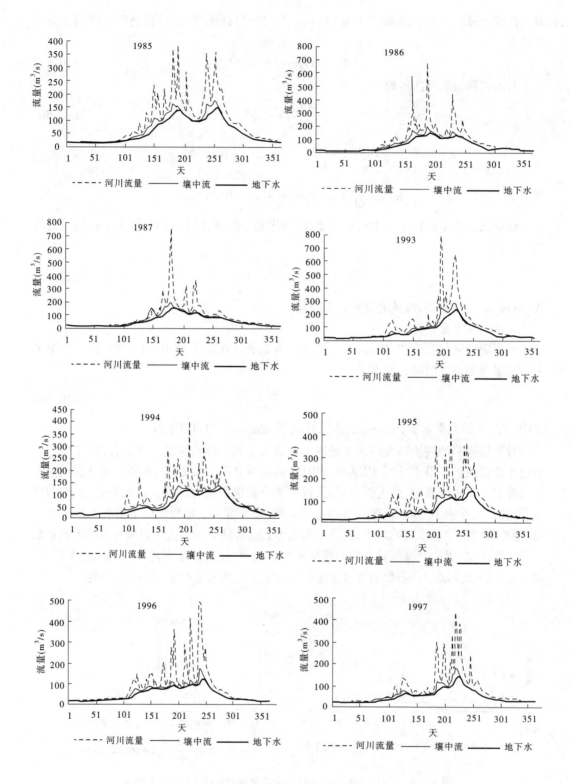

续图 10-65

表 10-14

水文站	尕日得	尕大滩	天堂	连城	享堂
计算时段	1983~1989 年	1983~1989 年	1986~1989 年	1983~1987 年	1983~1997 年
土壤水出流系数	0.015 4	0.029 9	0.032 6	0.024 8	0.021 6
土壤水最大蓄水量(mm)	402	341	521	564	595
地下水出流系数	0.01	0.009 8	0.015 2	0.009 9	0.015 3
地下水层最大蓄水量(mm)	500	837	835	1 004	961

大通河流域各水文站控制集水区出流系数与最大蓄水量

2. 入渗参数确定

选择几次前期十分干旱且降雨强度大、历时较长的洪水,绘制半对数日平均流量过程线,向左延长 AB、BC 在峰现时刻 t_m 纵坐标上所得的交点与洪水起涨点相连,初分出各种径流成分,如图 10-66 所示。

根据水量平衡,计算渗漏补给地下水的量 R_P。

$$R_P = R_g + (S_{2max} - S_2) \quad (10\text{-}60)$$

$$S_2 = Q_g / k_2 \quad (10\text{-}61)$$

忽略降雨期间的土壤蒸散量,同理计算土壤入渗量 F_S。

$$F_S = R_P + R_i + (S_{1max} - S_1) \quad (10\text{-}62)$$

$$S_1 = Q_l / k_1 \quad (10\text{-}63)$$

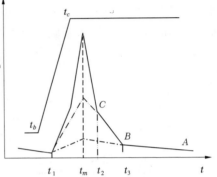

图 10-66 半对数日平均流量过程线

t_b、t_c—降雨起止时刻;t_1—洪水起涨时刻;
t_2—壤中流与浅层地下水径流终止时刻;
t_m—峰现时刻

式中:R_g、R_i 分别为壤中流径流量、地下水径流量,mm;R_P 为渗漏补给地下水的量,mm;F_S 为下渗到土壤中的降雨量,mm;Q_l 为土壤水出流量,mm/s;其他符号含义同前。

根据式(10-60)~式(10-63)计算出土壤入渗量,由于选取的为较大洪水过程,认为实际入渗速率等于平均入渗速率,土壤时段入渗量 $F_S = f_m \times (t_c - t_b)$,可推导出

$$f_m = f_c \left[1 + f_c \left(1 - \frac{S_1}{S_{1max}} \right)^2 \right] \quad (10\text{-}64)$$

计算几次洪水的土壤入渗量与降雨历时,利用最小二乘法计算出的土壤稳定入渗速率 f_c 为 220mm/d。

(六)其他参数的确定

曼宁阻力系数是决定地表流流速和流量的重要因子,它的大小与土地覆盖类型密切相关。参考 Engman 等[131](1986)提供的地表径流阻力系数表与 K·A·米哈依洛夫等(林平一)山坡坡面糙率表,确定流域内各种土地覆盖类型的曼宁阻力系数。由于模型对该参数敏感性低,参数值略有出入不致对结果产生较大影响。

二、灵敏度分析

由于水文要素的空间变化性、水量平衡限制及获得数据时的困难,模型输入参数总是

包含一定程度的不确定性。但是必须给模型赋以一定的值,利用实测数据按照一定的标准调整参数值对模型进行率定。参数的灵敏度分析是模型开发、率定与降低模型不确定性的一个重要工具(Lenhart,2002)[132]。

参数灵敏度是指参数值的微小变化对模型输出结果的影响程度,如果某一参数值稍有变化,对输出的影响很大,则该参数是敏感的。有些参数则较迟钝,其值在一定范围内变化,对输出的影响不大。参数的敏感性分析对制定参数自动优选的策略很有帮助,也有助于深入理解并改进模型结构的稳定性。通过参数灵敏度分析可以衡量参数对物理过程的重要性,确定合适的优化算法,得到最优的模型参数,同时减少参数优化计算所需的时间。一般的说,模型对参数响应的灵敏度越大,参数优化得越快,也越接近真值,不灵敏的参数通常达不到真值。对于敏感的参数应仔细识别,对不敏感的参数可粗略一些或根据经验确定下来(谭炳卿等[16],1998)。扰动分析方法是在某个参数最佳估计值附近给定一个人工干扰,并计算参数在这一很小范围内产生波动所导致模型输出的变化率(刘毅等[133],2002)。以大通河流域为例对参数进行灵敏度分析,用图 10-67 表示。为便于比较,将其无量纲化,用式(10-65)计算灵敏度因子 I,I 值越大,参数灵敏度越大,反之越小。

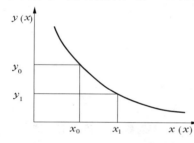

图 10-67　参数 x 与输出变化 y
之间的关系示意图

$$I = \frac{\Delta y / y_0}{\Delta x / x_0} = \frac{(y - y_0)/y_0}{(x - x_0)/x_0} \quad (10\text{-}65)$$

式中:I 为灵敏度因子;x_0、x 为模型参数值;y_0、y 为模型输出值。

通过计算分析,表明模型参数中降水因子、临界温度、出流系数、土壤水最大蓄水量及地下水最大蓄水量几个参数的灵敏度较高,河道几何形状、土壤最大入渗速率、地下水初始含水量等参数灵敏度较低,其他参数灵敏度中等,各参数相对灵敏度见表 10-15。在高灵敏度参数中,地下水层出流系数的灵敏度最高,其后依次为土壤水出流系数、降水因子、地下水层最大蓄水量、临界温度、土壤水最大蓄水量,见图 10-68~图 10-73。降水因子用于计算流域实际降水量,临界温度用于区分降水形式与融雪量,土壤水与地下水出流系数反映土层与含水层的滞蓄特征,这几个参数在模型计算时非常重要,需要参加优选。

表 10-15　　　　　　　　　　　　　模型参数相对灵敏度

参　　数	灵敏度	参　　数	灵敏度
土壤水最大蓄水量	高	地下水层最大蓄水量	中等
地下水层出流系数	高	初始积雪量	中等
土壤水出流系数	高	冠层最大持水能力	中等
降水因子	高	降水变化率	低
临界温度	高	温度变化率	中等
初始地下水含量	低	叶面积指数	中等
土壤最大入渗速率	低	冠层截留系数	中等
曼宁阻力系数	低	土地覆盖面积	中等
河道几何形状	低	土地覆盖高程	中等

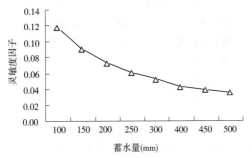

图 10-68　土壤最大蓄水量灵敏度因子

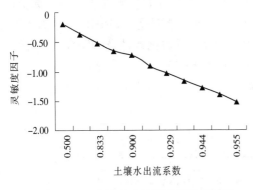

图 10-70　土壤水出流系数灵敏度因子

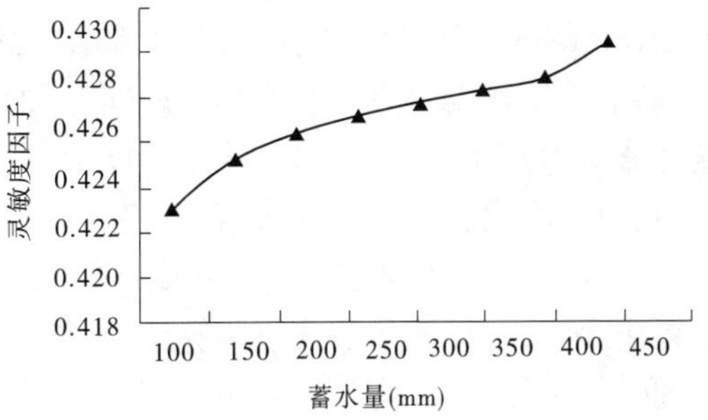

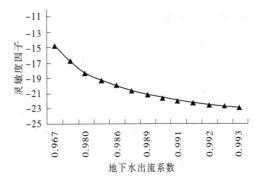

图 10-69　地下水层最大蓄水量灵敏度因子

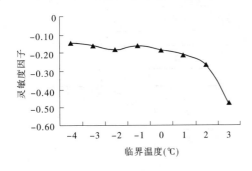

图 10-72　临界温度灵敏度因子

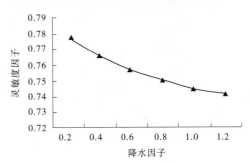

图 10-71　地下水出流系数灵敏度因子

图 10-73　降水因子灵敏度因子

三、参数率定

(一)率定方法

由实验所测定的参数只能代表点上的信息,不一定适合作为较大区域面积上的值,另一方面,如果掌握的资料数据条件有限,有些参数不能精确给定,这些都要求进行参数率定,在此基础上才能进行更为精确的水文模拟或水文预测。模型参数的率定是指提供给模型研制者具有代表性的输入、输出资料,调整参数,使模型拟合实测资料最好,即达到最优化。模型参数的优选是指在模型参数的率定过程中必然有一组最优化的参数,并且被确定下来。

目前常用的参数优化方法有遗传算法(Genetic)、罗森布瑞克法(Rosenbrock)和单纯形法(Simplex)、SCE 法、经验优选等方法。其中遗传算法不需要计算目标函数的一阶、二阶导数,不依赖于对数初始值,能够在较短的时间内达到全局最优点,但精度不高;罗森布瑞克法对参数初始值要求高,很大程度上依赖于搜索起始点,对预报人员的经验要求比较高,收敛速度没有遗传算法快,容易陷入局部最优的陷阱;单纯形法收敛速度较慢,但精度较高(田向荣,2001;张洪刚等,2002)[134,135]。SCE(Shuffle Complex Evolution)法结合了遗传法、Nelder 算法与最速下降算法的优点,引入种群杂交的概念,在应用于非线性优化问题时效果很好,且输入参数较少(Hapuarachchi 等[136],2002)。该方法主要有以下五方面的优点:①在多个吸引域内获得全局收敛点;②能够避免陷入局部最小点;③能有效地表达不同参数的敏感性与参数间的相关性;④能够处理具有不连续响应表面的目标函数,即不要求目标函数与导数的清晰表达;⑤能够处理高维参数问题。如果用户对模型掌握信息较少,最好用 SCE(Duan[137],1994)。考虑到研究区的数据条件及 SCE 方法的优点,选用 SCE 算法进行参数率定,计算流程见图 10-74、图 10-75。

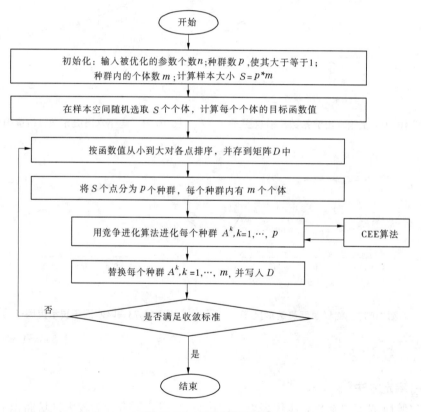

图 10-74 SCE 算法流程

(二)率定效果评价指标

参数优化结果直接影响到水文模型模拟的效果,采用出口水文过程线的拟合效果与其他几个统计指标衡量参数优化效果。

用逐日流量过程线拟合效果评判率定期参数优化效果,对于验证期,既可用逐日流量

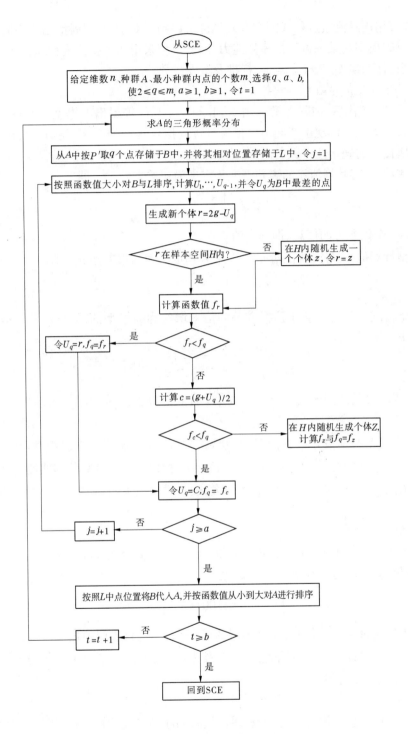

图 10-75　CCE 算法流程

q—亚群数；a—亚群内每次新生成的个体数；b—亚群杂交前每个亚群进化的次数；
t—迭代次数；f_r—r 的函数值；f_q—亚群内个体最大函数值；
g—亚群的质心；f_c—亚群质心处的函数值；j—迭代次数

过程线,也可用逐月流量过程线的拟合效果进行评判。对于统计指标,由于不同的统计指标通常只反映模型在某一方面的模拟能力,因此模型采用 4 个指标进行综合评价,分别为确定性系数、体积误差、Previous-day 标准及蒸发指数。

1. Nash/Sutcliffe 系数

20 世纪 70 年代后,国际上常选用 Nash 与 Sutcliffe 等提出的模型效率标准(也称确定性系数),它直观地体现了实测与模拟流量过程拟合程度的好坏,类似于我国水文预报方案评定所使用的确定性参数,计算公式如下。

将实测值 q_i 与其均值 $\overline{q}$ 的离差平方和定义为初始方差 F_m^2,即

$$F_m^2 = \frac{1}{n} \sum_{i=1}^{n} (q_i - \overline{q})^2 \qquad (10\text{-}66)$$

F_m^2 相当于一个供参考的信息,即基准值。

将模型计算值 c_i 与实测值 q_i 的离差平方和定义为预报方差 F_d^2,即

$$F_d^2 = \frac{1}{n} \sum_{i=1}^{n} (c_i - q_i)^2 \qquad (10\text{-}67)$$

把模型在减少利用均值作预报方差的信息增益称为模型的效率(亦称 Nash 效率系数),记为 F^2,用下式计算

$$F^2 = \frac{F_m^2 - F_d^2}{F_m^2} \qquad (10\text{-}68)$$

式中:q_i 为第 i 日的观测流量,m^3/s;c_i 为第 i 日的模拟流量,m^3/s;$\overline{q}$ 为模拟的平均流量,m^3/s。

显然,当模型的预报方差 F_d^2 仅达到初始方差 F_m^2 时,说明该模型相对均值预报不提供任何新的信息,这时 $F^2 = 0$。当 $F_d^2 = 0$,$F^2 = 1$ 时,说明模型计算值与实测值完全吻合,效率达到最大。一般情况下 $F^2 < 1$,F^2 愈大,表示模型减少初始方差的模拟能力愈强,效率愈高。

2. 体积误差

体积误差用于比较模拟径流量与实测径流量相差的大小,该值越接近于 0,差值越小,模拟效果越好,越远离 0,模拟效果越差。

$$D_v(\%) = 100 \times \frac{V_m - V_c}{V_m} \qquad (10\text{-}69)$$

式中:D_v 为径流量误差,%;V_m 为实测径流量,m^3;V_c 为计算时段内的模拟径流量,m^3。

$D_v < 0$ 意味着计算的流量偏大;$D_v > 0$ 意味着计算的流量偏小;D_v 越接近于 0,模拟径流量与实测径流量相差越小。

3. Previous-day 系数

当没有其他信息可用时,可充分利用流量时间序列的连续性特征,用前一天的流量来衡量模型的优劣。该值越小,流量变化幅度越小;该值越大,流量变化幅度越大。

$$F_P^2 = \frac{1}{n-1} \sum_{i=2}^{n} (c_i - c_{i-1})^2 \qquad (10\text{-}70)$$

式中:n 为时间序列长度;F_p^2 为 Previous-day 系数。

4. 蒸发指数

蒸发指数用于判别模型对流域气候类型的描述能力(熊立华等[14],1998)。该值越大,研究区越干旱;该值越小,研究区越湿润。

$$IVE = \frac{\sum E_{ai}}{\sum P_{Ei}} \tag{10-71}$$

式中:IVE 为蒸发指数;E_{ai} 为模拟时段的蒸散发量,mm;P_{Ei} 为模拟时段的降水量,mm。

(三)参数率定结果及效果

以半干旱区的大通河流域验证模型在半干旱区的适用性。由于现有的逐日流量是实测值而不是天然流量值,在参数优化前需对其进行还原处理。因大通河流域较为偏僻,大部分灌区缺乏实际引水资料,故采用历年实灌面积和耗水定额推求灌溉耗水量。工业用水则根据历年工业产值,用不同时期工业综合取水定额及耗水系数推求历年工业耗水量。将还原用水量按用水过程进行月分配,并与相应的实测径流过程对应相加,推求出历年逐月天然径流过程(张继勇等[138],1997)。再按照相应年份相应月份的逐日实测流量变化规律将还原后的月流量进行日分配,从而求得逐日天然径流过程。用逐日天然流量序列优化后的各参数值见表 10-16。率定期各评价指标值见表 10-17。流量过程拟合效果见图 10-76～图 10-78。可以看出,Nash-Sutcliffe 系数大于 0.75,体积误差小于 3.0%,Previous-day 系数距离 0 较近,蒸发指数符合半干旱区特征,流量过程线拟合效果较好,认为可以应用率定参数值进行预测。

表 10-16 参数率定值

参数	草地	林地	贫瘠地
降水因子	1.28	1.0	1.20
临界温度(℃)	0.09	0.10	−0.10
稳渗率(mm/d)	174	274	96
土壤水出流系数	0.061 2	0.041 1	0.142 2
地下水出流系数	0.015 4	0.012 5	0.020 8
初始积雪量(mm)	400	0	200
土壤水最大蓄水量(mm)	331.4	491.4	310.0
地下水层最大蓄水量(mm)	552.8	756.9	498.4

表 10-17 大通河流域率定期各指标值

年份	蒸发指数	Nash-Sutcliffe 系数	Previous-day 系数	体积误差(%)
1992	0.70	0.782	−0.741	0.374
1993	0.66	0.750	−3.402	2.687
1994	0.75	0.803	−0.572	2.214

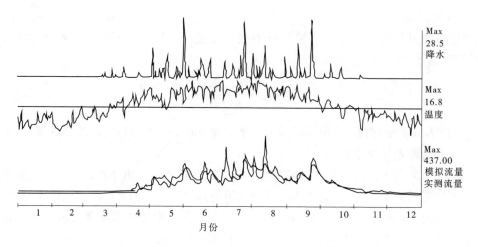

图 10-76　大通河流域 1992 年流量过程拟合

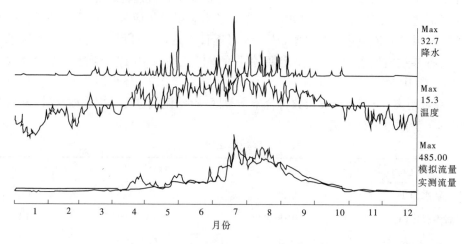

图 10-77　大通河流域 1993 年流量过程拟合

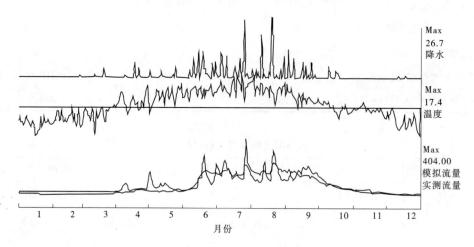

图 10-78　大通河流域 1994 年流量过程拟合

四、模型验证

(一)模型在大通河流域的验证

用大通河流域 1990、1991、1995～1997 年的逐日流量数据进行模型一致性验证,验证效果指标值见表 10-18。可以看出,除 1996 年效果较差外,其余四年的 Nash-Sutcliffe 系数大于 0.7,体积偏差小于 10%,Previous-day 系数距离 0 较近,流量过程线拟合效果较好,见图 10-79～图 10-83。从大通河流域率定期与验证期各评价指标值与流量过程线的拟合效果看,该模型结构合理,模拟精度较高,可适用于黄河流域半干旱区的大通河流域,有望应用于其他相似地区。

(二)模型在兰州以上流域的验证

为了验证模型在不同地区的适用性,选取兰州以上流域作为研究区,该区包括半干旱、半湿润气候区。以大通河流域土地覆盖相关参数作为参数率定的初值,以 1987～1989 年作为率定期,进一步确定参数值,以 1990～1997 年作为验证期,由于目前只有逐月流量序列,因此只能以蒸发指数、体积误差作为验证指标,以逐月流量过程线拟合效果评判模拟效果。

表 10-18   **大通河流域验证期各指标值**

年份	Nash/Sutcliffe 系数	Previous-day 系数	体积偏差(%)
1990	0.729	−4.196	−0.884
1991	0.702	−3.969	0.024
1995	0.786	−0.707	0.401
1996	0.530	−2.94	1.046
1997	0.806	−1.306	−3.168

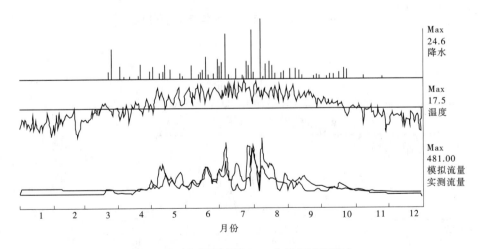

图 10-79 大通河流域 1990 年流量过程拟合

(三)模型在兰州以上流域的验证

兰州以上流域包括半干旱、半湿润区,流域内建有几座大型水库,水库的调蓄作用改

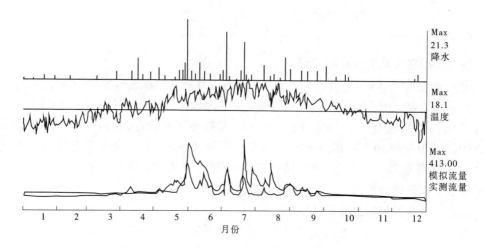

图 10-80　大通河流域 1991 年流量过程拟合

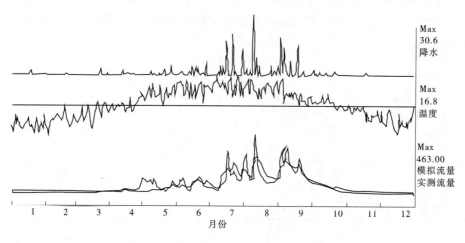

图 10-81　大通河流域 1995 年流量过程拟合

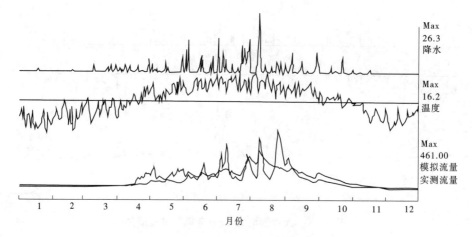

图 10-82　大通河流域 1996 年流量过程拟合

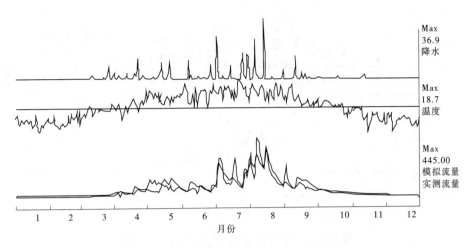

图 10-83　大通河流域 1997 年流量过程拟合

变了河川天然径流状态。受资料限制,模拟时对水库调蓄与人类取用水进行了还原,用还原后流量系列进行模型率定与验证,没有单独考虑水库的影响。还原时首先用实测径流量与相应天然径流量比较,然后按一定比例对逐日实测流量进行缩放,缩放后的值即认为是天然流量。率定期各评价指标值见表 10-19。逐日降水、气温与流量过程拟合效果见图 10-84～图 10-86,此期间 Nash-Sutcliffe 系数在 0.70 以上,体积误差较小,平均为 0.5%左右。除个别洪峰拟合较差外,整个年份的拟合效果较好。

表 10-19　　　　　　　　　　兰州以上流域率定期各指标值

年份	Nash-Sutcliffe	Previous-day 系数	体积误差(%)	蒸发指数
1987	0.871	−0.71	−0.50	0.64
1988	0.720	−1.20	−0.38	0.53
1989	0.763	−1.33	0.61	0.43

验证期体积误差小于 5%,逐月流量过程线的拟合效果很好,见图 10-87～图 10-92。计算的降水量在 450～550mm 之间,蒸散量在 250～300mm 之间,蒸发指数在 0.48～0.55 之间(见表 10-20),符合该流域大部分地区半湿润区的气候特点,与杨胜天[139](2003)

表 10-20　　　　　　　　　　兰州以上流域验证期各指标值

年份	蒸发指数	体积误差(%)
1990	0.52	0.18
1991	0.55	−0.13
1992	0.48	4.60
1993	0.48	1.84
1994	0.49	3.72
1995	0.50	0.19
1996	0.50	1.65
1997	0.52	−0.28

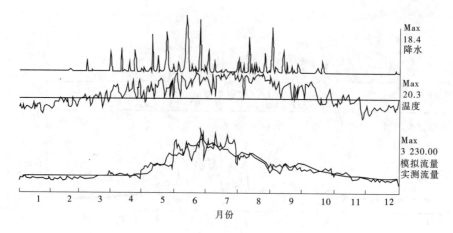

图 10-84　兰州以上流域 1987 年流量过程拟合

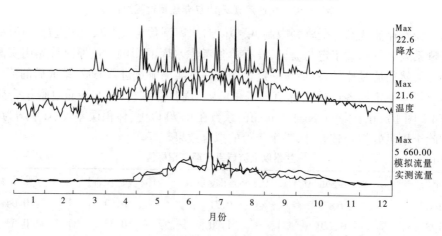

图 10-85　兰州以上流域 1988 年流量过程拟合

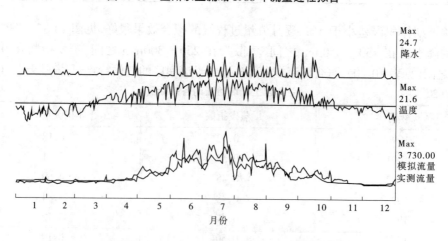

图 10-86　兰州以上流域 1989 年流量过程拟合

所计算的 1983～1997 时段的蒸发指数(原文称蒸散比率)基本符合。

综合以上几方面的分析,说明该半分布式水文模型对兰州以上流域的模拟效果较好,

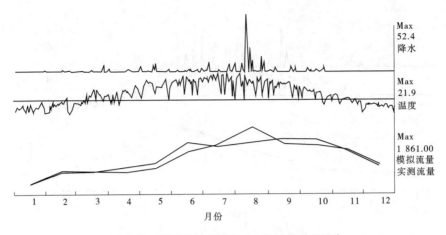

图 10-87 兰州以上流域 1990 年流量过程拟合

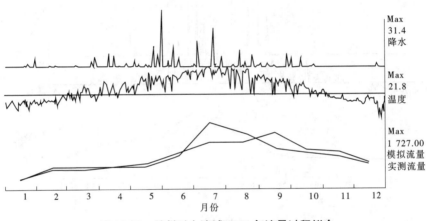

图 10-88 兰州以上流域 1991 年流量过程拟合

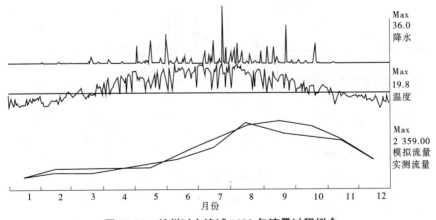

图 10-89 兰州以上流域 1992 年流量过程拟合

可以应用于黄河流域半干旱、半湿润区。

从模型在黄河流域半干旱区大通河流域及以半湿润区为主的兰州以上流域的模拟效

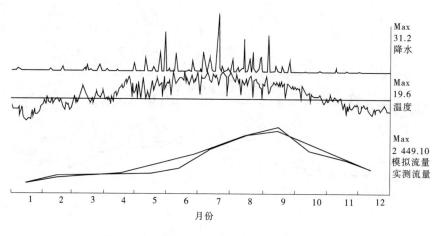

图 10-90　兰州以上流域 1993 年流量过程拟合

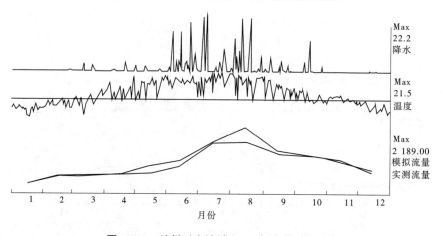

图 10-91　兰州以上流域 1994 年流量过程拟合

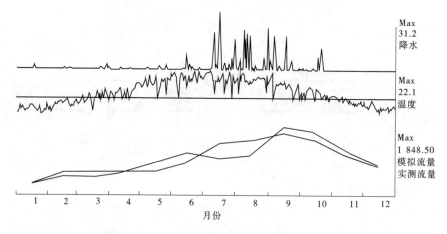

图 10-92　兰州以上流域 1995 年流量过程拟合

果看,除个别年份外,模型模拟效果均较好,说明该模型完全适用于黄河流域半干旱、半湿润区的大尺度流域径流模拟,有望推广应用于其他大尺度流域。

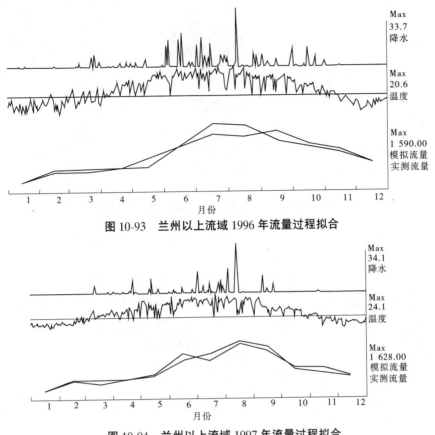

图 10-93　兰州以上流域 1996 年流量过程拟合

图 10-94　兰州以上流域 1997 年流量过程拟合

五、与其他模型模拟效果的比较

半分布式的 SLURP 模型的单元划分方法及模型结构与本书所用模型相似,但对水文过程的描述方法不同,计算时段产流量与蒸散发量所用的差分格式不同。通过比较两模型模拟的大通河享堂水文站 1995~1997 年逐日流量过程线与天然流量过程线的拟合效果(见图 10-95~图 10-97),可以看出本书所用模型更适合于研究区的情况。

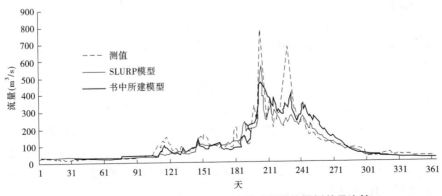

图 10-95　享堂站 1993 年逐日流量过程线按惯例效果比较

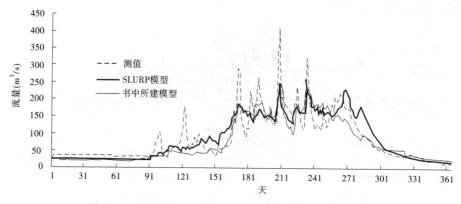

图 10-96　享堂站 1994 年逐日流量过程线按惯例效果比较

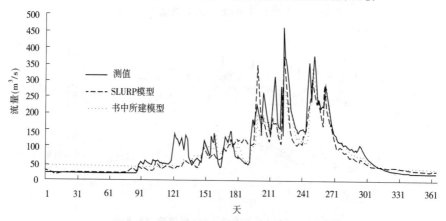

图 10-97　享堂站 1995 年逐日流量过程线按惯例效果比较

第四节　变化环境下径流预测

第三节对模型在不同气候区的适用性进行了验证,结果表明模型可应用于半干旱与半湿润区,本章应用该模型预测土地利用与气候变化环境下两个流域的径流变化。

一、大通河流域

(一)气候变化情景下径流预测

1.情景设定

目前已有学者开始关注并研究气候变化对水文循环的影响,某些研究将水文模式与大气模式耦合在一起用以模拟未来气候变化对大流域水文情势所产生的影响,某些则以"离线"(offline)的方式将气候模式的输出结果应用于水文模型。考虑到目前气候模型输出结果的不确定性,采用假定气候方案分析区域水文对气候变化的敏感性。以 IPCC 的气候预测结果与中国区域气候模式的预测结果作为参考,在可能的变化范围内假定几种情景,分析气候变化对径流的影响。

IPCC 利用气候模式对未来 50～100 年的全球气候长期变化趋势进行了预测。第一次报告指出过去 100 年全球平均地面气温已经上升了 0.3～0.6℃,如果温室气候的排放不加以控制,到 21 世纪末全球平均温度将比目前高 3.0℃左右(比工业化前高 4℃)。第二次报告指出,相对于 1990 年,2100 年的全球平均气温将上升 2.0℃。这一估计值比 1990 年的最佳估计值低 1/3,其范围在 1～3.5℃。第三次报告指出近 100 年气温上升的范围是 0.4～0.8℃,比第二次评估报告中的值高 0.1℃。21 世纪全球平均气温将继续上升,预测上升幅度达到 2.5℃,可能的变化范围为 1.4～7.8℃(丁一汇,2002)。IPCC 的三次评估报告中大约 80 个模式的统计计算表明,没有 3 个或 3 个以上模式计算的变暖值是相同的,不同模式模拟的变暖值差异较大。模拟增暖幅度最小为 1.0℃,最大为 7.8℃。由此表明,由人类排放造成的温室气体增加对全球温度的影响程度存在明显的不确定性。但是模式的预测结果都显示,如果温室气体继续增加,全球年平均气温要升高。

降水量的变化比温度变化要复杂得多,观测表明,在 20 世纪里热带陆地表面降水量可能增加(0.2%～0.3%)/10 年[140]。预计 21 世纪全球平均年降水量会增加,但在区域尺度上降水可能增加或减少,主要介于 5%～20% 之间[141]。

高庆先等[142](2002)在只考虑温室气体加倍的情景下,用 ECHAM4、HADCM2、GFDL-R15、CGCMS2、CSIRO 五个大气模式进行预测,预测结果表明,2030 年华北大部、淮河以北地区大气降水将减少,华北北部、内蒙古以及陕甘宁地区大气降水将略有增加,但增、减幅度都很小。西北地区沿天山山脉大气降水将略有减少,减少强度非常有限,西北其他地区的大气降水将增加。考虑硫酸盐气溶胶辐射强迫作用之后,大气降水在天山山脉及其以北将由西北向东南逐渐减少,其他地区降水略有增加。

利用中国区域气候模式,综合考虑自然作用与人类活动预测的未来 10 年、30 年和 50 年华北与中国西部气温和降水变化情况见表 10-21。从表中可以看出,到 2050 年西北地

表 10-21 　　　　　未来 10～50 年中国西部各省区气温与降水变化的综合预测

地区	2010 T(℃)	2030 T(℃)	2050 T(℃)	2010 P(%)	2030 P(%)	2050 P(%)
内蒙古	0.1～0.3	0.8～1.2	1.9～2.3	11～20	4～14	-1～8
陕西	0.1～0.3	0.8～1.2	1.9～2.3	1～11	7～17	23～32
宁夏	0.1～0.3	0.9～1.3	1.9～2.3	1～11	8～18	25～34
甘肃	0.1～0.3	0.9～1.3	1.9～2.3	3～13	11～21	29～38
青海	0.1～0.1	0.8～1.2	2.2～2.6	13～22	9～19	6～15
新疆	0.1～0.3	0.8～1.2	1.9～2.3	1～21	8～18	4～34
西藏	-0.2～0.2	0.8～1.2	2.3～2.7	-9～21	7～17	3～33
四川	0.1～0.4	0.8～1.2	1.6～2.0	-10～10	5～25	0～30
贵州	0.1～0.4	0.8～1.2	1.5～1.9	-12～-3	2～12	16～25
云南	0.1～0.4	0.8～1.2	1.5～1.9	-3～7	9～18	-10～-1
广西	0.1～0.4	0.7～1.1	1.5～1.9	-11～-2	3～13	18～27
重庆	0.1～0.4	0.8～1.2	1.6～2.0	0～10	16～25	0～9
西北	0.1～0.3	0.9～1.3	1.9～2.3	5～16	8～18	14～27
西南	0.1～0.4	0.8～1.2	1.6～2.0	-6～7	7～18	4～20

区可能变暖 2.1℃,西南可能变暖 1.7℃,青藏高原可能变暖 2.4℃。由于人类活动到 2050 年西北地区降水将增加 19%,其中甘肃最多,约 23%,内蒙古最少,约 14%。西南地区降水可能增加 12%,其中西藏最多,约为 18%,云南最少,只有 5%(丁一汇,2002)[143]。中国区域模式较全球气候模式虽然有明显的改进,但仍有较大误差,以西部地区为例,模拟的西部年均气温误差一般在 -2~0℃,个别地区高达 -4℃。模拟的西部地区的降水量误差一般在 0%~50%,个别地区误差在 100% 以上。

据以上数据分析,未来气温基本上呈现上升趋势,降水有增有减,在黄河流域也是如此,但由于模型预测的误差,在进行黄河流域水文动态对未来气候变化响应研究时,仍然假定气温可能上升或下降、降水有增有减几种情况。假定气候方案分别为:气温保持 1990 年不变及在此基础上变化 ±1℃、±2℃,降水变化 ±20%、±10% 和不变共 25 种组合,同时假定气候变化不改变气候因子的时空分布,并且未来将重现降水、气温和蒸发缩放后的序列。

2. 径流预测

利用所建模型预测大通河流域不同气候情景下的径流过程,计算的蒸散量、径流深以及与 1990 年计算值比较见表 10-22、表 10-23。

从表 10-22、表 10-23 中可以看出:

(1)若气温保持 1990 年的值不变,降水量增加 10% 时,蒸散量增加 10mm,径流深增加 18mm;降水量增加 20% 时,蒸散量增加 11mm,径流深增加 32mm。降水量增加,蒸散量及径流深均增加,径流变化量大于蒸散变化量。

降水减少 10% 时,蒸散量减少 8mm,径流深减少 14mm;降水减少 20% 时,蒸散量减少 16mm,径流深减少 45mm。可见随着降水量减少,径流变化量大于蒸散变化量。

表 10-22　　　　　　　　不同气候情景下蒸散量以及与 1990 年比较

蒸散量(mm)	气温				
	T	$T+1℃$	$T+2℃$	$T-1℃$	$T-2℃$
P	220	228	233	209	204
$P+10\%$	230	241	245	222	215
$P+20\%$	231	243	260	228	223
$P-10\%$	212	222	226	209	202
$P-20\%$	204	210	214	198	190

蒸散量变化量(mm)	气温				
	T	$T+1℃$	$T+2℃$	$T-1℃$	$T-2℃$
P	0	8	13	-11	-16
$P+10\%$	10	21	25	2	-5
$P+20\%$	11	23	40	8	3
$P-10\%$	-8	2	6	-11	-18
$P-20\%$	-16	-10	-6	-22	-30

表 10-23 **不同气候情景下径流深以及与 1990 年比较**

径流深(mm)	气温				
	T	$T+1℃$	$T+2℃$	$T-1℃$	$T-2℃$
P	195	191	190	203	205
$P+10\%$	213	211	212	218	231
$P+20\%$	227	223	218	230	233
$P-10\%$	181	177	171	187	201
$P-20\%$	150	167	167	174	179
径流深变化量(mm)	气温				
	T	$T+1℃$	$T+2℃$	$T-1℃$	$T-2℃$
P	0	-4	-5	8	10
$P+10\%$	18	16	17	23	36
$P+20\%$	32	28	23	35	38
$P-10\%$	-14	-18	-24	-8	6
$P-20\%$	-45	-28	-28	-21	-16

(2)气温为 $T+1℃$ 的条件下,降水量大小仍保持 1990 年的值不变,蒸散量增加 8mm,径流深减少 4mm;降水量在 1990 年基础上增加 10% 时,蒸散量增加 21mm,径流深增加 16mm;降水量增加 20% 时,蒸散增加 23mm,径流深增加 28mm。

降水减少 10% 时,蒸散量减少 2mm,径流深减少 18mm;降水量减少 20% 时,蒸散量减少 10mm,径流深减少 28mm。

(3)气温为 $T+2℃$ 的条件下,降水量大小仍保持 1990 年的值不变,蒸散量增加 13mm,径流深减小 5mm;降水量增加 10% 时,蒸散量增加 25mm,径流深增加 17mm;降水量增加 20% 时,蒸散量增加 40mm,径流深增加 23mm。

降水量减少 10% 时,蒸散量增加 6mm,径流深减少 24mm;降水量减少 20% 时,蒸散量减少 6mm,径流深减少 28mm。可见,随着降水量增加,蒸散量及径流深均增加,蒸散变化量大于径流变化量,随着降水量减少,蒸散量及径流深均减小。

(4)气温为 $T-1℃$ 的条件下,降水量大小仍保持 1990 年的值不变,蒸散量减少 11mm,径流深增加 8mm;降水量增加 10% 时,蒸散量增加 2mm,径流深增加 23mm;降水量增加 20% 时,蒸散量增加 8mm,径流深增加 35mm。可见,降水量增加,蒸散量及径流深均增加,径流变化量大于蒸散变化量。

降水量减少 10%,蒸散量减少 11mm,径流深减少 8mm;降水量减少 20%,蒸散量减少 22mm,径流深减少 21mm,蒸散变化量大于径流变化量。

(5)气温为 $T-2℃$ 的条件下,降水量大小仍保持 1990 年的值不变,蒸散量减少 16mm,径流深增加 10mm;降水量增加 10% 时,蒸散量减少 5mm,径流深增加 36mm;降水量增加 20% 时,蒸散量增加 3mm,径流深增加 38mm。可见,降水量增加,蒸散量或增或减,径流深增加,径流变化量大于蒸散变化量。

降水量减少 10% 时,蒸散量减少 18mm,径流深增加 6mm;降水量减少 20% 时,蒸散量减少 30mm,径流深减少 16mm。可见,降水量减少,蒸散量减少,径流深或增或减,蒸散变化大于径流变化。

从以上分析可以得出如下结论:降水量恒定时,蒸散较径流对气温变化敏感;气温恒定时,径流较蒸散对气温敏感。

还可以看出,蒸散量的最大值出现在最有利的组合——降水量最大、气温最高时;其最小值出现在最不利的组合——降水量最小、气温最低时。虽然径流量最大值出现在降水量最大、气温最低时,其最小值却不是在最不利的组合——降水量最少、气温最高时,而是出现在降水量最小、气温等于 1990 年值的气候组合情景。分析认为,虽然气温高时蒸散量大,但是此时降水量较小,受可供蒸散的水分限制,蒸散量增加幅度受到限制,从而引起的径流减少量也相应减小。另一方面,该区存在一定数量的冰川,高温时的冰川消融量抵消了一部分蒸散量,也使得径流减少量下降,两方面综合作用使得在低降水量条件下,径流量最小值并不是出现于气温最高时。

(二)植被变化情景下径流预测与分析

1.研究背景

流域下垫面条件对降雨—径流关系起着重要的影响作用,土地利用、土壤状况和前期土壤湿润程度是其中的重要因素(史培军等[144],2001)。前人研究表明,下垫面的改变会影响蒸散发、产汇流条件,进而改变径流量大小。目前已有不少关于植被覆盖变化对径流影响方面的报道,但不同学者的研究结论不尽相同。国外大部分对比流域实验表明,森林植被的存在会减少产水量,森林砍伐会增加产水量。如对比瑞士 Emmental 山区两个流域 1927~1956 年的观测资料表明,森林流域年径流量比以草本植物为主的流域小 11%,洪峰流量也较以草本为主的流域小,50 次最大降雨洪峰流量森林流域为 $0.37m^3/$ $(s \cdot km^2)$,而以草本植物为主的流域为 $1.75m^3/(s \cdot km^2)$。英国 60 年代后在威尔士中部开展了 Plynlimon 流域实验,研究认为,森林流域的洪峰流量小于牧草流域,森林流域的蒸发量高于牧草流域[145]。

国内多数研究得出的较为一致的结论是:森林可以调节径流的分配,增加旱季枯水流量,减少洪水流量,削弱洪峰流量。如王礼先等[145](1998)对前人研究成果总结认为,在黄河流域一些较大集水区,森林覆盖率的减少会不同程度地增加河川年径流量。王礼先等[146](2001)对山西省黄土区清水河流域进行了研究,流域森林覆盖率在 20 世纪 60 年代、70 年代和 80 年代末分别为 26.13%、56.29% 和 56.88%,年均径流系数分别为 9.3%、8.3%、4.5%,分析认为随着森林覆盖率的增加,径流系数也在相应地增大,即森林植被的增加会导致径流量的减少。不同的植被类型对径流的影响程度也是不同的,一般认为,针叶林、硬木落叶林、灌木林、草本植物对流域产水量影响呈递减趋势[145]。但是也有相反的研究结果,如王金叶等[147](1998)通过对祁连山天涝池流域和寺大隆流域 22 年水文观测资料分析,认为森林植被不会减少河川径流总量。吕世华等[148](1999)研究认为,植被增加,通过影响气候使黄河流域径流量增加;植被减少,黄河流域径流量减少。

目前研究表明,植被对径流有两方面的影响,表现为使年径流量增加或减少,其作用大小及影响程度会因地区、气候、下垫面条件、植被类型和降雨强度不同而存在一定的差异。在同一气候条件下,如果同时具备良好的森林植被和深厚的土壤,则削洪减峰、保土减沙能力较强;如果植被较差,土壤水库调节能力也差,那么调节洪峰能力差,易造成水土流失。用几种假定的植被变化情况预测兰州以上流域与其内的大通河流域对植被覆盖变化的响应。

2. 情景设定

大通河流域属半干旱地区,大部分区域为高山草原,植被较单一,生态系统脆弱,容易遭受破坏而形成荒山荒漠,造成水土流失。按照规划,到 2020 年若引水工程全部开通,每年将有 28.36 亿 m³ 的水被引走,占整个径流量的 92%,这势必破坏大通河流域原有的水循环与水均衡关系。随着水资源开发利用程度的提高,地下水超量开采,土壤盐渍化,原有草原植被将退化或成为不毛之地,从而改变流域产流条件,反过来影响流域水资源量,形成恶性循环。作为大通河的发源地祁连山,其植被建设非常重要,必须禁止乱伐森林、滥垦草场,保护好山林和草场。为了研究大通河流域植被变化对径流的影响,充分认识植被退化的后果与植被保护的效果,采用情景分析方法探讨植被变化对径流的影响。由于缺乏水土保持规划等方面的资料,以 1997 年为基准年,在此基础上假定了流域内植被覆盖的几种变化情景,探讨水文过程相应的变化。现状情况下流域内草原面积最大,占整个流域的 86.7%,此外还有小部分林地与耕地,但所占比例较小。研究几种假定植被覆盖变化情景下流域水文对植被变化的响应。

情景 1:保持 1997 年各种植被覆盖度不变;

情景 2:草地面积恢复 3 000km²;

情景 3:3 000km² 的草地退化为荒地。

3. 径流预测

模拟时假定气候条件不变,1997 年刚察、乌鞘岭、西宁各气象站年降水量分别为 381mm、394mm、410mm,年均气温分别为 $-0.1℃$、$0.8℃$、$6.6℃$。利用前面率定的参数模拟不同情景下的水文过程,分析土地覆盖变化对蒸散、径流的影响,预测结果见表 10-24。不同情景下径流过程的比较见图 10-98。

表 10-24　　　　　　　　　　不同土地覆盖情景下的模拟结果

模拟结果	情景 1	情景 2	情景 3
最大流量(m³/s)	358.0	223.0	612.8
径流量(亿 m³)	23.7	21.8	26.5
蒸散量(mm)	236.8	251.3	224.7
蒸发指数	0.80	0.85	0.76
径流系数	0.53	0.49	0.59

从表 10-24 可以看出,草地面积恢复 3 000km² 时,径流系数减小 0.04,径流量减少 1.9 亿 m³,占多年平均径流量的 7%,最大流量减小 135m³/s,蒸散量增加 14.5mm,蒸发指数增加 0.05。即随着森林覆盖面积增加,最大流量减少,降水后洪峰形成的时间更为滞后,整个流量过程变得更为平缓。

若 3 000km² 的草地退化为荒地,径流系数增大 0.06,径流量增加 2.8 亿 m³,占多年平均径流量的 10%,最大流量增大 254.8m³/s,蒸散量减少 12.1mm,蒸发指数减小 0.04。

从图 10-98 中可以看出,随着草原退化程度的加剧,洪峰变得尖瘦,对降水的响应较

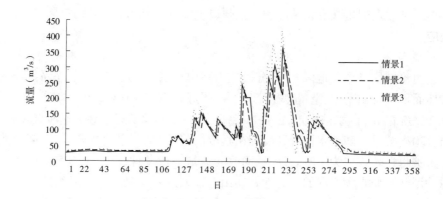

图 10-98　不同情景下流量过程比较

为敏感,洪峰约提前 1 天。

通过以上分析得出如下结论:①森林植被具有削减洪峰、增加基流、调节径流的作用,植被覆盖越好,蒸散量越大,产流量越少;②荒地对径流的调节能力差,植被覆盖越差,对降雨响应越敏感,较易形成大的洪峰,不利于对水资源的利用。植被变化引起的径流变化与当前大部分研究结论一致,认为是合理的。

二、兰州以上流域

(一)气候变化情景下径流预测

利用第一节的气候情景假定方案,模拟不同情景下的蒸散量及流域径流变化,预测结果见表 10-25、表 10-26。在不同气候变化情景下,蒸散量与径流深随气温(或降水)的变化规律见图 10-99。

表 10-25　　　　　　　　　　　　各情景下蒸散量及其变化

蒸散量(mm)	气温				
	T	$T+1℃$	$T+2℃$	$T-1℃$	$T-2℃$
P	272	290	304	232	214
$P+10\%$	277	308	326	235	217
$P+20\%$	278	312	331	236	217
$P-10\%$	272	289	303	231	213
$P-20\%$	261	275	287	229	210
蒸散量变化量(mm)	气温				
	T	$T+1℃$	$T+2℃$	$T-1℃$	$T-2℃$
P	0	18	32	-40	-59
$P+10\%$	5	36	54	-37	-56
$P+20\%$	5	40	59	-37	-55
$P-10\%$	-1	17	31	-41	-60
$P-20\%$	-12	3	15	-44	-62

表 10-26　　　　　　　　　　　　各情景下径流深及其变化

径流深(mm)	气温				
	T	$T+1℃$	$T+2℃$	$T-1℃$	$T-2℃$
P	134	125	119	147	139
$P+10\%$	168	148	139	168	160
$P+20\%$	177	157	148	175	167
$P-10\%$	132	122	116	146	139
$P-20\%$	116	109	102	132	126
径流深变化量(mm)	气温				
	T	$T+1℃$	$T+2℃$	$T-1℃$	$T-2℃$
P	0	-9	-16	13	5
$P+10\%$	33	13	5	34	25
$P+20\%$	42	23	13	41	32
$P-10\%$	-3	-12	-19	11	4
$P-20\%$	-18	-25	-32	-2	-9

通过对预测结果分析得到如下结论。

1. 降水恒定时

(1)若降水量为1990年的535.4mm,气温升高1℃时,蒸散量增加18mm,径流深减少9mm;气温升高2℃时,蒸散量增加32mm,径流深减少16mm,即蒸散量随气温变化率大于径流量随气温变化率,蒸散量较径流量对气温升高的响应敏感。在其他降水量情景下,蒸散量与径流量的变化保持同样规律。

(2)气温由当前值下降,径流深的变化情况较为复杂。在保持1990年降水量、气温下降2℃时,蒸散量减小59mm,径流深增加5mm。而降水量为其他值时,蒸散量、年径流量均呈减少趋势。降水量增加或减少20%的情况下,气温下降1℃时,径流深均减小,其他降水量情景下气温下降1℃时径流深增加。也即气温下降幅度影响年径流量的大小。

2. 气温恒定时

(1)气温为1990年的值,降水量增加10%时,蒸散量增加5mm,径流深却增加33mm;降水量增加20%时,蒸散量增加5mm,径流深增加42mm;降水量减少10%时,蒸散量减少1mm,径流深减小3mm;降水量减少20%时,蒸散量减少12mm,径流深减少18mm。在其他气温下,蒸散量与径流深的变化遵循同样的规律。可见,气温一定时,蒸散量、径流深均随降水增加而增加,随降水减少而减少,但是二者的变化幅度不同,蒸散量的变化小于径流深的变化,也即径流较蒸散对降水敏感。

(2)蒸散量占降水量比率大于径流量占降水量比率,但随降水量减少,蒸散量所占比率越来越大,说明降水减少时,降水首先用来满足蒸散,然后才供给径流。

(3)蒸散量最大值出现于最有利的气候组合——降水量最大、气温最高时;蒸散量最小值出现于最不利的气候组合——降水量最小、气温最低时。径流量最小值出现于最不利的气候组合——降水量最少、气温最高;径流量最大值出现于降水量最大、气温等于

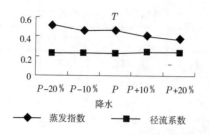

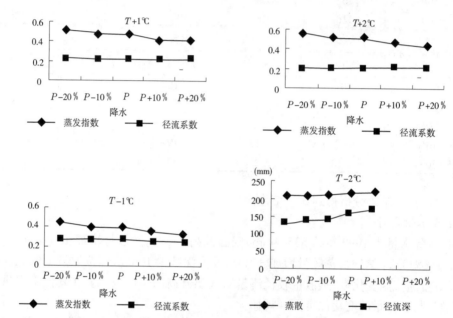

图 10-99 兰州以上流域蒸发指数与径流系数随降水量变化趋势

1990 年的值的气候组合情景,而不是气温最低时。分析认为,虽然低温时蒸散量减少使径流量增加,但低温时冰川消融量的减少却使总的径流量减少,当蒸散减少量小于冰川消融减少量时,径流量仍会减少。

(二)植被变化情景下径流预测

1.情景设定

兰州以上流域植被较单一,生态环境脆弱,草原占流域面积的 87.2%,其次为灌木,占 7%(见表 10-1)。特别是源头地区,其特殊的地理条件孕育了极其脆弱的高寒、干旱生态系统,自我调节能力很弱,一旦被破坏,很难恢复。多年来,由于全球气候的变化和人为因素的影响,土地沙漠化进一步扩大,草原严重退化,径流调节能力下降,断流呈现加重趋势。90 年代青海省境内黄河流域草地退化面积 4.1 万 km²[149],占整个流域的 17%。1991 年仅玛曲、玛沁两县沙漠化土地面积达 0.1 万 km²[150],1994 年青海达日县"黑土滩"型退化草地 0.575 万 km²,源头区土地沙漠化面积 1.369 万 km²[151],1996 年龙羊峡库区沙漠化土地面积 0.82 万 km²[152],同时流域内林地面积也有所减少。草地植被大面积退化与沙化,严重影响了流域产流条件,致使出现枯季断流。目前草地退化与沙漠化并没有得到有效治理,仍以一定速率蔓延。因此,保护兰州以上流域特别是源头区的生态环境,遏制植被退化、减少水土流失是当务之急。近年在一些地区实施退耕还林、退耕还草等工程,今后"黄河源头林业生态环境治理工程"、"黄河流域水土保持生态工程"及"草地综合治理工程"等治理工程也将列入中长期建设规划,以努力恢复和扩大区域内植被覆盖率,增强黄河水源涵养能力,遏制生态环境进一步恶化。为了研究植被退化与植被恢复后对流域径流的影响,通过情景假定,研究流域径流对植被变化的响应。

情景1:保持1997年各种植被覆盖度不变;

情景2:草地面积恢复4万 km^2;

情景3:草地退化面积增加4万 km^2。

2. 径流预测

利用率定好的参数及1997年气象数据模拟不同情景下的水文过程,分析流域水文对土地覆盖变化的响应,模拟结果见表10-27。

若草地面积恢复4万 km^2,径流深减少7.7mm,年径流量减少12.1亿 m^3 多,径流系数减小0.016,蒸散量增加11.7亿 m^3,年最大流量减小332 m^3/s,非汛期径流量所占比例较1997年的52.5%增加2.8%。

若草地退化面积增加4万 km^2,径流深增加13.3mm,年径流量增加13.7亿 m^3,径流系数增加0.026,蒸散量减少7.6亿 m^3,年最大流量增加458 m^3/s,非汛期径流量所占比例较1997年减小1.2%。

表10-27   不同土地覆盖情景下的模拟结果

情景	情景1	情景2	情景3
蒸散量(mm)	261.0	269.8	248.5
径流深(mm)	105.9	98.2	119.2
蒸发指数	0.52	0.54	0.50
径流系数	0.213	0.197	0.239

对比以上数据发现,同样变化4万 km^2,植被恢复较植被退化对径流的影响更为明显。从图10-100可以看出,植被恢复后流量过程变缓,最大流量减小,若植被继续退化,随着植被退化程度加剧,峰值流量增加,峰现时间提前,洪形变得尖瘦,整个流量过程线变化迅速。虽然植被退化使年径流量增加,但易形成水土流失,洪峰流量增加,给防洪增加压力。近年黄河源头断流一方面是气候干旱的原因,另一方面则是由于植被退化,土壤涵养水源功能下降,从而在枯水季节径流量减少甚至断流。

三、结果对比分析

通过对气候变化情景下两个流域的径流预测结果进行比较,发现两个流域的径流变化规律既存在相似点,又存在不同点。

(一)相似之处

(1)气温一定时蒸散量的变化小于径流深的变化,也即径流较蒸散对降水敏感。

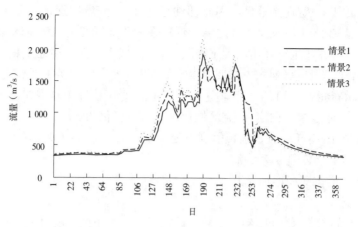

图 10-100 不同情景下径流过程比较

(2)蒸散量占降水量的比率大于径流量占降水量的比率,但随降水减少,蒸散量所占比率越来越大,说明降水减少时,降水首先用来满足蒸散,然后才供给径流。

(3)降水一定时,蒸散量的变化小于径流深的变化,也即径流较蒸散对降水敏感。不同的降水条件下,蒸散量随气温升高增加,随气温降低减少;受冰川积雪影响,径流变化表现得较为复杂,规律性不是很强。

(二)不同之处

大通河流域径流量最大值出现在降水量最大($P+20\%$)、气温最低($T-2℃$)时,而兰州以上流域径流量最大值出现在降水量最大与 1990 年气温值(T)时,并不是出现在最低气温时。大通河流域径流量最小值不是出现在最不利的气候组合——降水量最小($P-20\%$)、气温最高($T+2℃$)时,而是出现在降水量最小、1990 年气温值时。兰州以上流域径流量最小值则出现在最不利的气候组合 $P-20\%$、$T+2℃$ 时。

分析认为:气温在 1990 年基础上下降 2℃时,蒸散量减少引起径流量增加,令该值为 ΔR_E,而下降的气温也使冰川消融量减少,径流减少,令该值为 ΔR_{snow}。降水量增加 20%时,在大通河流域 $\Delta R_E > \Delta R_{snow}$,从而径流量最高值出现在 $T-2℃$ 时,而不是在 T 时。在兰州以上流域,$\Delta R_E < \Delta R_{snow}$,从而径流量最低值出现在 T 时而不是在 $T-2℃$ 时。

气温在 1990 年基础上升高 2℃时,蒸散量增加引起径流量减少,令该值为 ΔR_E,而升高的气温也使冰川消融量增加,径流量增加,令该值为 ΔR_{snow}。降水量增加 20%时,在大通河流域 $\Delta R_E > \Delta R_{snow}$,从而径流量最低值出现在 T 时,而不是在 $T+2℃$ 时。在兰州以上流域,$\Delta R_E < \Delta R_{snow}$,从而径流量最低值出现在 $T+2℃$ 时而不是在 T 时。

两种极端气候条件说明多雨低温、少雨高温对大通河流域蒸散的影响大于对冰川消融的影响,对兰州以上流域蒸散的影响则小于对冰川消融的影响。

之所以在两个流域出现两种不同的结果,是由多方面的因素造成的。一方面是两个流域气候条件存在差异,大通河流域位于半干旱区,而兰州以上流域除半干旱气候外,大部分地区为半湿润气候;另一方面,由于两个流域的植被状况不同,使气温变化引起的蒸散变化量不同,流域内冰川储量与冰川所占流域面积比例不同也使得气温变化相同幅度引起的冰川消融量的增减率不同。大通河流域冰川储量 12.5 亿 m³,冰川融水 0.38 亿 m³,占多年平均径流量的 1.24%;兰州以上流域冰川储量 122.9 亿 m³,冰川融水 2.86 亿 m³,占多年平均径流量的 0.9%。温度变化使得两个流域冰川消融变化量不同,不同的植被条件也使得蒸散量的变化不同。几方面因素综合起来,特别是冰川的存在,导致了在极端气候条件下径流变化不再遵循一般规律。但在多数气候条件下蒸散量与径流量的变化仍遵循一般规律。

通过对植被变化情景下两个流域的径流预测结果进行分析,认为植被覆盖的变化对两个流域径流的影响方式基本相同:植被退化使年产流量增加,洪峰流量增大,非汛期径流比例减小,不利于水土保持与防洪;植被恢复与重建,年产流量减少,洪峰减弱,非汛期径流比例增加。

总之,对大通河、兰州以上两个流域的径流过程对气候与植被变化的响应的分析表明:气候变化情景下的径流变化符合一般规律,植被变化引起的蒸散量与径流量变化与多数研究结果一致。从而也说明了该模型可以用来预测变化情景下的径流过程,可为制定水土保持规划提供参考信息。

参 考 文 献

[1] 朱尔明 . 水与可持续发展——定义与内涵 . 水科学进展,1997,8(4):382~383

[2] 施祖麟,许丽芬 . 水资源:社会可持续发展的重要支撑 . 中国人口·资源与环境,1997, 7(2):78~81

[3] 王国庆,王云璋,史忠海,等 . 黄河流域水资源未来变化趋势分析 . 地理科学,2001,21(5):396~400

[4] 刘昌明,张士锋,傅国斌 . 水文循环过程理论与方法的研究进展 . 见:刘昌明,陈效国 . 黄河流域水资源演化规律与可再生性维持机理研究和进展 . 郑州:黄河水利出版社,2001

[5] 马铁民,邵兰霞,曹艳秋 . 吉林省辉发河流域遥感水文模型的建立与应用 . 东北师大学报(自然科学版),2001,33(4):93~98

[6] 芮孝芳,姜广斌 . 流域汇流理论与计算方法的若干进展与评价 . 水利水电技术,1997,28(9):43~45

[7] 芮孝芳 . 流域水文模型研究中的若干问题 . 水科学进展,1997,8(1):94~98

[8] 何延波 . 遥感(RS)和地理信息系统(GIS)在水文模型中的应用——以普定后寨河流域为例 . 中国科学院博士论文,1998

[9] Vijay P.Singh[美] . 水文系统:降雨径流模拟 . 赵卫民,戴东,王玲,等译 . 郑州:黄河水利出版社,1999

[10] 于澎涛 . 分布式水文模型的理论、方法和应用:[博士学位论文] . 中国林业科学研究院,2001

[11] 王浩,秦大庸,王建华 . 多尺度水循环过程模拟进展与二元水循环模型的研究 . 见:刘昌明,陈效国 . 黄河流域水资源演化规律与可再生性维持机理研究和进展 . 郑州:黄河水利出版社,2001

[12] 左其亭,王中根 . 现代水文学 . 郑州:黄河水利出版社,2002

[13] Abbott M.B.and J.C.Refsgaard.Distributed hydrological modelling.Kluwer Academic Publishers,Dordrecht,Notherland.1996

[14] 熊立华,郭生练 . 三层耦合流域水文模型(Ⅰ)——模型结构和数学方程 . 武汉水利电力大学学报,1998,31(1),28~31

[15] 李纪人.遥感和地理信息系统在分布式流域水文模型研制中的应用.水文,1997,(6)

[16] 谭炳卿,金光炎.水文模型与参数识别.北京:中国科学技术出版社,1998

[17] 郭生练,李兰,李订芳,等.分布式流域水文物理模型的研究现状与进展.见:刘昌明,陈效国.黄河流域水资源演化规律与可再生性维持机理研究和进展.郑州:黄河水利出版社,2001

[18] Abbott, M.B., J.C.Bathurst, J.A.Cunge, P.E.O'Connell and J.Rasmussen.An introduction to the European Hydrological System-Système Hydrologique Européen, (SHE), History and philosophy of a physically-based distributed modelling system.Journal of Hydrology,1986,87:45~59

[19] Morris, E.M.Forecasting flood flows in the Phynlimon catchments using a deterministic distributed mathematical model.Hydrological forecasting.IAHS Publication,1980 No.129,247~255

[20] Beven K J, Calver A, Morris E.M.The Institute of hydrology distributed model, Internal Report, No.98, .England:Institute of Hydrology,Wallingford,1987

[21] Calver A,Wood W L.The Institute of Hydrology distributed model. In: V P Singh.Chapter 17 in Computer models of watershed hydrology.Water Resources Publications,Littleton,Co,1995

[22] Grayson RB,Moore ID,McMahon TA.Physically based hydrologic modelling 1.A terrain-based model for investigative purposes. Water resources research,1992,28:2639~2658

[23] Grayson RB,Moore ID,McMahon TA.Physically based hydrologic modeling 2.Is the concept realistic? Water resources research,1992,28:2659~2666

[24] Young, R.A., C.A.Onstad, D.D.Bosch, W.P.Anderson.AGNPS:An agricultural nonpoint source model. In Computer Models of Watershed Hydrology.Singh,V.P.(ed.).Water Resources Publications.Highlands Ranch,CO.1995.1011~1020

[25] Burney,J.R.,L.M.Edwards.Modelling cool season soil water erosion on a fine sandy loam soil in Prince Edward Island.Canadian agricultural engineering 1996,38(4):149~156

[26] Kite, G.W.Manual for the SLURP Hydrological Model, v.11.2.Izmir, Turkey: International Water Management Institute.1998

[27] 郭生练.大尺度分布式水文模型发展概况和展望.水资源研究,1997,18,32~36

[28] 黄平,赵吉国.流域分布型水文数学模型的研究及应用前景展望.水文,1997,17(5),5~9

[29] 黄平,赵吉国.森林坡地二维分布型水文数学模型的研究.水文,2000,20(4),1~4

[30] 郭生练,熊立华,杨井,等.基于DEM的分布式流域水文物理模型.武汉水利电力大学学报,2000,33(6):1~5

[31] 唐莉华,吕贤弼,张思聪.分布式小流域产汇流及产输沙模型研究.见:基于3S技术的北京市水土保持生态环境管理信息系统专题报告集,2002

[32] 王国庆,王云璋.黄河中游分布式水资源评价模型研究.黄河科研,1998(1)

[33] 任立良,刘新仁.数字高程模型在流域水系拓扑结构计算中的应用.水科学进展,1999,10(2):129~134

[34] 李兰,郭生练,李志永,等.流域水文数学物理耦合模型.见:朱尔明.中国水利学会优秀论文集(1999).北京:中国三峡出版社,2000

[35] 张建云,刘九夫.气候异常对水资源影响评估分析模型.水科学进展,2000,11(增刊),1~9

[36] 杨井,郭生练,王金星,等.基于GIS的分布式月水量平衡模型及其应用.武汉大学学报(工学版),2002,35(4):22~26

[37] 穆宏强,夏军,王中根.分布式流域水文生态模型的理论框架.长江职工大学学报,2001,18(1):1~5

[38] 陈喜.水文尺度和水文过程模拟研究:[博士学位论文].河海大学,1999

[39] 包为民,王丛良.垂向混合产流模型及应用.水文,1997(3):18~21

[40] 芮孝芳.产汇流理论.南京:河海大学出版社,1995

[41] 孙秀玲,于翠松.产流模型在内夹河流域汛期的应用研究.山东工业大学学报,1998,28(2):174~178

[42] 白清俊,刘亚相.流域坡面综合产流数学模型的研究.土壤侵蚀与水土保持学报,1999,5(3):54~58

[43] Sherman,L.K.Streamflow from rainfall by a unit hydrograph method.English News Record,1932,108:501~505

[44] Clarke,R.T.Maththematical models in hydrology.Irrigation and drainage paper No.19.Food and Agriculture Organisation of the United Nations,Rome.1973

[45] McCarthy,G.T.The unit hydrograph an flood routing.Proc.Conf.North

[46] Cunge,J.A.On the subject of a flood propagation computation method(Muskingum method).Journal of hydraulic research.1969,7(2):205~230

[47] Wang C T,Gupta U K,Wagmire E.A geomorphologic synthesis of nonlinearity in surface runoff.Water resources research,1981,17(3):545~554

[48] Rinaldo A.,Marani A.,Rigon R.Geomorphological dispersion.Water resources research.1991,27(4):513~525

[49] 宋孝玉,李永杰,陈洪松,等.黄土沟壑区不同下垫面条件农田降雨入渗及产流规律野外试验研究.干旱地区农业研究,1998,16(4):65~72

[50] 王全九,汪志荣,张建丰,等.层状土入渗机制与数学模型.水利学报,1998,增刊,76~79

[51] 李凯荣.赵晓光.刺槐人工林地土壤水分下渗研究.西北林学院学报,1998,13(2):26~29

[52] 刘贤赵,康绍忠.黄土区坡地降雨入渗产流过程中的滞后效应.水科学进展,2001,12(1):56~60

[53] 包为民.格林—安普特下渗曲线的改进和应用.人民黄河,1993,(9):1~3

[54] 包为民,胡金虎.黄河上游径流资源及其可能变化趋势分析.水土保持通报,2000,20(2):15~18

[55] 文迁,谭国良,罗嗣林.降水分布受地形影响的分析.水文,1997,增刊.63~65

[56] 刘国纬.汪静萍.中国陆地—大气系统水分循环研究.水科学进展,1997,8(2):99~107

[57] 吴现中.当代黄河流域的气温和降水特征与变化.人民黄河,1990,(5)

[58] 可素娟,王玲,董雪娜.黄河流域降水变化规律分析.人民黄河,1997(7):18~22

[59] 康玲玲,王云璋,王国庆,等.黄河中游河龙区间降水分布及其变化特点分析.人民黄河,1999,21(8):3~5

[60] 李春晖.黄河流域地表水资源可再生性分析:[博士学位论文].北京师范大学,2003

[61] 饶素秋.1981年8~9月黄河上游强连阴雨期水汽输送分析.人民黄河,1995(5):2~5

[62] 耶茨 D.N.[英].气候变化对流域径流影响的水量平衡模型.水利水电快报,1993,18(5):6~10

[63] 马耀明,王介民.非均匀路面上区域蒸发(散)研究概况.高原气象,1997,16(4):447~452

[64] Jockson R.D.,R.J.Roginato,S.B.Idso.Wheat canopy temperature:A practical tool for evaluating water requirements.Water resource research,1977,13,651~656

[65] Seguint B,B Itier.Using middy surface temperature to estimate daily evaporation from satellite thermal IR data.International journal of remote Sensing,1983,4:371~383

[66] Hatfield J.L.,A.Perrier,R.D.Jackson.Estimation of evapotranspiration at one time of day using remotely sensed surface temperature.Agricultural water management.1983,7:341~350

[67] Vijay P.Singh[美].水文系统:流域模拟.赵卫民,戴东,牛玉国,等译.郑州:黄河水利出版社,2000

[68] Monteith JL. Dew: facts and fallacies. In: Rutter AV, Whitehead FH (eds) The water relations of plants. Blackwell, Oxford, 1963. 37~56

[69] 于东升,史学正.我国土壤水分状况的估算.自然资源学报,1998,13(3):229~334

[70] Bouchet, R. J. Evapotranspiration reelle at potentielle, signification climatique. International Association of Scientific Hydrology, 1963, 62, 134~142

[71] 钱学伟,李秀珍.陆面蒸发计算方法述评.水文,1996(6):24~30

[72] 水电部黄河水利委员会水文局.黄河流域片水资源评价.1986

[73] 王德芳,柴平山,李静.黄河流域的水面蒸发观测及水面蒸发规律.人民黄河,1996(2):9~20

[74] 钱云平,李万义,王玲,等.动水水面蒸发实验研究初探.人民黄河,1997(4):5~8

[75] 李万义.影响水面蒸发精度的因素.人民黄河,1999(4):9~10

[76] 王甲斌,邓盛明.黄河上游区域之二,黄河流域地图集.北京:中国地图出版社,1989

[77] 杨针娘,等.中国寒区水文.北京:科学出版社,2000

[78] 刘宗香,苏珍,姚檀栋,等.青藏高原冰川资源及其分布特征.资源科学,2000,22(5):49~52

[79] 李万寿,陈爱萍.大通河流域水资源外调及其对生态环境的影响.干旱区研究,1997,14(1):8~16

[80] 朱俭.湟水流域输沙特征分析.中国水土保持,2001,(2):25~28

[81] 张锁成,曹俊峰.搞好大通河水资源利用,促进西北地区经济建设.人民黄河,1997

[82] 王中根,等.基于DEM的分布式水文模型构建方法.地理科学进展,2002,21(5):430~439

[83] Dawen Yang, Srikantha Herath, Katumi Musiake. Comparison of different distributed hydrological models for characterization of catchment spatiall variability. Hydrological processes, 2000, 14:403~416

[84] Kite, G. W., Kouwen, C. D. Land cover, NDVI, LAI, and evapotranspiration in hydrological modeling. In: Application of remote sensing in hydrology, ed. G. W. Kite and A. Pietroniro and T. D. Paulta. Proceeding Sympony. No. 14, NHRI, Saskatoon, Canada. 1995, 223~240

[85] 穆宏强,夏军.复合生态系统的降雨截留过程模拟.人民长江,2002,33(7):25~56

[86] 刘昌明,于沪宁.SPAC界面水热传输与生态过程的水分耗散.见:刘昌明,于沪宁.土壤—作物—大气系统水分运动实验研究.北京:气象出版社,1997.1~17

[87] 刘贤赵,康绍忠.林冠截留模型评述.西北林学院学报,1998,13(1):26~30

[88] 王彦辉,于澎涛,徐德应,等.林冠截留降雨模型转化和参数规律的初步研究.北京林业大学学报,1998,20(6):25~30

[89] William, P. K., R. A. Rango. A simple energy budge algorithm for the snowmelt runoff model. Water resources research, 1994, 30(5):1515~1527

[90] Tarboten, D. G., M. J. Al-Adhami, D. S. Bowles. A preliminary comparison of snowmelt models for erosion prediction. In: Proceedings of the 59th Annual *Western Snow Conference*, 12-15 April, 1991, Juneau, Alaska, 79~90

[91] Vehviläinen, B. A physically based snowcover model. In: Recent Advances in the Modelling, 1991 of Hydrologic Systems by D. S. Bowles and P. E. O′Connel (eds.), NATO ASI Series, Vol C345, Kluwer Academic Publishers, Dordrecht, Netherlands, 113~136

[92] Rango A., J. Martinec. Revisiting the degree-day method for snowmelt conditions. Water resource bulletin. 1995, 31(4):657~669

[93] 陶诗言,等.第二次青藏高原大气科学试验理论研究进展(三).北京:气象出版社,2000

[94] 康尔泗,程国栋,蓝永超,等.概念性水文模型在出山径流预报中的应用.地球科学进展,2002,17(1):18~36

［95］Wyss,J.,E.R.Williams,R.L.Bras.Hydrologic modeling of New England river basins using radar rainfall data.Journal of geophysical research,1990,95(D3):214~2152

［96］Naden,P.S.A routine model for continental-scale hydrology.In:Macroscale modeling of the hydrosphere.Proceedings of the Yokahama Symposium,July,1993,LaSH Publication No.214:67~79

［97］Dunne,T.Model of runoff processes and their significance.In studies in geophysics:Scientific basis of water resource management.Washington,DC:National Academy Press,1982,19~30

［98］Cunge,J.A.On the subject of a flood propagation computation method（Muskingum method）.Journal of hydraulic research,1969,7(2):205~230

［99］Morton,F.I.Operational estimates of areal evapotranspiration and their significance to the science and practice of hydrology.Journal of hydrology.1983,66:1~76

［100］梁天刚,张胜雷,戴若兰,等.基于GIS栅格系统的集水农业地表产流模拟分析.水利学报,1997(7):26~34

［101］任立良,刘新仁.基于1998/1999年HUBEX强化观测资料的水文过程模拟.气候与环境研究,2001,6(2):255~260

［102］Martin P.Lacroix,W.Martz et al.Using digital terrain analysis modeling techniques for the parameterization of a hydrologic model.Environmental modeling and software,2002,17:127~136

［103］张山山.Arc/Info－Grid模块及其水文模型应用.四川测绘,1998,21(1):10~12

［104］闾国年,陈钟明,等.流域地形自动分割研究.遥感学报,1998,2(4):298~304

［105］任立良,刘新仁.数字高程模型信息提取与数字水文模型研究进展.水科学进展,2000,11(4):463~469

［106］詹仕坚,孙志鸿.网格式数值高程模型摘取河系集流阈值之探讨.地理学报,2000(28),27~45

［107］Farbrecht J,Martz LW.Topaz over view.USDA-ARS,Grazingland research Laboratory,7207 West Cheyenne St,ElReno,Oklahoma,73036,1999

［108］任立良,刘新仁.数字高程模型在流域水系拓扑结构计算中的应用.水科学进展,1999,10(2):129~134

［109］顾用红,等.DEM在流域水文特征分析中的应用.人民珠江,2001(4):5~6,38

［110］李硕,等.数字地形分析技术在分布式水文建模中的应用.地球科学进展,2002,17(5):769~775

［111］Fairchild,J.,P.Leymarie.Drainage networks from grid digital elevation models.Water Resources Research,1991,27(4):29~61

［112］Garbrecht,J.,L.W.Martz,TOPAZ:An automated digital landscape analysis tool for topographic evaluation,drainage identification,watershed segmentation and subcatchment parameterization;overview.ARS Pub.No.NAWQL 95-1,USDA-ARS,Durant,OK,1995.16

［113］翟家瑞.网格点计算面平均雨量的方法及其改进.人民黄河,1990(2):26~28

［114］张佳华,符淙斌.生物量估测模型中遥感信息与植被光合参数的关系研究.测绘学报,1999,28(2):128~132

［115］Myneni,R.B.,Williams,D.L.On the relationship between FAPAR and NDVI.Remote sensing of environment.1994,49:200~211

［116］Sellers,P.J.et al.A global 1degree by I degreee NDVI data set for climate studies.Part2:the generation of global fields of terrestrial biophysical parameters form NDVI.International journal of remote sensing,1994,15(7):3519~3545

［117］Franklin,S.E.,Lavigne,M.B.,Deuling,M.J.et al.Estimation of forest Leaf Area Index using remote sensing and GIS data for modeling net primary production. International journal of remote sensing, 1997,18(16):2459~2471

[118] Soegaard,H.,Troufleau,D.FPAR,LAI,roughenss length and displacement height generated from the Pathfinder AVHHRR land data set and the IGBP-global land cover characterization. Internal working paper,1998.105

[119] Asrar,G.,E.T.Kanemasu,M.Yoshida.Estimates of leaf area index from spectral reflectance of wheat under different cultural practices and solar angle.Remote sensing of environment.1985,17:1~11

[120] Nemani R.R.,S.W.Running.Satellite monitoring of global land over changes and their impact on climate.Climate.change.1995,31:395~413

[121] Spanner M.A.,et al.The seasonality of AVHRR data of temperate coniferous forests:Relationship with leaf area index.Remote sensing of environment, 1990,33:97~112

[122] Pierce,L.L.J.,T.I.Walke,T.R Dowling,et al.Ecohydrolgical changes inthe Murray-Darling basin, III,.A simulation of regional hydrological changes.Journal of applied ecology,1993,30:283~294

[123] Kyung-Ja Ha,Hyun-Mi Oh,Ki-Young Kim.Inter-annual and intra-annual variabilities of NDVI, LAI and Ts estimated by AVHRR in Korea. Korean journal of remote sensing,2001,17(2):111~119

[124] 香宝.东亚季风区土地覆盖对气候变化的响应研究:[博士学位论文].中国科学院,2000

[125] 张元牲,金光炎.城市水文学.北京:中国科学技术出版社,1991

[126] Chapman,T.G.Natural processes of groundwater recharge and discharge,in Groundwater and the Environment University Kebangsaan Malaysia,Kota Bahru,Malaysia.1990.C1~C2

[127] McCuen,R.H.Hydrolgogic analysis and design.Prentice Hall,1989.355~360

[128] Nathan,R.J.,T.A.Mcmahon.Evaluation of automated techniques for base flow and recession analysis.Water Resources Research,1990,26 (7):1466~1473

[129] Lyne, V., M.Hollick.Stochastic time-variable rainfall runoff modeling.In:Hydrology and water resources symposium,Berth,1979,Rroceedings.National committee on hydrology and water resources of the Institution of Engineers,Australia.1979.89~92

[130] Horton,R.E.The role of infiltration in the hydrologic cycle. Transactions of the American Geophysical Union,1933,14:446~460

[131] Engman,E.T.Roughness coefficients for routing surface runoff.Journal of irrigation and drainage engineering,1986,112:39~53

[132] Lenhart T.Comparison of two di.erent approaches of sensitivity analysis.Physics and Chemistry of the Earth,2002,27:645~654

[133] 刘毅,陈吉宁,杜鹏飞.环境模型参数识别与不确定性分析.环境科学,2002,23(6):6~10

[134] 田向荣.水文模型参数化方法的对比研究:[硕士学位论文].武汉大学,2001.21~24

[135] 张洪刚,王金星,刘攀,等.概念性水文模型多目标参数自动优选方法研究.水文,2002,22(1):12~16

[136] Hapuarachchi H.A.P.,Li Zhi-jia,Wang Shouhui.Application of SCE-UA method for calibration the Xinanjiang watershed model.湖泊科学,2002,13(4):304~314

[137] Duan Qingyun,Soroosh Sorooshian,K.Vijai,et al.Optimal use of SCE-UA global optimization method for calibrating watershed models.Journal of hydrology,1994,158(3-4):265~284

[138] 张继勇,侯晓明.大通河流域径流分析及水资源评价.人民黄河,1997(12):29~32

[139] 杨胜天.黄河流域水循环研究中主要水循环环境要素的遥感分析—黄河流域植被覆盖和土壤水分遥感分析:[博士后出站报告].北京师范大学,2003

[140] Climate change 2001. The scientific basis. http://www.grida.no/climate/ipcc_tar/wg1/pdf/wg1_tar-front.pdf

[141] 气候变化 2001:综合报告——决策者摘要.http://www.ipcc.ch/pub/un/syrchinese/spm.pdf.2003.4

[142] 高庆先,徐影.中国干旱地区未来大气降水变化趋势分析.中国工程科学,2002,4(6):36~42

[143] 丁一汇.中国西部环境演变评估(第二卷),中国西部环境变化的预测.北京:科学出版社,2002

[144] 史培军,袁艺,陈晋.深圳市土地利用变化对流域径流的影响.生态学报,2001,21(7):1041~1049

[145] 王礼先,张志强.森林植被变化的水文生态效应研究进展.世界林业研究,1998(6):14~23

[146] 王礼先,张志强.干旱地区森林对流域径流的影响.自然资源学报,2001,16(3):439~444

[147] 王金叶,车克钧.祁连山森林复合流域径流规律研究.土壤侵蚀与水土保持学报,1998,4(1):22~27

[148] 吕世华,陈玉春.西北植被覆盖对我国区域气候变化影响的数值模拟.高原气象,1999,18(3):416~424

[149] 田成平,白恩培.努力搞好黄河上游生态环境建设.当代生态农业,2000(11):91~93

[150] 侯春梅,张志强,刘小伟,等.黄河源区生态环境问题与可持续发展对策.中国人口·资源与环境,2001,11(51):51~53

[151] 田剑,范青慈,张更权,等.黄河源头区生态环境现状及治理对策.青海草业,2000,9(1):28~30

[152] 曹广超,马海州,曾永年,等.龙羊峡库区土地资源的可持续利用.盐湖研究,2001,9(1):62~67

第十一章　黄河流域水资源可再生性维持阈值

第一节　水资源可再生性维持阈值基本理论

通过系统分析黄河流域水资源—水环境—社会经济复合系统,认为,黄河流域水资源可再生性维持阈值理论应至少包括以下四大要素:

(1)维持生态系统健康的最小生态环境需水量阈值。

(2)人类可以利用的最大水资源开发利用阈值(地表水开发利用阈值与地下水开发利用阈值)。

(3)维持一定水环境功能的污染物排放阈值。

(4)控制社会经济关键要素的发展阈值。

其中,最小生态环境需水量阈值与最大水资源开发利用阈值都是对应于自然系统而言的,两者是一个问题的两个方面;污染物排放阈值将自然系统与社会经济系统联系起来;控制社会经济关键要素的发展阈值主要从社会经济系统角度来探讨。上述四大要素的阈值涉及了水资源系统的各个方面,并具有一定的层次性。

由于实际问题的复杂性,水资源可再生性维持阈值应该在水资源可再生能力评价的基础上进行。尽管对自然系统的水资源可再生能力有定量的认识,但社会系统的水资源可再生能力评价尚局限在利用建立指标体系进行探讨的范畴内,无法给出具体的数值,从而造成总的水资源可再生能力合成的不可行性。因此,从实际中易于控制的水资源可再生性维持的四大阈值出发来探讨,最终可为流域水资源合理配置提供理论基础。

第二节　维持生态系统健康的最小生态环境需水量阈值

黄河流域的生态环境需水量是在确定各类型生态系统生态环境需水量的基础上进行全流域的合成得到的,在生态环境需水量计算中,将生态环境需水分河道内与河道外两个部分,河道内生态环境需水考虑生态基流、湿地需水及河口需水,河道外生态环境需水包括坡高地需水、湿地需水及城市需水。

若考虑参与水量平衡的生态环境需水量,则黄河流域 16 个分区的生态环境需水量计算结果如表 11-1 如示。表中河道生态环境需水数据来源于文献[1]、[2],其他数据来自黄河 973 项目 05 课题生态环境需水量研究小组的计算成果。

表 11-1 基于水量平衡的黄河流域分区生态环境需水量计算结果 （单位：亿 m³）

流域分区	河道	湖泊湿地	旱地植被	城市	总量
河源—龙羊峡	39.17		0.14		39.31
湟水	7.45		0.72	0.07	8.24
洮河	9.96		0.15		10.11
龙羊峡—兰州干流区间	34.50		0.65		35.15
兰州—头道拐	−50.12	4.30	30.27	0.44	−15.11
头道拐—龙门	18.79		1.79	0.19	20.77
汾河	2.50		0.46	0.46	3.42
泾河	2.37		0.62		2.99
洛河	0.99		3.00		3.99
渭河	6.60		7.25	0.53	14.38
龙门—三门峡干流区间	3.22	2.14	0.69	0.03	6.08
伊洛河	3.54		0.16		3.70
沁河	1.36		0.13		1.49
三门峡—花园口干流区间	1.34	0.14	0.38	0.81	2.67
黄河下游	168.93	5.90	0.68	1.13	176.64
黄河内流区			0.82		0.82
合计	250.00	12.47	47.91	3.65	314.03

第三节 人类可以利用的最大水资源开发利用阈值

水资源可再生能力的确定是水资源可再生性评价的基础。对于一个具体的地区，天然情况下，水资源量就是其水资源可再生能力[3]。当进行不同地区的比较时，可以用单位面积上的水资源量来表征水资源可再生能力的相对大小[4]。

在水资源可再生能力评价的基础上，人们更希望知道有多少水资源可以为人类直接利用，这样就需要确定维持生态系统正常功能而不使其退化的最小生态环境需水量问题。我们认为，对于一个具体的地区，特别是水资源相对贫乏的地区，水资源的开发利用阈值即是该地区的自产水资源量减去最小生态环境需水量，即体现生态优先的原则。这样，水资源开发利用阈值是指水资源总量中可以为人类生产（工业、农业）、生活利用的水量。

可更新水资源涉及地表水资源与地下水资源两个部分，水资源总量即是地表水资源量＋地下水资源量－地表水与地下水相互转化量。本节先分别探讨地表水资源与地下水资源的开发利用阈值问题，然后再讨论总水资源开发利用阈值问题，最后以情景分析的形式对水资源开发利用阈值的变化进行探讨。

一、黄河流域地表水资源开发利用阈值

对于地表水资源而言，水资源开发利用阈值即是该流域（或区域）的地表水资源量减去河道最小生态环境需水量。在某些情况下，当地自产的地表水资源量不足以满足河道

最小生态环境需水量,造成该流域(或区域)的水资源开发利用阈值为负值,此情况下表明不但生产(工业、农业)、生活用水需要利用过境水资源(或区域外水资源),而且河道最小生态环境需水的满足有一部分也需要依靠过境水资源(或区域外水资源),这已经属于地表水资源可再生性维持的范畴[5],但立足当地水资源是首选。需要指出的是,河道的生态环境需水的满足是通过保证河流有足够的流量来实现的。

基于此,本节计算了黄河流域的地表水资源开发利用阈值,探讨了水资源开发利用阈值与耗水量之间的关系,同时探讨了生态环境需水量与实测流量之间的关系。

(一)黄河流域地表水资源开发利用阈值的计算

首先将黄河流域分成 16 个二级区(含内流区),分别从水资源分区和断面控制两个角度对黄河流域的水资源开发利用阈值问题进行讨论(见表 11-2)。

表 11-2 　　　　　　　　　　黄河流域地表水资源开发利用阈值 　　　　　(单位:亿 m³)

流域分区	分区地表水资源量 S 1956~2000 年	断面控制的地表水资源量 S_1	分区河道生态环境需水量 R	断面控制的河道生态环境需水量 R_1	分区开发利用阈值 $T = S - R$	分区开发利用阈值的调整 T'	断面控制开发利用阈值 $T_1 = S_1 - R_1$	控制断面名称
河源—龙羊峡	212.03	212.03	39.17	39.17	172.86	110.16	172.86	龙羊峡(贵德)
湟水	49.47	49.47	7.45	7.45	42.02	26.77	42.02	湟水入黄口
洮河	48.26	48.26	9.96	9.96	38.3	24.41	38.30	洮河入黄口
龙羊峡—兰州干流区间	24.24	334.00	34.50	91.08	-10.26	0	242.92	兰州
兰州—头道拐	-0.18	333.82	-50.12	40.96	49.94	31.82	292.86	头道拐
头道拐—龙门	54.54	388.36	18.79	59.75	35.75	22.78	328.61	龙门
汾河	21.95	21.95	2.50	2.50	19.45	12.40	19.45	汾河入黄口
泾河	18.47	18.47	2.37	2.37	16.1	10.26	16.10	泾河入黄口
洛河	9.05	9.05	0.99	0.99	8.06	5.13	8.06	洛河入黄口
渭河	66.74	66.74	6.60	6.60	60.14	38.32	60.14	渭河入黄口
龙门—三门峡干流区间	-1.62	502.95	3.22	75.43	-4.84	0	427.52	三门峡
伊洛河	31.45	31.45	3.54	3.54	27.91	17.78	27.91	伊洛河入黄口
沁河	14.37	14.37	1.36	1.36	13.01	8.29	13.01	沁河入黄口
三门峡—花园口干流区间	14.22	562.99	1.34	81.67	12.88	8.20	481.32	花园口
黄河下游	3.38	566.37	168.33	250.0	-164.95	0	316.37	河口
黄河内流区	0	0	0	0	0	0	0	内流区
黄河流域	566.37	566.37	250.0	250.0	316.37	316.37	316.37	入海口
黄河流域(含内流区)	566.37	566.37	250.0	250.0	316.37	316.37	316.37	入海口

由表11-2可以发现,整个黄河流域水资源开发利用阈值为316.37亿 m³,计算的分区地表水资源开发利用阈值在其中的3个区(龙羊峡—兰州干流区间、龙门—三门峡干流区间及黄河下游)为负值,表明当地自产水资源量不足以满足生态环境需水量,生态环境需水量的不足部分及生产(工业、农业)、生活用水均需要利用过境水资源。

地表水资源开发利用阈值确定的原则是在保证河道最小生态环境需水的前提下,可以为人类所开发利用的水资源量。因此,立足当地水资源条件是首选,在当地地表水资源不足以满足的情况下,再考虑利用过境水资源问题。需要指出的是,若以表11-2给出的水资源开发利用阈值(T)作为水资源分区实际利用之极限,则在满开采的情况下,会造成水资源的过量开采(利用量达到496.42亿 m³),因此以分区控制水资源开采可能有一定问题。

我们也尝试在控制总的水资源开发利用阈值(316.37亿 m³)的情况下,调整各分区的水资源开发利用阈值,对目前水资源开发利用阈值为负的地区,调整后使其水资源开发利用阈值为0,其他地区按比例相应缩小。但发现此情况下在水资源开发利用阈值为0的地区,对生态环境需水来说,当地的水资源量是不足以满足的,这样给出的水资源开发利用阈值无法达到满足生态环境需水的初衷。因此,任何的调整方法均不可能给出切实合理的结果。也就是说,立足于分区自产水资源量的水资源开发利用阈值对黄河流域来说存在一定问题。为此,建议在我们给出的水资源开发利用阈值的基础上,考虑利用过境水资源的可能性,同时结合实际水资源利用情况进行调整,这就涉及到流域水资源冲突、协商与水资源合理配置等极为复杂的工作。在对过境水资源进行合理分配后,理论上即可确定出各分区的实际水资源开发利用阈值。

由于分区水资源开发利用阈值确定的困难,探讨更为实际的断面控制的可能性,其结果也列于表11-2。但断面控制的数据结果也显示其不合理性,如认为在花园口断面之上流域,可以开发的水资源量为481.32亿 m³,如满负荷开采的话,则根本不可能保证下游的生态环境需水量。

从上述探讨可以发现,水资源开发利用阈值对于整个黄河流域是确实存在的,但是对于某个具体的水资源分区来说,由于存在上下游关系和过境水资源利用等问题,使得问题变得复杂。实际情况下,黄河上游地区,特别是兰州以上地区,地表水的利用量较小,使得黄河兰州以下地区具有较大的过境水资源量。

(二)水资源开发利用阈值与耗水量的关系

在上述研究的基础上,比较了1956~2000年黄河流域分区水资源开发利用阈值与耗水量,其结果如表11-3所示。图11-1更为形象化地给出了1956~2000年分区水资源开发利用阈值与耗水量对比情况(未经调整的阈值,阈值为负时以0计)。

从1956~2000年的平均值来看,龙羊峡—兰州干流区间、兰州—头道拐、龙门—三门峡干流区间、三门峡—花园口干流区间、黄河下游等5个分区的实际耗水量大于其水资源开发利用阈值,因此要控制这些河段水资源的开采与利用。如果从更为详细的年代耗水量来看(见表11-3),同样反映出这些分区的耗水量大于其水资源开发利用阈值,而且一般体现出越接近当前差值越大的特点。从整个流域来说,耗水量小于水资源开发利用阈值。

(三)生态环境需水量与实测流量的关系

实测流量反映的是被生产(工业、农业)、生活消耗之后的流量(在此暂且没有考虑水库

表 11-3 黄河流域分区水资源开发利用阈值与耗水量对比 （单位：亿 m³）

流域分区	河段耗水量 C_1 1956～1959 年	河段耗水量 C_2 1960～1969 年	河段耗水量 C_3 1970～1979 年	河段耗水量 C_4 1980～1989 年	河段耗水量 C_5 1990～1999 年	河段耗水量 C 1956～2000 年	水资源开发利用阈值 T	阈值与耗水量差 $T-C$
河源—龙羊峡	1.3	1.8	1.95	17.65	3.21	4.85	172.86	168.01
湟水	4.56	3.21	4.15	5.49	6.39	4.77	42.02	37.25
洮河	0.64	0.75	1.19	1.39	1.88	1.25	38.3	37.05
龙羊峡—兰州干流区间	3.73	7.24	9.76	10.19	14.46	10.06	-10.26	-20.32
兰州—头道拐	71.63	83.59	84.95	98.93	102.44	90.88	49.94	-40.94
头道拐—龙门	2.12	2.49	3.58	4.24	5.16	3.74	35.75	32.01
汾河	8.9	10.91	12.77	11.95	10.67	11.28	19.45	8.17
泾河	0.18	0.3	0.89	1.12	1.88	0.99	16.1	15.11
洛河	0.12	0.12	0.31	0.47	0.67	0.38	8.06	7.68
渭河	4.84	6.97	17.06	15.95	17.59	13.67	60.14	46.47
龙门—三门峡干流区间	2.22	1.99	2.91	3.63	4.42	3.18	-4.84	-8.02
伊洛河	1.64	2.56	5.15	5.73	6.2	4.73	27.91	23.18
沁河	6.2	5.53	8.17	6.18	5.16	6.18	13.01	6.83
三门峡—花园口干流区间	30.96	17.01	11.86	14.01	14.66	16.39	12.88	-3.51
黄河下游	36.29	32.02	82.69	115.17	101.74	78.75	-164.95	-243.70
黄河内流区	0	0	0	0	0	0	0	0
黄河流域	175.33	176.49	247.39	312.1	296.53	251.1	316.37	65.27
黄河流域（含内流区）	175.33	176.49	247.39	312.1	296.53	251.1	316.37	65.27

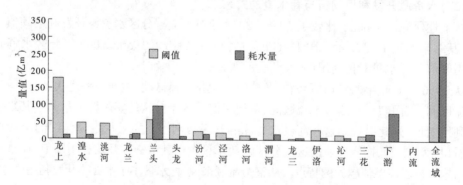

图 11-1 黄河流域分区水资源开发利用阈值与耗水量对比

蓄水的影响问题),由于河道生态环境需水量的满足是以保证河流有一定的流量为前提的,因此可以探讨实测流量与生态环境需水量之间的关系,通过两者的比较,明确历史时期及目前生态环境需水是否得到满足。表 11-4 给出了以年代反映的实测流量的变化及其与断面控制的生态环境需水量的比较。

表 11-4　　　　　　　　实测径流量与断面生态环境需水量的比较　　　　　（单位:亿 m³）

控制断面名称	断面实测径流量 M_1 1956~1959年	断面实测径流量 M_2 1960~1969年	断面实测径流量 M_3 1970~1979年	断面实测径流量 M_4 1980~1989年	断面实测径流量 M_5 1990~1999年	断面实测径流量 M 1956~2000年	断面控制的河道生态环境需水量 R_1	实测流量与生态环境需水量之差 $B = M - R_1$
龙羊峡(贵德)	169.92	225.96	209.76	230.86	179.94	207.18	39.17	168.01
湟水入黄口	48.89	46.23	41.66	49.44	40.37	44.70	7.45	37.25
洮河入黄口	43.03	59.15	48.51	49.08	35.06	47.01	9.96	37.05
兰州	284.29	357.93	317.96	333.52	259.74	313.07	91.08	221.99
头道拐	212.83	271.03	233.12	239.03	156.73	222.01	40.96	181.05
龙门	291.19	336.61	284.54	276.15	198.17	272.81	59.75	213.06
汾河入黄口	19.75	17.85	10.36	6.68	5.08	10.67	2.50	8.17
泾河入黄口	19.08	21.68	17.44	17.12	14.01	17.48	2.37	15.11
洛河入黄口	8.13	10.12	8.35	9.21	7.50	8.67	0.99	7.68
渭河入黄口	69.32	74.51	41.99	62.02	29.78	53.07	6.60	46.47
三门峡	422.65	453.81	358.16	370.91	242.30	357.90	75.43	282.47
伊洛河入黄口	45.57	35.48	20.46	30.16	14.56	26.72	3.54	23.18
沁河入黄口	17.61	14.04	6.15	5.47	3.73	8.19	1.36	6.83
花园口	463.07	505.92	381.57	411.74	256.88	390.64	81.67	308.97
黄河口(入海口)	437.80	501.13	311.05	285.82	140.75	315.27	250.0	65.27

　　从年代角度进行比较,可以忽略水库蓄水量的变化,所以可以认为实测径流量即是用于生态环境的水量。从表 11-4 可以看出,1956~2000 年年均情况下,断面生态环境需水量基本都得到了满足。从年代对比看,除黄河下游 1990~1999 年之外,其他时段生态环境需水总体上可得到满足。从表 11-4 也可以知道,花园口断面满足生态环境需水没有问题,黄河下游河段生态环境需水得不到满足主要是 1990~1999 年间该河段生产和生活用水太多造成的。因此,控制黄河下游生产用水和生活用水量,是保证全流域水资源合理开发的关键。下游生产用水和生活用水量以花园口断面实测流量减去下游河段生态环境需水量为限。

二、黄河流域水资源开发利用阈值的确定及其情景分析

　　水资源开发利用阈值是指水资源总量中可以为人类生产(工业、农业)、生活利用的最大

水量,超过此阈值,将对当地生态系统造成一定损害。对于某一个具体的地区(特别是缺水地区)来说,其值的确定即是该地区的自产水资源量减去最小生态环境需水量。

由于传统的可更新水资源包括地表水资源、地下水资源两个部分,水资源总量即是地表水资源量+地下水资源量-地表水与地下水相互转化量,若分别确定地表水资源的开发利用阈值及地下水资源的开发利用阈值,则在形成总水资源开发利用阈值时会出现困难,主要原因是地表水资源的开发利用阈值及地下水资源的开发利用阈值相互重复部分不易确定(是地表水与地下水相互转化量的一部分)。但从水资源管理上说,分别以地表水资源的开发利用阈值及地下水资源的开发利用阈值来管理比较容易,而以总的水资源的开发利用阈值来管理则较难。另外,生态环境需水也包括河道生态环境需水、湿地生态环境需水、城市生态环境需水、旱地生态环境需水等,不同类型生态系统生态环境需水的满足也是有条件的,如果天然情况下生态系统本身是退化的,在水资源极为缺乏的地区,保持生态系统自然退化的特征,而不去人为配置可能更应该被接受。

基于此,本节根据生态环境需水满足的可能性及水资源开发利用阈值的变化性,针对黄河流域,设置了多种情形进行了较为深入的探讨。

(一)黄河流域地表水资源开发利用阈值的计算及其情景分析

地表水资源的开发利用阈值是地表水资源量减去相应的与河道相联系的最小生态环境需水量。我们在此设计如下几种情景。

情景1A:地表水资源的开发利用阈值为地表水资源量减去河道的最小生态环境需水量。此情况下以满足河道生态环境功能作为最低目标。

情景1B:地表水资源的开发利用阈值为地表水资源量减去河道及湖泊湿地的最小生态环境需水量。此情况下认为湖泊湿地与河道紧密相关,因此是一个整体。

情景1C:地表水资源的开发利用阈值为地表水资源量减去河道、湖泊湿地及城市的最小生态环境需水量。此情况下认为城市的最小生态环境需水量应该满足,而旱地植被由于主要由降水补给,因此可以不考虑,即天然情况下,旱地植被的需水量也可能是不满足的,没有必要人为配置使其满足。

情景1D:地表水资源的开发利用阈值为地表水资源量减去河道、湖泊湿地、城市及旱地植被的最小生态环境需水量,即将全流域生态环境需水的满足由地表水资源承担。

具体计算结果见表11-5。研究结果表明,四种情景下,龙羊峡—兰州干流区间及黄河下游两个水资源分区的地表水资源的开发利用阈值均为负值,说明这些分区的自产水资源量不足以满足当地生态环境需水,不足部分以及生产、生活用水需利用过境水资源。以1950~1999年多年平均值进行计算,在对应情景1A、1B、1C、1D的情况下,整个黄河流域地表水资源开发利用阈值分别为334.84亿m^3、322.37亿m^3、318.72亿m^3、270.81亿m^3,占黄河流域地表水资源的57.25%、55.12%、54.50%及46.30%。

由于流域生态环境需水量的满足应该是全流域的事情,因此将之全部转嫁到地表水资源上是不合理的。河道、湖泊湿地生态环境需水量的满足由地表水资源提供是恰当的,城市生态环境需水量的满足也可以由地下水资源来承担。故此我们探讨地下水及总水资源的开发利用阈值问题。

表 11-5	地表水资源开发利用阈值的情景分析				(单位:亿 m³)
流域分区	地表水资源量 1950~1999 年	情景 1A	情景 1B	情景 1C	情景 1D
河源—龙羊峡	214.40	175.23	175.23	175.23	175.09
湟水	51.61	44.16	44.16	44.09	43.37
洮河	49.42	39.46	39.46	39.46	39.31
龙羊峡—兰州干流区间	20.75	−13.75	−13.75	−13.75	−14.4
兰州—头道拐	2.91	53.03	48.73	48.29	18.02
头道拐—龙门	56.34	37.55	37.55	37.36	35.57
汾河	25.63	23.13	23.13	22.67	22.21
泾河	19.52	17.15	17.15	17.15	16.53
洛河	8.97	7.98	7.98	7.98	4.98
渭河	61.05	54.45	54.45	53.92	46.67
龙门—三门峡干流区间	7.39	4.17	2.03	2.00	1.31
伊洛河	31.53	27.99	27.99	27.99	27.83
沁河	11.86	10.50	10.50	10.50	10.37
三门峡—花园口干流区间	13.04	11.7	11.56	10.75	10.37
黄河下游	10.42	−158.51	−164.41	−165.54	−166.22
黄河内流区	0	0	0	0	−0.82
黄河流域	584.84	334.84	322.37	318.72	271.63
黄河流域(含内流区)	584.84	334.84	322.37	318.72	270.81

(二)黄河流域地下水资源开发利用阈值的计算及其情景分析

遵照水资源开发利用阈值的定义,地下水资源开发利用阈值的确定应该以不破坏依赖地下水生态系统为标志。由于依赖地下水生态系统生态环境需水问题目前国内外刚刚开始进行讨论,相关方面极不成熟,我们在此提出黄河流域地下水资源开发利用阈值应以不破坏地下水系统的采补平衡为基础,即开采应该以地下水的补给资源为限度,严格控制超采。因此,当地地下水的补给资源量即是地下水开发利用阈值。

目前地下水资源评价中,地下水资源量实际上就是补给资源,见表 11-6 中地下水资源量 G。由表 11-6 可以看出,在不计地下水与地表水相互转化的情况下,黄河流域(含内流区)目前地下水资源总开发利用阈值为 352.29 亿 m³。

表 11-6

黄河流域总水资源量及其开发利用阈值的情景分析 （单位:亿 m³）

流域分区	地表水资源量 S 1950~1999 年	地下水资源量 G	重复计算量 F	水资源总量 $W = S + G - F$	情景 2A	情景 2B	情景 2C
河源—龙羊峡	214.40	82.79	82.44	214.75	175.58	175.58	175.44
湟水	51.61	24.67	22.86	53.42	45.97	45.9	45.18
洮河	49.42	21.65	21.45	49.62	39.66	39.66	39.51
龙羊峡—兰州干流区间	20.75	8.87	8.48	21.14	−13.36	−13.36	−14.01
兰州—头道拐	2.91	31.27	13.76	20.42	66.24	65.8	35.53
头道拐—龙门	56.34	33.68	17.27	72.75	53.96	53.77	51.98
汾河	25.63	22.81	10.22	38.22	35.72	35.26	34.8
泾河	19.52	7.09	6.39	20.22	17.85	17.85	17.23
洛河	8.97	4.35	3.34	9.98	8.99	8.99	5.99
渭河	61.05	41.88	27.64	75.29	68.69	68.16	60.91
龙门—三门峡干流区间	7.39	8.53	4.02	11.90	6.54	6.51	5.82
伊洛河	31.53	18.67	15.13	35.07	31.53	31.53	31.37
沁河	11.86	10.33	7.86	14.33	12.97	12.97	12.84
三门峡—花园口干流区间	13.04	6.24	4.11	15.17	13.69	12.88	12.5
黄河下游	10.42	22.19	9.31	23.30	−151.53	−152.66	−153.34
黄河内流区	0	7.27	0	7.27	7.27	7.27	6.45
黄河流域	584.84	345.02	254.29	675.57	433.10	409.45	362.36
黄河流域(含内流区)	584.84	352.29	254.29	682.84	420.37	416.72	368.81

注: 地下水资源量及重复计算量利用全国水资源综合规划的数据。

由于目前黄河流域某些平原区地下水资源开采量已经大于地下水的补给资源量,如关中地区多年平均超采量达 0.87 亿 m³,太原盆地多年平均超采量达 0.03 亿 m³ 等,已经形成了若干地下水位降落漏斗,因此从保护生态环境的角度,应该控制地下水开采,实现采补平衡。超采量的部分在近期可以利用地表水来补充,也就是说超采部分可以作为地下水位降落漏斗区的生态环境需水量。

(三)黄河流域总水资源开发利用阈值的合成及其情景分析

理论上,地表水资源开发利用阈值与地下水资源开发利用阈值形成了流域总的水资源开发利用阈值。但是,如果我们将地表水资源开发利用阈值与地下水资源开发利用阈值简单合成,则其结果是错误的。原因很简单,地表水资源与地下水资源存在转化。因此,在形成水资源总量的基础上,再考虑总的水资源开发利用阈值问题(见表 11-6)。

黄河流域总的水资源开发利用阈值等于总的水资源量减去最小生态环境需水量。

在此设计如下几种情景。

情景 2A:总的水资源的开发利用阈值为总的水资源量减去河道及湖泊湿地的最小生态环境需水量。

情景 2B:总的水资源的开发利用阈值为总的水资源量减去河道、湖泊湿地及城市的最小生态环境需水量。

情景 2C:总的水资源的开发利用阈值为总的水资源量减去河道、湖泊湿地、城市及旱地植被的最小生态环境需水量。

计算结果表明,在仅考虑河道及湖泊湿地生态环境需水量的情况下,整个黄河流域的水资源开发利用阈值为 420.37 亿 m^3;在考虑河道、湖泊湿地及城市生态环境需水量的情况下,整个黄河流域的水资源开发利用阈值为 416.72 亿 m^3;在考虑河道、湖泊湿地、城市及旱地植被生态环境需水量的情况下,整个黄河流域的水资源开发利用阈值为 368.81 亿 m^3。计算结果仍然显示,龙羊峡—兰州干流区间及黄河下游两个水资源分区的水资源的开发利用阈值为负值,说明这些分区的自产水资源量不足以满足当地生态环境需水。

一般情况下可以将情景 2B 的结果作为黄河流域总的水资源开发利用阈值,即黄河流域总的水资源开发利用阈值为 416.72 亿 m^3。考虑到回补地下水超采量的需要,此值仍应留有一定余地。

(四)考虑特枯年份的流域水资源开发利用阈值

通过对 1950～1999 年的系列资料分析,黄河流域地表水资源量在 25%、50%、75%、95% 保证率下分别为 684.71 亿 m^3、545.07 亿 m^3、487.93 亿 m^3、393.17 亿 m^3。因此,在特枯年份,若生态环境需水量仍需要满足表 11-1 所示的要求(旱地植被需水可以不满足),则生态环境需水量为 266.12 亿 m^3,占地表水资源量 393.17 亿 m^3 的 67.69%,流域水资源开发利用阈值为 224.99 亿 m^3(地下水资源考虑不重复计算的部分),仅为多年平均流域水资源开发利用阈值的 54.00%。

此情况下将出现极度的水资源短缺问题,除采取节水及水质改善措施外,跨流域调水工程可能是必须的。

(五)考虑南水北调工程情况下的流域水资源开发利用阈值

南水北调工程的实施,必将使黄河流域水资源供需紧张的矛盾得到一定缓解。南水北调工程东、中、西三线的引水都将对黄河流域水资源开发利用阈值产生直接或间接影响。对于西线,引水直接进入黄河流域上游,成为黄河水量的直接补充;对于中线,引水进入黄河中下游地区,这时,不仅受水区及其下游受益,整个黄河流域的水资源分配也都将受到很大影响;对于东线,引水进入海河流域,虽然没有直接对黄河流域形成补充,但它可以置换出海河流域调用的黄河流域的水量,从而形成间接补充,使黄河水量在流域内得以重新分配。

按照南水北调的规划,2010 年东线调水 90 亿～110 亿 m^3,其中必有部分对黄河水形成间接补充,中线调水 80 亿～90 亿 m^3;到 2050 年,预计调水总规模 448 亿 m^3,其中东线 148 亿 m^3,中线 130 亿 m^3,西线 170 亿 m^3。这些调水水量与黄河流域水资源开发利用阈值相比,占有很大的比例,补水分量很大,必将缓减黄河流域的水资源供需矛盾。

第四节　维持一定水环境功能的污染物排放阈值

维持一定水环境功能的污染物排放阈值指的是河流中可以容纳的污染物量,以首要污染物来表征,不涉及污染物容量的分配问题。同时,总体上黄河流域的地下水水质较好,而且地下水一旦受到污染,则很难恢复,考虑到一般的纳污容量计算不涉及地下水,故本文也暂不考虑地下水的纳污问题。

根据黄河流域的实际情况,从两个角度来估算污染物的排放阈值:一是现状条件下,尚能容纳的污染物量,利用1997~1999年的资料进行估算;二是若保证了生态环境需水量,则以水环境功能达到为条件,河道中可以容纳的污染物量,不考虑污染物在沿程的衰变,以控制断面允许纳污量表示。

一、现状情况下河流中可能存在的环境容量

以水资源达到用水要求为目标,评价黄河地表水资源。作者曾提出了水资源功能容量和水资源功能亏缺的概念[6],即如果实际的水质优于水资源功能所要求的水质标准,则认为水体还可满足更高的水资源功能要求,具有水资源功能容量;如果实际的水质劣于水资源功能所要求的水质标准,则认为水体存在水资源功能亏缺。

为此,以式(11-1)来计算现状情况下河流中存在的环境容量。

$$\Delta M = Q \cdot (C_d - C_m) \qquad (11\text{-}1)$$

式中:ΔM 为现状情况下河流中存在的环境容量(以主要污染物来表示);Q 为水体的水量;C_d 为水体用途所要求的主要污染物的最低浓度;C_m 为主要污染物的实测浓度。

$\Delta M > 0$,表示满足用水功能,河流中还有环境容量,称之为水环境功能容量;$\Delta M < 0$,表明河流中已经没有环境容量,称之为水环境功能亏缺。根据黄河流域各取水口的水量、水质资料,以黄河河水中主要污染物 COD_{Mn} 及 NH_4^+-N 为例,其计算结果如表11-7所示。

表 11-7　　　　　　　　　　黄河水资源现状环境容量　　　　　　　　　　(单位:kg)

项目	COD_{Mn}			NH_4^+-N		
	1997 年	1998 年	1999 年	1997 年	1998 年	1999 年
中上游水环境功能容量	17 899.44	20 001.93	21 572.05	2 238.81	2 559.06	3 001.48
中上游水环境功能亏缺	17.92	3.51	18.51	26.65	12.84	10.06
中上游环境容量	17 881.52	19 998.42	21 553.54	2 212.16	2 546.22	2 991.42
下游水环境功能容量	8 515.45	10 573.14	10 152.62	939.60	1 342.26	1 241.58
下游水环境功能亏缺	140.95	370.81	47.39	50.03	144.34	95.32
下游环境容量	8 374.50	10 202.33	10 105.23	889.57	1 197.92	1 146.26
总环境容量	26 256.02	30 200.75	31 658.77	3 101.73	3 744.14	4 137.68

结果显示,1997、1998、1999年,对主要污染指标 COD_{Mn} 来说,黄河水环境功能容量分别为 26 414.89kg、30 575.07kg 和 31 724.67kg,水环境功能亏缺分别为 158.87kg、374.32kg 和 65.90kg。由此可见,黄河水环境功能容量显著大于水环境功能亏缺,说明在绝大部分情况下,黄河实际的 COD_{Mn} 值要小于达到水环境功能所要求的值,尚有较大的环境容量。相应的,对主要污染指标 NH_4^+-N 也呈现同样的特点。

进一步比较 COD_{Mn} 和 NH_4^+-N 这两个重要的污染指标,可发现前者的功能容量要显著大于后者,而后者的功能亏缺要显著大于前者。由此说明,与 COD_{Mn} 相比,NH_4^+-N 对

黄河的水质影响更大,对可利用水资源总量的影响也更大。

二、考虑河道生态环境需水的污染物排放阈值

以断面控制的河道生态环境需水量为水量限值,以水环境功能要求的水质标准为水质限值,计算理想状态下的断面控制的污染物排放阈值。

根据水环境功能区划的要求,表 11-8 中黄河的所有断面,其水质均应该达到《地表水环境质量标准》(GB3838—2002)中的Ⅲ类水标准。本报告以黄河主要污染物 COD_{Mn} 及 NH_4^+-N 为例来说明污染物的排放阈值,根据标准 COD_{Mn} 的限值为 20mg/L,NH_4^+-N 的限值为 1.0mg/L。

表 11-8   考虑河道生态环境需水的污染物排放阈值

控制断面名称	断面控制的河道生态环境需水量 R_1（亿 m^3）	断面控制的 COD_{Mn} 允许排放量（$\times 10^5$kg）	断面控制的 NH_4^+-N 允许排放量（$\times 10^5$kg）
龙羊峡(贵德)	39.17	783.4	39.17
湟水入黄口	7.45	149.0	7.45
洮河入黄口	9.96	199.2	9.96
兰州	91.08	1 821.6	91.08
头道拐	40.96	819.2	40.96
龙门	59.75	1 195.0	59.75
汾河入黄口	2.50	50.0	2.50
泾河入黄口	2.37	47.4	2.37
洛河入黄口	0.99	19.8	0.99
渭河入黄口	6.60	132.0	6.60
三门峡	75.43	1 508.6	75.43
伊洛河入黄口	3.54	70.8	3.54
沁河入黄口	1.36	27.2	1.36
花园口	81.67	1 633.4	81.67
河口	250.0	5 000.0	250.0
内流区	0	0	0
入海口	250.0	5 000.0	250.0

同时应该指出,河段污染物的允许排放量除与上、下断面的污染物控制值有关外,还与该河段污染物的衰减量有关,因此表中列出的仅是在该断面的允许污染物排放量,河段允许污染物排放量需要根据排放口位置、综合衰减情况及典型污染物情况综合确定。

其中存在问题的河段为兰州—头道拐,该河段不但不能有污染物排放,而且上断面兰

州的污染物量还应该衰减到下断面头道拐的量,需分析污染物衰减的可能性及程度。

第五节　控制社会经济关键要素的发展阈值

在水资源社会可再生性研究中,发现若干指标对水资源社会可再生性起决定性作用,为此提出要适度控制这些指标。

对于黄河流域来说,农业用水量占水资源利用总量的80%左右[7],因此控制农业用水对于黄河流域水资源的可持续利用意义重大。目前黄河流域农业平均灌溉定额为8 000m³/hm²,而发达国家的灌溉定额一般只有4 000~6 000m³/hm²,因而农业节水潜力巨大。若能将灌溉定额降低到6 000m/hm²,则可节约20%的水资源利用总量,这个数量相当于目前用于工业生产与城乡居民生活的总水量。

特别需要指出的是,在黄河流域,水资源短缺,而农业万元产值耗水量较大,应提倡在节水的同时控制农业灌溉面积的扩大,而不能将节约下来的水再用于扩大灌溉面积,这应该成为一个共识。故此,控制社会经济关键要素的发展阈值的第一条是控制农业灌溉面积,维持目前的灌溉面积。国家财政在节水上作为投入的主要方面,通过引导农民科学种田,达到粮食总产量不下降、用水量有较大下降的目的。

至于其他方面,我们认为要与缺水地区所要采取的措施一致,如在工业方面,应该控制耗水型产业的发展,发展干净、耗水少的产业;应该加强废污水的治理工作,提高废水处理率与回用率,实现污水资源化。另外,要控制属于耗水量大的高档娱乐业的发展等。

参 考 文 献

[1] 张远 . 黄河流域坡高地与河道生态环境需水规律研究:[学位论文]. 北京:北京师范大学环境学院,2003.110~111

[2] 倪晋仁,金玲,赵业安,等 . 黄河下游河流最小生态环境需水量初步研究 . 水利学报,2002(10):1~7

[3] 曾维华,杨志峰,蒋勇 . 水资源可再生能力刍议 . 水科学进展,2001,12(2):276~279

[4] 沈珍瑶,杨志峰,刘昌明 . 水资源的天然可再生能力及其与更新速率之间的关系 . 地理科学,2002,22(2):162~165

[5] 杨志峰,沈珍瑶,夏星辉,等 . 水资源可再生性基本理论及其在黄河流域的应用 . 中国基础科学,2002(5):4~7

[6] 夏星辉,张曦,杨志峰,等 . 从水质水量相结合的角度评价黄河的水资源 . 自然资源学报,2004,19(3):293~299

[7] 刘昌明 . 黄河与长江水问题及其对策 . 见:姜璐,杨正芳 . 著名专家学者北师大演讲集 . 北京:人民出版社,2002.135~144